BASTEI
LÜBBE

Chrystine Brouillet

MARIE LAFLAMME

Historischer Roman

Ins Deutsche übertragen
von Karin Meddikis

BASTEI-LÜBBE-TASCHENBUCH
Band 13 674

Erste Auflage:
Oktober 1995

© Copyright 1990
by Editions Denoel
All rights reserved
Deutsche Lizenzausgabe 1995
Bastei-Verlag Gustav H. Lübbe
GmbH & Co., Bergisch Gladbach
Originaltitel: Marie LaFlamme
Lektorat: Dr. Edgar Bracht
Titelbild: Photographie Giraudon
+ Archiv für Kunst und
Geschichte
Umschlaggestaltung:
Karl Kochlowski
Satz: KCS GmbH,
Buchholz/Hamburg
Druck und Verarbeitung:
Brodard & Taupin,
La Flèche, Frankreich
Printed in France

ISBN 3-404-13674-8

gewagten Träume allen, überzeugt, daß man sie verdammen würde.

Hatte je ein Mensch so geliebt wie sie?

Nein, sicher nicht. Selbst Myriam Le Morhier, die mit ihrem Mann so glücklich zu sein schien, konnte nicht genauso verliebt sein wie sie, sonst hätte sie es nicht ertragen können, daß er zu wochenlangen Seereisen aufbrach. Es ist wahr, daß der Kapitän sie immer seltener verließ und auch nicht mehr so lange Fahrten unternahm, aber wenn man liebt, erscheint ein Augenblick wie die Ewigkeit, und Marie, die Simon nicht zurückhalten hatte können, vergoß manche Träne über seine Abwesenheit.

Jeden Tag ging sie zum Quai de la Poterne, wo sie ihren Geliebten zum letzten Mal gesehen hatte. Jeden Tag schwor sie, sich diesen qualvollen Erinnerungen nicht mehr hinzugeben, wohl wissend, daß sie morgen doch wieder an diesen Ort pilgern würde, verhext durch ihre Liebe zu Simon. Sie setzte sich dann immer auf seinen Lieblingsplatz, einen Felsen am Ufer eines Flußarmes, wo er oft Gründlinge geangelt hatte, die er den Schankwirten am Hafen verkaufte. Auch sie hatte hier manchen Fisch gefangen, aber nur dank seiner Hilfe. Denn wenn es ihr auch Vergnügen bereitete, ihre Angel ins Wasser zu werfen und das Zittern der Angelrute zu spüren, so verabscheute sie es doch, ihren Fang vom Haken zu reißen. Simon hatte das immer für sie erledigt und sie dann geneckt:

»Du bist dumm, die fühlen nichts. Das sind doch Tiere.«

Eigentlich hatte Marie ihm recht gegeben, aber sie fröstelte, als sie hörte, wie das Blut tröpfelte, das Fleisch zerbarst oder die Fischschwänze im Weidenkorb noch hin und her sprangen. Simon hatte dann einen Fisch wieder herausgenommen, ihm Kiemen und Augen ausgerissen und ihr erklärt, daß diese als Köder dienen würden. War seine Schwester Michelle bei ihnen gewesen, dann hatte er den Fisch totschlagen müssen – andernfalls mußte er ihr Jammern über das Los der unglückseligen Kreaturen anhören. Simon versäumte es nie, über die vermeintlich typischen weiblichen Schwächen zu spotten, und Marie hatte sich immer bemüht, ihren Widerwillen zu verbergen. Sie fand, er hätte den Gründling erschlagen können, bevor er an ihm herumschnipselte, aber eine Frau darf ihrem Gatten keine Vorwürfe machen, und Marie betrachtete Simon als ihren Verlobten.

Die Schaumkronen der Loire sahen für sie aus wie die Spitzen eines weißen Schleiers. Sie hatte den Fluten verziehen, die ihr den Vater entrissen hatten, aber Simon würden sie nicht bekommen. Er liebte das Meer nur um seiner Erträge willen. Marie war diese Einstellung recht. Niemals versuchte sie, ihn vom Zauber der Wellen und Wogen zu überzeugen. Nach seiner Rückkehr aus Paris würde sie Simon überreden, den kleinen Laden ihres Vaters am Hafen zu übernehmen. Dann wären sie immer zusammen, sie würden glücklich sein und nahe bei ihren Familien. Und selbst Nanette würde Simon alle seine Dummenjungenstreiche verzeihen, wenn sie sehen würde, wie glücklich sie mit ihm war. Sie mußte einfach seinen Mut anerkennen! Nanette hatte ihm vorgeworfen, wie alle Soldaten wäre auch er der reinste Barbar. Aber jemand mußte doch den König verteidigen! Simon hatte doch nur seine Tapferkeit bewiesen. Immerhin setzte er sein Leben aufs Spiel! Marie erschauerte bei dem Gedanken an all die Gefahren, die auf ihren Geliebten lauerten, und wenn Kranke an ihre Tür klopften, um von Anne LaFlamme geheilt zu werden, hatte sie manches Mal Lust, ihnen zu sagen, daß ihre Koliken, ihre Gicht und Lungenfieber gar nichts seien im Vergleich zu den Leiden, die ein Soldat ertrage. Nur die in den

Schlachten verletzten Männer weckten ihr Mitgefühl, so wie sie die Frauen im Wochenbett beneidete. Auch sie würde eines Tages ein Kind zur Welt bringen, und ihre Mutter würde ihre Hebamme sein. Ihr Sohn würde Simon ähneln und hier, wo sie jetzt die Akeleien schnitt, übers Feld laufen.

Als Marie hastig vom Tisch aufgestanden war, um Blumen zu pflücken, hatte Nanette nicht einmal den Versuch gemacht, sie zurückzuhalten. Sie hatte Marie während des Essens beobachtet. Geistesabwesend hatte sie ihren Kopf über den Holzteller gebeugt, die würzigen Essensgerüche schien sie gar nicht wahrzunehmen. Als Marie dennoch etwas gegessen und sich unversehens den Mund verbrannt hatte, war Nanette klar geworden, daß die Kleine in diesen Taugenichts Simon Perrot richtig vernarrt war. Hatte er denn unbedingt diesen Brief schicken müssen? Nanette wußte, daß sie ungerecht war. Der junge Mann hatte seine Familie beruhigen wollen, indem er dem Händler Lecoq in Paris ein paar Worte mit auf den Weg gegeben hatte, aber Marie träumte schon so mehr als genug ...

Sie stand am Fenster und stopfte eine Schürze, als sie hörte, daß Jacques Lecoq die Perrots zusammenrief.

»Neuigkeiten von Simon, Freunde!« schrie er.

Madeleine Perrot stürzte aus dem Haus hinaus. War ihr Sohn in der Schlacht gefallen? Sie wagte nicht, dem Händler diese Frage zu stellen. Sie kannten sich schon eine Ewigkeit, und er hatte sie schon oft zum besten gehalten.

»Na, bist du nicht neugierig, Mado? Vielleicht kündigt dein Sohn ja seine Hochzeit an, oder er hat Vermögen gemacht.«

Madeleine Perrot war erleichtert, als sie sah, daß er

einen Brief unter ihrer Nase hin und her wedelte, und nachdem sie sich bekreuzigt hatte, riß sie das versiegelte Schreiben an sich.

»Marie! Hol Marie her!« rief sie Chantale, ihrer jüngsten Tochter, zu, aber da näherte ihre Nachbarin sich schon mit betont gleichgültigem Schritt.

»Ich sah gerade zufällig Monsieur Lecoq ankommen«, sagte Marie LaFlamme. »Gibt es Neuigkeiten? Ah! Sie haben einen Brief bekommen?«

Merkten die anderen, daß sie errötete? Marie verfluchte es im stillen. Alle Frauen in Nantes beneideten sie um ihre helle Hautfarbe, die ihr etwas Vornehmes verlieh. Ja, waren denn die Adels- und Bürgersfrauen auch so verlegen, wenn sie erröteten? Marie wußte genau, daß es ein Brief von Simon war. Von ihrem Simon! Lecoq mußte ein Dummkopf sein, wenn er auch nur die Möglichkeit andeutete, daß der Sohn Perrot seine Hochzeit ankündigte. Sie war es doch, die er liebte! Mit zitternder Hand nahm sie den Brief an sich und brach das Wachssiegel auf. Als sie der Familie den Brief vorlas, versuchte sie, ihrer Stimme einen festen Klang zu geben. Sie überflog die wenigen Zeilen und war froh, daß ihre Freundin Michelle nicht da war. Die Perrots waren des Lesens nicht mächtig und holten immer Marie, wenn ihre älteste Tochter fort war und sie Briefe erhielten. Marie las sie ihnen mit Vergnügen vor. Sie war Einzelkind und betrachtete die Perrots als ihre Familie, und wenn sie auch seit ihrer Jugend in Simon vernarrt war, so bestand ihre Freundschaft zu seiner Schwester Michelle schon seit jeher. Von Kindheit an hatten sie alles geteilt: Spiele, Lachen, Naschwerk, Tränen, kandierte Früchte und ihre Spaziergänge am Hafen, die Schelte und das Versteckspielen im Wald und die Katechismusstunden bei Schwester Angélique. Wenn sie sich auch darüber freuten, so wunderten sich ihre Mütter doch über ein solches Einverständnis, denn ihre Töchter schienen von Natur aus grundverschieden zu sein.

Marie war lebhaft wie ein Kind, geschwätzig, sprunghaft in ihren Gedanken und voller Wissensdurst. Sie redete viel, löcherte ihre Amme mit Fragen, die oft klug, mal ungewöhnlich waren, und sie ließ nicht locker, bis sie sich eine eigene Meinung bilden konnte, und dann sprach sie darüber. Anne LaFlamme lächelte nur, wenn Nanette ihrer Herrin immer wieder sagte, daß ihre Tochter zu vorwitzig sei. Sie war nicht böse, daß ihre Tochter Charakter hatte. Sicher, sie war sehr stolz, ihr Mut manchmal beängstigend, ihren Drang nach Freiheit galt es etwas einzuschränken, aber sie hatte auch eine rasche Auffassungsgabe, ob es sich nun ums Lesen oder Rechnen handelte. Vor allem aber versprüte sie Lebensfreude, was Anne wieder beruhigte. Marie hatte ihre bedrückenden Ängste, die ihr so oft auf der Seele lagen, nicht geerbt, und in ihrer Freude an einfachen Dingen glich sie ihrem verstorbenen Vater.

Wie glücklich hatte es den immer gemacht, im Anblick der Loire und der hohen, kräftigen Wellen zu versinken, auf denen sich ein Dutzend Schiffe tummelten, die aus Bourgneuf, Pornic, Le Croisic, aus Holland, Flandern oder Deutschland kamen oder dorthin segelten. Und genauso freute sich auch Marie über den Anblick der Wellen, die sanft am Strand verebbten oder sich an den Felsen brachen, sie in Schaum hüllten, der seine Spuren auf dem Gestein hinterließ und es mit der Zeit glattschliff. Eines Tages hatte Marie zu ihrer Mutter gesagt, sie sei froh, daß ihre Augen die gleiche Farbe hätten wie der Fluß.

»Und welche Farbe hat die Loire?« hatte Anne gefragt, die über den Hochmut ihrer Tochter ebenso verwirrt wie belustigt war.

11

»Ich weiß es nicht«, gab Marie zu, sagte dann aber sofort: »Niemand weiß es, es ist ein Geheimnis. Auch für mich. Es hängt von unserer Stimmung ab.«

Das tiefe Blau der Disteln, der zarte Ton der Veilchen und das Schieferrot eines verhangenen Himmels stritten sich wie auch im Fluß um die Vorherrschaft in den Augen Maries, und dasselbe Schwarz überflutete sie manchmal, als Vorbote der Erregung oder des Sturms. Anne hatte Marie auf die Gefahren aller Liebesstürme aufmerksam gemacht.

»Daß die Männer das Meer bezwingen wollen! Es ist ihr eigenes Risiko!« hatte das Mädchen erwidert.

»Wenn du mit deinen Verehrern so umgehst«, hatte sich Nanette über sie lustig gemacht, dann werde ich mich noch lange um dich kümmern müssen.«

In Wahrheit fiel es Nanette gar nicht so leicht, sich damit abzufinden, daß ihr das geliebte Kind eines Tages entrissen würde. Marie war ungewöhnlich hübsch. Schon als Kind hatte sie oft die Aufmerksamkeit auf sich gezogen, als Frau zog sie nun begehrliche Blicke. an Durch die Klettertouren in den Hafenbuchten und das Herumtollen auf den Feldern hatte sie eine schmale Taille bekommen, wohlgeformte Beine und runde Schultern. Wenn die zarten Füße und die pummeligen Arme auch verrieten, daß sie die Schwelle zur erwachsenen Frau noch nicht ganz übertreten hatte, so besaß Marie doch schon das, wovon so viele Männer träumten: einen festen, vollen, vorwitzigen Busen, eine zarte, seidige Haut, einen flachen Bauch, der den Blick von den zu starken Hüften ablenkte, und schließlich einen runden, verführerischen Po. Obwohl ihre Haare rot glänzten, war die blasse, makellose Haut ohne Sommersprossen und betonte den himbeerfarbenen Mund, der ihr durch die vollere Oberlippe einen leicht

schmollenden Eindruck verlieh. Die schelmische Stups-
nase verdrängte diesen Eindruck wieder, ihr häufiges
Lachen, bei dem die spitzen, aber gut gewachsenen Zähne
sichtbar wurden, tat ein Übriges dazu. Ihre wunderschönen, auffallend strahlenden Augen, die sich lebhaft oder
verführerisch hinter einem Vorhang glänzender Wimpern
öffneten, fesselten ihr Gegenüber. Auf wunderbare Weise
traten sie für Marie ein, wenn sie etwas erreichen wollte.
Sie betörte, wen sie wollte, aber diese Wirkung war ihr
nicht bewußt. Um ihrem Simon zu gefallen, sollte sie vielleicht mehr auf sich achten und es Michelle gleichtun. Das
älteste der Perrotschen Mädchen wirkte ruhig, sanft und
zurückhaltend. Manchmal allerdings schien sie sich in
ihren Träumen zu verlieren.

»Dieses Kind ist mit ihren Gedanken immer woanders«,
beklagte sich Madeleine Perrot oft bei ihrer Nachbarin.
»Deine Marie ist aufgeweckter!«

»Marie träumt auch … aber deine hat Musik im Blut.
Rede es ihr nicht aus«, riet Anne LaFlamme ihr. »Sie ist
begabt.«

»Damit kann man keine Kinder ernähren.«

»Wer weiß, was sie erwartet. Michelle ist noch jung, laß
sie spielen.«

»Diese Mutter Marie-Joseph aus dem Epiphanias-Klo-
ster hätte ihr niemals diese Flöte leihen dürfen und
Michelle auch nicht mitnehmen dürfen. Man sieht sie hier
gar nicht mehr! Sie verbringt jeden Tag dort, seitdem
Myriam Le Morhier sie ermuntert hat, Musik zu lernen.
Musik!«

»Sie lernt, laß sie … Sie ist so begabt, man glaubt, den
Nachtigallen im Frühling zu lauschen, wenn sie um ihr
Weibchen werben.«

»Oh! Wenn sie so ihre Liebhaber anzieht, dann beklage

ich mich nicht«, sagte Madeleine lachend. »Man sollte sie verheiraten.«

»Sie ist noch ein Kind. Sie ist kaum zwanzig Jahre alt!«

»Sie werden so schnell erwachsen … Sieh, mein Sohn hat uns schon verlassen.«

Simon Perrot war vor einigen Monaten Soldat geworden. Es war zu der Zeit, als das königliche Regiment sich nach Nantes begeben hatte, um Fouquet festzunehmen. Der in Ungnade Gefallene wurde, von Hunderten von Musketieren eskortiert, in einem Wagen weggebracht, und als Simon Perrot dieses Schauspiel beobachtet hatte, entschloß er sich sofort, den Soldaten nach Paris zu folgen und einer von ihnen zu werden. Er war sicher, nicht zurückgewiesen zu werden, denn er bildete sich schon immer etwas darauf ein, wie Ludwig XIV. an einem 5. September geboren zu sein. Er hatte darin immer einen Wink des Schicksals gesehen, daß er dem König dienen sollte, und er verbarg nicht, daß er stolz darauf war, denn es war ja der Wille der Gestirne.

»Die Sterne haben damit nichts zu tun!« hatte Nanette geschimpft, als ihr die Sprüche Simons zu Ohren kamen.

»Das sind doch nur harmlose Kindereien«, verteidigte ihn dann Anne LaFlamme.

»Nein, nein! Er glaubt wirklich, auserkoren zu sein. Aber nur gut, wenn er weit weg ist, dann macht er hier keine Dummheiten mehr. Wenn er mein Sohn wäre, dann hätte er öfter die Peitsche zu spüren bekommen!«

»Aber Nanette!«

»Nanette, Nanette! Nur weil dieses Kind schöne Augen hat, verzeiht man ihm alles. Sie sollten ihn mal genauer ansehen, dann würden sie die Bosheit in seinen Augen sehen. Hinter seinem hübschen Gesicht steckt der Teufel. Ich weiß, was ich sage.«

Anne LaFlamme seufzte, strich ihre schwarzen Haare nach hinten und drehte sie zu einem festen Knoten zusammen, so daß der Kragen ihres Kleids wieder zum Vorschein kam. Als sie vor dem Spiegel stand, wunderte sie sich, daß sie noch nicht mehr graue Haare hatte. Kummer genug hatte sie doch wohl gehabt. Allmählich ging ihr das Geschwätz der Amme auf die Nerven.

»Er war noch keine Stunde alt, da hat er schon um sich gebissen. Der hat die Tollwut.«

»Nanette, du solltest dich schämen.«

»Vielleicht. Aber man wird ja sehen, wer recht behält«, brummte die alte Frau.

Anne biß sich auf die Lippen. Sie erinnerte sich genau an die Geburt Simons. Sie wußte noch, wie laut er geschrien hatte. Man hatte ihn sofort nach der Entbindung getauft, aber später, als man seines jähzornigen Charakters gewahr wurde, meinten einige, daß der Teufel sich vor dem Priester über die Wiege gebeugt hätte.

»Ihm sitzt der Schalk im Nacken, das ist alles.«

»Ach ja? Simon hat doch nur mit Michelle und Marie gespielt, um sie zu ärgern. Er hat ihnen ihre Puppen geklaut und sie kaputt gemacht, und wenn sich die Kleinen auf die zugefrorene Loire gewagt hätten, dann hätte er sie mit seinem Gewehrkolben zu Fall gebracht. Und erinnere dich nur an die vielen gemeinen Streiche, die er unserer Katze gespielt hat.«

»Reg dich nicht dermaßen auf«, sagte Anne, während sie Ancolie streichelte. »Unser Kätzchen hat ihm noch immer entwischen können. Behalte deine bösen Gedanken für dich, wenn es auch nur Madeleine Perrot zuliebe ist.

15

Die Arme ... Ich bin sicher, daß sich ihr Mann noch immer nicht beruhigt haben wird, wenn ich dieses Mal aus dem Lazarett zurück sein werde ... Immerhin ist Simon schon eine ganze Weile fort!«

2.
KAPITEL

Da Madeleine Perrot seit Monaten keine Nachricht von ihrem Sohn erhalten hatte, hörte sie mit großer Freude zu, als Marie an jenem Morgen im September den Brief von Simon vorlas. Ihr Mann hingegen hatte den Händler Lecoq sehr unfreundlich begrüßt, und Madeleine spürte, wie er wieder innerlich vor Wut schäumte. Sie hatte keine besonders starke Bindung an ihren Sohn, so wie die meisten Frauen, die mehrere Kinder geboren und genausoviele verloren hatten, aber sie fand, daß ihr Mann endlich die Entscheidung Simons billigen sollte, wenn sie auch seine Unzufriedenheit darüber verstand. Kein Vater sah es gern, wenn sein Ältester dem Beruf des Vaters den Rücken zukehrte. Was sollten seine Zunftgenossen denken! Die Perrots waren seit Generationen Tischler, aber Simon mußte das Abenteuer suchen! Immerhin ging es ihm, seinem Brief nach zu urteilen, gut, und er war stolz, dem König in Paris zu dienen. Seit einiger Zeit tauchten eine Menge entlassener, immer mit einem Degen bewaffneter Soldaten in der Hauptstadt auf, aber, so hatte er schreiben lassen: »Sie sind so arm, daß sie Unruhe verbreiten und zwangsläufig mit dem Stehlen anfangen. Wenn sie die Stadt nicht verlassen, werden sie eingekerkert und mit dem Zeichen der Lilie gebrandmarkt. Man muß sie fürchten. Betet für mich. Ist Marie immer noch eingeschnappt?«

Marie lächelte, als sie wieder an den Vorfall dachte. Damals hatte sie darin doch nur einen bösen Streich Simons gesehen. Sie hatte rosa und weiße Blumen auf eine viereckige Decke gestickt, als Simon ihr den Stoff wegnahm, ihn mit einer alten, kaputten Hellebarde, die er am Hafen gefunden hatte, aufspießte und durch die Luft wirbelte.

»Hör auf, hör doch auf!« hatte Marie damals entsetzt geschrien. Und Michelle hatte in ihre Proteste eingestimmt, aber Simon hatte mit seinem dummen Spiel erst aufgehört, als der Stoff ganz durchlöchert war. Marie hatte weniger über den Verlust der Decke als vielmehr über die Gemeinheit Simons geweint. Warum hatte er sie so gedemütigt? Sie hatte sich eingebildet, den Vorfall schon vergessen zu haben, aber nun war er es, der in seinem Brief wieder daran rührte. Marie erriet auch, warum er das tat. Er wollte sie herausfordern, sie ärgern, um zu sehen, ob sie auch verzeihen konnte, ob sie die Richtige für ihn war. Eine Art Probe sozusagen. Sie war froh, daß sie bedächtig reagiert hatte, und schwor sich, dieses Verhalten auch in Zukunft beizubehalten. Simon war ein unruhiger Geist. Er brauchte eine sanfte, besonnene Ehefrau, die sein Temperament zügelte. Marie vergaß ihre eigene Lebhaftigkeit und war überzeugt davon, diese Frau zu sein.

Sie hörte den Ausführungen Jacques Lecoqs kaum zu, der jetzt in großer Aufregung von Paris erzählte. Er hatte mit eigenen Augen den König gesehen.

»Er kehrte durch das Tor Saint-Antoine von Hunderten von Musketieren begleitet aus Vincennes zurück.«

»Vielleicht war Simon unter ihnen?« bemerkte Marie.

»Das hätte er uns wissen lassen!« warf Madeleine Perrot ein.

»Sie sehen prachtvoll aus«, ergriff der Händler wieder das Wort. »Jeder trägt einen mit Gold und Silber verzierten blauen Umhang, mit der weißen königlichen Lilie auf einem großen Kreuz.«

»Und der König?« fragte Jules Perrot.

Lecoq gab kleinlaut zu, daß er ihn nur aus großer Entfernung gesehen habe, am Schluß der Parade, aber er sei ihm genauso prachtvoll und majestätisch erschienen, wie man sich den König immer vorstellte.

»Ich habe auf meiner Rückreise einen Mann getroffen, der euch mehr dazu sagen kann. Er hat den König schon oft gesehen. Ihr werdet ihn sicher heute nachmittag treffen.«

»Was macht der denn hier?«

»Ich glaube, er will sich bei Meister Charles niederlassen, aber er redet nicht viel.«

»Ach«, stieß Madeleine Perrot sofort mißtrauisch hervor.

»Ja … Ich habe das Gefühl, daß er großen Kummer hat. Aber er war höflich und gut gekleidet. Er ist wohl Goldschmied; ich habe sein Werkzeug gesehen. Er habe die Unruhe der Hauptstadt satt, hat er behauptet. Und ehrlich gesagt, verstehe ich ihn gut. In den Häfen von Paris herrscht ein Betrieb, daß einem schwindelig wird! Und von dem Geschrei derer, die auf den Straßen Obst, Kräuter, Fisch, Trödel oder Wasser verkaufen, schmerzen einem die Ohren. Man kommt schlecht voran in den Straßen, so vollgestopft sind sie mit Karren und Ständen, und die Auslagen der Läden reichen trotz der Verbote bis auf die Straße. Und dann die Zunftschilder an den Häusern! Sie sind so groß und schwer, daß ich jedesmal, wenn ich an einem vorbeikam, Angst hatte, es könne mir auf den Kopf fallen und mich erschlagen! Lacht nicht, einige, die wie ein

18

Bild an den Wänden hängen, sind fünfzehn Fuß lang, das könnt ihr mir glauben. Fragt nur meinen Reisegefährten, Monsieur Guy Chahinian.«

»Ah! Wird er hierher kommen, wenn er im Lazarett fertig ist?«

Jacques Lecoq bekreuzigte sich und tadelte seine Jugendfreundin.

»Sprich nicht vom Lazarett. Du weißt genau, daß es keine Pest mehr gibt! Wir werden Anne LaFlamme vor der Kathedrale finden.«

»Lazarett hin, Lazarett her, auf jeden Fall behandelt sie ihre Kranken nicht hier!«

»Aber die Seuche ist doch längst besiegt«, versicherte der Händler ungehalten. »Anne wird es dir bestätigen!«

Dieses war jedoch nur die halbe Wahrheit. Wenn es auch keine Seuche großen Ausmaßes war, die Nantes im Jahre 1662 heimsuchte, so wüteten Lepra und der Schwarze Tod doch immer wieder in der Stadt. Die Not der Opfer verlangte nach Vorsichtsmaßnahmen. Anne LaFlamme hatte den Stadtvätern das Angebot gemacht, alle Leute, die möglicherweise von der Seuche befallen waren, auf dem Platz eines ehemaligen Lazarettes außerhalb der Stadt zu behandeln, auf dem man Zelte aufgestellt hatte. Auf diese Weise hoffte sie auch ihr bescheidenes Vermögen aufzubessern. »Du glaubst doch nicht, daß sie Lust hat, über ihre Sterbenden zu reden! Ich …«

Jacques Lecoq unterbrach Madeleine Perrot, indem er auf Marie zeigte:

»Ich habe dem Neuankömmling gesagt, daß er jede Menge Leute auf dem St.-Peters-Platz treffen wird.«

»Und anständige Leute!« fügte Madeleine Perrot hinzu. »Geoffroy de Saint-Arnaud kommt oft dorthin. Na, Marie, hat sich deine Mutter noch nicht entschieden?«

»Doch, sie wird ihre Meinung nicht ändern«, beteuerte Marie.

Niemals würde Anne LaFlamme diesen Geoffroy de Saint-Arnaud heiraten. Niemals! Sie war ihrem verstorbenen Gatten in zärtlicher Liebe zugetan gewesen, und der Gedanke an einen neuen Mann war ihr widerwärtig. Selbst wenn sich dieser Geoffroy als Freund von Pierre bezeichnete. War er nicht zugegen gewesen, als er gestorben war?

Madeleine Perrot warf Marie lächelnd ihre Naivität vor. Sie solle einmal bedenken, wie reich Geoffroy de Saint-Arnaud sei. Er habe die Schiffe, die mit indischer Seide zurückgekehrt waren, mit Waffen ausgerüstet, und er habe sofort alles an ausländische Käufer losgeschlagen, wie es das Gesetz verlangte. Ein Gesetz, das er dennoch übertrat, um Anne LaFlamme ein Stück bestickter Seide zu schenken. Sie hatte es unter dem Vorwand abgelehnt, unangenehme Folgen zu befürchten.

»Sie wissen genau, daß es verboten ist, bedruckte Stoffe zu tragen. Wie soll ich denn dreitausend Pfund Strafe bezahlen, können Sie mir das sagen? Monsieur Colbert kennt keinen Spaß …« hatte Anne geklagt.

Geoffroy de Saint-Arnaud hatte die Kräuterfrau und Heilerin daraufhin mit einem Hinweis auf seine guten Verbindungen zu beruhigen versucht.

»Und dann? Was werden die Leute sagen! Ich bin eine anständige Frau, keine Kokette. Ich bevorzuge englischen Flanellstoff«, hatte Anne lachend erwidert. »Im Winter wärmt er besser.«

»Wenn Sie mich doch nur anhören würden. Ich bin verrückt nach Ihnen.«

»Immer langsam, wenn Sie wollen, daß wir Freunde bleiben. Ich sage es Ihnen noch einmal: Ich habe mich daran gewöhnt, allein zu leben, und meine Tochter ist schon groß, sie braucht eher einen Ehemann als einen Vater, ich will nichts ändern. Ganz abgesehen davon hätte ich mit meinen ganzen Kranken auch wenig Zeit für Sie …«

»Ihre Kranken?« hatte der Reeder bissig gebrummt. »Ihre Kranken sind Ihnen wichtiger als ich?«

»Vor Gott sind alle Menschen gleich«, hatte Anne La-Flamme mit unbewegter Miene geantwortet.

Hätte sie den Haß in den Augen Geoffroys de Saint-Arnauds gesehen, der sein Gesicht wie eine Maske in der Commedia dell'arte von einem Augenblick zum anderen völlig verwandelte, dann hätte sie begriffen, daß die Vorsicht gebot, den Stolz dieses Mächtigen zu schonen. Da sie glaubte, die Frage sei geklärt, hatte sie sich wieder über ihre Teppichknüpferei gebeugt und dem Reeder zu verstehen gegeben, daß er gehen könne.

Anne hatte an jenem Tag an einer Landschaftsidylle gearbeitet und sich gefragt, ob diese eines Tages fertig werden würde. Immer wieder mußte sie unterbrechen, weil ein Kranker um Hilfe rief. So kam sie trotz ihrer Geschicklichkeit kaum voran. Der Apfelbaum im Vordergrund trug noch immer keine Früchte. Aber was bedeutete es schon, die lustigen, bunten Fäden loszulassen, wenn es woanders um Leben und Tod ging?

»Deine arme Mutter ist störrisch wie ein Esel«, sagte Madeleine Perrot jetzt zu der in Erinnerungen versunkenen Marie LaFlamme. »Geoffroy de Saint-Arnaud ist die beste Partie, die es gibt. Er hat noch nicht einmal Kinder aus erster Ehe. Anne ist noch jung, sie müßte sich nicht mehr für diese undankbaren Wesen abschinden. Und du würdest sie jeden Tag sehen. Also! Der Reeder ist nicht häßlich …«

Marie zuckte mit den Schultern. Eigentlich interessierte sie sich nur für ihre eigenen Herzensangelegenheiten, nicht einmal für die der Mutter. Sie hätte gern den Brief von Simon behalten. Sie hatte das Gefühl, als brenne das Papier in ihren Händen. Mit einem Seufzer gab sie es Madeleine Perrot zurück, die immer noch wie eine Kupplerin räsonierte: »Es ist nicht gut, allein zu bleiben! Wenn ihr Monsieur Saint-Arnaud nicht gefällt, so gibt es doch genug andere. Sag mal, Jacques, was macht der Neuankömmling, mit dem du gereist bist, für einen Eindruck?«

Jacques Lecoq überlegte eine Weile, bevor er eine Antwort gab:

»Er ist ein stattlicher Mann und sehr vornehm. Seiner Kleidung nach zu urteilen ist er nicht gerade arm. Er hat dreimal das Hemd gewechselt, und ein würziger Wohlgeruch umgab ihn … Allerdings scheint er nicht gerade ein sonniges Gemüt zu haben. Den ganzen Weg von Paris hierher hat er nicht einmal gelacht! Ich habe versucht herauszubekommen, was ihn bedrückt, aber da war nichts aus ihm herauszukriegen.«

»Liebeskummer«, sagte Marie schnell.

»Es scheint mir etwas Schlimmeres zu sein. Man könnte glauben, daß große Sorgen auf seiner Seele lasten.«

»Vielleicht war er ja in der Schlacht gewesen.«

»Nein, ich habe ihn gefragt. Und er ist ja auch Handwerker …«

»Dann der Schwarze Tod? Vielleicht wurde seine Familie dahingerafft.«

»Monsieur Chahinian behauptet, nie verheiratet gewesen zu sein … Na ja, eines Tages werden wir schon hinter sein Geheimnis kommen.«

KAPITEL

Péronne Chahinian hatte jeden Widerstand aufgegeben. Sie hatte den Kampf verloren, und sie hoffte nur noch, daß der Henker Milde walten ließe und einwilligte, daß man sie erwürgte. Die Richter hatten es ihr versprochen, aber keine der anderen Verurteilten war erwürgt worden, und nun näherte sich der Priester dem Scheiterhaufen, trug ein auf eine Stange genageltes Kruzifix vor sich her und ermahnte die Frauen zu einer öffentlichen Beichte.

Péronne hatte alles zugegeben, was konnte sie denn noch hinzufügen?

Es kam ihr vor, als habe ihr Prozeß Monate, Jahre gedauert, doch hatte man sie erst vor drei Wochen, am 8. September 1647, aufgrund von Anschuldigungen ihrer Nachbarin Dumas festgenommen, die behauptet hatte, sie habe ihre Hühner verhext. Die Tiere waren innerhalb von zwei Tagen verendet, nachdem sie Apfelgehäuse verschlungen hatten, die Péronne ihnen angeblich hingeworfen hatte.

Neunzehn weitere Zeugen machten vor dem Richter ihre Aussage und bestätigten, daß auch sie zu den Opfern gehörten, die von dem Mädchen verhext worden seien. Man machte Péronne Chahinian dafür verantwortlich, daß vier Kühe keine Milch mehr gaben, ein Kind Fieber bekommen hatte und in zwei Häusern Unfruchtbarkeit herrschte. Außerdem wollte man gesehen haben, daß sie die Hostie während der heiligen Kommunion in ihr Taschentuch gespuckt habe.

Wenn die junge Frau auch am Montag ihre Unschuld lauthals beteuert hatte, so gab sie am Freitag alles zu, gebrochen durch die stundenlangen Verhöre. Ja, sie hatte einmal, ein einziges Mal am Sabbat teilgenommen. Indem sie aus den Büchern der großen Hexenjäger Bodin, Boguet und Lancre zitierten, ließen ihre Richter Péronne wissen, daß die teuflischen Versammlungen wöchentlich stattfänden und daß alle Hexen dort erscheinen müßten. Folglich log Péronne. Schließlich brauchte man ja ein vollständiges Geständnis der Angeklagten.

Auf das Zeichen eines Richters hin zogen zwei Männer Péronne in ein Kellergewölbe.

Beim Anblick der Zangen und Eisen, der Gestelle, Hämmer und Beschläge verlor die Gefangene die Besinnung. Als sie wieder zu sich kam, lag sie ausgestreckt auf einem Tisch, die Arme und Beine waren auseinandergerissen, um dem Barbier die Arbeit zu erleichtern. Mit einem scharfen Messer rasierte er den Schädel der Unglückseligen vollständig kahl und warf die langen, blonden Strähnen, auf die Péronne so stolz gewesen war, voller Abscheu ins Feuer.

»Du wirst mit deinen teuflischen Reizen keine Verehrer mehr anziehen«, sagte er hämisch.

Péronne spürte, wie die Klinge an ihrem Hals entlangstrich und ihre linke Brust streifte. Der Barbier hatte sie brutal gepackt und sie zweimal verletzt. Mit nach Wein stinkendem Atem pustete er die Haare weg, bedeutete seinen Helfershelfern, das Opfer gut festzuhalten, und dann zog er die Schamhaare ab, bis das Mädchen schrie. Die Klinge war kalt, aber Péronne brach der Schweiß aus. Zwischen ihren Klagerufen hörte sie, daß die Henker sich nicht zwischen Ahle und Stilett entscheiden konnten. Einen Moment später zeigte der Richter auf ihre linke Pobacke, um ein erstes Teufelsmal zu suchen. Der Barbier führte den Befehl sofort aus und hieb eine drei Finger lange Nadel in das Fleisch.

Péronne schrie wie am Spieß. Der Mann zog die Nadel

wieder heraus, um sie noch tiefer hineinstechen zu können. Das Blut spritzte heraus.

Péronne hörte nicht mehr auf zu schreien. Als der ungeduldige Richter, der endlich das unempfindliche Teufelsmal finden wollte, befahl, man solle die Ahle benutzen, um den rechten Busen zu durchstechen, fiel sie in Ohnmacht. Die junge Frau konnte dieser Folter entkommen, da sie die Besinnung verloren hatte, aber, weil sie noch immer blutete, kam der aufgebrachte Richter zu dem Schluß, daß der Teufel die Male beseitigt habe, um seine Kreatur zu schützen. Daß das Blut immer noch in Strömen floß, mußte eine besondere List des Bösen sein.

Immer wieder wurde das Verhör unterbrochen, um den Körper nach weiteren Schandmalen abzusuchen. Péronne gab alles zu, was die Richter ihr einredeten, und der Gerichtsschreiber schrieb die erpreßten Geständnisse nieder, voller Freude über die bald vollendete Arbeit.

Péronne wurde zum Tode verurteilt und auf den Marktplatz geschleppt.

In der Menge, die sich um den Scheiterhaufen versammelt hatte, entdeckte sie ihren Cousin.

Guy Chahinian war ganz in Grün gekleidet, und Péronne erinnerte sich, daß er ihr eines Tages gesagt hatte, es sei seine Lieblingsfarbe. Sie versuchte, zu ihm zu laufen, aber man hielt sie brutal fest und band sie schnell zusammen mit einer alten Frau am Pfahl fest. Péronne berührte die Hände der anderen, sie waren kalt und bewegungslos, als sei die Frau schon lange tot. Péronne beneidete sie eine Sekunde lang, dann spürte sie ihr Herz bis zum Hals schlagen. Man würde sie nicht erwürgen. Es würde viel schlimmer kommen.

Die ersten Flammen stiegen schnell hoch, fraßen sich durch ihre Kleider und verbrannten sie, von unheim-

lichem Knistern begleitet. Die Beifallsrufe der Menge übertönten eine Zeitlang die Angstschreie der Hexen.

Guy Chahinian ließ seine Cousine während der ganzen
Folter nicht aus den Augen. Er hatte ihr immer sagen wollen, daß er sie liebte, weil sie hübsch war, fröhlich und
frech.

Der Rauch erstickte keinen ihrer Schreie. Er glaubte sie
noch stundenlang zu hören.

Jahrelang.

Die Schreie hallten noch in seinen Ohren, als er auf den
Ttag genau fünfzehn Jahre nach dem Tod seiner Cousine
in Nantes ankam.

4.
KAPITEL

Trotz der Ungeduld, die sie empfand, wenn sie an das Wiedersehen mit ihrer Tochter dachte, verrichtete Anne La-
Flamme ruhig ihre Arbeit. Vor dem großen Zelt, in dem die
Genesenden schliefen, stand ein riesiges Wasserbecken.
Hier wusch Anne die schmutzige Wäsche und hoffte, daß
diese durch die Sonne und das Schwefelwasser wieder
weiß werden würde.

Keiner der Siechen hatte Anne LaFlamme helfen wollen, die Tücher zu reinigen. Sie gab vor, darauf zu bestehen, spielte die Enttäuschte, aber insgeheim war sie froh,
einen Moment allein zu sein. Niemand würde sie stören,
bevor sie die benutzten Laken aus dem Wasser gezogen
hatte. Waren sie erst einmal wieder gesund, so wollten die
Männer und Frauen mit ihrer alten Wäsche nicht mehr in

Berührung kommen, aus Angst vor einem Rückfall. Sie wollten nach Nantes zurückkehren, obwohl ihnen bewußt sein mußte, daß man dort nicht gerade auf sie wartete. Man vergaß nur langsam, daß der Schwarze Tod sie schon fest in seinen Klauen gehalten hatte. Dank der wundersamen Heilkräuter Anne LaFlammes hatten sie die Pest überlebt, aber in den Augen der Gesunden hatten sie schon mit einem Fuß im Grab gestanden. Man bestaunte die Überlebenden wie vom Tod Auferstandene.

Anne LaFlamme schüttete einige Eibischblüten in das kochende Wasser, bevor sie die Laken mit einem Stock nach unten drückte. Anschließend schob sie mit demselben Stock die Steine näher an das Feuer, dessen Flammen den Kessel umzüngelten. Sie wollte heute noch nach Hause zurückkehren, aber sie hatte noch Zeit, kurz zur Quelle zu gehen. Also nahm sie ihre braune Tasche und entfernte sich mit raschem Schritt vom Zelt.

Gestern hatte sie, als alle schliefen, vorsorglich Proviant in ihre Tasche gepackt: ein Stück Roggenbrot, Ziegenkäse, eine Speckschwarte und Äpfel. Eine halbe Stunde vom Lazarett entfernt würde sie die Alte mit dem Klumpfuß treffen.

Im Juni hatte Anne sie zum erstenmal gesehen; sie war gerade dabei gewesen, Eschenzweige zu sammeln. Anne hatte hinter einem Baum gestanden und die gebrechliche Alte entdeckt, die zusammengekauert und bewegungslos wie eine Tote verharrte. Als Anne näher getreten war, hatte sich die Alte niedergekniet und die Arme über dem Kopf verschränkt, um sich vor Schlägen zu schützen, und um Gnade gefleht. Anne war zurückgewichen, nicht etwa aus Angst, sondern um der Hilflosen zu zeigen, daß sie nichts Böses im Schild führte. Dann sprach sie mit leiser Stimme zu ihr wie zu ihren Kranken. Anne hatte sich nicht bewegt, denn sie wußte genau, daß die geringste Bewegung sofort als Bedrohung empfunden werden würde. Während sie immer die gleichen, beruhigenden Worte sprach, stellte die Hebamme den elenden, bedauernswerten Zustand der Alten fest: Der kahle Schädel war mit blauen Flecken übersät, und die dürren Arme waren voller Striemen. Sie hatte schon oft Bettler gesehen, aber dieses entsetzliche Elend schnürte ihr die Kehle zu. Der merkwürdig verkantete Kiefer zeugte von Mißhandlungen, die aufgesprungenen Lippen, das aufgerissene Zahnfleisch und die ausgefallenen Zähne rührten sicher von einem mit voller Wucht geworfenem Stein her. Die Alte, die sich offenbar nur von wilden Früchten ernährte, konnte nun nicht einmal mehr kauen. Sie mußte aber kauen, um nicht an den Nüssen, ihrer Hauptnahrung, zu ersticken.

Die Alte hatte aufgehört, Anne LaFlamme um Gnade anzuflehen. Sie schien gar nicht zu begreifen, daß jemand mit ihr redete, denn sie hatte vergessen, daß man auch ganz normal mit ihr sprechen konnte. In den Jahren war sie von den Leuten immer nur angebrüllt worden.

»Ich heiße Anne LaFlamme. Aus Nantes. Kannst du sprechen?«

Die Alte zuckte mit den Schultern, ohne jedoch ein einziges Wort zu sagen.

»Ich wollte Pflanzen sammeln, Heilpflanzen … fürs Lazarett. Wo kommst du her?«

»Von dort«, sagte sie und zeigte zögernd auf den Weg.

»Gehst du dahin zurück?«

Die Bettlerin fing an zu zittern.

»Und dort hat man dich geschlagen?«

»Ja.«

»Lebst du hier in der Gegend?«

»In der Höhle.«

»Welche Höhle?«

»Neben dem Feld, bei den drei Weiden«, brummte die Alte mit rauher Stimme. Immerhin sprach sie so deutlich, daß man sie mühelos verstehen konnte.

Anne LaFlamme hörte ihr aufmerksam zu. In all den Monaten, die sie die Umgebung des Lazaretts nach Heilpflanzen abgesucht hatte, war ihr hier nie eine Höhle aufgefallen. Aber wenn es stimmte, was die Alte sagte, dann konnte sie hier Aronstab und Wolfsmilch finden, die beide an dunklen Plätzen wuchsen und die sich zum Abführen und zur Behandlung von Atemnot eigneten.

»Ist es weit bis dorthin?«

Wieder hatte sich die Antwort in einem müden Achselzucken erschöpft.

»Ich komme morgen wieder. Ich bringe dir Brot mit, und dann gehen wir zusammen zur Höhle.«

Da sie befürchtet hatte, die alte Frau zu verängstigen, hatte sie es bei diesen Worten belassen. Als sie sich entfernt hatte, war Anne sich sicher gewesen, daß die Alte am nächsten Tag nicht da sein würde.

Aber das war ein Irrtum gewesen. Am nächsten Tag war die Alte wieder am Platz gewesen. Sie war immer noch schüchtern, aber mit der Zeit gelangte sie zu der Überzeugung, daß Gott Anne in seiner Barmherzigkeit geschickt habe, um sie zu retten. Diese hatte ihr nicht nur etwas zu essen gegeben, sondern sie auch von ihrem Wundschorf befreit. Sie hielt Anne für eine Heilige und wartete jeden Morgen in der Nähe der Höhle oder der Quelle, in der Hoffnung, Anne dort zu finden. Ein oder zweimal in der Woche wurde ihr Gebet erhört, und sie dankte dem Himmel für seine Güte. Sie hegte keinen Groll mehr wegen der ihr widerfahrenen Ungerechtigkeiten.

Die Alte war mit einem verkrüppelten Fuß zur Welt

gekommen. Von Anbeginn an war sie mit Spott überhäuft worden, Schmerz und Wut hatten ihr Gesicht verzerrt, und sie war vorzeitig gealtert. Als die Eltern gestorben waren, hatte sie der älteste Sohn vom väterlichen Land gejagt. Sie konnte Geflügel zupfen, Hemden flicken, Böden scheuern, Wolle krempeln, Flachs spinnen, Brot backen, aber kein Mann wollte sie haben – weder als Frau noch als Magd. Die Angst der Menschen war in Verachtung umgeschlagen, und sie hatten genauso viele Steine wie trockenes Brot nach ihr geworfen. In jämmerlicher Verfassung humpelte die Ausgestoßene von einem Weiler zum anderen, immer dürrer, immer bleicher, immer gekrümmter mit den Jahren. Wenn die Kinder sie sahen, schrien sie laut auf – aber es waren Schreie, in denen auch wilde Freude mitklang. Mittlerweile war sie wirklich zu häßlich, um noch zu betteln. Jedesmal, wenn sie in der Stadt auftauchte, geriet sie in Gefahr. Allein der Wald bot ihr noch Schutz.

Heute wunderte sich Anne LaFlamme schon, daß sie die Alte mit dem Hinkefuß nicht antraf, als sie Blätter rascheln hörte. Die Alte streckte ihren Arm nach der Hebamme aus, dann brach sie zusammen.

Der anstrengende Weg hat ihr wohl alle Kraft geraubt, war Annes erster Gedanke. Aber als sie sich über den regungslosen Körper beugte, entdeckte sie eine blutende Bißwunde auf ihrer Brust. Auf der rechten Brustseite waren die vor Dreck erstarrten Kleider mit Blut verschmiert, und von dem ekelerregenden Geruch, der von der Wunde ausströmte, wurde Anne übel. Sie drehte einen Moment den Kopf zur Seite, dann faßte sie sich wieder. Die offene Wunde mußte sofort gereinigt werden. Die Alte war dermaßen schwach, daß jede Entzündung den Tod bedeuten konnte.

Die Hebamme band ihre Schürze ab, tauchte sie in das

kalte reine Wasser der nahen Quelle und säuberte die Wunde. Die Alte mußte schon vor einigen Tagen angegriffen worden sein, denn die Wunde klaffte auseinander und war angeschwollen. Was die Heilerin aber am meisten erschreckte, war der Abdruck der Zähne, der in der Schwellung zu erkennen war. Sie fluchte, daß sie die Alte nicht früher getroffen hatte, und wusch die Wunde sorgsam aus.

Die Alte stöhnte und riß entsetzt die Augen auf.

»Ich bin es, Anne. Beweg dich nicht. Ich werde alles besorgen, was wir brauchen, damit du wieder gesund wirst.«

»Paß auf … Vorsicht … Er …«

»Ruhe dich aus. Ich komme gleich wieder.«

Anne ging sofort los, in der Hoffnung, rasch die richtigen Kräuter aufzutreiben. Auf den Feldern wuchs sicher Johanniskraut, das die Wunde zusammenziehen würde, aber da sie befürchtete, die Frau könnte wieder die Besinnung verlieren, suchte sie hier am Waldessaum nach der Sumpfrauke – und wurde schnell fündig. Sofort kehrte sie zur Alten zurück.

Während sie die Blätter vom Stengel entfernte, um einen Umschlag zu machen, hörte sie sich die Geschichte der Kranken an.

»Der Teufel! Der Teufel war's, der mich blutig gebissen hat. Ich habe dort oben Nüsse gesammelt. Plötzlich ist mir dieses schwarze Ungeheuer an die Kehle gesprungen.«

»Es war ein Tier …«

»Seit ich hier im Wald mein Dasein friste, kenne ich sie alle … Es war der Teufel, ich sage es dir! Er wollte mich holen, er hat mich erkannt!«

»Sei still! Hättest du magische Kräfte wie die Hexen, dann hättest du immer genug zu essen.«

Anne LaFlamme griff nur widerwillig zu dieser kleinen Notlüge. Aber sie war der Meinung, daß ihr Beruf es ihr erlaubte, die Wahrheit ab und zu etwas zu verdrehen. »Manchmal ist es schlimmer, den Kranken alles zu sagen als zu schweigen«, pflegte sie ihrer Tochter zu sagen.

Der Glaube half den Menschen, wieder gesund zu werden. Wenn Anne auch behauptete, daß die sogenannten Hexen gut lebten, so wußte sie es doch besser. Aber sie wollte die Bettlerin von ihrem Elend ablenken.

»Ich bin eine Hexe ... Eine Hexe ...«

»Iß lieber dein Brot, anstatt so dummes Zeug zu reden. Ich werde den Verband machen.«

»Er war so groß wie ein Baum! Und ganz schwarz! Es war kein Hund!«

»Dann eben ein Wolf!« sagte Anne fröstelnd. Die Wunde war für das Gebiß eines Wolfes ziemlich lang und breit, das Tier müßte schon ganz schön groß gewesen sein.

»Es war der Teufel. Jetzt ist er in mich gefahren! Durch meinen verrückten Fuß bin ich sowieso schon gezeichnet.«

»Glaubst du denn, daß der Teufel die Frauen betören könnte, wenn er ihnen ein so miserables Leben wie deines böte? Der Teufel hat an dir gar kein Interesse!«

Die Alte seufzte.

»Na ja ... was sollte er mit so einer alten Frau wie mir auch anfangen? Das Ungeheuer hätte mich auffressen sollen. Ich wäre lieber schon tot, aber es wollte mich auch nicht haben.«

Anne LaFlamme legte mitfühlend ihre Hand auf den knochigen Arm der verzweifelten Frau. Sie wollte ihr sagen, daß das Leben zu wertvoll sei, als daß man sich wünschen sollte, es zu verlieren, daß ihr diese Wahrheit jeden Tag am Bett ihrer Kranken bewußt wurde, daß sie sah, was für eine Angst sie hatten, und wie sie ihr alltägliches Glück oder Unglück Auge in Auge mit der Ewigkeit vergaßen. Aber statt dessen fragte Anne die Fremde nur nach ihrem Namen.

»Mein Name?« wunderte sich die Arme. »Du weißt doch, sie nennen mich Hinkefuß.«

»Aber früher?«

»Früher? Ich hatte schon immer einen verkrüppelten Fuß. Als ich neun Jahre alt war, haben sie mich zum Fluß gezerrt, und dann mußte ich ihn ins Wasser tauchen. Sie sagten, daß er einem Brocken Fleisch ähnele und daß die Fische anbeißen würden … Aber die Fische sind nicht gekommen. Die Burschen haben mich dann ins Wasser geschmissen. Sie haben geschrien: ›Die Gründlinge verachten deinen Hinkefuß, Ninon, sie hauen ab, wenn sie diesen Dreck sehen!‹ Ich wäre ertrunken, wenn der Pfarrer nicht vorbeigekommen wäre. ›Holt die Arme aus dem Wasser, sonst kommt ihre Seele in die Hölle!‹ Mein Cousin hat mich aus dem Wasser gezogen. Dann sind alle abgehauen und haben gesungen: ›Hinkefuß geht zu Fuß. Hinkefuß geht zu Fuß.‹ Dabei ist es geblieben. Meine Eltern haben mich während der Fastenzeit gezeugt, und darum bin ich bestraft worden, und nun humpele ich. Sie hätten mich ersticken sollen, als ich geboren wurde.«

»Nicht doch … Ninon, das ist ein schöner Name«, murmelte Anne.

»Er paßt nicht zu mir!«

»Nimm den Apfel hier. Und den Käse. Langsam, iß jetzt nicht alles auf einmal! Und paß auf den Verband auf! Er muß stramm sitzen, die Blätter werden das übrige tun, du wirst sehen.«

»Gott segne dich«, sagte die Alte und brach das Brot.

Während sie sich stärkte, überdachte Anne LaFlamme die Möglichkeiten dieser vom Schicksal gebeutelten Frau.

In Nantes konnte sie die Alte nicht verstecken. In ihrem verwirrten Geisteszustand würde sie alles zugeben, was man hören wollte, falls man sie entdecken und der Hexerei bezichtigen würde. Nichts und niemand konnte ihr dann noch helfen. Und der Biß eines Raubtieres würde ihr nach der Behandlung mit der Zange eines Henkers richtig sanft vorkommen. Mit ihrer angsterfüllten Miene, die durch die Müdigkeit eingefallenen Augen, ihren zerquetschten Lippen, den aufgerissenen Händen und mit den lang gewachsenen Fingernägeln würde sie selbst dann noch als Sündenbock ausgesucht, wenn es keine Hexenprozesse mehr geben würde.

»Ich komme morgen wieder«, sagte Anne. »Ich muß jetzt gehen.«

»Bleibst Du heute im Lazarett?«

»Nein, aber ich muß hier noch einige Pflanzen sammeln.«

»Das ist zu weit«, widersprach die Alte. »Du mußt dich ausruhen. Bis zur Stadt ist es eine Stunde ... Wir sehen uns wieder, wenn du das nächste Mal zum Zelt kommst. Es geht mir schon besser. Geh zu deiner Familie zurück ... Ich werde Nüsse für dich aufheben, das verspreche ich dir.«

»Behalte sie lieber für dich. Wenn du mir nur die Blätter aufheben würdest, das senkt das Fieber«, erklärte Anne, als sie sich erhob. Sie drückte die Arme herzlich an sich, bevor sie sich verabschiedete.

Sie mußte sich nun beeilen und eine ganze Menge Kräuter sammeln, um ihre Abwesenheit im Lazarett zu rechtfertigen. Es war zu früh, um Kräuter zu pflücken, denn die Blätter waren noch feucht vom Tau, aber Anne pflückte trotzdem Minze, Benediktenkraut, Gundelrebe und freute sich, daß sie Storchschnabel fand, dessen Saft die Wunden schneller vernarben ließ. Der Schrei eines Hähers ließ sie zusammenschrecken. Es klang wütend, aber in Wahrheit war es die Angst, die diese Mißtöne hervorbrachte, welche den Feind abschrecken sollten. Die Menschen sind nicht anders, dachte die Hebamme, als sie ihre Tasche zuband. Ihre Wutschreie hindern sie daran, mit den Zähnen zu klappern – aber nicht daran zu beißen ...

Atemlos erreichte Anne LaFlamme das Siechenlager. Es war ihr gar nicht bewußt, daß sie gerannt war, aus Angst, plötzlich dem Tier gegenüberzustehen, das die Alte angefallen hatte. Die Siechen, die ungeduldig vor dem Zelt auf sie warteten, ließen sie die Gefahr vergessen.

5.
KAPITEL

Am Quai de la Fosse tummelten sich mehr Menschen als gewöhnlich, denn seit dem Morgengrauen trafen die spanischen Galeonen und die holländischen Fleuten ein, die zuvor ihre Ladung in Paimbœuf gelöscht hatten. Zwischen dem An- und Verkauf der Waren in Piaster, Pfund, Florentinern oder Dukaten hätten einige Kapitäne Zeit gehabt, über die Steinbauten der Stadt zu staunen, in der jedes Jahrhundert seine Spuren hinterlassen hatte: das Grabmal im Schloß, das in der Mitte des 15. Jahrhunderts gebaut worden war, der Schutzwall aus grauen und schwarzen Steinen, der die Stadt umgab. Und dann war da noch das Herz der Herzogin Anne, das in einem prunkvollen, goldenen Reliquienkästchen aufbewahrt wurde und an ihre beherzten Siege erinnerte, mit denen sie Nantes Unabhängigkeit von der Bretagne gesichert hatte.

Diese Stadt ist wie eine kluge Frau, die ihre Erfahrung zu nutzen weiß, um die Männer zu verstehen, bevor sie sich mit ihnen einläßt – sagte sich Guy Chahinian, als er durch die Straßen der Stadt schlenderte. Er war erst einmal in Nantes gewesen, fünf Jahre war es her, und damals war er kaum mehr als zehn Stunden geblieben. Er hatte das fröhliche Bild des Hafens in Erinnerung behalten und freute sich, dieses rege Treiben wiederzufinden. Als er den Kopf hob, um die geschwungenen Dachfenster und die alten Bergfriede anzuschauen, hoffte er, daß der Große Meister recht gehabt hatte, als er ihn kurz vor seinem Tod nach Nantes entsandte. Chahinian hätte La Rochelle vorgezogen, um die Überfahrt in die Kolonien leichter vorbereiten zu können, aber mehrere seiner Freunde waren verhaftet worden, und der Perückenmacher Poitevin, der durch seinen Beruf viel herumkam, hatte aus verschiedenen Gründen Nantes empfohlen: die Lage der Stadt, deren Seewege einen wertvollen Austausch von Neuigkeiten begünstigten und eine schnelle Abreise ermöglichten – die Vielzahl der Fremden, die hier durchkamen. Guy Chahinian wußte, daß die Leute sich ihre Gedanken über ihn machen würden. Sobald er sich jedoch hier eingerichtet hatte, konnte er seine Freunde nachkommen lassen und ihre Abreise nach Dieppe oder Saint-Malo vorbereiten, ohne neugierige Fragen hervorzurufen. Das hofft er zumindest. Wenn es nicht schon zu spät sein würde! Der Geheimbund *Croix-de-Lumière* mußte überleben. Auch nach dem Tod des großen Charles Lagniet.

Daß Kirche und Staat den Geheimbund verfolgten, war nichts Neues; aber nach der Fronde – dem Aufstand des Pariser Gerichtshofs und des Hochadels gegen das Königstum – hatte diese Hetze eine ganz neue Schärfe erreicht. Mit besonderer Härte wurden die Ordensbrüder, die sich weiterhin versammelten, verfolgt und aus den nichtigsten Gründen verurteilt. Man redete ihnen ein, daß sie die Erben der Templer und Anhänger jenes Jacques de Molay seien, der noch in den Flammen des Scheiterhaufens die Könige Frankreichs verflucht hatte. Die Anhänger des Lichtkreuzes wollten, wie der gottlose Meister, offensichtlich den Sturz des neuen Königs, und da man ihnen keine Majestätsbeleidigung vorwerfen konnte – denn sie gingen mit äußerster Vorsicht vor –, erfand man andere Vergehen.

So wurde Albert Mathurin angeklagt, die Sondersteuer für die Straßenpflasterung nicht bezahlt zu haben. Er wurde verurteilt und ins Châtelet, das große Pariser Gefängnis, geworfen, wohingegen Thomas Berger, Louis Patin und Antoine Robinet verhaftet worden waren, weil sie angeblich gegen Zunftsatzungen verstoßen hatten. Sie nannten sich Goldschmiede, aber für die Obrigkeit waren sie Nestelmacher, denn man hatte keinerlei wertvolles Metall in ihren Läden gefunden. Die drei Männer hatten vergeblich protestiert, daß sie Opfer einer Verschwörung seien, daß man ihnen Gold, Silber und halbfertige Arbeiten gestohlen habe. Obwohl sie alle Vorwürfe abstritten, wurden sie eingekertet. Als Guy Chahinian die Nachricht erhielt, verließ er augenblicklich Paris: Er war der Hüter der heiligen Symbole. Er mußte entkommen.

Als er vor der Kathedrale Johannes V. in Nantes stand, seufzte Guy Chahinian tief. Diese Erinnerungen machten ihm zu schaffen. Es war ihm nicht gelungen, seine Kameraden aus dem finsteren Kerker zu befreien. Obwohl er das verlangte Geld für ihre Freilassung gezahlt hatte, wurde diese immer wieder verschoben und hinausgezögert. Man wollte alle Anhänger des Geheimbundes durch die Geiselnahmen unterwerfen, erniedrigen und einschüchtern. Die

Gefangenen waren beherzt und geduldig, aber die Haftbedingungen waren dermaßen miserabel im Grand-Châtelet in Paris und die Wächter so brutal, daß der arme Antoine, der durch seine Krankheit schon geschwächt war, den Kerker nicht mehr lebend verlassen würde. Und in diesen Augenblicken wurden vielleicht Patin oder Berger gefoltert. Guy Chahinian schaute in hoffnungsloser Wut auf den Kirchturm: Würde der Erlöser ihm beistehen? Oder würde er ihn im Stich lassen, weil er die Ziele der Lichtkreuzbrüder für gottlos und frevlerisch hielt?

Chahinian bezweifelte, daß er ohne göttliche Hilfe sein Ziel erreichen könnte. Wie viele Männer würden hingerichtet worden sein, bevor die heiligen Symbole an sicherem Ort waren?

Wann war er an der Reihe?

»Hast du mich verstanden, Ratte? Du läßt sie etwas zittern, bevor du den glücklich Auserwählten wegführst. Sie sollen rätseln, wer heute den Henker zu sehen bekommt ... Diese Männer spotten unserer heiligen Kirche, das werden sie mit ihrem Leben bezahlen ... wenn wir ihr Geld haben«, sagte Hector Chalumeau.

»Ja, Herr Oberleutnant!«

Chalumeau lachte: Sein junger Rekrut hatte es sich zur Gewohnheit gemacht, ihn Oberleutnant zu nennen. Er redete es ihm nicht aus und titulierte ihn so oft wie möglich mit »Soldat«; auch sagte er ihm häufig, daß er dem König als Wächter des Grand-Châtelet mehr diene als die Soldaten in der Schlacht. Dennoch hätte Hector Chalumeau seine Kompanie nicht verlassen, wenn er sich nicht eine Verletzung am rechten Arm zugezogen hätte; natürlich wäre er lieber bei den Plünderungen dabeigewesen, denen sich die Soldaten beim Einmarschieren, Abrücken und beim Stellungswechsel hingaben, als daß er die Gefangenen bewachte. Immerhin mußte er zugeben, daß die Beträge, die die Eltern und Freunde ihm für den Unterhalt ihrer Gefangenen übergeben hatten und die er zur Seite schaffte, inzwischen ein hübsches Sümmchen ausmachten.

Es war nicht schwer für ihn gewesen, die Ratte zu überreden, als Kerkermeister zu arbeiten. Er hatte ihn zehn Monate zuvor unter seinem Befehl gehabt. Der junge Mann war gerade aus Nantes gekommen und hatte sich angeboten, Rebellen in Compiègne zu bezwingen, die drohten, in Paris einzumarschieren. Bei ihrer Rückkehr hatten sie es auf dem Platz Croix-du-Trahoir, auf dem gerade einem unehrlichen Diener die Ohren abgeschnitten wurden, mit einem Handschlag besiegelt: Simon Perrot folgte seinem Befehlshaber ins Grand-Châtelet.

»Herr Oberleutnant, die Gefangenen fordern, daß man das Stroh in ihren Zellen erneuert.«

»Warum denn das? Gefällt es ihnen nicht mehr?«

»Sie behaupten, daß es schon fast einen Monat alt sei.«

»Was meinst du dazu? Ich glaube, du hast es ihnen erst vor knapp einer Woche gebracht. Aber wir wollen Ungeziefer vermeiden. Der Häftling Robinet scheint mir ziemlich schwach auf der Brust zu sein. Der macht es wohl nicht mehr lange?«

»Er hatte schon eine Lungenblutung, bevor er das Grand-Châtelet kennengelernt hat …«

»Wir geben ihnen Kleider und Essen, wir beschützen sie, und das ist der Dank! Sie ziehen es vor, von uns zu gehen …«

Die beiden Männer brachen in schallendes Gelächter aus, und der Oberleutnant kicherte noch, als der Wächter schon fort war. Ja, mit diesem jungen Mann hatte er Glück gehabt; er opferte sich immer bereitwillig auf, die Gefangenen in die Folterkammer zu bringen. Chalumeau erinnerte sich noch, wie er während der jüngsten Unruhen, die die Hauptstadt erschüttert hatten, mit Feuereifer Bettler niedergeschlagen und gegeißelt hatte. Aus einem Hinterhalt pflegte er sich auf auf sie zu stürzen, weswegen er auch seinen Spitznamen »Ratte« erhalten hatte. Der Oberleutnant wußte, daß Simon Perrot mit seinem Verhalten weniger Mut als Grausamkeit bewies, denn die armen Menschen, meist in größeren Gruppen auftretend, hatten nur Knüppel und Steine, um sich den Gendarmen und den Kavalleristen zu widersetzen. Aber es waren ja nur Bettler, die es gegen sich selbst zu schützen galt, oder aber richtige Verbrecher, die eine exemplarische Strafe verdienten.

Oberleutnant Chalumeau bedauerte, daß nicht alle Schuldigen öffentlich bestraft wurden. Glücklicherweise hatte man heute wenigstens den Buchhändler, um die Leute zu unterhalten. Chalumeau, der der Hinrichtung nicht persönlich beiwohnen wollte, wußte, daß die Ratte ihm alle Einzelheiten berichten würde. Die Morgendämmerung überzog die Seine mit einem goldenen Schleier. Der neue Tag würde damit beginnen, daß man die in der Nacht ausgeplünderten Leichen aus dem Fluß barg. Die Gefangenen im Kerker Grand-Châtelet würden in ihrer entsetzlichen Angst zu Salzsäulen erstarrt sein. Antoine Robinet, Thomas Berger, Louis Patin, Albert Mathurin und ein Buchhändler, der angeklagt wurde, Hetzschriften gegen den König unter die Leute gebracht zu haben, kannten nicht die Namen ihrer Folterknechte, aber die Ratte verkörperte die Schrecklichste der drei Gorgonen. Der Henker folterte sie, aber die sadistische Freude, die sie in den Augen ihres Kerkermeisters lasen, quälte die Opfer fast ebenso sehr. Es bereitete ihm offensichtlich Freude, sie um Gnade flehen zu hören.

In diesem Augenblick öffnete Siman Perrot lächelnd die Kerkertür. Er sah die fünf Männer an; sein Blick wanderte langsam von einem zum anderen.

Die Gefangenen senkten den Kopf. Jeder fragte sich, ob er nicht der Folter entgehen könne, wenn er seine Brüder verraten würde. Aber warum, warum hatte ihr Meister, Guy Chahinian, sie noch nicht befreit? Er verfügte über sehr viel Geld, das wußten sie genau. Hatte er sie vergessen? Wie sollte man diesen schrecklichen Verdacht verscheuchen, nach den langen Tagen und Nächten in diesem Vorzimmer des Todes, wo es von Ratten und Ungeziefer nur so wimmelte? Nach Wochen des Hungers und der Schlaflosigkeit? Wie sollte man schlafen, in dieser unbequemen Haltung, die ihnen aufgezwungen wurde? Die zu kurzen Ketten erlaubten ihnen nur, sich hinzuknien oder sich hinzuhocken. Aber hätten sie sich hingelegt, wenn sie gekonnt hätten? Der Boden im Kerker war nach den letzten Regengüssen, die den Wasserspiegel der Seine hatten steigen lassen, aufgeweicht, eiskalt und ein Nährboden für Krankheiten. Ihre durch die Beinschrauben gebrochenen, zerquetschten, blutverschmierten Füße hätten längst verbunden werden müssen. Statt dessen lagen die Gefangenen in dreckigem Schlamm herum, bis sie wieder den erbarmungslosen Schlägen der Hämmer ausgesetzt waren.

Antoine Robinet wurde von einem Hustenanfall geschüttelt und bog sich vor Schmerzen. Die Ratte näherte sich ihm.

»Fühlen wir uns nicht wohl? Du solltest dich schonen, mein Freund … Stimmt, hier herrscht ein ziemlich ungesundes Klima, es ist etwas zu feucht. Ich glaube, ich weiß, was dich deine Krankheit vergessen lassen könnte. Komm mit!«

»Nein, nein, Erbarmen ... Ich gebe Ihnen Geld, Erbarmen!«

»Du hast doch gar kein Geld mehr.«

»Aber mein Geschäft.«

»Welches Geschäft? Das Geschäft des Nestelmachers oder das des Goldschmieds?«

»Mein Nestelmachergeschäft, das wissen Sie doch ...«

»Ah, ich glaube, wir verstehen uns endlich. Wenn du so guter Stimmung bist, wirst du uns sicher sagen können, wo euer Meister abgeblieben ist. Wir können ihn in Paris nirgendwo finden.«

»Ich weiß es nicht, bei Gott!«

»Und die anderen? Könnt ihr sein Gedächtnis nicht etwas auffrischen?«

Keiner der Männer hob den Kopf.

»Und du, Buchhändler? Haben dir deine Kerkergenossen denn gar nichts verraten? Du könntest deinem Urteil vielleicht entgehen, wenn du uns ihr Geheimnis verrätst. Du weißt, daß du sonst keine Chance hast. Man wird dich auf die Galeeren schicken. Wie heißt es unter deinen zukünftigen Bankgenossen so schön: ›Wir schreiben mit fünfzehn Fuß langen Rudern im Wasser.‹ Das wird dir sicher Spaß machen! Sofern du nicht vorher wegen Majestätsbeleidigung gerädert oder gehängt wirst ...«

»Dazu hast du kein Recht!«

»Ich diene dem König. Ich glaube, daß ich dir erst beibringen muß, was Höflichkeit ist.«

Die Ratte gab seinem Kollegen ein Zeichen, den Buchhändler von der Mauer loszubinden. Der Mann fing an zu schreien, zu brüllen und zu fluchen, während man ihn mit den Enden der Kette schlug, die ihn fesselte. Seine Ordensbrüder hörten ihn noch brüllen, als sich die Kerkertür längst geschlossen hatte, und im stillen beteten sie, daß die Folterknechte seinem Leiden ein schnelles Ende machten.

»Also, mein Junge?« fragte der Oberleutnant Chalumeau.

»Er hat endlich geredet, Monsieur. Der Henker hat gute Arbeit geleistet.«

»Ich bin sicher, daß du es genausogut machen würdest, Perrot.«

»Ich diene dem König.«

»Das ist gut so. Es ist unsere Aufgabe, ihn vor diesen Schreiberlingen, die seinen Namen in den Dreck ziehen, zu beschützen.«

»Sie können sicher sein, daß der lange nichts schreiben wird«, höhnte Simon Perrot. »Man hat ihm die Fingernägel ausgerissen.«

»Das ist genau das richtige«, stimmte der Oberleutnant mit einem höhnischen Grinsen zu, das seine verfaulten Zähne sichtbar werden ließ. »Sehr gut …«

6.
KAPITEL

Die Abenddämmerung tauchte die Fassade der Kathedrale in ein sanftes rotschimmerndes Licht, und Guy Chahinian fühlte eine große Traurigkeit in sich. Ihm kam es so vor, als würde die zaghaft scheinende Sonne viel zu schnell untergehen. Der Sommer ging zu Ende, und wenn auch die goldenen Kornfelder noch an die schöne Jahreszeit erinnerten, so kündigte die Luft doch einen verregneten Herbst an, und der vorwitzige Wind riß Früchte und Blätter schon von den Bäumen. Einige Vögel flüchteten vom Hafen, näherten sich den Abfallhaufen hinter den Häusern oder drangen in den Wald, um dort ihr Winterlager einzurichten. Selbst die sonst so unbekümmerten Elstern schienen wegen der heftigen Windböen besorgt zu sein, die eine harte Zeit ankündigten.

Nur die auf ihre Arbeit bedachten und in ihre Geschäfte verstrickten Menschen blieben dem Wetterwechsel gegenüber gleichgültig. Eichmeister, Tagelöhner, Schauer, Seeleute, Fischer, große und kleine Schiffsausrüster, Salz- und Getreide- oder Stoffhändler, sie alle tummelten sich hier dichtgedrängt und laut wie immer. Das Gewimmel erinnerte Guy Chahinian an die großen Markthallen von Paris.

Die Ankunft des Kaufmanns Lecoq weckte ihn aus seinen Gedanken. »Kommen Sie, ich will Sie diesen Leuten hier vorstellen. Das sind meine Freunde Jules und Madeleine Perrot, ihre Kinder Chantale und Ludovic. Madeleine ist die Mutter von Simon, den Sie kurz in Paris gesehen haben!«

»Ah! Sie haben den Brief für meinen Sohn geschrieben!«

»Ja, das stimmt«, antwortete Guy Chahinian.

»Geht es ihm gut? Jacques Lecoq hat mir versichert, daß er gesund ist, aber vielleicht will er mich schonen?«

Der Fremde beruhigte Madeleine Perrot:

»Ihr Sohn scheint mir ein zäher Bursche zu sein und zufrieden mit seinem Los.«

Vielleicht schon zu sehr, fügte er in Gedanken dazu. Der Goldschmied fand Simon selbstgefällig, und ihm hatte weder die beleidigende Lässigkeit gefallen, die der junge Mann gegenüber Jacques Lecoq an den Tag gelegt hatte, noch die auf die Nerven gehende Angewohnheit, seinen

Säbel ohne Unterlaß aus der Scheide zu ziehen und wieder hineinzustecken. Eine dumme Unart, die gut zu seinem einfältigen Gesichtsausdruck paßte. Chahinian beurteilte die Menschen hart, die seinem Blick auswichen.

»Unser Sohn ist sehr stolz«, sagte Madeleine Perrot.

»Laß Monsieur Chahinian in Frieden«, ließ Jacques Lecoq verlauten. »Da ist ja Nestor Colin, der gerade aus Neufundland zurückgekehrt ist. Wissen Sie, daß wir über vierzig Dorschfischer in Nantes haben? Der dort, der mit dem silberbetreßten Hut, das ist Kapitän Le Morhier. Ein zäher Bursche. Sein Schiff wurde zweimal geentert, und er hat dennoch überlebt! Natürlich hat er auch Glück gehabt ... Neben ihm steht Pater Thomas, der auch neu hier ist.«

Der Pater war schrecklich dürr, und seine langen Arme erinnerten an die Bewegungen einer Windmühle, was durch die starre Haltung seines Oberkörpers noch betont wurde. Pater Thomas wirkte größer als er war, denn er gab sich so wie auf der Kanzel: Er zog die Schultern nach hinten, spreizte die Finger und sprach mit lauter Stimme. Außerdem zog er durch seine widerspenstigen, strohblonden Haare die Blicke auf sich. Seine schmalen, braunen, auffallend schrägen Augenbrauen sahen sonderbar aus, denn sie waren so deutlich gezogen, daß man sie fast für unecht halten konnte. Die noch dunkleren Augen lagen so eingefallen unter den Augenbrauen, daß man erschauerte, da man spontan an den leeren Blick eines Toten denken mußte. Und die graue Haut des Kirchenmannes, die trotz seiner jungen Jahre voller Falten war, unterstrich noch den krankhaften Gesichtsausdruck. Der schmale, blaßrote Mund verkrampfte sich ruckartig an der linken Seite, wenn er aufhörte zu sprechen. Eine schwarze Soutane schmiegte sich eng um den dürren Körper des Priesters.

Seine ganze Erscheinung erinnerte an einen ausgebrannten Baum. Guy Chahinian bezweifelte jedoch, daß dieser Mann zu jenen gehörte, die auf den Scheiterhaufen enden. Er dürfte eher die unglücklichen Verurteilten zu unendlichen Beichten ermahnen.

Der Goldschmied erzitterte unter dem schwarzen Blick und ging wieder zu Madeleine Perrot.

»Ich weiß nicht, ob er sich an uns gewöhnen wird«, sagte sie, indem sie mit einem diskreten Kopfnicken auf den Priester deutete.

»Warum nicht?« sagte Guy Chahinian.

»Das Meer ist ihm fremd. Er kann sogar das Focksegel nicht vom Marssegel unterscheiden und das Bugspriet nicht von der Talje! ... Die Menschen fürchten seinen Rock, aber sie mögen ihn nicht. Ohne Unterlaß spricht er von den Werken des Teufels, aber er hat selbst keine Ahnung, und er verachtet uns, weil wir zittern, wenn wir den Namen ›Morgane‹ aussprechen.«

»Die böse Meeresfee?«

Madeleine Perrot nickte zustimmend:

»Ja, das ist sie. Und die Totenschiffe und die Totenbuchten, das sind keine Spinnereien. Viele Menschen hier haben sie mit eigenen Augen gesehen. Einige haben es mit dem Leben bezahlt, daß sie einem dieser Schiffe in der Nacht gefolgt sind. Sie wußte doch genau, daß es geradewegs aufs Riff zusteuerte, aber sie wurden einfach mitgerissen. Mein Großvater wurde auf diese Weise vom Meer verschlungen. Und sein Schiff muß wohl jetzt vom Teufel gesteuert werden. Er bemächtigt sich der Wracks, und die blutrünstigen Piraten sind so ergriffen, daß sie sterben, wenn sie ein Geisterschiff kreuzen. Es gibt sogar welche, die bekehrt worden sind. Das hat zumindest Pierre LaFlamme seiner Frau erzählt, als er von den Azoren zurückgekehrt ist.«

»Bekehrt?«

»Zumindest einer! Der ist berühmt! Auf einer Insel hat LaFlamme einen Piraten getroffen, den Roten Einäugigen. Ein Bär von einem Mann. Er war Matrose unter dem Befehl des Königs, aber man hat ihn erwischt, als er Nahrungsmittel gestohlen hat, und ihn zu dreimaligem Tauchen verurteilt.«

»Und das hat er überlebt?« fragte Guy Chahinian und staunte. Denn das Tauchen war eine Folter, die darin bestand, den Verurteilten mit den Handgelenken an einem Balken an der Rahe aufzuhängen, so daß er fünfzehn bis zwanzig Ellen über dem Meer schwebte. Dann wurde er plötzlich losgelassen. Der Aufprall auf das Wasser war ungewöhnlich stark, besonders wenn der Kandidat an einer mit einer Eisenkugel beschwerten Planke befestigt war.

»Ja, dieser Pirat war schon robust. Es gibt wenige, die von dieser Tauchstrafe erzählen können … Unser Pirat hat das Schiff verlassen, sobald es nur den Hafen berührt hatte, und ist sofort auf ein anderes Schiff geflüchtet. Er begriff schnell, daß seine Kameraden Seeräuber waren. Das hat ihn nicht gestört. Ganz im Gegenteil! Man sagt, er sei jahrelang Freibeuter gewesen, und er habe geplündert, geentert und versenkt, was ihm in die Quere kam. Er hat im Laufe der Schlachten ein Auge und eine Hand verloren. Um sich dafür zu rächen, stach er jedem Mann, den er gefangennahm, ein Auge aus und hackte ihm eine Hand ab. Entweder stimmten die Unglücklichen dieser Folter zu, oder sie wurden den Haien zum Fraß vorgeworfen. Gott hab sie selig!«

Madeleine Perrot beobachtete den Fremden einen Moment schweigend, dann erzählte sie ihre Geschichte zu Ende: Eines Abends im November hatte der Rote Einäugige ein großes, schwarzes Schiff gesehen, dessen Segel wie Leichentücher im Wind flatterten. Er hörte, wie der Großmast ächzte, ohne einzustürzen, er sah die Wanten flattern, die sich wie Galgenstricke verknoteten, und Hunderte von grauenhaften, bleichen Kreaturen mit totem Blick tanzten auf der Brücke: Es waren Auferstandene, seine Opfer, die mit ihren amputierten Gliedern dem Schiff des Roten Einäugigen ihr Zeichen aufdrückten. Dieser fing an, den Himmel um Vergebung anzuflehen ... Und als sein Schiff die Azoren erreicht hatte, bezahlte er seine Männer, schenkte aber seine gesamte Beute der Kirche und schwor, niemals mehr aufs Meer hinauszufahren. Die Frau schwieg eine Weile und fügte dann hinzu: »Pierre La-Flamme hat gesagt, diese Geschichte bewege jeden, ob man wolle oder nicht.«

»Und dieser Pierre LaFlamme, was ist aus ihm geworden?« erkundigte sich der Goldschmied.

»Er ist auf See gestorben, an Skorbut. Wenn er an Land gewesen wäre, hätte ihm seine Frau das Leben gerettet, aber ...«

»Das ist die Matrone, von der mir Jacques Lecoq erzählt hat?«

»Bestimmt ... Jacques hätte sie gern geheiratet, aber sie hat sich in den Kopf gesetzt, nicht noch einmal zu heiraten. Ich warne Sie, nur für den Fall, daß sie Ihnen auch gefallen sollte.«

Chahinian lächelte höflich, sagte aber nichts. Enttäuscht sprach Madeleine Perrot weiter:

»Sie hat sogar Geoffroy de Saint-Arnaud abgewiesen!«

Ihr Gesprächspartner sah sie verständnislos an, und Madeleine Perrot holte zu einer längeren Erklärung aus: »Das ist ein Mann von hohem Stand! Er ist Reeder und sehr reich. Aber Anne hat sich in den Kopf gesetzt, ihre

48

Kranken zu pflegen, in deren Nähe sich selbst ein Heiliger nicht wagen würde. Um Marie und Nanette zu ernähren, wo sie doch …«

»Ihre Kinder?«

Madeleine Perrot lachte:

»Nein, Nanette ist ihre alte Amme. Marie ist ihre Tochter. Warten Sie mal … Marie! Marie!«

Auf den Ruf der Frau, welche sie für ihre zukünftige Schwiegermutter hielt, eilte die junge LaFlamme sofort herbei: Als sie näher kam, wurde Guy Chahinian schwarz vor Augen: Marie sah Péronne – der geliebten Cousine, die auf dem Scheiterhaufen endete – verblüffend ähnlich. Die gleiche Kopfhaltung, das gleiche ovale Gesicht, der gleiche verführerische Blick. Chahinian war wohl blaß geworden, denn Marie nahm seine Hand und fragte ihn, ob er sich nicht wohl fühle. Er erschrak, als hätte er sich verbrannt, aber er brachte ein Lächeln zustande.

»Es geht schon wieder. Das kommt von der anstrengenden Reise …«

»Sie müssen den Sud der Flockenblume und des Basilenkrautes trinken«, riet Marie.

»Nicht doch!« jammerte Madeleine Perrot. »Reicht es nicht, daß deine Mutter Pflanzen sammelt?«

Marie lächelte freundlich, weil sie glaubte, Madeleine Perrot necke sie nur.

»Sie werden sehen, daß ich auf diesem Gebiet noch begabter sein werde als sie«, erwiderte Marie und fügte im stillen hinzu: ›Und daß Simon stolz auf meine Fähigkei-ten sein wird.‹ Tatsächlich hatte sie in letzter Zeit immer größeres Interesse an der Arbeit ihrer Mutter genommen, denn sie hatte festgestellt, daß die Fähigkeiten, die sie aus ihrer Erfahrung gewonnen hatte, Anne eine gewisse Macht verliehen. Auch Marie wollte bewundert werden, wünschte sich, daß die Leute über die Wunder, die sie vollbrachte, staunten, ob es sich nun um das Richten eines Bruches oder um die Heilung eines Fiebers handelte.

Aber vorläufig kannte sie nur die Kräuter gegen Magenruhr oder Darmblutungen, da wußte sie, was zu tun war.

»Sind Sie sicher, daß es Ihnen bessergeht«, fragte sie noch einmal und sah Guy Chahinian prüfend an. »He! Monsieur?«

Der Goldschmied nickte und drehte sich zu Madeleine Perrot um. Er hatte Angst, daß er das junge Mädchen allzu auffällig anstarrte.

»Sehen Sie, da ist Annes Verehrer, Monsieur de Saint-Arnaud. Sei etwas netter, Marie.«

Marie verzog das Gesicht.

»Er geht mir auf die Nerven. Er tut so, als gehöre ihm ganz Nantes.«

»Es fehlt auch nicht viel … Und deine Mutter, die …«

»Meine Mutter?« sagte Marie und stellte sich so hin, daß sie dem Reeder den Rücken zuwandte.

»Deine Mutter sollte vernünftiger sein!«

An Chahinian gewandt, fügte Madeleine Perrot halblaut hinzu, daß sie ihre Nachbarin ja durchaus gern habe.

»Ich wünsche Anne doch nur, daß sie bestens versorgt ist, aber sie hört nicht auf mich … Monsieur der Saint-Arnaud war sogar zwei Jahre Bürgermeister. Darum ist ihm der Adelstitel verliehen worden. Er trägt heute noch häufig seinen Degen, den er damals von Amts wegen hatte, und …«

Madeleine Perrot deutete sofort eine Verbeugung an, als der Reeder sich zu ihr herumdrehte. Geoffroy de Saint-Arnaud bedeutete ihr, sich wieder zu erheben, und lächelnd bot er Jules Perrot Tabak und den Frauen und Kindern kandierte Früchte und Bonbons an. Obwohl

Marie den Reeder nicht mochte, konnte sie doch den farbigen Pastillen nicht widerstehen, und als sie genüßlich die Anisbonbons lutschte, fiel ihr auf, daß Geoffroy de Saint-Arnaud noch ausgesuchter gekleidet war als gewöhnlich.

Immer auf die Mode bedacht, pflegte sich dieser Mann betont salopp zu kleiden, und sein Wams und der Gürtel seiner Oberschenkelhose schlossen absichtlich nicht miteinander ab. Um aber auch seinen Reichtum zur Schau zu stellen, ließ der Reeder aus den mit Spitze verzierten Ärmeln seines Wamses unzählige Kordeln hervorschauen. Die Rheingrafenhose aus schöner, dunkelbrauner Wollratiné war mit einer Menge Bändern geschmückt und paßte vorzüglich zu der Reihe beigefarbener Spitzen, die das Knie markierten. Geoffroy de Saint-Arnaud hatte einen schwarzen Filzhut mit schmaler Krempe und riesigen, weißen Federn gewählt, damit seine Perücke auch auffiel, die er soeben erstanden hatte. Er hatte sie in Paris in Auftrag gegeben, wo die Perückenmacher die Haare auf Seidenfäden flochten, bevor sie sie üppig toupierten. Abgesehen von einigen reichen Fremden, die gelegentlich auf der Durchreise hier haltmachten, gab es in Nantes niemanden, der besser gekleidet wäre als der Reeder, und viele Frauen waren sich einig, daß Anne LaFlamme nicht ganz richtig im Kopf sein konnte, eine solche Ehe abzulehnen, es sei denn, sie war schon einem anderen versprochen.

Und dieser andere, so hörte Guy Chahinian, während er durch die Menge spazierte, nachdem er einige Höflichkeiten mit Geoffroy de Saint-Arnaud gewechselt hatte, dieser andere könnte gut der Teufel sein.

Der Teufel!

Das Wort ließ Guy Chahinian frösteln. War es denn sein Schicksal, daß er überall, wohin er kam, solche niederträchtigen Verdächtigen hörte und Zeuge dieser schreckli-

chen Prozesse wurde, dieser abscheulichen Folterungen …
Sollte er überhaupt in Nantes bleiben? Würden die
Ordensbrüder jemals nach Neufrankreich gelangen, in das
neue Land, wo jeder, wie es hieß, seine Chance bekam?
Würden die heiligen Gestirne den fernen Kontinent erreichen? Er hoffte es! Die Wilden, denen man nachsagte, sie
seien so grausam, daß sie das Herz ihrer Feinde verschlin-
gen würden, konnten niemals so gefährlich sein wie eine
Herde Verrücktgewordener.

»Der Teufel?« erkundigte sich jetzt Pater Thomas mit
besorgter Miene.

»Wie sollte man Anne LaFlammes Ablehnung denn
anders erklären? Sie muß von einem Wesen beherrscht
werden, das mehr Macht hat als Monsieur Saint-Arnaud!«
flüsterte Henriette Hornet hinter vorgehaltener Hand
Pater Thomas zu, der aufmerksam ihren Verdächtigungen
lauschte.

In der Tat, wie sollte man verstehen, daß die Hebamme
so viele Sieche mit vereiterten Wunden heilen, ständig verpestete Luft einatmen, zahlreiche Skrofulosen behandeln,
immer wieder Abszesse und Fisteln säubern konnte, ohne
jemals angesteckt zu werden?

»Sie wird beschützt, das ist alles. Der Teufel hat ihr die
Gegenmittel verraten. Wir wissen ja, daß sie Belladonna
und Mandragora in der Abenddämmerung pflückt. Und
daß sie immer lange Strümpfe trägt, selbst mitten im Sommer, liegt sicher daran, daß sie ein Teufelsmal an den Beinen hat«, erklärte Françoise Lahaye.

»Das glaube ich auch«, stimmte Henriette Hornet
lächelnd zu. »Sie haben ganz recht. Wenn es meinem Gatten nicht gelingt, diese Unglücklichen zu heilen, aber ihr,
dann nur, weil das Böse seine Hand im Spiel hat.«

»Ich würde lieber sterben, als von ihr behandelt zu wer-

den«, verkündete eine Dritte. »Sie verhext die Siechen ...
Ich muß sagen, daß ich mich nach dem gestrigen Aderlaß
von Monsieur Hornet heute schon viel besser fühle. Sie
können Ihrem Gatten meinen Dank ausrichten. Er ist wirklich ein Mann von hoher Gesinnung.«

Henriette Hornet dankte mit zuckersüßer Stimme,
zufrieden, daß mehrere Bürgersfrauen und selbst einige
Frauen niederen Standes sie in ihren Absichten unterstützten. Es war richtig gewesen, dieses Stück Stoff für Cécile
Beaupré und diesen Fingerhut bei dem Nadelhändler
Lahaye zu kaufen. Sie brauchte ihn keineswegs zum Stop-
fen, aber das Ding erwies sich schon jetzt als sehr nützlich:
als Zeichen einer Art Bündnis. Sie hatte lange genug unter
der Überheblichkeit Anne LaFlammes gelitten, dieser Närrin, die behauptete, Kranke zu heilen, wo sie noch nicht
einmal des Lateinischen mächtig war, noch nie einen Fuß
in die Rue Jean-de-Beauvais gesetzt hatte und den Aderlaß
verachtete.

Georges Hornet – Henriettes Ehemann – hingegen war
nach vierjährigem Studium von Paris nach Nantes gezogen, wo er auch nicht gerade reich wurde. Er hatte doch
nicht den Vorträgen über die Kunst des Sezierens im eis-
kalten Auditorium gelauscht, damit ihm die Leute eine
Stümperin aus der Bretagne vorzogen. Gewiß, Anne LaF-
lamme hatte bisher Glück gehabt. Die Menschen hatten
den Eindruck, daß ihre Gesundheit wieder hergestellt sei,
wenn sie von ihr zurückkehrten. Unter ihnen waren auch
viele Bettler, um die Henriette Hornet sich kaum gekümmert hätte, wenn diese nicht den Heilmitteln Anne
LaFlammes ihre wohltuende Wirkung bescheinigt hätten.
Ihr Ruf als Heilerin hätte er die Witwe, die mit ihren Kennt-
nissen geizte, wenn sie mal zwischen zwei Besuchen im
Siechenzelt zu Hause war, ein riesiges Vermögen einbrin-

gen können. Der immer größer werdende Andrang vor ihrer Tür machte Henriette Hornet wütend. Der Neid verzerrte ihre schmalen Lippen, verspannte ihren Hals, ließ ihre Bewegungen erstarren und verunstaltete ihre Gesichtszüge.

Wäre Guy Chahinian jünger gewesen, hätte ihn diese Art übersteigerter Eifersucht belustigt, aber er kannte die Menschen zu gut, um nicht zu erkennen, daß eine Frau wie Madame Hornet die Zeit für ihre Rache arbeiten ließ.

Freudige Schreie, Rufe, Lachen und eine plötzliche Unruhe in der Menge kündigten dem Goldschmied an, daß er nun endlich diese Frau sehen würde, von der er schon so Gegensätzliches gehört hatte.

Da er Marie LaFlamme schon gesehen hatte, war Guy Chahinian darauf gefaßt, eine Ähnlichkeit zwischen ihr und der Mutter festzustellen, aber er erblickte eine kleine Frau mit einem alltäglichen Gesicht und zarter Gestalt. Dieser Eindruck von Zerbrechlichkeit wurde durch ihren scharfen Blick, ihr ehrliches Lachen, die klugen Augen, die regen Bewegungen und die Energie, die sie ausstrahlte, schnell verwischt. Die Bewegungen ihrer auffällig langen Hände waren sehr anmutig. Sie legte sie sanft auf die Schulter Maries, streichelt das Gesicht Nanettes und strich leicht über die Wange Chantale Perrots. Es waren von der Sonne verbrannte und verbrauchte Hände, aber Guy Chahinian hatte in Paris nie liebenswertere Hände gesehen. In ihnen schien sich eine solche Güte zu sammeln, daß der Fremde begriff, wie sie die Kranken allein durch die Berührung ihrer Hand heilen könnte.

Chahinian bat Jacques Lecoq, dieser Frau vorgestellt zu werden. Doch im selben Augenblick schritt Geoffroy de Saint-Arnaud so zielstrebig auf sie zu, daß die Menschen, die dem Reeder schmeicheln wollten, respektvoll Platz machten, damit er unter vier Augen mit der Heilerin reden konnte. Marie hatte vermutlich stur ihren Platz behauptet, sie stand gerade bei dem Tuchhändler, den sie zum hundertsten Mal mit Fragen über Simon löcherte. So konnte Geoffroy de Saint-Arnaud ihrer Mutter ungestört zu ihrem guten Aussehen gratulieren.

»Sehen Sie, Monsieur«, sagte Anne lachend, »ich brauche keinen Spiegel, um zu sehen, daß ich kreidebleich bin, einen gläsernen Blick und stumpfe Haare habe. Machen Sie sich nicht lustig über mich.«

»Ich mache mich doch nicht lustig, Madame. In meinen Augen sind Sie immer schön.«

Anne schüttelte den Kopf. Nein, sie war nicht hübsch. Sie wußte es so gut wie er, und daß er sie Madame nannte, änderte daran nichts. Außer ihrer schlanken Figur und ihren gesunden Zähne hatte sie keine Trümpfe, um anderen zu gefallen. Die schmalen Augen lagen weit auseinander, durch die schlaflosen Nächte war ihre Haut faltig geworden, und ihr zu großer Mund ließ den Eindruck von Harmonie gar nicht erst aufkommen. Sicher vergaß man auf Grund von Annes anmutigen Bewegungen schnell ihre gewöhnlichen Züge, aber sie war zu gescheit für die Schmeicheleien des Reeders.

Geoffroy de Saint-Arnaud ließ jedoch nicht locker.

»Sie haben ein liebenswertes Gesicht, wenn ich es Ihnen sage!«

»Nein, Monsieur, und hören Sie auf mit Ihren Tricks. Es wird langsam langweilig.«

»Also, ich weiß nicht mehr, was ich Ihnen noch sagen soll, um Ihr Herz zu erweichen. Verdammt, muß ich denn erst Fieber bekommen oder in Agonie fallen, damit Sie mir etwas Freundschaft zubilligen? Bin ich denn so unausstehlich, daß Sie mich derartig abweisen?«

Anne stieß einen Seufzer der Ungeduld aus.

»Aber nein, Monsieur! Sie wissen doch, daß Sie die beste Partie weit und breit sind. Aber zum hundertsten und ich hoffe auch zum letzten Mal: Ich will Sie nicht heiraten. Und es ist zwecklos, mich weiter mit Schmeichelworten zu überschütten.«

Geoffroy de Saint-Arnaud protestierte mit dem Nachdruck eines Mannes, der ehrlich verliebt ist. Er versuchte, sich genauso zu verhalten, wie er sich einen Verehrer vorstellte, einen dieser Narren, für die eine Liebe wichtiger als Reichtum und Vernunft waren. Da er Anne öffentlich den Hof machte, überzeugte er sie schließlich doch, daß sie ihm wirklich am Herzen lag. Er war dennoch erleichtert, daß sie ihn bei allen ihren Begegnungen entschieden zurückwies. Was hätte er getan, wenn sie auf seine Avancen eingegangen wäre?

Die Glocken läuteten zur Vesper. Der Reeder lächelte: Um diese Zeit suchte der Gnom wohl den Hafen nach einem geldgierigen oder verzweifelten Seemann für ihn ab.

7.
KAPITEL

Der verlockende Duft gebratenen Fleisches, der ihr entgegenströmte, als sie die Wohnungstür aufstieß, war eine angenehme Überraschung für Anne. Nanette war vor ihr und Marie nach Hause gegangen, um ein mit Nelken gespicktes und mit Speckstreifen umwickeltes Stück Rindfleisch über der Feuerstelle zu rösten. Der reichlich vorhandene Saft des roten Fleisches wurde mit einer goldenen Zwiebelschwitze verfeinert, die im Kochtopf brodelte und sämig wurde. Eine feine Mischung aus verschiedenen Kräutern – Salbei, Bohnenkraut, Majoran und Thymian – verlieh dem Wohlgeruch des Fleisches eine besondere Note, ohne den Duft jener Mairitterlinge zu zerstören, die eine Schicht von Lilien bedeckten. Das fröhliche Brutzeln des Fleischsaftes kündigte ein Festessen an. Die Wärme, die das Zimmer erfüllte, in dem auch noch Crêpes gebacken und eine Linsensuppe gekocht wurde, schien der Vorbote eines friedlichen und gemütlichen Abends zu sein. Anne LaFlamme bedachte die Köchin mit einem dankbaren Lächeln.

»Wo hast du denn dieses Königsstück Fleisch aufgetrieben?«

»Mathias Goubert hat es zum Dank für die Entbindung seiner Frau gebracht. Scheint, daß das Kindchen wächst und gedeiht.«

»Um so besser. Riecht das gut! Aber du hast zuviel gekocht, Nanette.«

»Ganz bestimmt nicht. Ich mache sogar nie genug. Wer hat mich gerettet, als die …«

»Fang nicht wieder davon an. Das war doch ganz selbstverständlich.«

»Aber du konntest doch nicht wissen, daß ich so alt werde, als du mich hier gepflegt hast. Wenige in Nantes müssen sich um ihre Eltern kümmern. Du hast bei mir gewacht, als wäre ich dein eigen Fleisch und Blut, als sich niemand mehr in meine Nähe gewagt hat, sogar die Kinder nicht, die ich gestillt habe. Ich werfe es ihnen nicht vor, aber nur du hast mir noch geholfen. Und wer hat mich bei sich aufgenommen, als Mann und Kinder statt meiner gestorben sind? Du bist eine Heilige für mich. Ich hoffe, Gott weiß es.«

»Nanette!«

»Ich bete jeden Tag, daß der Himmel dich beschützen möge«, fügte die alte Frau hinzu. »Das ist noch nicht alles, du mußt wieder zu Kräften kommen. Du bist nicht kräftiger als die Matrosen, die von Bord gehen, nachdem sie monatelang nur wurmstichigen Zwieback gegessen haben. Also, setz dich hin und iß.«

Anne gehorchte erleichtert dem barschen Ton. Sie war froh, daß für sie entschieden wurde, nachdem sie tagelang alles für die Notleidenden geregelt hatte, ohne daß sie jemanden hätte um Rat fragen können. Als sie am Tisch saß und das gute Essen vor ihr stand, war sie wieder das kleine Kind, das von Nanette verwöhnt wurde, oder das unbekümmerte junge Mädchen, das von Pierre La-Flamme, ihrem hübschen Pierre, träumte. Sie hatte ihn so sehr geliebt, daß es ihr fast körperliche Schmerzen bereitete, wenn sie sich an die Lust erinnerte, die sie empfand, wenn er sie nahm oder wenn sie lange zärtlich seinen gut gebauten Körper streichelte, die breiten Schultern, den festen Bauch, die kräftigen Schenkel, die muskulösen Arme. Pierre war ein leidenschaftlicher Liebhaber gewesen, der es verstanden hatte, sie glauben zu machen, daß sie schön sei. Er riß sie mit, ertränkte sie, und seine Lust überschwemmte sie mit einer solchen Kraft wie Wellen des Meeres, das sie so fürchtete. Dieses Meer, daß ihr Pierre vor dreizehn Monaten entrissen hatte.

»He, Anne!« brummte Nanette. »Jetzt fängst du genauso an wie deine Tochter! Ich habe bald das Gefühl, gegen die Wand zu reden. Heute spricht wohl nur noch die Katze mit mir.«

Anne drehte ihren Kopf zu Marie herum. Sie hatte sich

neben das Fenster gesetzt und durchlebte noch einmal den Moment, als Jacques Lecoq mit Simons Brief angekommen war. *Marie Perrot.* Ja, Marie Perrot. Das hörte sich gut an. Das in ihren Träumen versunkene junge Mädchen war allen anderen Namen gegenüber taub, und Anne mußte sie dreimal ansprechen.

»Meine kleine Königin … Träumst du vom Märchenprinzen?«

Marie widersprach so heftig, daß Anne herzhaft lachte, ehe sie ihr mehr Glück wünschte als Dornröschen aus dem Märchen.

»Hoffentlich mußt du nicht ein Jahrhundert auf ihn warten. Ich fürchte, daß du nicht die nötige Geduld hättest.«

»Nein, die Perrots …«, begann Marie, die sofort errötete. Sie verfluchte ihre Spontaneität, durch die sie sich so dumm verraten hatte.

»Die Perrots?«

»Haben einen Brief von Simon bekommen«, schimpfte Nanette. »Und seitdem ist das Kind völlig durcheinander.«

Anne LaFlamme runzelte die Stirn. Wenn sie ihre Nachbarin Madeleine, die sich um ihren Sohn sorgte, auch immer bemitleidet hatte, so war sie doch erleichtert, Simon weit weg von Marie zu wissen. Sie hatte geglaubt, daß durch die Entfernung und die Zeit die Leidenschaft ihrer Tochter für diesen Mann verblassen würde. Offensichtlich war das nicht der Fall.

»Madeleine hat mir nichts davon gesagt, daß Simon zurückkommt«, meinte Anne.

»Nein, Simon hat nicht gesagt, daß er zurückkommt«, sagte Marie ärgerlich, »aber das ist egal, man muß auch zwischen den Zeilen lesen können! Er hat nur noch darauf gewartet, daß ich ihm verzeihe. Dann wird er kommen!«

»Schön«, sagte Anne leise und verbarg ihre Enttäuschung.

Marie würde auf jeden Fall leiden ... Entweder träumte sie mit solcher Naivität, daß der Brief ihr genau das zuflüsterte, was sie hören wollte, oder aber sie hatte recht, und Simon tauchte bald hier auf. Beides würde gleichermaßen schmerzhaft für sie werden. Sie mußte entweder ihren Träumen entsagen, oder aber mit einem verrohtem Mann zusammenleben. Wie sollte man es ihr beibringen? Marie wurde fuchsteufelswild, sobald man leichte Kratzer an ihrem Bild von Simon anzubringen wagte. Sie war ihrer Mutter zu Gehorsamkeit verpflichtet, aber Anne hatte sie niemals zum Gehorsam gezwungen, wenn es auch manchmal hilfreich gewesen wäre, und sie würde nur im äußersten Notfall darauf bestehen. Mußte sie es in diesem Fall tun?

In solchen Augenblicken vermißte Anne ihren Mann noch mehr als sonst. Hätte er vielleicht seine Tochter überzeugen können? Diese sprach nur selten von ihrem Vater, als ob sie die Trauer nicht wahrhaben wolle. Anne bedauerte es. Es hätte ihr geholfen, über die Erinnerungen an ihren Gatten sprechen zu können. Sie respektierte Maries Schweigen, denn auch wenn sie die Liebe des jungen Mädchens berücksichtigte, so mußte sie ihre Tochter doch vor dem ungestümen Simon schützen. Wie konnte man ihn zurückweisen, ohne Marie und die Perrots zu verletzen? Wie einen Verehrer abweisen, dessen zorniger Übermut unverkennbar war? Anne seufzte so tief, daß Marie das Wort ergriff.

»Mama, mach dir keine Sorgen! Ich täusche mich nicht. Er wird bald wiederkommen. Ich fühle es.«

Wohl wissend, daß man das Schicksal nicht beugen kann, bemühte sich Anne zu lächeln.

»Vielleicht, mein Kind, vielleicht …«

Nanette stellte einen Kerzenleuchter zwischen das Brot und die Blumen, die Marie gepflückt hatte. Die flackernden Flammen brachten die Stiefmütterchen, die hinter den Goldruten versteckt waren, ans Licht, zeichneten die Umrisse der Löwenmaulblätter nach, vergoldeten das Weiß der wilden Rosen und frischten das Rubin der kräftigen Dahlien auf. Die Abenddämmerung hatte sich auf Zyklamen und die Sonnenastern gelegt und verlieh ihnen einen dunkelblauen Schimmer, der sich von den rosafarbenen Ähren des Heidekrautes und dem leuchtenden Gelb der Kamille abhob. Der Duft dieser Pflanze war stärker als der aller anderen Pflanzen, aber er wurde noch übertroffen von den Gerüchen, die von den Suppennäpfen aufstiegen, die Nanette reichte.

»Iß, solange es noch heiß ist, Anne. Und du auch, Marie!«

»Und du, Nanette?«

»Ach, in meinem Alter hat man nicht mehr so einen Heißhunger. Wenn ich sehe, daß es euch schmeckt, ist mir das die größte Freude. Wenn ihr mich ein bißchen liebhabt, dann eßt ihr alles auf.«

Anne sprach das Tischgebet, während die Älteste und die Jüngste ihre Köpfe senkten, um sich zu sammeln und diesen Moment der Ruhe zu genießen. Ein Gefühl der Ruhe und Heiterkeit erfüllte sie für einen Moment, und Anne dankte dem Herrn für seine Güte.

Während die Einwohner von Nantes nach der Abendandacht nach Haus gingen, wollte Guy Chahinian die Stadt erkunden. Während er durch die Hafenstraßen schlenderte, wunderte er sich, wie schnell das Wetter umgeschlagen war. Die leichte Brise zwang ihn jetzt, den Kragen seines Wamses hochzuschlagen. Ein Lapisblau hatte den letzten rötlichen Schimmer und die zerfransten, malvenfarbenen Wolken so schonungslos weggefegt, daß Guy Chahinian an einen Wechsel des Bühnenbildes denken mußte. Sicher, kein Künstler könnte die unermeßliche Weite des Himmels nachbilden, die Bewegung der Wellen, das Wehen des Windes, aber es gab geschickte Menschen, und Chahinian, Liebhaber der komischen Oper, war wie alle Pariser Zuschauer des Theaters Petit-Bourbon von der Zauberei der Maschinerie sowie von der Musik, dem Gesang und Tanz beeindruckt gewesen. Er wußte nicht, wie lange er in Nantes bleiben würde, aber vielleicht hatte sich hier auch eine Theatertruppe niedergelassen, oder es hielten sich fahrende Komödianten in der Stadt auf? Er liebte diese Art der Abwechslung und ihre belehrende Moral, denn, und da irrte er sich nicht, die Autoren der Theaterstücke prangerten die Selbstgefälligkeit der Menschen an. Sie hatten seiner Meinung nach genausoviel Einfluß auf die Zuschauer, indem sie sie zum Lachen und Weinen brachten, wie die Priester auf der Kanzel, die sie in Angst und Schrecken versetzten. Und Guy Chahinian erfreute sich daran. Wenn ihm auch der tiefsinnige Geist von Bossuet zusagte, so bevorzugte er doch den Witz von Molière oder von La Fontaine, die die Fehler der Menschen genau sahen, aber sie nicht verdammten …

Als er wieder an Pater Thomas und seinen irren Blick dachte, beschlichen ihn düstere Ahnungen. Würde er eines Tages mit ihm aneinandergeraten? Eine der Forderungen des höchsten Meisters war, die Inquisition zu bekämpfen. Zwei Jahrhunderte nach der Gründung der Bruderschaft wurden noch immer Hexen verbrannt, und Guy Chahinian hatte, ohne daß er etwas dagegen hätte tun können, nach dem qualvollen Ende seiner Cousine noch viele Unglückselige gesehen, die sich vergeblich am Schandpfahl hin und her gewunden hatten, um den Flammen zu entkommen, und die gespürt hatten, wie das Blut spritzte, ihre Haut anschwoll, platzte und zerbarst. Von Lothringen bis ins Baskenland, von den deutschen Fürstentümern bis England, von Spanien bis Flandern, überall wiederholte sich dieses Grauen. Guy Chahinian konnte sich nicht daran gewöhnen, und jede weitere Hinrichtung spiegelte deutlich die grausame Einfältigkeit der Menschen oder ihre Schwächen wider. Sie brauchten eine Erklärung für die Kriege, die Hungersnöte, die Pest, die Überschwemmungen. Waren ihre Sünden so groß, daß Gott sie in seinem Zorn bestrafen wollte? Waren sie nicht eher Opfer des Teufels? Die zweite Möglichkeit war verlockender, denn sie begrenzte die eigene Verantwortung.

Guy Chahinian dachte wieder daran, wie wütend Henriette Hornet auf Anne LaFlamme war, als er umkehrte und die Tür zum *Poisson d'or* aufstieß. Sollte er die weise Frau warnen? Was würde sie von einem Dahergelaufenen denken, der zu ihr kam, um von einer Verschwörung zu sprechen? Was wußte er eigentlich genau? Nichts. Und eigentlich konnte er auch keine Ungelegenheiten gebrauchen.

Guy Chahinian wurde von einer dicken, verführerisch lächelnden Frau empfangen, die ihm einen Platz am Kamin anbot.

»Dort sitzen Sie besser. Es zieht nicht so. Es ist kühl geworden, und nachts ist es sehr kalt. Finden Sie nicht?«

»Germaine! Laß den Herrn in Frieden. Sie müssen schon entschuldigen«, sagte der Schankwirt und gab seiner Gattin einen freundschaftlichen Klaps. »Das ist keine Frau, die ich da geheiratet habe, sondern die Neugierde in Person! Kommen Sie von weit her?«

Der Goldschmied mußte fast lachen, denn scheinbar war Baptiste Crochet genauso geschwätzig wie seine bessere Hälfte. Er antwortete, daß er aus Paris komme.

»Paris!« ließ der Schankwirt mit mitleidserfüllter Miene verlauten. »Paris ...«

»Kennen Sie Paris?«

Der Schankwirt schaute ihn herablassend an.

»Mit Verlaub gesagt, Monsieur, ich habe in dieser verfluchten Stadt die schlimmsten Momente meines Lebens durchlebt! Ich habe meinen Bruder nach Paris begleitet, der vor der großen Kammer des Parlaments einen Prozeß geführt hat. Ich glaube, der wird sich nie etwas anderes einhandeln als Kummer. Der kommt nie auf einen grünen Zweig. Und es hätte gut sein können, daß wir dieses Unglücksgericht nie gefunden hätten. Übrigens wären wir fast daran vorbeigefahren. Finden Sie in diesen ganzen Gassen immer den richtigen Weg? Wir wollten in der Nähe des Gerichtshofes übernachten, aber es gab dort keinen einzigen Gasthof. Nachdem wir stundenlang im Kreis gegangen sind, immer die Gefahr im Nacken, von einer Kutsche überfahren zu werden, haben wir endlich einen gefunden ...«

»Heute nacht habe ich noch davon geträumt«, unterbrach ihn seine Frau.

»Wir haben keinen einzigen barmherzigen Menschen getroffen, der uns hätte helfen können«, jammerte der Wirt dieses nach den unschuldigen Goldfischen benannten Gasthofes. Schließlich sind wir dann in einem Zimmer in der Rue aux Ours gelandet. Sie kennen diese Straße vielleicht? Ich war überrascht, daß dort eine Statue der Heiligen Jungfrau stand. Und sie war sogar beleuchtet!«

»Diese Lampe brennt, seitdem ein Soldat, der wütend war, weil er im Spiel verloren hatte, die Statue mit seinem

Messer beschädigt hat. Die Heilige Jungfrau soll nach dieser Schandtat geblutet haben«, erklärte Chahinian.

»Man sollte sie woanders aufstellen«, sagte Baptiste Crochet. »Man kann unserer Heiligen Mutter Maria keine Achtung zollen, wenn man sie an solch einem Ort läßt. Wenn jemand behauptete, daß die Fische, die aus Neufundland kommen, stinken, dann schwöre ich bei Gott, daß er noch nicht den Gestank von Pisse oder von angebranntem Fett der Bratstuben von Paris gerochen hat! Ich glaubte zu ersticken, und wenn ich schließlich doch eingeschlafen bin, dann nur, weil wir von der Reise völlig erschlagen waren. Um dann von fürchterlichen Schreien wieder aufgeweckt zu werden. Sicher kamen sie von der Pont-Neuf. Man hatte dort einen armen Mann erwürgt.«

Es war unmöglich, die Schreie eines Opfers auf dieser Brücke von der Rue aux Ours aus zu hören, das wußte Guy Chahinian ganz genau. Aber er kannte auch den schlechten Ruf dieser düsteren Pont-Neuf. Es war die einzige unbewohnte Brücke von Paris, sie führte nach Saint-Germain und stellte für jeden, der sie betrat, eine Gefahr dar, sofern er sich nicht von einem Wächter begleiten ließ. Aber selbst regelmäßige Patrouillen konnten die Meuchelmörder nicht von diesem Ort zurückschrecken. Sie versteckten sich in den Nischen des Brückengeländers, ohne einen Laut von sich zu geben, und warteten, bis sich ein Unglücklicher dorthin wagte, um an das andere Ufer zu gelangen. Dieser konnte dem Himmel danken, wenn er nur ausgeraubt wurde. Viele wurden in die Seine geworfen, nachdem man sie erdolcht und um ihre Geldkatze erleichtert hatte. Es war nicht weiter verwunderlich, daß der Wirt Baptiste von diesen traurigen Geschichten gehört und sich dann eingebildet hatte, er habe die Klagerufe eines Opfers gehört. Daher widersprach Guy Chahinian dem Wirten des *Poisson d'or* auch nicht. Ganz im Gegenteil, er stimmte ihm voll und ganz zu.

»Sie sehen das ganz richtig … Und darum bin ich aus dieser Räuberhöhle geflüchtet und will mich hier niederlassen.«

»Ach! Sie bleiben hier?« rief Germaine Crochet geradezu begeistert aus. Guy Chahinian machte auf sie einen ernsten und wohlhabenden Eindruck. Er hatte keine Miene verzogen, als er das Schild gelesen hatte, daß hier niemand trinken durfte, ohne sofort zu bezahlen, und er hatte ein Buch in der Hand, das er auf den Tisch legte, nachdem er sich hinten im Saal neben den Kamin gesetzt hatte.

»Möchten Sie etwas essen?«

Guy Chahinian nickte.

»Der säuft bestimmt nicht so!« flüsterte Germaine ihrem Mann zu. »Mal was anderes als immer diese Matrosen.«

»Was würdest du ohne die machen?«

Die Frau zuckte mit den Schultern. Was sie machen würde? Sie würde leckere Gerichte kochen, anstatt immer von den Weinfässern zu den Tischen zu laufen, um Leute zu bedienen, die tranken, bis ihr Geldbeutel leer war. Einmal abgefüllt, konnte dann niemand mehr ihren gebratenen Aal mit Knoblauch, ihren gekochten Hecht oder auch nur ihre Wurzelsuppe kosten. Dieser Fremde hingegen hatte gute Manieren, und er hatte eifrig der Fleischpastete und den Klößchen, die sie ihm empfohlen hatte, zugesprochen. Er würde ihre Gerichte zu schätzen wissen und öfter wiederkehren, falls er keinen eigenen Herd hatte.

»Kennen Sie die Gegend?« erkundigte sie sich, während sie den Kuchen brachte.

»Überhaupt nicht. Ich war nur einmal vor einigen Jahren hier. Aber ich war auf Anhieb sehr eingenommen von dieser Stadt.«

Diese Erklärung schmeichelte Germaine. Sie war in Nantes geboren und liebte diese Stadt von ganzem Herzen. Wahrlich, der Mann aus Paris gefiel ihr.

»Sie haben wohl Familie hier?«

»Nein, weder hier noch anderswo. In Paris hat mich nichts gehalten. Ich werde mich in Nantes sicher nicht einsamer als dort fühlen.«

»Sie werden hier alle Leute kennenlernen«, versicherte ihm der Wirt. »Jeder kommt zu seiner Zeit hierher, um ein Gläschen Wein zu trinken. Übrigens haben wir auch Wein aus Bourgneuf. Wo werden Sie wohnen?«

»Ich trete die Nachfolge von Meister Charles an. Monsieur Lecoq hat mich freundlicherweise dorthin gebracht. Zum Glück ist das Haus meines ehemaligen Meisters ganz in der Nähe. So werde ich die Möglichkeit haben, mir öfter Ihre Pastete schmecken zu lassen!«

Germaine Crochet bedankte sich gerade, als die Tür der Schankstube aufgestoßen wurde.

8.
KAPITEL

Geoffroy de Saint-Arnaud blieb einen Moment auf der Schwelle stehen und ließ seinen Blick durch den Raum schweifen. Er schien verärgert zu sein, niemanden außer Guy Chahinian zu erblicken.

»War der Kleine nicht hier, Baptiste?«

»Nein, gnädiger Herr. Erwarten Sie ihn?«

»Ja ... Nein. Gib mir lieber etwas zu essen, anstatt mich mit Fragen zu löchern. Ist noch Pastete übrig«, fragte er mit Blick auf das angeschnittene Stück auf dem Teller, »oder haben Sie alles aufgegessen, Fremder?«

»Es ist noch genug für Sie da, Monsieur«, sagte Germaine Crochet und deutete einen Gruß an. »Ich bringe es Ihnen sofort.«

»Kann ich mich zu ihnen setzen, Monsieur?« fragte Saint-Arnaud und zog sich die Bank zurecht, ohne eine Antwort abzuwarten. Ablehnungen war er kaum gewöhnt, und wenn er auch in den Augen Guy Chahinians zu selbstgefällig war, als daß er Sympathie für ihn empfunden hätte, so lächelte er ihn doch an. Er war der Meinung, daß das Schicksal die Dinge gut arrangierte, denn er wollte ihn kennenlernen.

»Zu mir? Und warum, Monsieur?«

Der Goldschmied hatte eine ganze Weile gezögert, ehe er etwas sagte, und das Ehepaar Crochet hätte ihm gern gesagt, daß er dem eigentlichen Besitzer des Lokals schnell, ja sehr schnell, antworten müsse. Geoffroy de Saint-Arnaud hatte seinen Adelstitel nicht direkt gekauft, wozu er ja als ehemaliger Bürgermeister das Recht gehabt hätte, aber ihm wurden auf Grund seines Vermögens gewisse Vorrechte gewährt. Der Mann erwartete, daß man sich ihm gegenüber so ergeben zeigte wie die Leibeigenen gegenüber ihren ehemaligen Lehnsherrn.

Die Nacht war schon hereingebrochen, und merkwürdigerweise war es seit der Ankunft des Reeders stürmischer geworden. Germaine Crochet vernahm mit Schrecken das Heulen des Windes, das sie an wilde Tiere erinnerte. Hatte Clotaire Dubois nicht behauptet, daß sie Werwölfe um ihren Hof hatte schleichen sehen, bevor sie mehrere ihrer Hühner mit durchgebissener Kehle gefunden hatte? Die dicke Wirtin wußte nicht, was sie mehr fürchtete, ob den Reeder oder diese Fabelwesen. Sie ging zu ihrem Mann, um von ihm etwas Beistand zu erhaschen, als Guy Chahinian endlich anfing zu sprechen.

»Ich würde gern Ihren Rat hören …«

»Meinen Rat? Wofür? Wollen Sie ein Schiff kaufen, eines mit Waffen ausrüsten oder in den Handel einsteigen?«

»Ich bin Goldschmied. Ich habe nicht die geringste Absicht, ein Schiff zu erwerben. Ehrlich gesagt macht mich das Meer krank. Aber verpestete Luft ebenso, und ich habe Paris verlassen, um wieder richtig durchatmen zu können. Die Sache ist nur die, daß ich hier niemanden kenne … Aber Sie, Sie kennen hier Gott und die Welt, und Sie haben so viel Erfahrung, was Geschäfte anbelangt, daß Sie mich bestimmt beraten können.«

»Erfahrung, Erfahrung …«, protestierte der Reeder schwach, denn er fühlte sich geschmeichelt.

»Doch, doch. Ich bin erst seit heute mittag hier, und ich habe schon soviel von Ihnen gehört. Sie sind der reichste Mann in Nantes, weil Sie es verstanden haben, die Risiken richtig einzuschätzen, ihre Mannschaft genau auszusuchen und den Wert der Menschen sowie der Dinge richtig zu bewerten. Man hat mir sogar gesagt, daß Sie Schiffe in Le Croisic bauen lassen.«

»Nein, in Paimbœuf.«

»Wie Sie sehen, habe ich keine Ahnung von Geographie. Ich kenne mich nur mit den Schätzen der Erde aus, Gold und Silber, Edelsteine und die Macht des Feuers«, murmelte Guy Chahinian, während er näher ans Feuer trat.

Die Flammen züngelten fast bis zum Kaminsims empor. Der Nordwind, der durch den Schornstein in kräftigen Böen in den Kamin blies, fachte die Flammen an. Dieser Tanz der rötlichen Feuerzungen erregte die Schatten. Sie zogen sich an den Wänden hoch und bevölkerten das Zimmer mit eigenartigen Gespenstern.

Germaine Crochet brachte die Klößchen, ohne ein Wort zu sagen. Sie bediente zunächst Geoffroy de Saint-Arnaud und paßte auf, daß sie sein besticktes Wams nicht beschmutzte. Sie erinnerte sich daran, wie er an einem verregneten Tag seinen Diener verprügelt hatte: Er hatte ihm die Schuld daran gegeben, daß sein Gewand im Gewitter durchnäßt worden war, denn es wäre seine Pflicht gewesen, ihm warnend zu einer Verschiebung des Spaziergangs zu raten. Sie wußte auch, daß er Antoinette Picard entlassen hatte, weil sie eine der fünfhundert Kordeln seiner besten Jacke verbrannt hatte. Germaine Crochet hatte immer Angst, eine Schüssel umzuschütten. Der Schaden wäre nicht wieder gutzumachen. Sie konnte es sich nicht erlauben, den Reeder zu verärgern, denn dieser kam täglich hierher, um einen Krug Wein zu trinken.

Die Wirtsleute wußten genau, daß es weniger der Wein als vielmehr Neugierde war, die Geoffroy de Saint-Arnaud in ihr Haus führte. Manchmal schnappte er wertvolle Hinweise im Gespräch mit den frisch von Bord kommenden Matrosen auf. Er lud sie zum Trinken ein, solange sie noch sprechen konnten, und während Germaine Crochet sich über das schlechte Benehmen der betrunkenen Seeleute beklagte, zählte ihr Mann nur das Geld, das die grölenden Männer hierließen. Er unterstützte den Reeder immer bereitwillig, wenn es darum ging, ihm seine Arbeit zu erleichtern.

»Sie haben einen schönen Beruf«, sagte der Reeder, nachdem er von der Fischspeise gekostet hatte. »Sie nehmen also den Platz des alten Goldschmieds, Meister Charles, ein, der vor drei Monaten gestorben ist?«

»Ganz richtig. Er war ein exzellenter Handwerker. Es ist

mir eine Ehre, seine Nachfolge anzutreten, aber ich fürchte, ich werde niemals so gut sein wie er. Da ich Steinschneider und Goldschmied bin, habe ich genauso viele Edelsteine geschliffen wie Becher graviert ... Werde ich es zu nutzen wissen, was mir Meister Charles damals beigebracht hat?«

»In Nantes? Aber ich dachte, Sie seien ...«

»Ja, ja, ich komme aus Paris und habe niemals hier gelebt. Aber vor fast zwanzig Jahren lebte Meister Charles in Anjou. Meine Eltern wohnten neben dem Schloß, und zu jener Zeit lebte ich auch noch dort. Woran ist Meister Charles gestorben? In Paris haben wir nur die Nachricht seines Todes bekommen.«

»An Tertianafieber.«

»Wer hat ihn denn behandelt?«

Geoffroy de Saint-Arnaud kräuselte die Stirn.

»Wer ihn behandelt hat? Woher soll ich das wissen? Warum interessieren Sie sich denn dafür?«

»Ich habe Anne LaFlamme kennengelernt. Wenn sie den Unglücklichen nicht retten konnte, dann ist sie vielleicht doch nicht so begabt, wie man es ihr nachsagt. Und es wäre wohl besser, Doktor Hornet zu konsultieren, wenn ich mich nicht wohl fühle«, sagte Guy Chahinian in bewußt gleichgültigem Ton. »Meinen Sie nicht auch? Ich habe mitunter sehr unangenehme Darmbeschwerden ...«

Sein Gesprächspartner preßte einen kurzen Moment die Lippen zusammen, dann bemühte er sich zu lächeln.

»Sie kennen ja schon eine Menge Leute hier, Monsieur Chanian.«

»Chahinian, Guy Chahinian. Wie ich sehe, sind Sie auch auf dem laufenden.«

»Es fällt sofort auf, wenn ein Fremder hier ein wenig verweilt.«

»Obwohl durch das ständige Kommen und Gehen der Seeleute und Händler ziemlich viel Trubel hier in der Stadt herrscht. Sie kennen sie also alle?«

»So ziemlich«, log Geoffroy de Saint-Arnaud. »Und ich kann Sie gar nicht genug vor den Seeleuten warnen. Sie werden Ihnen wertvolle Schmuckstücke feilbieten. Möglicherweise haben sie die während des Aufteilens einer Beute an die Seite geschafft, und Sie täten gut daran, sich nach ihrer Herkunft zu erkundigen. Sonst kaufen Sie am Vormittag einen Edelstein, den das Gesetz am Abend von Ihnen zurückverlangt … Das wäre schade«, sagte der Reeder scherzhaft.

Guy Chahinian nickte und fragte sich, ob er gerade einen Rat oder eine Warnung erhalten hatte. Geoffroy de Saint-Arnaud war reich, sehr reich. Wie hatte er ein solches Vermögen anhäufen können? Richtete er sich nach den Verordnungen, oder umging er sie, um sich Vorteile zu verschaffen?

»Ich habe auf keinen Fall vor, mit Diebesware zu handeln, was es auch immer sei. Beim heiligen Eligius, ich wünsche mir nur, genügend Aufträge zu bekommen.«

»Sie waren doch in Paris, wo die Frauen den Schmuck so sehr lieben … Warum sind Sie dort weggegangen?«

»Ich habe es Ihnen ja schon gesagt: Ich bin dort fast erstickt. Und …«

Geoffroy de Saint-Arnaud beugte sich zu dem Fremden hinüber und hörte ihm aufmerksam zu. Er war überzeugt davon, daß dieser Mann schwerwiegendere Gründe gehabt hatte, die Stadt, in der der König wohnte, zu verlassen. Daß er den Gestank der Gassen hatte meiden wollen, war eine ziemlich dumme Ausrede …

»Unstimmigkeiten mit meinem Kompagnon und Kollegen«, sagte Guy Chahinian leise. Sein Gesprächspartner sollte die Genugtuung, ihm auf die Schliche gekommen zu sein, ruhig auskosten.

»Unstimmigkeiten?«

»Ach … Ich sollte nicht darüber sprechen, aber Sie machen einen sehr vertrauensvollen Eindruck auf mich. Ich habe gesehen, daß Ihnen alle Leute Achtung entgegenbringen. Also, ich bekam mehr Aufträge als er, und um sich meiner zu entledigen, hat er mich beschuldigt, seiner Frau den Hof gemacht zu haben. Sehen Sie mich an! Und Sie müssen wissen, daß dieser Mann aussah wie ein junger Gott! Wird sich eine junge Frau, die mit einer göttergleichen Schönheit verheiratet ist, mit einem Kameraden meines Alters einlassen? Leider Gottes hatte dieser Verräter, ja Verräter, denn ich habe ihm geholfen wie meinem eigenen Sohn, gute Verbindungen. Ich konnte der Bastille entkommen, aber ich konnte nicht länger in Paris bleiben. In dieser verfluchten Geschichte habe ich mich ganz schön zum Narren gemacht. Glücklicherweise konnte ich einige Besitztümer an die Seite schaffen … So konnte ich mich hier niederlassen.«

»Meister Charles ist wohl genau zum richtigen Zeitpunkt gestorben …«

Anstatt zu widersprechen, ging er ganz unbefangen auf die Anspielung ein.

»Ja, das ist wirklich seltsam. Dieser Mann hat mir schon wieder geholfen. Aber er hat von meinen Ungelegenheiten in Paris überhaupt nichts gewußt. Obwohl wir einander regelmäßig Briefe schrieben, haben wir uns nur noch einmal wiedergesehen, und zwar hier in Nantes, vor fünf Jahren. Ich bin den ganzen Nachmittag geblieben, nur um ihm beim Arbeiten zuzuschauen. Er hatte außergewöhnlich geschickte Hände … Das Gold gehorchte ihm. Na ja, ich will damit nicht sagen, daß er zaubern konnte«, fügte der

Goldschmied ganz schnell hinzu. »Er war ein guter Christ, so wie Sie und ich auch. Sicher wissen Sie das«, ergriff er noch einmal mit gesenktem Kopf das Wort, damit der Schiffsausrüster nicht die Genugtuung in seinen Augen erkennen konnte.

Es war ihm gelungen, Mitteilungen über seine Person einfließen zu lassen, die der Reeder ihm abkaufen mußte. Er wollte einen seriösen Eindruck hinterlassen. Geoffroy de Saint-Arnaud hielt ihn für einen guten Katholiken, etwas naiv, was den Handel betraf, und er hätte wetten können, daß der Reeder wie viele andere versuchen würde, ihn übers Ohr zu hauen.

»Sie sagen, daß Sie aus Angers stammen?«

»Oh! Übrigens habe ich auch in Rennes und Saint-Malo gewohnt. Ich wollte sogar nach Flandern, aber ich war so fürchterlich krank, daß ich am ersten Hafen wieder von Bord gegangen bin.«

»Können Sie all die Sprachen?« fragte der Reeder.

»Das ist gut fürs Geschäft … Allerdings hatte ich bis heute in allen diesen Städten nicht viel Glück. Die Leute sind überall ausgemachte Schlitzohren.«

»Bestimmt ist das hier nicht der Fall«, versicherte ihm Geoffroy de Saint-Arnaud. »Und wenn Sie Ungelegenheiten haben sollten, dann kann ich Ihnen vielleicht helfen.«

»Sie sind zu liebenswürdig, gnädiger Herr … Ah! Was bringt man uns denn da?«

Germaine Crochet stellte eine Platte mit Süßspeisen vor den beiden Männern auf den Tisch. Sie machten sich gerade hungrig über die Pflaumen her, als Jean Grouvais das Lokal betrat.

»Ich hoffe, daß du noch Glühwein hast, Germaine. Ich komme gerade vom Hafen … Ah, Monsieur«, sagte er und nahm seine Mütze ab, um Geoffroy de Saint-Arnaud zu begrüßen. »Es weht ein starker Wind, aber Ihre Schiffe liegen alle im Hafen, nicht wahr?«

»Ja, glücklicherweise.«

»Es scheint dir gut zu gehen, Jeannot«, sagte Baptiste Crochet zu seinem Cousin. »Man hat dich so schnell wieder zusammengeflickt, daß es fast an ein Wunder grenzt! Und trinken kannst du auch schon wieder.«

»Und Hunger habe ich auch! Und das habe ich alles nur Ihrer Verlobten zu verdanken, gnädiger Herr«, sagte er an den Reeder gewandt. »Madame LaFlamme hat mich …«

»Nun trink doch und laß die Herren in Ruhe«, unterbrach ihn Germaine Crochet.

»Mensch! Nun bin ich wieder auf den Beinen, und du willst, daß ich meine Wohltäterin vergesse?«

»Entschuldigen Sie ihn, gnädige Herren«, beeilte sich der Wirt zu sagen. »Er redet …«

»Lassen Sie ihn nur«, wandte Geoffroy de Saint-Arnaud, mit einer beschwichtigenden und freundlichen Geste ein. »Ich bin froh zu erfahren, daß die gute Anne ihn dem Tod entrissen hat.«

»Was das angeht, schauen Sie ihn sich doch an!« betonte Baptiste Crochet. »Er ist stark wie ein Bär. Übrigens, mit dieser LaFlamme an Ihrer Seite werden Sie sicher hundert Jahre alt, Monsieur de Saint-Arnaud.«

»Es ist also schon abgemacht«, rief Germaine Crochet in die Hände klatschend aus, »Sie werden sie heiraten?«

Der Reeder schüttelte den Kopf und sagte: »Nein, nein, ich habe ihr noch keinen Antrag gemacht, aber …«

»Ach … Ich dachte … In der Stadt geht das Gerücht …«, sagte Germaine.

»Was sagen denn die Leute?« fragte der Reeder.

»Na ja, die einen sagen dies, die anderen das«, antwortete die Wirtin, »aber ich persönlich sage, wie Baptiste übrigens auch, daß Sie noch vor Weihnachten verheiratet sein werden …«

»Mit Verlaub gesagt, das glaube ich nicht«, sagte Jean Grouvais. »Diese Frau ist dickköpfig! Das hat mir übrigens auch das Leben gerettet …«

Er hatte seinen Satz noch nicht zu Ende gesprochen, als sich Geoffroy de Saint-Arnaud auf ihn stürzte. Er wollte ihn gerade nach draußen zerren, da schritt der Wirt ein.

»Gnade, gnädiger Herr, er ist ein Dummkopf. Er hat nicht alle beieinander, das wissen Sie doch.«

»Ob er nun ganz klar im Kopf ist oder nicht, ich dulde nicht, daß jemand schlecht über meine Verlobte spricht«, erwiderte der Reeder, ließ aber doch von Jean Grouvais ab. Guy Chahinian war erstaunt, wie schnell sich der Reeder wieder beruhigt hatte. Der Mann wollte sich nicht prügeln, zeigte aber öffentlich, daß er treu zu Anne LaFlamme hielt.

»Es ist keine Ehre, so einen Rüpel zu verprügeln«, sagte Saint-Arnaud und rückte die Kordeln wieder zurecht, die sich unter seinem Wams verschoben hatten. »Aber fangen Sie nicht noch einmal an. Ich erwarte, daß Madame LaFlamme geachtet wird. Merken Sie sich gut, was ich Ihnen sage: Sie wird bald meine Ehefrau sein, und wer auch immer meine Ehefrau angreift, fordert mich gleichermaßen heraus. Das nächste Mal werden Sie mit meinem Degen Bekanntschaft machen.«

Dann wandte er sich wieder an Guy Chahinian und entschuldigte sich, daß er so wütend geworden war.

»Sie müssen ja eine fürchterliche Meinung von mir haben, wenn Sie sehen, daß ich so schnell aufbrause, aber …«

»Gnädiger Herr, Sie handeln wie ein Ehrenmann, und es fällt mir nicht im Traum ein, Ihnen das vorzuwerfen.«

76

»Ich muß jetzt gehen, aber wir sehen uns bald wieder. Vielleicht bei mir? Jeder hier kann Ihnen den Weg zu meinem Haus zeigen.«

Chahinian gab sich hocherfreut über dieses Angebot und bedankte sich überschwenglich.

Er sah Geoffroy de Saint-Arnaud beunruhigt nach, als dieser Richtung Hafen davonschritt. Dieses erste längere Gespräch hatte nur seinen Eindruck bestätigt, den er schon beim ersten Mal von diesem Mann gewonnen hatte: Geoffroy de Saint-Arnaud war hartherzig, ja gefährlich. Wenn man ihm beweisen würde, daß er unrecht und der Reeder ein Herz hatte, dann wollte der Goldschmied sich gern wie eine Figur aus den Märchen des Monsieur Perrault von einer Fee in eine Ratte oder einen Kürbis verwandeln lassen. Die Erinnerungen an diese Lesefreunden stimmte ihn traurig. Sehnsüchtig dachte er an die Abendstunden, als er und seine Freunde Märchen dieses Richters gelesen hatten, eines studierten Juristen, der Gefallen daran fand, die reichen Pariser mit seinem Talent zu zerstreuen. Viele seiner Geschichten waren schon früher erzählt worden, aber er hatte die Gabe, die wunderbaren Verwicklungen in Worte zu kleiden, die ein größeres Publikum ansprachen. Chahinian seufzte. Würde er in Nantes Zeit und passende Gesellschaft finden, um ein paar dieser Erzählungen zu lesen? Er konnte sich Henriette Hornet recht gut als böse Frau des Menschenfressers und Geoffroy de Saint-Arnaud als Blaubart vorstellen. Wenn er jemanden als Dornröschen hätte bezeichnen sollen, wäre er ziemlich in Verlegenheit gekommen, denn die wunderschöne Marie LaFlamme machte auf ihn nicht gerade einen schüchternen Eindruck. Sie verkörperte eher Aschenputtel, die in neuer Kleidung auf dem Fest den Prinzen betörte. Auf dem Platz Saint-Pierre war sie auf dem Weg von ihrer Mutter zu Jacques

Lecoq so mühelos durch die Menge geschlüpft wie jene Ziegenlämmer, deren Gewandtheit ein aus dem Süden kommender Reisender gerühmt hatte.

Guy Chahinian wechselte einige Worte mit Jean Grouvais, der auf ihn gar nicht so einfältig wirkte, wie man es ihm einreden wollte. Der Mann war nicht dumm, er hatte nur einen eigenen Kopf. Offenbar war er einer der ganz wenigen in der Stadt, die es wagten, Geoffroy de Saint-Arnaud gegenüber ihre Meinung zu äußern. Guy Chahinian spendierte ihm noch einen Becher Wein, bevor er die Wirtschaft verließ und den Crochets unter mehreren Schwüren versprach, wiederzukommen. Diese wünschten ihm eine gute Nacht, und er trat hinaus in die kühle Herbstnacht.

Er bedauerte, daß er seinen Umhang im Koffer gelassen hatte. Dennoch ging er zum Hafen hinunter, wo immer noch reges Treiben herrschte. Im ersterbenden Tageslicht wurden rasch noch die allerletzten Dinge an Bord geschleppt: Takelage, Lebensmittel, Waffen, Geräte, Waren oder Fässer. Dann würden die Seeleute einen Krug Wein trinken, bevor sie an Bord gingen. Denn Matrosen nahmen selten ein Quartier in der Stadt, was auch sehr teuer gewesen wäre. Und sie hätten noch nicht einmal die Sicherheit, das Zimmer auch ordentlich nutzen zu können: Die Dirnen mußten bis spätestens neun Uhr abends in ihren Wohnungen sein. Am Kai aber wurde bis tief in die Nacht gesungen und gegrölt. Oft gingen sie dann noch ein letztes Mal hinaus und zechten in einem Gasthof. Viele Wirte arbeiteten Hand in Hand mit den Reedern. Wenn sie einem Matrosen Kredit gewährten, dann nur, um am Ende des Abends das Geld zurückzuverlangen. Der unglückliche, betrunkene Seemann sah sich in die Enge getrieben und mußte wieder auf einem

Schiff des Eigners anheuern, wo er doch eben erst festen Boden unter den Füßen hatte.

Die von Ruß verschmutzten Spitzen der Masten und Rahen der Schiffe, die auf der Reede lagen, waren deutlich am rötlichbraunen Horizont zu erkennen, denn nach dem starken Wind war die Luft aufgeklart. Die Wolken hoch am Himmel verloren sich in der hereinbrechenden Nacht, und die Schreie der Eulen übertönten jetzt das Kreischen der Möwen und Raben. Der Wind hatte nachgelassen, aber eine leichte Brise brachte einen milden, salzigen Geruch mit sich, der dem Goldschmied wieder Zuversicht gab. Für einen kurzen Augenblick hatte er in dem schimmernden Wasser der Loire die Schatten der sich in furchterregende Gestalten verwandelnden Marssegel, Refftaljen und Wanten gesehen, riesige Insekten, die sich an der Wasseroberfläche tummelten und auf ihre Beute lauerten. Nur ein einziger falscher Schritt würde die Menschen in ihre Krallen stürzen. Und er hatte in dieser düsteren Vision die Ankündigung schrecklicher Ereignisse erkannt, in die er bald verstrickt werden würde. Das Absurde daran war, daß er das Meer seit seiner Geburt liebte, ganz im Gegenteil zu dem, was er vorhin behauptet hatte. Daß er nun vor sich zu sehen glaubte, wie diese schwimmenden Bauwerke sich in Ungeheuer verwandelten, spiegelte deutlich seine Angst wider, von denen verraten zu werden, denen er immer vertraut hatte. Es gab keinen Grund, eine solche Niedertracht zu erwarten.

Plötzlich ging ihm das rege Treiben in den Straßen auf die Nerven, und er begab sich nach Hause. Das Haus von Meister Charles glich den anderen in dieser engen Straße, die zur Kathedrale führte. Die auf die Straßen vorspringender Erker oben am Haus waren aus Holz und Strohlehm, ansonsten bestanden die Gebäude aus grauen und schwarzen Steinen. Die Balken aus dunklem Holz ließen bescheidene Räumlichkeiten vermuten, aber die Wohnung war ziemlich hell, denn im Obergeschoß befanden sich zwei Fenster, und die mit Kalk geweißten Wände vergrößerten das Zimmer und die Handwerksstube, in der Guy Chahinian arbeitete. Die Einrichtung erschöpfte sich in einem Bett, einem Tisch, einem Hocker, einem Stuhl, einem Wasserkrug und einem Topf. Der Goldschmied lächelte, als er sich auf das Bett setzte. Es war hier viel gemütlicher als in all den anderen Wohnungen, die man ihm seit Ewigkeiten vermietet hatte. Obwohl hier alles neu für ihn war, trotz des eigenartigen Zirpens eines Nachtvogels und trotz seinen tiefen Ängsten, schlief er ein, ohne sich ausgezogen zu haben. Nur seine Stiefel und sein Justaucorps aus Stoff aus Rouen hatte er abgelegt.

Während der Goldschmied schlummerte, schüttete Geoffroy de Saint-Arnaud fleißig Münzen aus seinem Geldbeutel und drückte sie dem Gnom in die Hand.

»Den Rest bekommst du nach getaner Arbeit.«

»Ja, gnädiger Herr«, sagte der Kleine, während er auf seinen Beinen hin und her wackelte, seinen viel zu kurz geratenen Beinen. Der Mann war mißgestaltet: Der gut gebaute Oberkörper mit den breiten Schultern und den erstaunlich muskulösen Armen ruhte auf den Beinen eines Kindes. Er ging wankend und ruckartig, aber nur ein Narr oder ein Zugereister konnte sich darüber lustig machen. Alle Bürger in Nantes wußten, daß der Zwerg mit einem einzigen Faustschlag einen Mann erschlagen konnte. Er verdiente sein Geld am Hafen, wo seine körperliche Kraft gefragt war. Obwohl man ihn gut bezahlte, war er geldgierig. Da Mutter Natur ihm ein reizvolles

Äußeres versagt hatte, versuchte er sich durch Geld schadlos zu halten.

Der wohlhabendste Mann der Stadt hatte das rasch begriffen: Geoffroy de Saint-Arnaud hatte den Kleinwüchsigen vor zwei Jahren für sich gewonnen. Offiziell beschäftigte er ihn, um die Ausrüstung seiner Schiffe mit Waffen zu überwachen und um die Kapitäne zu unterstützen, aber heimlich vertraute er ihm andere Arbeiten an: Spionage, Erpressung, fragwürdige Unternehmungen bis hin zum gemeinen Mord. Der Gnom suchte sich seine Handlanger unter den fremden Matrosen aus, deren Schiffe nur für einige Stunden oder Tage hier vor Anker lagen. Als Gegenleistung versprach er ihnen einen beachtlichen Vorschuß und die Vermittlung einer lohnenswerten Arbeit auf den Schiffen des Reeders. Wenn die Sache schiefging, dann nahm der Kleinwüchsige es selbst in die Hand, den ungeschickten Matrosen verschwinden zu lassen. Niemand würde sich wegen der Abwesenheit eines Marsgastes Sorgen machen – außer vielleicht einem Mädchen, dem er die Heirat versprochen hatte! Denn es war bekannt, daß viele der Seeleute den Aufenthalt im Hafen nutzten, dem Kapitän oder der königlichen Garde zu entwischen.

»Hast du mich richtig verstanden? Ich will, daß diese Person von deinem Mann ordentlich durchgewalkt wird, damit sie Angst bekommt. Und er braucht keine Bedenken zu haben, mich zu schlagen, falls ich, um meinen Ruf in der Öffentlichkeit zu wahren, zum Schein eingreife, aber er soll bloß aufpassen, daß er mich dabei nicht verletzt.«

»Ich werde schon den Kerl finden, den Sie brauchen, gnädiger Herr.«

»Bis morgen, also! Bei Einbruch der Dunkelheit! Verschwinde jetzt.«

9.
KAPITEL

Ganz gegen seine Gewohnheit war Guy Chahinian erst spät aufgestanden, und er brauchte einige Zeit, um sich zurechtzufinden, bevor er seinen Koffer nach herbstlicher Kleidung durchwühlte. Er mißtraute den Launen des Wetters, und an diesem Tag würde er nicht ohne seinen Umhang hinausgehen, obwohl das Licht, das durch das Dachfenster eindrang, einen heiteren, sonnigen Morgen versprach.

Die Luft war so mild, als Guy Chahinian das Haus verließ, daß er seine übertriebene Vorsicht fast bereut hätte. Er bog in eine der gewundenen Straßen ein, und als das Straßengewirr unübersehbar wurde, fragte er schließlich eine Bürgersfrau, die auf der Schwelle ihres Hauses stand, nach dem Weg.

»Der Hafen? Da müssen Sie dort hinuntergehen, dann nach rechts, Monsieur.«

»Aber da komme ich doch her.«

»Sie haben wohl vergessen, sich rechts zu halten«, erwiderte sie lachend. »Warten Sie auf mich. Mein Sohn kommt gleich, und dann gehen wir zum Hafen. Gehen Sie die paar Schritte mit uns zusammen.«

»Sie würden mir einen großen Gefallen erweisen. Ich kenne diese Stadt kaum«, sagte Guy Chahinian.

Ihm wurde sofort klar, als er den jungen Mann sah, daß die Mutter älter sein mußte, als er zunächst gedacht hatte. Sie hatte tadellose Zähne, was selten war bei Frauen, die Kinder geboren hatten, aber er wagte natürlich nicht, seine Verwunderung zu zeigen, und begnügte sich damit, ihr die Hand zu küssen. Sie stellte sich ihm als Myriam Le Morhier, Gattin eines Kapitäns, vor. »Die Schiffe sind heute aus Holland und vom Kap Verde zurückgekehrt. Ich bin schrecklich aufgeregt«, gab sie zu und machte eine betrübtes Gesicht. »Ich bin ganz neugierig zu erfahren, ob mein Mann einen Papagei für mich hat auftreiben können. Ich meine einen richtigen Vogel. Alles andere interessiert mich nicht. Höchstens noch indische Seide … Das wäre schon etwas anderes …«

»Oh, Madame, die Einfuhr solcher Waren ist doch verboten«, sagte der Goldschmied lachend. Er wußte, daß er es mit einer gebildeten Frau zu tun hatte.

»Das ist ja der Spaß an der Sache!« erklärte sie ihm. »Finden Sie nicht auch? Wo kommen Sie her?«

Er war über ihre Sprunghaftigkeit überrascht, amüsierte sich aber köstlich darüber.

»Aus Paris.«

»Ah! Sie glücklicher Mensch! Da muß Ihnen unsere Stadt ja ziemlich langweilig vorkommen …«

»Nein, Madame. Ich liebe die frische Luft, die man hier atmet. Waren Sie schon einmal in Paris? Wissen Sie, die Straßen sind dort so dreckig, daß man kaum richtig sehen kann.«

»Und hier? Finden Sie wirklich, daß es hier besser ist mit den ganzen überlaufenden Rinnsteinen, die eine einzige Ansammlung von schmutzigem Wasser, Unrat und Schlachthausabfällen sind?«

»Sie kennen also Paris?«

»Ja, die Seine, Notre-Dame, den Palast der Königin …«

»Notre-Dame zieht Bettler und Diebe an wie der Honig die Fliegen, denn dort erfüllt die bessere Gesellschaft ihre religiösen Pflichten. Was die Seine betrifft, die sieht man kaum, durch die ganzen Wohnungen auf den Brücken, die einem die Sicht rauben.«

»Ich liebe Paris trotzdem! Aber sagen Sie meinem Mann

nichts davon! Er schwört auf Nantes! Es wird Ihnen auf die Nerven gehen, wenn er anfängt, über die Schönheit seiner Stadt zu sprechen, und Ihnen erklärt, daß hier alle Flaggen zu sehen sind, selbst wenn vier Fünftel der Schiffe flußabwärts löschen. Dann wird er sie auf die lateinischen Inschriften am Rathaus und auf die Statuen vor der Kathedrale aufmerksam machen. Er ist stolz auf die Tradition unserer Stadt. Zwischendurch kommt er auf die Zukunft zu sprechen und behauptet, daß der Handel in Nantes bald dem in La Rochelle Konkurrenz machen wird. Er wird Ihnen bald sogar mitteilen, daß wir hier von der Salzsteuer befreit sind!«

Guy Chahinian hörte den Ausführungen der Madame Le Morhier um so interessierter zu, als er nicht zu viel über Paris sprechen wollte. Aus Gründen der Sicherheit, denn er wollte nicht unbedacht über seine Vergangenheit als berühmter Goldschmied in der Rue Dauphine plaudern. Aber da war noch ein anderer Grund. Wenn er sich so reden hörte, hatte er das Gefühl, seine Stadt zu verraten. Er liebte die Spaziergänge in den Tuilerien, die Arkaden des Tempels, die Markthallen, das Viertel Saint-Germain, das Quartier Latin und das bunte Treiben der vielen Stutzer und Gecken, das eine Entschädigung für die immer gleichen Farben im Stadtbild bot. Denn viele der grau und schwarz gekleideten Männer und Frauen mit den braunen Schürzen schienen die tristen Farben der Stadtmauer anzunehmen, sobald sie in deren Nähe waren. Viel zu selten tauchten die weißen, gestärkten Hauben der Schwestern von Saint-Vincent-de-Paul, der *Enfants-Rouges* und der *Petite-Filles-Bleues* auf. Die Straßen wurden durch die vielen Verkaufsstände und die Ansammlung von Droschken, Kutschen, Karren und Viehherden verstopft; der Verkehr war eine einzige Katastrophe. Die Pferde scharrten mit den Hufen, die Pferdeknechte, die sie zur Tränke an die Seine führten, beschimpften die Lakaien, die die Kutschen fuhren, ein Fußgänger beleidigte den, der vor ihm in eine Pfütze sprang, ein Neugieriger schrie einem Dieb hinterher, ein Unvorsichtiger wurde von einem Pferdegespann umgefahren und fiel in Schlamm oder Kot. Wütend stand er mit großer Mühe wieder auf und schwor, niemals mehr einen Fuß in die Hauptstadt zu setzen.

Guy Chahinian hatte diese Bilder dutzende Male beobachtet: Das Opfer machte immer wieder Paris für sein Ungemach verantwortlich, wo es doch seine eigene Unachtsamkeit war, die ihn hatte in den Schmutz fallen lassen. Warum achtete der Mann nicht auf die anderen Menschen? Er drückte sich an den Mauern entlang, wenn in dem Gewühl an der Kreuzung schon die Gefahr schwelte, die das Durcheinander, das Geschubse und das Hufgetrampel mit sich brachten. Der Mensch will seine Irrtümer nicht einsehen, dachte der Steinschneider und Goldschmied.

»Werden Sie lange hier in Nantes bleiben?« erkundigte sich Myriam Le Morhier.

»Ich hoffe schon, aber es hängt alles von meiner Geschicklichkeit ab. Ich bin Goldschmied.«

»Zeigen Sie mir doch mal bei Gelegenheit Ihre Arbeiten. Wenn sie mir gefallen, werde ich Ihnen helfen und Sie weiterempfehlen. Ich kenne alle einflußreichen Leute in Nantes«, sagte sie in gespielt ernsthaftem Ton. Sie schien sich über die Eitelkeit mancher Leute zu amüsieren, die glaubten, daß ihr Wert mit ihrem Amte stieg. »Ich selbst bin auch so, gnädiger Herr«, sprach sie weiter und lachte freimütig.

»Mutter!« rief jetzt der Sohn vorwurfsvoll zu ihr hinüber.

»Ach! Sei doch nicht immer so vernünftig, Victor! Dieses Kind findet, daß ich zu unverschämt bin. Und ehrlich gesagt, hat er damit nicht einmal unrecht. Aber ich lebe nun mal nicht im Kloster, und ich ... ich rede zu viel, das denken Sie doch sicher auch, nicht wahr?«

Guy Chahinian schüttelte nachsichtig den Kopf. »Nein, ich wundere mich nur, daß Sie ihre Freude, nicht im Kloster leben zu müssen, so offen bekennen. Nicht als ob ich es nicht verstünde. Einige Menschen sind für die Entsagung nicht geschaffen ...«

»Ganz richtig ... Und in meiner Kindheit habe ich genug Verzicht geübt ...«

Plötzlich hörte sie auf zu lachen und wurde nachdenklich. Der Goldschmied konnte jetzt ihre feinen Gesichtszüge erkennen. Genau in der Mitte der leicht gewölbten Stirn hatte sie einen Haarwirbel. Wenn ihre Nase auch etwas zu lang war, so schuf sie doch ein feines Ungleichgewicht, das ihr Gesicht interessant machte, und der Mund mit den sehr vollen Lippen sprach von Sinnlichkeit und Freude am Genuß. Der matt-goldene Teint war hübsch anzusehen, aber am auffälligsten waren die verschiedenfarbigen Augen: Guy Chahinian hatte noch nie solche Augen gesehen. Myriam Le Morhier hatte eine braune und eine grüne Iris, was eigenartig aussah, aber nicht störend wirkte. Es machte den Goldschmied nur noch neugieriger auf diese Frau.

In diesem Moment zog ihr Sohn sie am Arm und weckte Madame Le Morhier aus ihrer Melancholie. Sofort lachte sie ihn an und plapperte fröhlich weiter. Guy Chahinian hatte seine wahre Freude daran: Ihm gefiel der gedämpfte Ton ihrer Stimme, die Art, wie sie die Wörter aussprach, und ihr kristallklares Lachen. Der Charme ihres Lachens war ihr offenbar bewußt, denn sie lachte sehr oft. Dennoch hätte der Goldschmied schwören können, daß sie ihn nicht betören wollte, denn sie sprach so zärtlich von ihrem Mann und sah ihren Sohn mit sichtlicher Freude an, vermutlich weil er seinem Vater glich.

Guy Chahinian fand seinen Eindruck schon wenige Minuten später bestätigt, als sie den Hafen erreichten. Martin Le Morhier schrie sofort auf, als er seine Gattin sah. Er war ein echter Riese, und wenn auch seine Haare so weiß wie der Schaum der Loire waren, so vergaß man doch sein Alter, denn er strotzte vor Kraft. Er neigte sich zu seiner Frau hinab, um sie zu küssen. Dem regen Treiben am Hafen, dem Tumult und dem Getuschel einiger Leute gegenüber, die mit ebenso großem Spott wie Neid zusahen, wie er seine Frau umarmte, zeigte er sich gleichgültig. Meistens fand auch Chahinians solche öffentlichen Beweise der Zärtlichkeit peinlich und geschmacklos. Aber in diesem Fall bewunderte er den Kapitän, der sich nicht darum scherte, was die Leute dachten, ja, er beneidete ihn sogar um seine Leidenschaft. Er zuckte zur gleichen Zeit wie das das sich umarmende Paar zusammen, als er den Schiffsschreiber der *Myriam* – so hatte der Kapitän das Schiff getauft – schreien hörte. Martin Le Morhier löste sich von seiner Gattin, ohne sie jedoch aus den Augen zu lassen.

»Guten Tag, Madame Le Morhier«, sagte Ernest Nadeau. »Sie sehen immer gleich ...«

Sie unterbrach ihn sofort.

»Haben Sie ihn? Sagen Sie mir, daß Sie ihn haben.«

Der Kapitän und sein Sohn lachten über die Ungeduld Myriams, die an dem abgewetzten Wamsärmel des Schiffsschreibers zupfte und ihn aufforderte, sofort den Papagei zu holen.

»Aber ...«, begann der Schiffsschreiber. »Wir müssen ...«

»Lassen Sie nur«, sagte Martin Le Morhier. »Wir zählen später alles durch und machen dann die Bestandsaufnahme. Sonst hört meine Frau nicht auf, Sie zu belästigen ... Ich kenne sie!«

Der Schiffsschreiber zuckte seufzend die Schultern. Sein Herr bewies seiner Frau gegenüber eine lächerliche Schwäche. Diese Frau hatte nicht mehr Grips als der Papagei, den er für sie in einem afrikanischen Hafen aufgetrieben hatte. Übrigens fragte er sich wie auch viele der Mannschaft und viele Einwohner von Nantes, wo der Schiffseigner seine Gattin wirklich kennengelernt hatte. Myriam Le Morhier behauptete, Französin zu sein und als Kind während einer Reise zu den Kanarischen Inseln von Piraten entführt worden zu sein. Ihre Eltern waren ums Leben gekommen, und sie mußte ihren grausamen Entführern folgen und ihnen als Sklavin auf ihrer Insel dienen, bis ein französisches Schiff anlegte und die Freibeuter angriff. Wieder befreit, war Myriam nach Cádiz zurückgekehrt, wo Martin Le Morhier sie zum ersten Mal gesehen haben will.

Der Schiffsschreiber Nadeau glaubte, daß die Herrin nicht in Aquitaine geboren war, sondern in einer Gegend, wo das Blut der Patrioten sich mit dem der Eingeborenen vermischt hatte. Wie sollte man sich sonst ihre Bräune erklären? Sicher, sie machte sich nichts aus der Mode und ging ohne Sonnenschirm durch die Straßen, aber die Sonne war dieser Hafenstadt nicht das ganze Jahr über treu. Die Haut der jungen Frau färbte sich aber mitten im Winter ockerbraun, wenn der Himmel genauso grau wirkte wie die Loire. Ja, Myriam Le Morhier log, und ihr Mann, der Kapitän, glaubte ihr. Nadeau sagte sich, daß die meisten Männer eben ihren Verstand einbüßen, sobald ihnen ein hübsches Wesen über den Weg läuft ... Er selbst wäre nicht zu dieser Arbeit als Schiffsschreiber verdammt gewesen, wenn er nicht dem Charme einer Intrigantin erlegen wäre. Durch ihre Schuld hatte ihn der Bailliff, bei dem er angestellt gewesen war, rausgeschmissen. Er mußte sich einschiffen, und jetzt hatte er an Bord nicht nur das Amt des Schreibers und des Buchhalters, sondern verteilte auch Zwieback, paßte auf, daß nichts gestohlen wurde, führte Buch über die Unterhaltskosten des Schiffes, verlas die Vorschriften, teilte die Schiffswache ein und legte bis hin zur genauen Anzahl der Kanonentreffer während einer Schlacht alles schriftlich nieder, was im Laufe einer Schiffsfahrt geschah. Er hatte neun Überfahrten überlebt, aber er war weit davon entfernt, an seinen guten Stern zu glauben, und wurde immer vorsichtiger. Angeheuert vom König der Reeder hatte er die Aufgabe, die Handelswaren auf See im Auge zu behalten und die Siegel auf der Beute anzubringen, um die Korsaren daran zu hindern, die Rechte des Königs zu verspotten. Regelmäßig zog sich Nadeau den Haß der Offiziere zu, die sich um einen Teil ihres Gewinns gebracht sahen, als auch die Abneigung der Matrosen, die ihn für ihre schlechte Verköstigung verantwortlich machten. Der Sold war mager, selbst wenn Nadeau zugeben mußte, daß Martin Le Morhier ihn besser entlohnte als seine ehemaligen Herren. Warum sollte er sich also den Kopf über die Frau des Kapitäns zerbrechen? Schließlich hatte er für sie einen prächtigen Papagei aufgetrieben. Sie sollte also zufrieden sein und ihm fortan mit weniger Mißtrauen begegnen. War es seine Schuld, daß er die trügerische Geschichte ihrer Herkunft durchschaute?

Ernest Nadeau wollte gerade an Bord gehen, als er den Schiffskoch mit dem Käfig in der Hand auf Myriam Le Morhier zusteuern sah. Der Schiffsschreiber wurde von fürchterlicher Wut gepackt, so daß ihm einen Moment die Luft wegblieb. Dieser Idiot ging mit dem Vogel zu seiner Herrin, um sich bei ihr einzuschmeicheln, wo er doch die ganze Reise über behauptet hatte, daß man den Vogel besser braten solle. Jetzt war er katzenfreundlich zu Myriam Le Morhier. Nadeau trat hinzu, um die Sache klarzustellen, als er hörte, daß der Koch seine Begeisterung gestand, den Papagei endlich loszuwerden. Myriam Le Morhier brach in schallendes Gelächter aus.

»Sie können wohl nicht mit Tieren umgehen!«

»Verzeihen Sie, Madame, aber er ist ein Dummkopf! Er kann nur ein Wort sagen, das der Anstand mir verbietet …«

»Hören Sie auf! Sie lügen«, fuhr Nadeau dazwischen. »Dieser Papagei kann noch nicht sprechen. Aber Madame wird es ihm schnell beibringen.«

»Ich habe doch gehört, wie er immer wieder …«

»Was, immer wieder?« fragte Martin Le Morhier, der seinen Drang, loszulachen, erfolgreich bekämpfte. Wenn ihn auch diese Szene und die Freude seiner Frau erheiterten, so duldete er doch keinen Streit unter seinen Männern, und er wollte der Sache gerade ein Ende machen, als er ein Pfeifen hörte, das ihn zusammenfahren ließ. Alle drehten sich zu Guy Chahinian herum. Dieser beugte sich zu dem Käfig hinunter und pfiff noch einmal, dann ließ er ein Piepsen, Knistern, Glucksen verlauten, so daß man sich im Wald glaubte. Der Papagei, der in diesem Mann seinen Herrn sah, ahmte ihn nach. Er versuchte ein Gurren, zwitscherte dann etwas und entzückte so Myriam Le Morhier.

»Nicht schlecht für den Anfang! Martin, Liebster, das ist Monsieur Chahinian. Er ist Goldschmied und hat sich entschlossen, in unserer Stadt zu bleiben. Das ist unser

Schiffsschreiber Nadeau und unser Schiffskoch, Paul-Louis Crochet.«

»Sind Sie mit Baptiste Crochet verwandt?«

»Na klar, das ist mein jüngerer Bruder.«

»Ich habe gestern bei ihm zu Abend gegessen.«

Während er das gute Essen im Gasthof Poisson d'or rühmte, bewunderte Guy Chahinian die *Myriam*. Das Schiff mußte wohl mindestens dreihundert Tonnen wiegen und von der Poop bis zur Galionsfigur an die hundert Fuß lang sein. Er wollte den Kapitän gerade danach fragen, weil er diesen Mann, dem offenbar von allen Seiten Sympathie entgegenschlug, auch gern näher kennengelernt hätte, als laute Rufe ihn davon abhielten: »Monsieur! Monseur!« schrie Marie LaFlamme, die auf ihn zulief. »Monsieur!«

Sie trug einen Rock aus bedrucktem Stoff und ein enzianblaues Mieder, das zu ihren matt-violetten Augen paßte. Ein weißes Schultertuch, das locker auf den Schultern lag, ließ einen Teil ihres Ausschnitts unbedeckt, und als sie auf den Goldschmied zuging und es zurechtrückte, zog sie so plötzlich ihre Haube ab, daß ihre Haare ganz zerzaust wurden. Vom Laufen hatte sie einen rosigen Teint bekommen, und Guy Chahinian dachte, daß dieses Mädchen wirklich sehr schön war. Vielleicht zu schön! Ein ungutes Gefühl überfiel ihn, ohne daß er es sich hätte erklären können.

»Monsieur! Sagen Sie es mir! Sie kommen aus Paris und haben Simon gesehen.«

»Simon?« fragte Chahinian.

»Meinen Verlobten«, sagte sie etwas ungeduldig. »Sie waren doch mit Jacques Lecoq zusammen? Dem Tuchhändler! Könnten Sie Simon etwas ausrichten, wenn Sie wieder nach Paris kommen?«

»Er kehrt wohl gar nicht dorthin zurück«, erklärte Myriam Le Morhier. »Monsieur läßt sich hier nieder.«

»Hier?« stammelte Marie. »Ich dachte, Sie blieben nur einige …

»Nein, nein … Es tut mir leid, daß ich für Sie nicht Hermes oder Cupido spielen kann«, sagte er liebenswürdig lächelnd.

Marie LaFlamme machte einen so enttäuschten Eindruck, daß er sich zu weiteren Fragen gedrängt fühlte.

»Ist es denn so schlimm?«

»Schlimmer, als Sie ahnen … Ich weiß nicht, ob Simon noch lange in Paris bleiben wird. Vielleicht kehrt er in die Schlacht zurück! Ich will nicht, daß er wieder sein Leben aufs Spiel setzt! Ich will, daß er heimkommt. Und das will er selbst eigentlich auch!«

Guy Chahinian zwinkerte Myriam Le Morhier zu. Daß die Jugend doch so ungestüm und eigensinnig war! Die Frau des Kapitäns, die nicht gewußt hatte, daß es zwischen Marie und Simon ein Heiratsversprechen gegeben hatte, wollte Genaueres wissen.

»Nun ja«, begann Marie, »er liebt mich, das weiß ich. Und ich weiß, daß er noch in der Ferne bleibt, um etwas Geld zu sparen, damit wir heiraten können. Ich bin ganz sicher …«

»Er hat es Ihnen anvertraut, bevor er Nantes verließ?«

Marie zögerte, bevor sie es bestätigte.

»Er hat es nicht genau so gesagt, aber es war so gemeint … Sagen Sie, Monsieur, wie geht es ihm?«

»Gut, nehme ich an, aber ich habe kaum mit ihm gesprochen.«

»Aber warum denn nicht?«

»Also, Marie«, ließ Myriam Le Morhier verlauten, »Monsieur kannte Simon doch gar nicht.«

»Ach! Rügen Sie mich nur, Sie sind ja auch seit über zwanzig Jahren glücklich verheiratet. Aber ich kann nicht mehr länger warten. Bald werde ich so faltig sein wie ein alter Apfel, und Simon wird mich keines Blickes mehr würdigen! Ich werde aussehen wie eine Hexe.«

Bei diesen Worten zuckte Myriam Le Morhier zusammen, aber sie versuchte, es sich nicht anmerken zu lassen. Guy Chahinian wollte sie beruhigen, indem er Marie widersprach.

»Sprechen Sie nicht so leichtfertig über Zauberei, Sie Unglückliche!«

»Ach! Sie sind wie Nanette«, sagte Marie beleidigt.

Sie schmollte einen Moment und entschuldigte sich dann beim Goldschmied dafür, daß sie ungestüm gewesen war. Er verzieh ihr gern. Es war ihm lieber, wenn jemand Begeisterung zeigte als Gleichgültigkeit, aber er mußte sie warnen: »Die Leidenschaft schaltet oft den Verstand aus.«

»Das müssen Sie Nanette sagen«, erwiderte Marie. »Sie werden sie sicher sehen, wenn Sie noch einen Moment hierbleiben, denn sie begleitet meine Mutter zur Witwe Barbot.«

»Ist sie immer noch krank?« rief Myriam Le Morhier aus. »Ist sie denn nicht geheilt?«

»Doch. Die Blutung ist gestillt, aber die Verletzung am Fuß … Sie hat Mutters Rat nicht befolgt und weigert sich, ihn zu waschen. Die Wunde muß aber zweimal täglich gereinigt werden.«

»Aber Henriette Hornet behauptete, daß ihr Mann die Bäder mißbilligt, denn dadurch werden die Poren geöffnet und schädliche Dämpfe können in die Haut eindringen …«

»Dafür gibt es keinerlei Beweise!« widersprach Marie. »Finden Sie, daß ich geschwächt bin? Ich wasche mich, sooft ich kann. Sie selbst wie auch der fremde Herr wechseln jeden Tag ihr Hemd. Die Witwe Barbot sollte es uns gleichtun, wenn sie ihrem Gatten und ihrem Sohn nicht auf den Friedhof folgen will. Die Arme …«

»Sprechen wir nicht darüber!« murmelte die Kapitänsfrau zitternd.

Sie hatte ihren Papagei vergessen, ihre Freude darüber, und schaute nachdenklich auf die Loire, der sie ihren Reichtum und ihre Ängste verdankte.

Die Hartnäckigkeit Maries, die sich wieder an den Goldschmied wandte, riß sie aus ihren verdrießlichen Gedanken.

»Also Monsieur, lassen Sie sich nicht bitten, erzählen Sie mir von Simon.«

»Aber Marie …«, begann Myriam Le Morhier.

»Lassen Sie nur, Madame«, sagte Chahinian nachsichtig. Er konnte schlecht zugeben, daß ihm Simon völlig gleichgültig war. Als er ihn getroffen hatte, war er vielmehr um das Schicksal seiner Kameraden besorgt gewesen.

»Er schien in guter Verfassung zu sein«, sagte er.

»In guter Verfassung?« erwiderte Marie. »Es sollte ihm phantastisch gehen. Ist er …« Marie errötete, stellte aber schließlich doch die Frage, die sie seit mehreren Stunden quälte. »War er allein?«

Guy Chahinian lächelte und beschloß Marie zu necken.

»Allein? Nein, es war eine sehr gut gekleidete Frau bei ihm.«

»Ach …«, stammelte sie. »Eine Frau?«

Sie war hin und hergerissen. Einerseits wollte sie Gewißheit haben, aber andererseits hatte sie Angst zu erfahren, daß sie eine Rivalin hatte. Sie rieb sich die Finger und trat mit dem Fuß nach einem großen Kieselstein.

»Ja, eine eher ältere und ziemlich häßliche Dame … Eine Dame, die er ins Gefängnis begleiten mußte, wo sie Almosen spenden wollte.«

Marie war sofort ganz aufgeregt.

»Typisch Simon! Den Leuten so zu helfen.«

In ihrer Aufregung entging ihr, daß Myriam Le Morhier ungläubig die Stirn runzelte. »Im Gefängnis, haben Sie gesagt?« fuhr die Tochter der Heilerin fort. »Hoffentlich hat er eine Waffe, um sich gegen die ganzen Bettler zu verteidigen. Und daß er nicht diese Frauen sieht, die … Na ja, Sie wissen schon, was ich meine …«

»Nein«, murmelte der Goldschmied, »ich verstehe nicht so ganz …«

Marie machte ein mürrisches Gesicht.

»Ich bin kein kleines Kind mehr. Ich weiß Bescheid.«

Bescheid? ging es Guy Chahinian durch den Kopf. Was wußte sie über das Leben dieser armen Mädchen. Was wußte sie über das Gewicht der stinkenden Männer, die sie erdrückten, sie wie Tiere bezwangen, sie aus reinem Vergnügen schlugen und abhauten, nachdem sie ihr Geld geklaut hatten? Was wußte sie über das Leben?

Da Marie seine Unzufriedenheit spürte, lächelte sie den Goldschmied an. Er wurde wieder freundlicher und lächelte zurück, erneut verwirrte ihn jedoch die Ähnlichkeit dieses Mädchens mit seiner eigenen Cousine. Als er wieder an Péronnes schrecklichen Todeskampf auf dem Scheiterhaufen dachte, ging er unwillkürlich näher zu Marie hin, als wolle er sie beschützen.

Marie fragte sich, warum dieser Mann sie wieder mit diesem Ausdruck schmerzlicher Verwunderung in den Augen ansah. Sie wollte ihn gerade nach dem Grund fragen, als sie Nanette schimpfen hörte.

10.
KAPITEL

Die alte Amme trat mit festem Schritt auf die Menschengruppe am Hafen zu und brummte, daß Marie auf sie hätte warten können, auf sie und ihre Mutter. »Wenn Mutter zur Barbot geht, dann bleibt sie immer stundenlang da. Ich wollte mit dem Herrn hier sprechen ...«

»Guy Chahinian«, sagte der Angesprochene und verbeugte sich vor Nanette.

Eigentlich machte sich die Amme nicht viel aus solchen Höflichkeitsbezeugungen, die sie insgeheim als Getue abtat, aber dieser Fremde schien die Geste ernstzumeinen, denn er machte kein gleichgültiges Gesicht.

»Sind Sie derjenige, der aus Paris kommt?«

»Ja, das ist richtig.«

»Hier wird es Ihnen besser gefallen«, stellte die Amme fest. »In Ihrer Stadt verirrt man sich ja scheinbar, so viele Straßen, wie es dort gibt!«

Myriam Le Morhier fing an zu lachen.

»Für unseren Freund ist eher Nantes ein echtes Labyrinth.«

»Ich hatte das Glück, Sie zu treffen, und ich ...«

Sie wurde von einem fürchterlichen Getöse, dem herzzerreißende Schreie folgten, unterbrochen. Sie sahen noch alle in Richtung des Schiffes, von wo der Lärm kam, als Marie schon an Bord eilte, wo sie den Koch besinnungslos vorfand. Ein Mast war abgebrochen und hatte sein rechtes Bein zerquetscht.

Nanette wandte wie auch Myriam Le Morhier ihren Blick ab, aber Marie bedrängte sie sofort: »Schnell, hol meine Mutter.«

Die fassungslose Amme blieb wie versteinert stehen, und das junge Mädchen wollte gerade loswettern, um sich Gehör zu verschaffen, als Victor Le Morhier ihr zu verstehen gab, daß er seine Patin holen würde.

»Wo ist sie?«

»Bei der Witwe Barbot. Beeil dich!«

Während der Sohn der Le Morhiers losrannte und die anderen sie fassungslos anstarrten, zog Marie das Tuch weg, das auf den Schultern Myriams lag, drehte es spiralförmig zu einer Kordel, ging zu Paul-Louis Crochet und schob schnell das Tuch unter seinen gebrochenen Schenkel. Chahinian besann sich und eilte zu ihr, um die Arterie abzubinden.

Während er dem Himmel dankte, daß der Mann die Besinnung verloren hatte, mußte er daran denken, daß Péronne in einer ähnlichen Situation nicht Maries Eifer und Mut gezeigt hätte. Das junge Mädchen hatte die ganzen Arme voller Blutspritzer, und nachdem sie sich den Schweiß von der Stirn gewischt hatte, war sie vollkommen blutverschmiert. Chahinian fand sie noch schöner. Durch ihre Regsamkeit war ihr eigensinniger Gesichtsausdruck verschwunden. Jetzt sah sie aus wie eine erwachsene Frau.

Als Anne LaFlamme endlich eintraf, strahlte sie stolz. Marie war zufrieden mit sich. Sie hatte so gehandelt, wie ihre Mutter es ihr beigebracht hatte. Es muß nun festgestellt werden, welche Verletzungen er sich zugezogen hatte. Anne tastete mit geschickter und sicherer Hand die ganze Wunde ab und teilte Marie ihre Beobachtungen mit.

»Und?« drängte sie Martin Le Morhier mit rauher Stimme.

»Hat der Arzt seinen Koffer an Bord gelassen? Bringen Sie ihn mir!«

Anne schnitt die Kniehose sauber von unten nach oben

auf, um das Bein ganz freizulegen. Der Mann fing an zu stöhnen, und Anne griff schnell nach dem Arztkoffer, weil sie hoffte, etwas ausrichten zu können, ehe Paul-Louis Crochet wieder zur Besinnung kam. Sie überflog schnell den Inhalt des Koffers und suchte zwei Binden, drei Haken, zwei Holzschienen und verschiedene Öle heraus und kramte dann auf der Suche nach den anderen Dingen, die sie noch brauchte, um einen Verband machen zu können, in ihrer eigenen Tasche.

»Halten Sie seinen Oberkörper gut fest, während ich den gebrochenen Knochen richte«, befal sie Guy Chahinian. »Und du, Marie, zieh die Wunde auseinander, ja dort, weiter unten. Wisch das Blut weg, schnell.«

Marie drückte ihr Schultertuch gegen die Wunde und ignorierte verächtlich die Tücher, die in dem Arztkoffer waren. Ihre Mutter hätte es nicht geduldet, daß sie Tücher von einer zweifelhaften Sauberkeit benutzt hätte.

Wenn es sich auch um einen glatten Bruch handelte, so war doch die Zerquetschung der Muskeln nicht so einfach einzuschätzen. Nur die Zeit würde zeigen, ob es nötig gewesen wäre, das Bein zu amputieren. Anne war zunächst unsicher gewesen, hatte dann aber darauf verzichtet. Obwohl das Schienbein zweifach gebrochen war, hatte sie keinerlei Knochensplitter im Fleisch erkennen können. Wenn sie eine Infektion verhinderte und die Nerven nicht zerquetscht worden waren, dann würde Paul-Louis Crochet vielleicht humpeln, aber er würde doch vor seinen Kesseln stehen können. Als der Mann wieder zu sich kam, war die ganze Kraft Guy Chahinians und des Kapitäns erforderlich, ihn daran zu hindern, um sich zu schlagen, aber erst Myriam Le Morhiers Stimme beruhigte den Koch.

»Es ist gleich vorbei«, versprach sie, ohne selbst so recht daran zu glauben. »Anne wird Ihr Bein retten, Crochet.«

Als er seinen Namen hörte, schien der Koch aus seiner Besinnungslosigkeit zu erwachen und zu begreifen, was passiert war. Trotz der Schmerzen war die Anwesenheit Myriam Le Morhiers ein Trost für ihn, und er ließ mit zusammengebissenen Zähnen die von Anne durchgeführte Behandlung über sich ergehen. Als die Knochen wieder gerichtet waren, salbte die Geburtshelferin das ganze Bein mit Rosenöl ein, dann schüttete sie Myhrrepuder darüber, um es zu säubern. Anschließend bereitete sie zur Schmerzlinderung einen heißen Umschlag aus Gerstenmehl zu, fügte Granatapfelblüten hinzu, Pulver der Zypressenfrucht, Terra sigillata und zerstampfte Wurzeln der Blutwurz. Sie befestigte die durch Stoffstreifen gehaltenen Holzschienen an jeder Seite des Beines. Dann rollte sie den seltsamen Verband unter die zerrissene Hose, um den Verletzten wegtragen zu können. Später würde man ein weißes Tuch über sein Bein legen.

Sie hoben Paul-Louis Crochet gerade hoch, als der Bordarzt auftauchte. War er so rot im Gesicht, weil er von der Weinschenke bis zum Schiff gelaufen war oder weil er so wütend war? Als er sah, daß sein Arztkoffer geöffnet und ganz durcheinandergewühlt war, wollte er Anne beschimpfen, aber Myriam Le Morhier kam ihm zuvor.

»Ganz richtig, wir haben uns bedient, mein Freund. Wie Sie sehen, hat die Situation es verlangt. Aber wir werden Sie entschädigen, nicht wahr, Martin?«

Ihr Mann bestätigte es sofort. Der Bordarzt war immer knapp bei Kasse, und er bestand darauf, daß man ihm seine Salben und sein Verbandszeug ersetzte. Sein Koffer wäre recht schlecht bestückt gewesen, wenn nicht vor jedem Auslaufen der Inhalt genau kontrolliert worden wäre. Aber dieses Mal war der Mann nicht verantwortlich. Man hatte ihm seinen Koffer geplündert, und er mußte die fehlenden Teile nicht neu kaufen. Erleichtert schlug er Anne eilig vor, sich weiterhin um den Verletzten zu kümmern. Paul-Louis Crochet mochte den Arzt, der sich oft bei ihm über das Essen beklagte, nicht besonders, aber er wußte, daß er geschickt war. Er hatte gesehen, wie er Zähne zog, Stümpfe verband und wie er die Opfer der Piraten wieder zusammenflickte. Außerdem konnte Anne LaFlamme nicht länger an Bord bleiben, und als er ihr herzlich gedankt hatte, überließ er sich der Pflege des Schiffsbaders.

Die Zeugen gingen auseinander, um Anne und Marie LaFlamme vorbeizulassen, die sich über die gut verlaufene Operation unterhielten. Ihre blutbefleckten Kleider waren ihnen nicht wichtig. Sie hatten ein Menschenleben gerettet. Nur Nanette knurrte und verkündete allen, die es hören wollten, daß Anne hätte im Lazarett bleiben können, wenn sie unbedingt Kranke behandeln wollte.

»Nanette«, schnitt ihr Anne das Wort ab, »hör auf zu jammern. Marie hat getan, was sie tun mußte.«

»Wir hätten Crochet dem Bordarzt überlassen sollen. Martin Le Morhier bezahlt ihn dafür. Du kommst gerade aus dem Lazarett und mußt dich etwas ausruhen. Aber seit dem Morgengrauen bist du auf den Beinen, um die Notleidenden zu besuchen. Sie bringen dich noch ins Grab, du wirst schon sehen.«

»Wenn ich tot bin, dann sehe ich gar nichts mehr«, erwiderte Anne.

»Mach dich nicht derartig über den Tod lustig«, sagte Nanette und bekreuzigte sich.

Nein, sie macht sich nicht darüber lustig, dachte Guy Chahinian. Sie versucht nur mit dem Schrecken fertig zu werden.

Als ob Anne seine Gedanken erraten hätte, lächelte sie

ihn verständnisvoll an und lud ihn dann zu sich nach Hause ein.

»Kommen Sie lieber zu uns«, schlug Myriam Le Morhier vor.

»Ja, kommen Sie«, unterstützte Victor seine Mutter und wandte sich an Marie.

»Ich würde gern mit meinem Patenkind sprechen«, sagte Anne LaFlamme und lächelte Victor zärtlich an, »aber wir müssen uns umziehen. Seht doch, wie mein Kleid aussieht. Und das Wams von Monsieur. Es ist in einem jämmerlichen Zustand.«

»Folgen Sie uns«, wiederholte Marie. »Sie erzählen uns von Paris, und ich reinige Ihre Kleider. Waren Sie zur Hochzeit des Königs?«

»Zur Hochzeit?« fragte Chahinian. »Nein, sehen Sie, die fand nicht in Paris statt, sondern in Fontarabie. Vor zwei Jahren schon. Wie die Zeit vergeht …«

Marie machte ein enttäuschtes Gesicht.

»Aber ich erinnere mich noch an die Ankunft der Königin Ende August, als sei es gestern gewesen. Es waren unglaublich viele Menschen da. Die Häuser waren mit Teppichen bespannt, und überall bildeten die Bürgersleute Ehrenspaliere.«

»Und die Königin? Wie sah sie aus?«

»Sie trug ein schwarzes Kleid, und wenn sie auch nicht von ergreifender Schönheit war, dann muß ich doch zugeben, daß sie eine helle Haut hatte und blonde, glänzende Haare, was gut zu der Goldstickerei auf ihren Kleidern paßte.«

»Trug sie viel Schmuck?«

Guy Chahinian lachte.

»Das nehme ich doch an! Ich kann Ihnen nicht sagen, ob es Rubine oder Saphire waren, aber alles glänzte! Ihre vergoldete Kutsche war mit Jasminblüten und Olivenzweigen geschmückt. Und der König saß auf einem rotbraunen Pferd, und von weitem sah man die silbernen Kordeln, die seinen Mantel verzierten, und die großen, strahlendweißen Federn, die bei jedem Schritt seines Pferdes zitterten.«

»Und die Soldaten? Trugen sie den Umhang mit der weißen königlichen Lilie?«

»Die Musketiere, ja. Aber die Französische Garde trägt den Justaucorps, einen Überrock aus einem helleren Blau, und eine weiße Kniehose, und die Schweizergarde ist ganz in Rot gekleidet.«

»Also trug Simon einen blauen Umhang!«

Anne LaFlamme zuckte zusammen. Also war Marie schon früher weggegangen, um den Fremden über Simon auszufragen. Nanette hatte das ganz richtig erkannt. Guy Chahinian stellte sich seinerseits die Frage, warum Marie glaubte, daß Simon Musketier des Königs sei. Er hatte nur einen armseligen Kerkermeister gesehen. Er hatte sogar Jacques Lecoq gefragt, da ihm böse Zweifel kamen. Der Händler hatte ihm versichert, daß Simon Perrot nicht Kerkermeister im Grand-Châtelet war, sondern Soldat des Königs, und daß er seine schlichte Uniform nur vorübergehend trug. Der Goldschmied konnte nicht wissen, daß Simon dem Händler diese Lüge abverlangte, um seinen Stolz zu schonen, und er ihn als Gegenleistung während seiner Besuche in Paris eskortierte.

»Hat Simon Perrot Ihnen gesagt, daß er bald zurückkommt?«

Der Goldschmied schüttelte den Kopf.

»Nein, aber ich habe ihn auch nur kurz gesehen. Nachdem er mir den Brief für seine Familie diktiert hatte, haben wir uns schnell voneinander verabschiedet, weil wir keine Zeit mehr hatten.«

Mutter und Tochter seufzten: Anne erleichtert, Marie beunruhigt. Simon konnte doch unmöglich so wortkarg gewesen sein, wie Guy Chahinian behauptete, es sei denn, er wäre sehr in Eile gewesen. Natürlich mußte er eine Dame ins Gefängnis begleiten, und als vollendeter Kavalier wollte er sie sicher nicht warten lassen. Dieser Gedanke tröstete Marie aber nur wenig. Nanette hingegen war froh, daß Simon in der Ferne blieb, und versprach, den Fremden mit einem ausgezeichneten Abendessen zu verwöhnen.

»Ich werde Kräuter unter das Fleisch mischen, und danach gibt es Maronen mit Zucker und Trauben«, fügte sie hinzu, damit der Goldschmied endlich die Einladung annahm.

Guy Chahinian fand also ein ruhiges und bald darauf von würzigen Düften erfülltes Heim vor. Während die Amme sich am Feuer zu schaffen machte, hörten Anne und Marie LaFlamme ihrem Gast zu, der ihnen von Paris erzählte. Marie rief mehrmals dazwischen und schwor, sich eines Tages dorthin zu begeben. Sie würde die Hauptstadt sehen, die Gärten, die Kirchen, die Paläste.

»Ist der Palais-Cardinal groß, in dem der König wohnt?«

»Er heißt jetzt Palais-Royal. Und dort wohnt der Thronfolger mit seiner Frau. Unser König Ludwig wohnt im Louvre. Sie scheinen die Begeisterung Ihrer Tochter nicht zu teilen, Madame?«

»Ach, ich zweifele nicht daran, daß diese Stadt wundervolle und interessante Plätze hat, aber für mich wäre es zu gefährlich, dort zu wohnen. Die Ärzte sehen es nicht gern, wenn eine Frau Kranke heilt. Hier weiß jeder, daß ich immer eine gläubige Katholikin war, aber in Paris könnte man mir vorwerfen, Kranke zu heilen, indem ich sie verhexe.«

»Was für ein dummes Gerede! Es gibt viel zu wenige, die der Heilkunde mächtig sind, und in der Stadt kommen genauso viele Menschen um wie auf dem Lande. Denn die meisten leben dort unter sehr widrigen Bedingungen. Die Ärzte gehen gegen den Dreck und das fehlende Trinkwasser mit Aderlässen vor.«

»Sie sind wohl der erste, der mir etwas von Sauberkeit erzählt!«

»Ich weiß … Die Menschen glauben, daß das Wechseln ihres Hemdes ihren Körper reinige. Aber das genügt nicht. In Paris bräuchte man Leute wie Sie, um die Menschen dort über die Bedeutung der Reinlichkeit aufzuklären. Von Ihrem Talent und Ihrer Güte ganz zu schweigen.«

Anne lächelte.

»Ich bin geschickt, das ist richtig, aber halten Sie nicht für Güte, was nur Neugierde und Ehrgeiz ist …«

»Ehrgeiz?«

»Ich liebe es, Menschen zu behandeln, Monsieur. Das ist meine ganze Leidenschaft. Ich will, daß meine Operationen gelingen; ich will, daß meine Mittel wirksam sind; ich will gegen Pest und Lepra kämpfen. Ich will sogar die Maßnahmen, die die Stadt während der Seuchen ergreift, für immer durchsetzen. Man muß die Straßen sauber halten, Latrinen bauen, die Keller reinigen. Ich will die Ausbreitung der Seuchen eindämmen, ihnen sogar vorbeugen! *Ich will:* Zeugen diese zwei Worte nicht von ziemlicher Eitelkeit? So bin ich: ehrgeizig. Sicher, ich liebe die Kranken, aber vor allem hasse ich den Tod. Das Ableben eines Patienten ist für mich wie eine persönliche Kränkung … Da sehen Sie meinen Hochmut! Wer bin ich schon, daß ich dem Tod die Stirn bieten kann? Eine Witwe, die einige Pflanzen kennt. Ich konnte das alles nur lernen, weil ich Monsieur Chouart täglich bei seiner Arbeit beobachtet

habe. Aber diesem Mann, der bereit war, mich zu unter-
weisen, stehen jetzt tausend gegenüber, die sich mir entgegen stellen. Wenn ich immer noch Frauen entbinde,
dann nur, weil Dr. Hornet keine armen Leute haben will.
In Paris ist die letzte Frau, die eine königliche Entbindung
durchgeführt hat, vor dreißig Jahren gestorben. Sie war
eine bemerkenswerte Frau, die viel über die Kunst der
Geburtshilfe geschrieben hat. Ich konnte zu Lebzeiten Dr.
Chouarts ihre Werke ein paarmal einsehen. Viele Mütter
verdanken ihr das Leben.«

»Also«, stellte Guy Chahinian halb ernst und halb belustigt fest, »schätzen Sie das Talent von Louise Bourgeois
mehr als ihr eigenes?«

»Sie wissen also, wovon ich spreche?«

»Ein befreundeter Apotheker aus Paris hat mir davon
erzählt.«

Sie schwiegen einen Moment, dann sprach Anne weiter:
»Und sind Sie hier zufrieden?«

»Ja. Gestern abend habe ich bei dem Bruder des armen
Schiffskochs gegessen. Wir haben übrigens von Ihnen
gesprochen. Monsieur Geoffroy de Saint-Arnaud hat sich
an meinen Tisch gesetzt. Sie haben in ihm eine leidenschaftlichen Verehrer ... Er schien mir sehr einflußreich zu
sein.«

»Er hat Vermögen«, räumte Anne ein.

»Und er führt Böses im Schilde«, ließ Nanette fallen.

»Du siehst überall das Böse, Nanette«, rügte Anne.

»Weil das Böse auch überall ist, mein armes Kind.«

11.
KAPITEL

Anne LaFlamme stand mühsam wieder auf. Sie mußte wohl einsehen, daß sie wie alle Menschen älter wurde. Sie hatte noch kein Verjüngungselixier gefunden, und als die Sonne hinter ihr unterging und ihre letzten Strahlen auf die gelb-grünlichen Blüten des Zweizahns fielen, da zögerte sie, die Pflanzen auszureißen. Sie hatte zuvor nahe eines Tümpels Spitzwegerich entdeckt und hatte alles, was sie finden konnte, geschnitten, und sie war froh, daß er bis in den September blühte. Der Spitzwegerich war wertvoll, da er vielerlei Eigenschaften hatte: Er senkte Fieber, stillte Blutungen, heilte eiternde Wunden und konnte, als Kompresse angewendet, den Juckreiz beruhigen. Es war ein großes Glück, so viele zu pflücken. Anne hatte auch Bärenklau und Labkraut gefunden, und ihr zu zwei Drittel gefüllter Schultersack wurde langsam schwerer.

Rückenschmerzen machten ihr jedesmal zu schaffen, wenn sie sich bückte oder sich wieder erhob, aber Anne wollte nicht auf Wasserhanf verzichten. Die gelben Blätter schaukelten träge im Wind, und diese friedlichen Bewegungen der Pflanzen ließen ihre Gedanken schweifen. Sie hatte vorhin, als sie mit Guy Chahinian geplaudert hatte, erklärt, daß man auch das bescheidene Glück schätzen solle wie diesen sonnigen Tag oder diese reiche Ernte, aber die leichte Brise, die den Zweizahn hin und her schwingen ließ, ergriff sie. Sie konnte das Meer noch so sehr verleugnen, das ihr den Mann entrissen hatte, so fand sie doch in der Natur den Rhythmus der stampfenden Schiffe wieder. Sie atmete tief ein; so schmerzhaft diese Vorstellungen vom Meer waren, sie riefen auch glückliche Erinnerungen hervor. Schließlich hatte Anne viele Jahre mit Pierre zusammengelebt.

Quälend waren hingegen die Erinnerungen, die Marie bei Guy Chahinian ausgelöst hatte. Nach dem Essen, nachdem Marie und Nanette weggegangen waren, hatte der Goldschmied Anne LaFlamme davon erzählt. Obwohl es ihn große Überwindung gekostet hatte, hatte er ihr über Péronnes Ende berichtet, denn er wollte sie vor den Gerüchten warnen, die er vorher auf dem Marktplatz gehört hatte. Anne hatte ihm gedankt, hatte aber auch erklärt, daß sie nicht aufhören könne, ihre Heilkunde zu praktizieren. Sie mußte Geld verdienen. Es war der Kavallerieunteroffizier, der sie in Absprache mit dem Stadtrat für die Versorgung der Siechen im Lazarett entlohnte. Und wie sollte sie alle Kranken abweisen, die Dr. Hornet nicht behandeln wollte.

Während sie jetzt Zweizahn sammelte, dachte Anne LaFlamme über Guy Chahinian nach. Sie hoffte seine Bedenken zerstreut zu haben. Dieser Fremde gefiel ihr. Die Anziehung, die er auf sie ausübte, war rein geistiger Natur. Sie liebte ihn wie einen Bruder, als ob sie ihn schon lange kennen würde. Sie hatten das gleiche Interesse an der Wissenschaft, die gleiche Abneigung gegen Koketterie, das gleiche Gefallen an einfachen Dingen. Sie verstanden sich auch ohne Worte.

Ganz in Gedanken versunken, vernahm die Geburtshelferin zerstreut das Knistern der Blätter, und als ihr ein stärkeres Knirschen auffiel, war es schon zu spät. Ein dunkler Körper stürzte sich auf sie, drückte seine dicke Hand auf ihren Mund und wollte sie zu Boden werfen. Anne schlug um sich, versuchte ihren Angreifer zu beißen und sagte sich immer wieder, daß sie sich nicht von Panik ergreifen lassen dürfe. Sie mußte mit ihm sprechen, sie würde die richtigen Worte finden, um ihn zu beruhigen, damit er sie verschonte. Sie hatte es verstanden, so viele kranke Menschen zu besänftigen, die sie im Delirium hatten töten wollen, weil sie glaubten, Dämonen griffen sie an. Aber der Mann ließ sein Opfer nicht los, er hatte erstaunliche Kräfte, und als er ihr brutal sein Knie in den Rücken stieß, fiel sie flach mit dem Bauch auf den Boden, und voller Grauen stellte sie fest, daß der Angreifer ihre Röcke hochschob. Mit Gewalt versuchte sie, sich von ihm zu befreien, aber nach mehreren vergeblichen Versuchen überkam sie Panik, denn sie begriff, daß sie nicht mehr lange würde Widerstand leisten können: Das Gewicht des Angreifers hatte all ihre Kräfte erschöpft. In einem letzten Aufbäumen wühlte sie auf dem Boden nach einem Stein, aber der weiche Boden war eben, die verwelkten Blätter beherbergten nur unbrauchbare Äste. Eine rauhe Hand zerrte jetzt an ihren Waden, und sie war auf das Schlimmste gefaßt, als ein Ruf ihre Schreie übertönte.

»Halten Sie ein! Hören Sie auf! Hören Sie auf!«

Der Mann war einen Moment wie versteinert, ehe er von ihr abließ und aufstand, um abzuhauen, aber er kam nicht weit: Saint-Arnaud tauchte auf, sprang von seinem Pferd und ergriff den Angreifer Anne LaFlammes.

Zwischen den beiden Männern entwickelte sich eine Prügelei. Der Bandit landete einen Faustschlag im Gesicht des Reeders, aber dieser antwortete mit einem Schlag in seinen Magen, der dem Gegner die Luft nahm. Saint-Arnaud nutzte seinen Vorteil aus, versetzte dem Schurken mehrere Fußtritte und wollte gerade sein Rapier ziehen, als der Mann einen kleinen, vergoldeten Dolch zog und ihn an der Hand verletzte. Das Blut spritzte, aber der Reeder gab sich nicht geschlagen. Er schlug weiter auf den Mann ein, dessen Widerstand erlahmte und der nur noch jedem vierten Schlage ausweichen konnte und den Reeder kaum mit der Spitze seiner Waffe berührte. Geoffroy de Saint-Arnaud gelang es endlich, sein Rapier ganz herauszuziehen, und stieß es, ohne zu zögern, in den Magen des Räubers. Der Mann fiel auf die Knie und wollte noch etwas sagen, als Geoffroy de Saint-Arnaud ihm schon die Kehle durchschnitt.

Während er sein blutverschmiertes Rapier wieder in die Scheide steckte, stürzte er auf Anne LaFlamme zu. Diese hat die ganze Szene beobachtet, ohne einen einzigen Ton von sich zu geben, aber der Todesstoß hatte sie angewidert, und sie murmelte unverständliche Worte vor sich hin, als der Reeder zu ihr kam. Als er versuchte, sie in seine Arme zu nehmen, schob sie ihn mit Gewalt von sich.

»Entschuldigung, Entschuldigung! Ich vergaß, daß dieser Schuft Ihnen Gewalt antun wollte ... Ich will nur, daß Sie sich wieder beruhigen. Es ist jetzt vorbei! Ich bin bei Ihnen!«

Anne LaFlamme blickte einen Moment auf die Leiche und bückte sich schließlich, um ihren Schultersack aufzuheben.

»Geben Sie her! Ich werde ihn tragen«, sagte der Reeder.

Er griff mit seiner verletzten Hand nach der Tasche, damit die Frau seine Verletzung sehen konnte, aber sie zeigte keinerlei Reaktion. Er fand sich damit ab:

»Steigen Sie bitte auf mein Pferd. Sie sind so aufgeregt, daß Ihnen Ihre Beine den Dienst versagen werden. Ich bringe Sie nach Hause. Ich werde mich später um die Leiche dieses Ungeheuers kümmern.«

Anne gehorchte ihm stumm und überließ Geoffroy de Saint-Arnaud die Zügel, um das Tier zu führen. Unterwegs sagte sie kein einziges Wort, aber als sie die Mähne des Pferdes streichelte, verschwand langsam ihr Zittern.

Das Tier beruhigte sie durch seine Wärme und seine beruhigende Kraft. Sie strich langsam über den Hals des Pferdes, und es schien ihr, als ob das Pferd ihre entsetzliche Angst erraten könne. Das Blut, das unter ihren Händen pulsierte, erinnerte sie daran, daß das Leben trotz allem weiterging.

Das Abendrot überraschte Anne auf eine unangenehme Weise, als sie den sumpfigen Wald hinter sich ließen. Der granatrote Himmel drohte, Nantes in Brand zu stecken, und die zerfransten Wolken erinnerten sie an aufgerissene Wunden.

Plötzlich fiel ihr wieder ein, daß der Reeder während der Schlägerei verletzt worden war.

»Monsieur, ich muß mich bei Ihnen entschuldigen. Ich habe mich kaum bei Ihnen bedankt, daß Sie mich vor diesem Mann, der mir so übel mitgespielt hat, gerettet haben. Und ich habe meine bescheidenen Kenntnisse kurze Zeit vergessen. Zeigen Sie mir Ihre Hand, und geben Sie mir meinen Sack, ich habe immer einige Kräuter für die ...

»Lassen Sie nur, daß sind nur Kratzer ...«

»Aber ich ...«

»Wir sehen uns das bei Ihnen zu Hause an, wenn Sie möchten. Haben Sie den Mann erkannt, der Sie angegriffen hat?«

»Nein, ich habe diesen Mann noch nie gesehen ... Aber was haben Sie denn um diese Zeit im Wald gemacht?«

»Man hat mir gesagt, daß hier in der Gegend ein Wolf gesehen worden sein soll«, sagte er und zeigte auf die Muskete, die an der Flanke des Pferdes hin und her schaukelte. »Ich habe alles, was notwendig ist, mitgebracht. Ich habe an alles gedacht, nur nicht daran, daß ich Sie aus den Krallen eines Schurken befreien muß. Sie sollten in der Abenddämmerung nicht mehr hinausgehen ...«

»Das ist die beste Zeit, um Pflanzen zu pflücken ... Und oft bin ich dann nicht allein. Wilddiebe sind hier und da unterwegs. Vielleicht habe ich jemanden gestört ...«

»Und das alles nur der Blumen wegen? Madame, bei meinem Leben, seien Sie vernünftiger. Sie sind ganz blaß und zittern. Es ist nicht auszumalen, was passiert wäre, wenn Gott den Schritt meines Pferdes nicht zu den Mooren gelenkt hätte. So etwas darf sich nicht wiederholen.«

Anne seufzte. Sie war erschöpft, und wenn sie auch verstand, daß Geoffroy de Saint-Arnaud ihr die freundschaftlichen Vorwürfe machte, weil er sich um sie sorgte, so hätte sie doch weniger schulmeisterliche Fürsorge vorgezogen. Sie würde nicht aufhören, nach Heilpflanzen zu suchen. Allerdings würde sie von nun an mehr Angst haben.

Nanette verbarg nicht ihre Wut, als Anne ihr das Abenteuer schilderte.

»Ich sage es dir immer wieder, du Arme!« schimpfte die Amme. »Du setzt dein Leben für einige notleidende Menschen aufs Spiel. Mit diesen ganzen Schiffen voller Fremder, die kommen und gehen ... Dieses Pack spricht noch nicht einmal unsere Sprache und ist gekleidet wie zu Karneval, wie willst du ...«

»Nanette, dieser Schurke war genauso gekleidet wie alle unsere Seeleute.«

»Es ist nicht zu ändern«, schimpfte die Amme, »deine Dickköpfigkeit wird dich noch ruinieren.«

»Nein«, sagte Marie, »es ist meine Schuld, Mutter! Ab heute werde ich dich immer begleiten, wenn du Pflanzen sammelst. Ich hätte es schon eher tun sollen.«

Maries resoluter Ton versetzte Geoffroy de Saint-Arnaud einen gehörigen Schock. Sollte sie ihm auch noch Scherereien machen?

»Sie werden ihr doch nicht erlauben, Sie zu begleiten, Anne?«, rief er erschrocken aus. »Sie ist noch ein Kind!«

»Ja, aber gerade Kinder lernen schnell ihre Lektion.«

Anne LaFlamme war zufrieden mit ihrer Tochter. Schon zweimal hatte sie ihr heute gezeigt, daß sie eine gewisse Reife hatte. Sie war noch immer in Simon verliebt, sicher, aber er war in Paris, und er schien es mit seiner Rückkehr nicht eilig zu haben. Anne versorgte die Wunde Geoffroy de Saint-Arnauds und mußte zugeben, daß er recht gehabt hatte, wenn er nur von einem Kratzer gesprochen hatte: Ein zerschnittener Finger hatte stark geblutet wie auch seine Handfläche, aber es waren keine tiefen Wunden.

»Marie, such mal in unserem Sack nach Spitzwegerich.«

Marie lächelte sie wie eine Verbündete an und reichte ihr einen Moment später die narbenbildende Pflanze. Sie hatte nur kurz zwischen den Blüten des Labkrautes und denen des lanzenförmigen Wegerichs gezögert, die sich auch durch ihre vier cremefarbenen Blütenblätter sehr ähnelten, dann hatte sie sich daran erinnert, daß das Labkraut traubenförmig blühte. Der Wegerich ähnelte eher einer langen Rute. Sie reichte ihrer Mutter ein Bündel Kräuter. Anne lächelte:

»Danke, aber so viele brauche ich nicht. Der gnädige Herr hat doch keinen Arm verloren.«

Geoffroy de Saint-Arnaud fragte sich, ob der Spott, der in der Stimme Anne LaFlammes mitschwang, ihrer Tochter oder ihm galt. Hätte sie es lieber gesehen, daß der Bandit ihm einen Arm abgehackt hätte? Er verzog das Gesicht, als sie den feuchten Umschlag aus Spitzwegerich auf seinen Arm drückte, aber er konnte die wohltuende Wirkung nicht leugnen. Es hörte auf zu bluten, nachdem Anne seine Hand verbunden hatte, und er hatte keinen Grund mehr, noch länger zu bleiben. Er verabschiedete sich und nahm mit ehrlicher Freude den Dank der Familie entgegen.

»Ich habe nur meine Pflicht getan«, beteuerte er lächelnd.

Er lächelte noch Stunden später, als der Kleine ihn zu Hause aufsuchte. Dieser hatte gewartet, bis Guy Chahinian, der bei seinem Herrn zu Abend aß, ging, um an die Tür zu klopfen und das Geld zu verlangen, das der Reeder ihm schuldete. Er hatte genügend Zeit, das Haus zu bewundern. Das Gebäude hatte an der Vorder- und Hinterfassade zahlreiche geschwungene Giebelfenster, und es war so beeindruckend, daß man kaum die exotischen Bäume bemerkte, die der Reeder an jeder Seite der Eingangstür, die jetzt einen Spalt geöffnet wurde, hatte pflanzen lassen.

»Ist alles wunschgemäß verlaufen, Monsieur?«

»Dein Bursche hat mich an der Hand verletzt. Ich habe meinem Gast schon von dem Abenteuer berichtet und ihm gesagt, daß ich mich verteidigen mußte und daß ich den Schurken getroffen habe. In einem etwas ernsterem Ton«, sagte er und fing an zu lachen.

»Das habe ich mir schon gedacht, als er in der Wirtschaft nicht auftauchte. Was soll ich mit der Leiche machen?«

»Es ist nicht nötig, sie zu begraben. Ich habe nur die Tugend einer Dame verteidigt … Niemand wird es wagen, mein Verhalten zu mißbilligen. Man wird mich loben! Und wer kannte ihn schon? Laß nur, die Wölfe werden ein schönes Nachtmahl haben. Hier ist dein Geld – das du jetzt nicht teilen mußt … Ich hoffe, Anne LaFlamme hat ihre Lektion verstanden.«

»Sie glaubt, daß sie Ihnen ihr Leben verdankt. Sie wird Sie nun mit anderen Augen sehen. Sie werden schon sehen.«

»Trinken wir auf unsere Vermählung«, sagte der Reeder, während er zwei Silberbecher mit hellem Rotwein füllte. »Heute ist sie einem armseligen Schurken entkommen, aber mir entkommt sie nicht ... Ich habe sie mit hochgeschlagenen Röcken und nacktem Hintern gesehen. Weißt du, daß sie noch schöne Schenkel hat? Ich könnte einige Zeit meinen Spaß mit ihr haben ...«

»Und ihre Tochter erst! Sogar Pater Thomas schielt ihr hinterher. Bei der Beichte dürfte seine Rute so steif sein wie Ihr Rapier!«

»Mann, wenn ich erst die Mutter habe, dann habe ich auch schon die Göre. Ich verachte die jungen Mädchen nicht ...«

»Wollen Sie sie wirklich heiraten? Es wird schon noch andere Mittel geben ...«

»Danach greifen wir, wenn es sein muß ... Ich habe da so einige Ideen.«

»Wenn sie krepiert, dann können Sie ja das Mädchen heiraten.«

»Sie hat sich Simon Perrot versprochen. Ihre Mutter läßt sie frei entscheiden, und da die Tochter noch halsstarriger ist als die Mutter ...«

Der Kleine betrachtete seinen Herrn argwöhnisch: Geoffroy de Saint-Arnaud war nicht der Mann, der sich in leidenschaftliche Liebe stürzte. Wenn er mit Marie in den Stand der Ehe treten wollte, dann würde er es vor den Augen des ältesten Sohns der Perrots tun. Er würde sich von einem jämmerlichen Soldaten nicht davon abhalten lassen. Der Reeder verbarg vor ihm die wirklichen Gründe, die ihn dazu trieben, Anne LaFlamme zu heiraten. Beleidigt zog der Mann sich ganz plötzlich in sein Schneckenhaus zurück, was Geoffroy de Saint-Arnaud nicht entging. Da er wußte, daß es besser war, daß der

Kleine nicht zuviel grübelte, verriet er ihm einen seiner Gründe.

»Ich weiß, daß du dich darüber wunderst, was ich von dieser Frau will … Ich bin selbst überrascht. Sie ist nicht schön, sie ist nicht reich. Nicht gerade dumm, das ist richtig, aber verlangt man von so einem Geschöpf, daß es Köpfchen hat? Nein, ich weiß nicht, warum ich sie begehre, aber die Sache ist die … Vielleicht hat sie mich verhext? Das ist die einzige Erklärung …«

»Zauberei?« stotterte der Kleinwüchsige.

Diese Bestie hatte noch nie Angst vor jemandem gehabt. Er warf seinen Säbel in die Luft, wie andere Leute die Würfel beim Puffbrett werfen, und schlug kräftig mit dem Knüppel um sich. Erwürgen, Erschlagen, Fesseln, Erdolchen und Ersticken machten ihm nicht mehr zu schaffen, als es der etwas salzige Geruch des Blutes tat. Nichtsdestoweniger unterschied er sich nicht von seinen Opfern, wenn es um Zauberei ging: Er fürchtete die Zauberwerke, und der Gedanke, daß sein Meister möglicherweise von Anne LaFlamme verhext worden sei, mißfiel ihm. Der Reeder hatte den Zweifel gesät. Es empfahl sich nun, die Phantasie des Kleinen zu bremsen. Er würde dessen Ängste zu gegebener Zeit wieder zum Leben erwecken.

»Ich habe von Zauberei gesprochen, aber ich glaube nicht daran«, legte er dem Kleinen dar. »Die Wahrheit ist die, daß es mir nicht gefällt, wenn man mir Widerstand leistet. Dieses Weib widersetzt sich mir, aber wir werden ja sehen, wer von uns beiden schlauer ist.«

Der Kleine war nun wieder beruhigt und nickte zustimmend. Anne LaFlammes Sturheit schien ihm Grund genug, die Wut seines Herrn anzufachen, und wenn dieser ihm zusätzlich ein Geldstück gab, um sich bei ihm für die kluge Wahl des Räubers zu bedanken, dann vergaß er seine ganze Furcht. Warum sollte er sich viele Fragen stellen? Er hatte nur seinem Meister zu gehorchen, der ihn ja gut bezahlte.

Geoffroy de Saint-Arnaud sah dem Mann nach, als er sich in Richtung Hafen entfernte. Sicher würde er seine Belohnung mit anderen Vagabunden versaufen. Er hatte ihn bestimmt schon durch die Becher Rotwein, die er ihm eingeschenkt hatte, auf den Geschmack gebracht. Er selbst hatte kaum etwas getrunken. Er würde einen besseren Tropfen trinken, wenn der Zwerg verschwunden war.

Er ging zum Büffett und holte eine Flasche Anjou heraus.

Das Bouquet des Quart-de-Chaume war voll herrlicher Versprechen, und Geoffroy de Saint-Arnaud genoß den lieblichen Wein genauso wie den Erfolg seines nächtlichen Unterfangens. Ganz Nantes würde erfahren, wie sehr Anne ihm gegenüber verpflichtet war. Er wußte, daß sie ihre Meinung nicht ändern und sich weiterhin weigern würde, seine Frau zu werden, aber sicher würde sie liebenswürdiger zu ihm sein, was schon ausreichte, um den Klatsch anzuheizen. Niemand würde den Verdacht hegen, daß er in Wahrheit Marie begehrte.

Es war keine Lüge gewesen, dem Kleinen zu sagen, daß er Marie nicht heiraten könne, weil sie in Simon Perrot verliebt sei. Er hatte sie mit Jacques Lecoq plaudern hören, und er täuschte sich genausowenig in dem verliebten Klang ihrer Stimme, wenn sie den Namen ihres Geliebten aussprach, als in ihrem Verhalten ihm gegenüber, wenn sie seine Dragees annahm. Sie mochte ihn nicht. Hinter seinem Rücken spottete sie sicher über ihn.

Alles würde sich ändern, wenn sie erst seine Frau war. Er würde ihr Höflichkeit beibringen, bevor er sich ihrer wieder entledigte. Aber er mußte sich damit beeilen, sehr

116

beeilen, noch bevor dieser Simon zurückkam. Wenn es diesem in den Sinn kam, Marie zu heiraten, dann konnte er den Schatz vergessen. Natürlich hatte er schon daran gedacht, Simon Perrot umzubringen, aber konnte er sicher sein, daß Marie ihn dann heiraten würde? Vielleicht würde sie die Erinnerung an den jungen Mann auch hegen und pflegen.

Der Reeder fragte sich jetzt wie schon so oft zuvor, was in aller Welt Anne LaFlamme davon abhielt, ihren Reichtum einfach zu genießen. Wahrscheinlich hatte sie ihr Vermögen für die Aussteuer ihrer Tochter auf die Seite geschafft.

Dreizehn Monate war es her, als Pierre LaFlamme ihn kurz vor seinem Tod ins Vertrauen gezogen hatte, und danach mußte es sich um ein beträchtliches Vermögen handeln.

12.
KAPITEL

Ich will nicht von Dir gehen, Anna. Es ist seltsam: Du hast zugleich recht und unrecht. Du hast so oft gesagt, daß mich das Meer eines Tages von Dir reißen wird. Ich sterbe auf diesem Schiff, aber es ist diese Krankheit, die mich dahinrafft. Ich weiß, was du denkst: Bis zu deinem Tod wirst Du Dir jeden Tag sagen, daß Du mich gerettet hättest, wenn ich Nantes nicht verlassen hätte. Aber ich wollte Dir Seide bringen, die so weich ist wie der Himmel über den Iles-sous-le-Vent und die eine Farbe hat wie der Himmel, wenn die Sonne aufgeht und wenn sie untergeht.

Dein Rock hätte die gleiche Farbe gehabt wie der schimmernde Bauch der Forellen, und die malvenfarbenen Seidenbänder hätten Deinen Busen wie Flieder erblühen lassen. Die Goldspitzen hätten Deinen Hals geschmückt, und alle Einwohner der Stadt hätten dich angesehen wie eine Königin. Meine Königin. Gern hätte ich Dich von diesen seltsamen Pflanzen kosten lassen, diesen unbekannten Früchten und diesen schmackhaften Trauben, die vom anderen Ende der Welt kommen und die das Blut so sicher in Wallung bringen wie der Gedanke, Dich wiederzusehen. Ich hätte gewünscht, daß das Meer weniger eifersüchtig auf dich gewesen wäre. Wenn es mich wegträgt, dann nur, weil ich als miserabler Matrose entlarvt worden bin, ein Matrose, der öfter an seine Schöne denkt als an die Masten, die Wanten, die Focksegel oder die großen Marssegel. Du bist meine Sirene, und die Dreifaltigkeitsstürme sind friedlicher, als es mein Herz je gewesen ist, seitdem du mich verhext hast. Je älter ich werde, desto länger erscheinen mir die Reisen. Ich zähle die Sterne und die Monde, die Berge und die Wellen, und selbst dein Wissen und Deine Pülverchen könnten mich nicht von der Sehnsucht nach Dir heilen. Gern hätte ich dieses in Worte gefaßt und gewünscht, sie Dir schreiben zu können.

»Anna! Anna, Anna …!«

»LaFlamme! He! LaFlamme!«

»Lassen Sie ihn, Pater. Er träumt von seiner Frau. Es wäre gut, wenn er auf der Stelle sterben würde.«

»Ich werde ihm die Beichte abnehmen«, widersprach der Schiffsprediger. »Wird er die Nacht noch überleben?«

»Da bin ich mir nicht so sicher«, murmelte der Arzt. »Es sind schon sieben in der Abenddämmerung gestorben. Sie sterben oft um diese Zeit, denn sie haben Angst vor der hereinbrechenden Nacht. Ich auch … LaFlamme, Pinchaud und Cadieux werden es nicht mehr lange machen.

Morgen werden es andere sein … So ein Elend! Es wird Zeit, daß wir einen Hafen ansteuern. Und wir sollten Saint-Arnaud aufhängen.«

»Schweigen Sie! Wenn Sie jemand hört, dann werden Sie es sein, der an einem Strick baumelt.«

»Die Männer sterben durch seine Schuld. Er hat das Schiff mit Stoffen vollgestopft. Können wir Tücher und Hanf essen? Nein! Genausowenig wie Decken und Seidendamast. Wir werden alle Hungers sterben … wenn nicht an Skorbut! Ich habe keine Medikamente mehr. Ich habe noch nie so viele Jungs auf einer Fahrt zugrunde gehen sehen. Die *Lion* wird bald ein Geisterschiff sein, und ich glaube, daß die Hölle noch besser ist als seine Logis.«

Der Schiffsprediger bekreuzigte sich, widersprach aber dem Arzt in keiner Weise. Dieser hatte nur ausgesprochen, was er im stillen dachte.

Nachdem er das Meßopfer vorn auf der Poop zelebriert hatte, hatte er sie das Confiteor beten lassen und allen Matrosen die Beichte abgenommen, wie es vor Stürmen und Schlachten üblich war. Aus Angst vor einer Ansteckung wurden die Seeleute wieder gottesfürchtig. Dem Priester wären weniger gottesfürchtige und dafür gesündere Männer lieber gewesen. Die ältesten waren zuerst gestorben. Jetzt liefen sogar die am besten beköstigten Offiziere Gefahr, angesteckt zu werden. Er selbst war davon überzeugt, daß er einzig und allein verschont blieb, um die Sterbenden mit den Sterbesakramenten zu versehen. Wie sollte man sich sonst dieses Wunder erklären? Er ging jeden Tag hinunter zum Arzt und hörte den Sterbenden zu. Er sah, wie sie in ihren Hängematten verrotteten. Ihre Beine und Schenkel waren angeschwollen und rund und hart wie Fässer. Er sah, wie ihr mit gelblichem Wundwasser vermischtes Blut über den ganzen Körper verschmiert war und wie ihre Zähne aus dem schwarzen Zahnfleisch fielen. Seit Wochen hörte er ihr Weinen und Schreien. Es kam ihm vor, als seien es schon Monate. Hatte Gott denn kein Erbarmen mit ihnen?

Pierre LaFlamme stöhnte und öffnete seine verklebten Augen. Der Prediger hielt sein Kruzifix über den Sterbenden.

»Holen Sie Geoffroy de Saint-Arnaud, Pater.«

»Befehlen Sie Ihre Seele Gott, mein Sohn.«

»Pater, ich bitte Sie, tun Sie, was ich Ihnen sage. Ich muß mit ihm sprechen.«

Der Schiffsprediger sah, daß der Kranke verständlich sprach, aber er wunderte sich trotzdem über die Bitte des Kranken. Wenn Pierre LaFlamme noch im Vollbesitz seiner geistigen Kräfte war, dann mußte er wissen, daß der Reeder niemals kommen würde.

»Sagen Sie ihm, daß ich ihm verraten werde, wo der Schatz vom Cap d'Aigle ist.«

»Was?!«

»Sie haben schon richtig gehört. Gehen Sie ...«

Der Prediger zweifelte erneut an dem Verstand des Matrosen, aber er würde seiner Bitte nachkommen: Geoffroy de Saint-Arnaud sollte selbst entscheiden, ob er es für richtig hielt, Pierre LaFlamme anzuhören.

Dem Reeder war der Schiffsprediger völlig gleichgültig, aber eine Stunde, nachdem dieser die Bitte des Sterbenden überbracht hatte, entschloß er sich, ihn aufzusuchen: In seiner letzten Stunde hatte ein Mensch keinen Grund, eine Geschichte zu erfinden. Man hatte nie erfahren, was aus der Beute des Cap d'Aigle geworden war. Die Beute der englischen Piraten war während des Angriffs auf ihre Insel durch französische Freibeuter verlorengegangen. Pierre LaFlamme mußte wohl zu dieser Mannschaft gehört haben. Da er genau wußte, daß er sofort wegen Diebstahls verurteilt werden würde, konnte er wohl noch nicht seinen Anteil des Schatzes veräußert haben. Geoffroy de Saint-Arnaud fragte sich, wieviel ihm vom Schatz bleiben würde, wenn er ihn ausgraben würde. Wenn er dem König und dem Kapitän keinen Anteil zahlen wollte, dann mußte er sich auf irgendwelche Geschäfte berufen, die seine Abreise zur Pirateninsel glaubwürdig machten. Oder war es LaFlamme gelungen, seinen Schatz nach Nantes zu schaffen? Ging nicht das Gerücht, daß die Beute aus Edelsteinen bestand? Man mußte schon ganz schön gewitzt sein, um die Diamanten und die Saphire unter den armseligen Kleidern eines Seemanns zu verstecken, aber wenn LaFlamme das Unmögliche geglückt war?

Geoffroy de Saint-Arnaud war von Geldgier besessen, und wenn er ein Pfefferminzdragee lutschte und sich ein Taschentuch vor sein Gesicht hielt, als er den Kranken aufsuchte, dann eher in Erwartung des Gestankes als aus Angst vor der Seuche. Ein Mann seines Standes konnte nicht auf so erniedrigende Weise ums Leben kommen.

Widerlicher Gestank nach Eiter und Dreck, nach Exkrementen und Tod legte sich ihm dennoch auf die Brust, und alle seine Gedärme zogen sich zusammen. Als er Pierre LaFlamme rufen hörte, verharrte er einen Moment auf seinem Weg zur Brücke und kehrte um: Der Schatz würde ihm gehören.

Als der Sterbende den Reeder kommen sah, setzte er seine letzten Kräfte ein, um seine Erregung zu verbergen. Geoffroy de Saint-Arnaud würde sich über ihn beugen und sein Ohr an seinen Mund legen, um die letzten Vertraulichkeiten zu hören. Er mußte sehr langsam sprechen, seinen Feind lange an seiner Seite festhalten und ihn in Sicherheit wiegen, damit er sein Taschentuch fallenließ.

»Oh, gnädiger Herr, Gott schütze Sie … Und ein armseliger Seemann dankt Ihnen, daß Sie mich erhören werden …«

Er pustete und hustete, packte dann Geoffroy de Saint-Arnaud am Arm, ohne jedoch Gewalt anzuwenden.

»Der Schiffsprediger«, begann der Reeder.

»Der Schiffsprediger … hat Ihnen meine Worte wohl überbracht. Ich will mit Ihnen über die Beute des Cap d'Aigle sprechen … Erinnern Sie sich noch daran?«

Geoffroy de Saint-Arnaud bekämpfte seine Ungeduld. Den Schatz des Cap d'Aigle? Wer hätte den jemals vergessen? Wer hatte noch nicht danach gesucht? Wie viele Kapitäne schon hatten versichert, daß sie ihn bald finden würden? Wie viele Seeleute gaben vor, das Versteck zu kennen? Seit fünf Jahren kursierten die phantastischsten Geschichten über das Schicksal der Rubine und der Smaragde, aber keine hatte sich bisher als wahr erwiesen.

»Ich weiß von dem Schatz, ja. Sprechen Sie weiter …«

»Vor vier Jahren bin ich auf Madeira einem Freibeuter begegnet …«

Pierre LaFlamme hielt inne und genoß die Pause, die dem Reeder offensichtlich auf die Nerven ging.

»Ein Freibeuter?«

»Ja. Ein Freibeuter. In einer Gasse. Er starb, sein Körper war von Stichen durchbohrt. Ein Dolch steckte noch zwischen seinen Rippen … Ich wollte ihm helfen, aber es war schon zu spät … Man hatte ihn sicher angegriffen, um sein Geld zu stehlen, aber die Räuber hatten den Schatz nicht bei ihm gefunden, und aus Wut haben sie ihn umgebracht … Er hatte aber doch die Steine: Zwischen seinem Stumpf und seinem Holzbein hatte er sich so eine Art Hautkissen gebaut. Im Innern der eingetrockneten Eingeweide hatte er sein Gut versteckt. Er sagte mir, daß ich es

122

dem König übergeben solle und daß die Diamanten ihm nur Unglück gebracht hätten, seitdem er sie besaß. Er hatte eine Hand verloren, ein Auge, und jetzt hatte man ihn auch noch erdolcht ... Ich mußte schwören, die Steine demjenigen zu übergeben, dem sie zustanden ... Aber ich habe es nicht gemacht ... Weil ...«

Geoffroy de Saint-Arnauds Augen waren so fiebrig wie die das Kranken. Er sah nicht, daß dieser schnell die Augen niederschlug.

»Ich ... Ich habe alles behalten ... Und der Freibeuter hatte recht: Der Schatz ist verflucht. Nun sterbe ich auch, weit weg von meiner Frau, meiner Tochter, meiner Heimat ...«

»Mein Freund ...«

»Ich muß mein Herz erleichtern, gnädiger Herr ...«

Als er diese Worte sprach, zog der Seemann mit seiner ganzen Kraft an Saint-Arnauds Ärmel: Sein Taschentuch fiel zu Boden. Pierre LaFlamme blies ihm nun endlich seinen ekelerregenden Atem ins Gesicht, aber der Reeder wich gar nicht zurück, denn in diesem Moment war sein Gehör viel feiner als sein Geruchssinn.

»Der Schatz ist ... Werden Sie ihn dem König übergeben. Habe ich Ihr Wort?«

»Ja, das ist doch selbstverständlich«, sagte der Reeder und nickte wie verrückt mit dem Kopf.

»Der Schatz ist in Nantes«, gestand der Seemann röchelnd.

»In Nantes? Wo? Bei Ihnen?«

»Ich habe ihn in dem Affenkäfig versteckt, den wir von Madeira mitgebracht haben ... Sie ... Sie werden ...«

»Ja, ich gebe ihn zurück. Wo ist er?«

Pierre LaFlamme seufzte tief, ehe er murmelte: »Baum«, dann schwanden seine Sinne.

Der Reeder rüttelte ihn so heftig, daß der Arzt herbeigelaufen kam.

»Sehen Sie denn nicht, daß er stirbt? Haben Sie etwas Achtung vor dem Tod, Monsieur!«

»Sie müssen dafür sorgen, daß er wieder zu sich kommt!«

»Wenden Sie sich an den Priester, hier können nur noch Gebete helfen. Ich bin mit meinem Latein am Ende ...«

»Sie Nichtsnutz!« brüllte Geoffroy de Saint-Arnaud. »Ich werde Sie auspeitschen lassen.«

Er drehte sich herum und verließ wütend die stinkende Logis.

Der Arzt ging zu Pierre LaFlamme, um seinen Tod festzustellen. Er schob das Lid etwas hoch und sah zu seiner großen Überraschung einen Ausdruck von Seelenfrieden in seinen Augen. Welch glückliches Geheimnis nahm der Seemann mit ins Jenseits?

Die Gewißheit, Geoffroy de Saint-Arnaud angesteckt zu haben.

Hätte Pierre LaFlamme seiner Frau aufmerksamer zugehört, dann hätte er gewußt, daß Skorbut nicht ansteckend ist und daß diese Geschichte, die er über den Schatz erzählt hatte, den Reeder dermaßen in Erregung versetzen würde, daß er seine Familie verfolgen würde, um die Beute zu finden.

Kaum daß sie angelegt hatten, stattete Geoffroy de Saint-Arnaud auch schon Anne LaFlamme einen Besuch ab. Er gab vor, ihr seine Freundschaft in diesen schweren Zeiten anzubieten. Er habe ihrem Gatten in seinen letzten Augenblicken beigestanden, hatte er der Witwe gesagt, außerdem habe er die an sie, Anne, gerichteten Liebesschwüre des Sterbenden gehört.

»Sie müssen diese Versprechen wohl unter einem Baum ausgetauscht haben ...«

»Unter einem Baum?«

»Unser Freund Pierre hat von einem Baum gesprochen. Ich glaube, daß ...«

»Wahrscheinlich war er im Delirium. Er mochte Bäume, er hat welche gepflanzt. Aber das Meer war es, das er liebte.«

Tränen flossen über Annes Wangen, ohne daß es ihr in den Sinn kam, sie wegzuwischen. Sie hatten den salzigen Geschmack der Wellen, und Pierre hätte sie liebevoll weggeküßt. So hatte er es gemacht, als sie ihr erstes Kind verloren hatte, und auch, als Marie geboren wurde. Er war so stolz auf seine Tochter! Anne hatte nie das Gefühl gehabt, daß er wie so viele Männer lieber einen Jungen gehabt hätte, selbst wenn sie später vergeblich versucht hatte, ihm einen zu schenken. Sie hatte immer gewußt, daß Pierre nicht so war wie die anderen. Er war streng erzogen worden. Als Halbwüchsiger war er Schiffsjunge geworden. Von der Mannschaft wurde er verspottet und angeherrscht; doch er hatte sich an das Leben an Bord gewöhnt, hatte sich zurückgezogen: niemals eine Klage, niemals ein Widerwort. Mit dem Alter wurde sein Schweigen als Zeichen von Weisheit angesehen, und seinen Ratschlägen wurde Gehör geschenkt. Er formulierte sie mit so viel Vorsicht, daß man sie nur für um so durchdachter hielt. Da er dennoch gern scherzte, suchte man seine Gesellschaft. Die Kapitäne stritten sich um ihn. Anne bewunderte das angenehme Wesen ihres Mannes: Er war abgehärtet, ohne verbittert zu sein, und er vergaß leicht Sorgen und Stürme.

»Während der schlimmsten Überfahrten verlor er nie den Mut. Er hatte ein gutes Herz, ja ... Ach ja ...«

Der Reeder wiederholte gedankenlos die letzten Worte:

»Ein gutes Herz? Oh! Ja …«

Er fragte sich, ob Anne ihm nun etwas vormachte oder nicht. Es hätte sie verwirren müssen, daß jemand sie an einen Baum erinnerte, da sie ja wußte, wo der Schatz vergraben war. Er wollte ihr nicht zeigen, daß er von der Beute wußte, aber er mußte trotzdem mehr darüber erfahren!

»Hat er die Bäume gepflanzt, um Ihnen einen Gefallen zu erweisen?«

»Ja. Wenn er gekonnt hätte, dann hätte er mir von seinen Reisen welche mitgebracht, aber auf einem Schiff ist ja kein Platz dafür, nicht wahr?«

Er hatte ihr andere Dinge mitgebracht, die Schwungfeder eines Flamingos oder eines Blaureihers, himmelblaue Blütenblätter einer unbekannten Pflanze, Venusmuscheln aus Perlmutt, schwarze Schuppen, weiße Muscheln, gelbe Schmetterlinge oder Korallenstücke, und einmal brachte er ihr sogar einen Kérf, von der mauretanischen Küste mit, der so glänzte wie Karfunkelsteine.

»Zerstampf nicht seine Flügel, um daraus Basilikumsalbe zu machen«, hatte er lachend gesagt.

Er hatte immer gelacht, um seine Verlegenheit beim Wiedersehen zu überspielen, hatte sie auf den Hals geküßt, und sie hatte gespürt, wie sein Bart ihren Nacken zerkratzte. Er hatte in seiner alten Almosentasche, die an seinem Gürtel hing, gesucht und seiner Frau diese seltsamen Geschenke gereicht, die sie entzückten. Dann hatte er ihr seinen ganzen Sold ausgehändigt und gesagt, daß sie Röcke für Marie und eine schöne steife Haube für Nanette kaufen solle.

Geoffroy de Saint-Arnaud hustete, um die Aufmerksamkeit Anne LaFlammes auf sich zu lenken.

»Hier ist der Sold ihres Gatten … Wir haben ihn selbstverständlich etwas aufgerundet.«

Anne dankte dem Reeder dafür, daß er sich persönlich bemüht hatte, ihr den Lohn ihres verstorbenen Gatten zu überreichen.

»Sie trinken doch sicher ein Gläschen Wein, Monsieur, um den Mund etwas auszuspülen. Es ist so trocken, daß man von dem Sand auf den Straßen fast erstickt … Kommen Sie, im Garten ist es kühler.«

»Dann wollen wir Ihren Wein unter den Bäumen genießen, die Ihr Mann gepflanzt hat. Im Schatten wird es angenehmer sein …«

Anne schaute dem Schiffseigner mitten ins Gesicht. Konnte es sein, daß er für ihren Mann wirklich Freundschaft empfunden hatte? Sie hatte Saint-Arnaud nie besonders geschätzt, aber nun zweifelte sie an ihrem Urteil. Er hatte ganz sicher mit Pierre gesprochen, denn woher sollte er sonst wissen, daß er vor sechzehn Jahren für sie Eiben und Haselnußsträucher aus dem Wald hatte holen lassen.

»Madame …«, flüsterte Geoffroy de Saint-Arnaud, der wütend über die Schweigsamkeit Anne LaFlammes war. »Ich komme morgen wieder, wenn Sie wollen …«

Die Witwe machte einen so verwirrten Eindruck, daß er nicht hoffen konnte, an diesem Abend noch den geringsten Hinweis von ihr zu bekommen.

»Nein, entschuldigen Sie, ich bin eine schlechte Gastgeberin.«

Sie holte tief Luft und versuchte, ihrer Verwirrung Herr zu werden.

»Ich habe gehört, daß die Überfahrt schrecklich gewesen sein soll … eine Menge armer Matrosen sind gestorben. Es hat mich überrascht, daß Sie auf dem Schiff waren. Nur wenige Bürgersleute überqueren das Meer; sie überlassen diese Aufgaben anderen …«

»Besser, man macht alles selbst«, erklärte Geoffroy de Saint-Arnaud.

In Wahrheit hatte er Angst, daß man ihn betrog, wenn er nicht persönlich alles überwachte. Er war nicht bei jeder Fahrt an Bord, sondern nur, wenn die verschiffte Waren von besonders hohem Wert war.

»Entweder man macht es selbst, oder man läßt es von Matrosen wie Pierre LaFlamme erledigen. Nur wenige Männer haben ein solches Vertrauen verdient. Er war ein aufrechter Mann ... wie seine Bäume. Nicht wahr?«

War es seltsam, daß er schon wieder auf die Bäume anspielte? Nein, Anne lächelte ihn freundlich an.

»Seine armen Bäume. Wir mußten sie alle im vorigen Jahr fällen. Die Früchte vertrockneten an den Bäumen. Pierre hatte zu viele gepflanzt, und sie nahmen sich gegenseitig den Platz weg.«

Der Reeder hatte ziemliche Mühe, seine Wut zu verbergen. Wie hatte er nur glauben können, daß er mühelos in Erfahrung bringen könnte, wo der Schatz verborgen war? Nur Anne LaFlamme konnte es ihm sagen. Aber warum sollte sie es tun?

Er dachte kurz daran, ihr anzubieten, das Haus für eine ziemlich hohe Summe zu kaufen. Aber er kam sofort wieder davon ab, denn er sagte sich, daß Anne LaFlamme einfach den Schatz mitnehmen würde.

Um die notwendigen Auskünfte zu erhalten, gab es nur eine Lösung: Er mußte Marie heiraten. Aber zu seinem größen Ärgernis hatte er erfahren, daß diese dumme Pute in Simon Perrot verliebt war und daß Anne LaFlamme ihr die freie Wahl ließ, selbst wenn Maries Entscheidung ihr überhaupt nicht gefiel.

»Zu viele junge Mädchen sind mit Graubärten verheiratet!« hatte Anne zu ihm gesagt.

Hielt sie ihn etwa für einen Graubart? Scherzend hatte er erwidert:

»Ihre Vorstellungen von der Ehe scheinen mir ziemlich sentimental zu sein.«

»Es ist … Ich war so glücklich mit Pierre.«

Sie tauschten weiter ihre Meinungen über die Ehe aus, und der Reeder war schnell überzeugt, daß sie ihm Maries Hand nicht gegen ihren Willen geben würde … wenn sie die Umstände nicht dazu zwangen. Das würde einfach zu lange dauern. Also hatte er sich entschlossen, der Mutter den Hof zu machen, und suchte von nun an immer häufiger nach Vorwänden, um sie zu treffen: Er sorgte sich herzlich wenig um das Wohlbefinden seiner Bediensteten, aber sobald eine Dienerin in anderen Umständen oder ein Lakai krank war, fragte er nun Anne LaFlamme. Diese Fürsorge gegenüber seinen Leuten brachte die Geburtshelferin völlig aus der Fassung. Vielleicht hatte sie sich in dem Reeder getäuscht, hatte zu sehr auf die Gerüchte gehört. Die Überlebenden der Überfahrt, auf der Pierre LaFlamme verschieden war, behaupteten, daß Geoffroy de Saint-Arnaud sie habe verhungern lassen. Sie logen sicherlich nicht, aber diese Hungersnot war bestimmt nicht beabsichtigt gewesen. Der Reeder hatte einfach die Lage falsch eingeschätzt, die Reisezeit falsch berechnet, sonst hätte er sicher mehr Lebensmittel und weniger Stoffe eingeschifft. Er hatte durch seine Unkenntnis oder Dummheit einen Fehler gemacht, nicht aus Grausamkeit oder Egoismus.

»Ich habe ihn falsch eingeschätzt, Nanette.«

»Nein, mein Kind. Er tut schön mit dir, aber in seinen Adern fließt das Blut einer Schlange. Er wird wohl seine Gründe haben, seit dem Tod von Pierre ständig hierherzukommen und in der Stadt zu erzählen, daß er dich heiraten wird.«

»Er macht nur Spaß. Eines Tages wird er die Tochter eines reichen Bürgers heiraten, das wissen wir doch alle.«

»Ich wäre froh, wenn er nicht so oft hier herumschleichen würde. Ich mag ihn nicht.«

»Du magst nur wenige Menschen«, betonte Anne.

»Und du magst sie alle viel zu sehr«, erwiderte die alte Frau.

13.
KAPITEL

»Ich bitte Sie, lassen Sie mich zu meinem Mann ... Ich werde tun, was Sie wollen«, sagte Suzanne Robinet unterwürfig.

Hector Chalumeau musterte die Frau von Kopf bis Fuß, die sich ehrerbietig vor ihm verbeugte. Sie hatte etwas plumpe Gesichtszüge, aber noch alle Zähne. Ihr dichtes Haar fiel in hübschen Locken herunter, und sie schien einen ziemlich festen Busen zu haben. Der Kerkermeister ging auf sie zu, hob den Kopf der Frau hoch und griff mit seiner Hand in ihre Korsage. Sie schrie kurz auf, ließ sich aber von dem Mann betatschen, ohne zu protestieren.

»Du bist immer noch ziemlich hübsch. Komm hierher«, sagte der Mann und zeigte auf die Tischkante.

Ohne Hemmungen zog er seine Hose herunter, öffnete seinen Umhang und zeigte Suzanne Robinet sein steifes Glied.

»Ein kleiner Kuß, danach bekommst du, was du willst ... Es ist schwer für eine heißblütige Frau wie dich, ohne Mann zu sein, nicht wahr? Dein Antoine fehlt dir sicher?«

Als Suzanne Robinet den Namen ihres Mannes hörte, zuckte sie zusammen. War es unrecht, sich dem Soldaten anzubieten? Würde er sein Versprechen halten? Sie wußte es nicht, aber ihr fiel nichts Besseres ein, um seine Gunst zu erringen. Sie konnte ihm weder Geld noch Auskünfte geben. Sie hatte nur ihren Körper. Wenn das Verlangen des Mannes gestillt sein würde, dann würde er vielleicht entgegenkommender sein und ihr erlauben, ihren Mann im Gefängnis zu besuchen.

Hector Chalumeau schmiß sie brutal über den Tisch und zog mit einem Ruck ihren Unterrock hoch. Als er ihre etwas dicken Schenkel und ihren rundlichen Bauch sah, schnalzte er mit der Zunge und pfiff dann anerkennend:

»Na, unser Kamerad Robinet hatte wohl viel Spaß an dir ...«

Hatte? Ja, richtig verstanden: *hatte.* Die Frau brüllte vor Schmerz und stieß den Mann mit solcher Gewalt von sich, daß er auf dem Boden landete. Bevor er noch reagieren konnte, schlug Suzanne Robinet auf ihn ein, kratzte ihm durchs Gesicht und sagte immer wieder:

»Er ist also schon tot, Sie Dreckskerl! Er ist tot, tot! Tot!«

Chalumeau wälzte sich mit ihr auf dem Boden, dann hatte er sie in der Gewalt, bekam seinen Gürtel zu fassen, nahm seinen Dolch und stach ihn Suzanne Robinet mitten ins Herz. Sie starb auf der Stelle; ein Ausdruck der Verachtung lag in ihren Augen. Der Soldat wischte die Klinge an ihrem Unterrock ab, bevor er sie auf den Boden legte, dann bedeckte er die Wunde mit Stoff, um sein Justaucorps nicht zu beschmutzen. Der Kampf hatte seiner Begierde keinen Abbruch getan, ganz im Gegenteil. Diesen noch warmen Körper so verlassen zwischen seinen Beinen zu spüren, steigerte seine Erregung. Er hob das Becken der Toten hoch und drang voller Lust in sie ein. Er mühte sich einige Minuten ab, dann kam es ihm.

»Du hast wirklich alles getan, was ich wollte«, sagte er ruhig.

Er rückte seine Kleider langsam wieder zurecht, ohne sich sonderlich zu beeilen, dann ergriff er einen leeren Zinnapf. Er drehte ihn herum und sah sich in dem Metall an. Das Bild war nicht klar, aber man konnte die roten Kratzer auf seinen Wangen erkennen.

»Du hast mich nicht verfehlt, du dreckige Hure«, sagte der Soldat und versetzte der Toten einen Fußtritt. »Aber so ist es auch gut. Man wird mir schon glauben, daß du mich töten wolltest ... Wir werden euch zusammen begraben, Antoine und dich. Du wolltest ihn wiedersehen? Na schön, da hast du es! Nun hast du bekommen, was du wolltest!«

Die Tür knarrte, Simon Perrot trat herein, grüßte seinen Vorgesetzten, und sah auf den halbnackten Körper des Opfers.

»Sie ist noch warm. Willst du?«

Simon Perrot grinste, zwinkerte mit den Augen und schlug sich auf die Schenkel.

»Ich werde schon erwartet ... Wer ist das?«

»Die Witwe von Robinet. Sie wollte mich erwürgen!«

»Wußte sie, daß er tot ist?«

»Na ja ... Sie hat es wohl geahnt.«

Simon verzog das Gesicht, bevor er ihm beipflichtete:

»Das wundert mich nicht. Diese Weiber sind doch alle Hexen!«

»Das ist eine Hexe! Ich bin ganz sicher, Baptiste!«

»Gott erbarme sich unser!« jammerte Germaine Crochet.

»Eine Hexe?« fragte Guy Chahinian und stieß seine Hammelfleischsuppe zurück. Er aß gern Rüben und Kohl, aber das, was Clotaire Dubois da in dem Gasthof *Poisson d'or* verkündete, verdarb ihm den Appetit.

»Ja, Monsieur«, sagte Clotaire Dubois. »Ich suchte im Wald nahe der Höhle nach Reisig, da fing mein Hund plötzlich an zu kläffen. Ich bin ins Dickicht gegangen, und dann habe ich sie gesehen! Ich zittere immer noch! Sie stand da, machte mit ihren langen, krummen Fingern Zeichen, und ihr Gesicht war häßlicher als alle Sünden der Welt! Sie sagte irgendwelche Sachen in der Teufelssprache, das ist ganz sicher, denn ich habe nichts verstanden. Ich bin weggerannt, damit sie mich nicht anspuckt und verhext!«

»Das müssen wir Pater Thomas erzählen!« erklärte der Schankwirt.

»Vor ein paar Tagen haben die Werwölfe hier Vieh gerissen, und heute verliere ich mein Reisigbündel wegen dieser Hexe!«

Guy Chahinian kam von seinem Tisch herüber und sagte: »Machen Sie mir die Freude, ein Gläschen mit mir zu trinken, damit Sie wieder zu Kräften kommen.«

Der Mann dankte dem Goldschmied herzlich.

»Hier«, sagte er zu Baptiste, »gönnen Sie sich auch einen Schluck.«

»Sie gehen schon?« wunderte sich Jacques Lecoq. »Sie haben gar nichts gegessen!«

»Ich hätte schon Appetit gehabt, aber ich leide seit gestern an sehr unangenehmen Magenbeschwerden. Heute abend vielleicht …«

»Lassen Sie sich dadurch nicht verrückt machen. Sie sollten Madame LaFlamme aufsuchen«, sagte Geoffroy de Saint-Arnaud.

»Ihre Verlobte ist sehr begabt, gnädiger Herr«, sagte Baptiste Crochet, um dem Reeder zu schmeicheln. »Sie hat das Bein meines Bruders gerettet, wie Sie wissen. Es ist erst vier Wochen her, und er kann schon wieder richtig gehen. Nur Mut, Monsieur Chahinian.«

»Gut, ich werde sie aufsuchen, während Sie auf meine Gesundheit trinken.«

»Das habe ich auch nötig«, wiederholte Clotaire Dubois, der die Aufmerksamkeit seiner Zuhörer schwinden sah. »Diese Hexe, Baptiste, ist vielleicht sogar Schuld am Unfall deines Bruders.«

Der Schankwirt rollte seine von Angst erfüllten Augen hin und her und verabschiedete zerstreut Guy Chahinian, als dieser die Schenke verließ.

Der Goldschmied war froh, daß man ihm ein Vorwand geliefert hatte, Anne LaFlamme aufzusuchen, denn diese würde in der Lage sein, die Situation richtig einzuschätzen. Außerdem würde sie ihm Glauben schenken, wenn er ihr zu Vorsicht riet. Wenn sie eine Hexe festnahmen, dann konnten sie auch zwei, zehn oder hundert festnehmen.

Die Sonne tauchte die Kathedrale in rotes Licht und blendete mit ihren Strahlen erbarmungslos die Stadt. Es war so trocken, daß man ganz deutlich den Rauch der Öfen, auf denen das Fleisch schmorte, in den tiefblauen Himmel aufsteigen sah. Der eigenwillige Wind schob den Qualm von den Schornsteinen weg, jagte ihn ins Unendliche oder verformte ihn nach Gutdünken. Chahinian erkannte in den weißen Formen Bäume, dann Hunde, Hirschkühe, Wölfe und Füchse. Alle schienen von den Dächern, den Häusern, den Städten zu flüchten, als ob sie eine fürchterliche Katastrophe ahnten.

Der Goldschmied erreichte endlich die Wohnung Anne LaFlammes. Ohne zu klopfen, ging er hinein. Nanette sah ihn bestürzt an. Der Mann stand schweißgebadet, mit unordentlichen Kleidern und offenem Kragen vor ihr. Hatte er seine Kleider geöffnet, um wieder Luft zu bekommen? Er war ganz außer Atem.

»Monsieur, was ist passiert?«

»Wo ist Ihre Herrin?«

»Sie ist mit Marie Pflanzen sammeln gegangen.«

Guy Chahinian stöhnte.

»Sie müssen mich hinbringen! Ich erkläre Ihnen alles unterwegs … Schnell, beeilen Sie sich!«

»Aber mein Huhn …«

»Kommen Sie!« sagte der Mann in einem Ton, der keinen Widerspruch duldete.

Obwohl sich die alte Amme Mühe gab, Schritt zu halten, kam Chahinian mit ihr zusammen nicht so schnell vorwärts, aber da er den Wald schlecht kannte, konnte er sich nicht allein ins Unterholz wagen, ohne das Risiko einzugehen, sich zu verlaufen. Der Hochwald war hier und da gerodet, und der Goldschmied fragte Nanette nach dem Grund.

»Ach … Es gibt viele, die behaupten, daß ihnen dieser oder jener Teil des Waldes gehört. Sie reißen das Gestrüpp heraus oder brennen es ab und entscheiden so angeblich über das Holzungsrecht, aber die Jäger gehen lang, wo sie wollen, und die Bauern suchen ihr Brennholz überall, ohne zu fragen, nur nicht an einigen besser bewachten Stellen. Ich bin ziemlich sicher, daß Clotaire Dubois sich sein Holz hier holt, ohne sich um das Holzungsrecht zu kümmern … aber er will nicht gesehen werden und schimpft immer, wenn er Anne trifft. Wo sie doch so verschwiegen ist wie Dragon.«

»Dragon?«

»Ein rechtschaffener Mann, der Schwierigkeiten hat zu

sprechen, der aber einen gesunden Menschenverstand besitzt. Vielleicht weil er mehr zuhört als redet! Sind Sie sicher, daß Sie genau verstanden haben, was Dubois gesagt hat?«

»Aber natürlich …«

»Aber was soll Anne denn jetzt Ihrer Meinung nach tun?«

»Die Leute hier hören auf sie …«

»Wenn sie krank sind! Wenn sie Angst haben zu sterben. Aber sobald sie wieder gesund sind, vergessen sie ihre Angst und Annes Ratschläge.«

»Hören Sie … Da ist jemand …«

Sie liefen in die Richtung, aus der Chahinian das Rascheln der Äste gehört zu haben glaubte. Nanette rief nach den LaFlammes.

Marie schaute sofort erstaunt aus dem Dickicht hervor.

»Wo ist Ihre Mutter?« fragte Guy Chahinian.

»Etwas weiter da hinten.«

»Führen Sie uns schnell zu ihr!«

Durch die Erregung hatte Chahinian eine ganz hohe Stimme bekommen, und der warme, ernsthafte Ton war verschwunden. Marie folgte sofort seinem Befehl, und die drei bahnten sich den Weg zu den gelichteten Torfgebieten.

»Meine Mutter findet hier oft Benediktenkraut.«

»Ist es noch weit?«

»Nein, aber …«

»Geh weiter, mein Kind«, sagte Nanette. »Beeil dich …«

»Da ist der große Tümpel. Mutter muß ganz in der Nähe sein«, antwortete Marie, bevor sie nach ihrer Mutter rief.

Diese tauchte hinter einem Busch auf, hinter dem sie seit einiger Zeit hockte. Sie winkte, offensichtlich begeistert über ihre Entdeckung, mit gelben Blumen.

»Sanikelkraut! Ein unfehlbares Mittel, um das Blut zum Gerinnen zu bringen ...«

Sie schwieg, als sie das angsterfüllte Gesicht Guy Chahinians sah.

»Ist jemand verletzt?« fragte sie, als sie näher kam.

»Nein, noch nicht. Aber Sie müssen etwas tun, wir dürfen keine Zeit verlieren!«

Der Goldschmied erklärte der Hebamme schnell alles. Desto mehr er sprach, desto blasser wurde sie.

»Gott steh uns bei!« rief Anne LaFlamme aus. »Es handelt sich um die Alte mit dem Hinkefuß.«

Sie nahm ihre mit Pflanzen gefüllte Tasche, warf sie über ihre Schulter und hob ihre Röcke hoch, um schneller laufen zu können. Ihre Tochter und Nanette taten es ihr gleich, und sie merkten gar nicht, daß sie von Brombeersträuchern und Brennesseln zerkratzt wurden. Durch die Angst, die sie erfaßt hatte, seit sie Annes leichenblasses Gesicht gesehen hatten, waren sie unempfindlich dagegen geworden.

Bald hörten sie schrille Schreie.

»Das ist sie! Schnell, Freunde! Wir müssen uns beeilen!«

»Geht ohne mich, ich kann nicht mehr«, sagte die Amme. »Ich behindere euch nur ...«

Sie hatte recht. Die anderen rannten nun los. Die Klagerufe erklangen seltener und wurden leiser. Atemlos blieben sie kurz vor einer Höhle stehen, wo sich ihnen ein grauenhaftes Bild bot: Die blutüberströmte Alte mußte sich gegen drei Folterknechte zur Wehr setzen.

»Ach, Sie sind es«, sagte Nestor Colin ruhig.

»Lassen Sie sie!« schrie Anne.

»Mensch, das ist eine Hexe.«

Guy Chahinian stürzte sich auf die Peiniger. Ihr geschwächtes Opfer konnte ihnen nicht entkommen. Sie ließen von ihm ab, um sich dem Gegner entgegenzustellen. Obwohl die Wut seine Angriffslust gesteigert hatte, war Chahinian schnell besiegt, denn die Feinde waren in der Überzahl. Nestor Colin schlug ihn mit seinem blutverschmierten Knüppel nieder, schob Marie und Anne LaFlamme zur Seite, welche die Männer daran hindern hatten wollen, die Alte weiter zu mißhandeln.

Anne ließ sich neben die verkrüppelte Frau fallen, um sie mit ihrem Körper zu beschützen, aber sie wurde zur Seite geschoben. Sie flehte, man solle sie anhören, hielt sich am Arm von Clotaire Dubois fest, aber dieser hörte nicht auf ihr Flehen. Er war durch den Wein erhitzt und durch seine Kameraden und den Widerstand der Hexe angestachelt. Sie hatten Mühe gehabt, die alte Frau zu bezwingen – ein Zeichen dafür, daß der Teufel wohl ihren schwachen Körper beherrschte, und ihr häßliches Gesicht war ein Beweis für ihre schwarze Seele. Wenn sie sie jetzt nicht umbrachten, würde sie sich in eine Wölfin verwandeln und sie fressen oder eine Eule werden und ihnen entfliehen. Er griff nach einem Stein, als Nestor Colin ihm schon zuvorkam und der alten Frau einen tödlichen Schlag mit einem Stock versetzte. Blut quoll aus ihrem verzerrten Mund und beschmutzte die Hose von Clotaire Dubois, der verängstigt zurückwich. Er ließ den Leichnam liegen und stürzte auf den Sumpf zu, um seine Kleider auszuwaschen, weil er befürchtete, daß in den Flecken auch nach dem Tod der Hexe noch der Teufel stecken könne.

Schluchzend beugte sich Anne über Guy Chahinian, der langsam wieder zur Besinnung kam. Das tränenüberströmte Gesicht der Hebamme zeigte ihm, daß er nichts hatte ausrichten können. Mühsam stand er wieder auf, strich mit der Hand über seinen Kopf und schaute auf den Leichnam der Alten. Ihr starrer Blick sah fragend gen Himmel. Warum gab es soviel Ungerechtigkeit? Dann fiel aus ihrem zerrissenen Hemd eine Handvoll Nüsse und rollte über den Boden.

»Ihr Abendbrot«, murmelte Anne, während sie der Alten die Augenlider schloß. »Ich wollte sie nachher treffen ... Ich hatte ihr Brot mitgebracht.«

»Sie kennen sie? Die arme Frau! Man hat ihr noch nicht einmal einen Prozeß gemacht ... für ihre vermeintlichen Verbrechen. Für sie wäre es besser gewesen, ein Tier zu sein. Man hätte sie mit einem Schlag hingerichtet, um das Fleisch zu schonen ...«

»Hören Sie auf!« schrie Marie. »Was Sie da sagen, ist ja grauenhaft.«

»Er hat leider recht. Frauen haben weniger Rechte als Kühe oder Schweine«, sagte Anne LaFlamme.

»Sie wissen das alles und machen weiter«, polterte Guy Chahinian los.

»Ich kann nicht anders. Ich habe Freunde ...«

Welche Freunde? fragte sich Guy Chahinian, während er Steine zusammentrug, um die Leiche zu begraben. Außer den Le Morhiers hatte sie keine einflußreichen Bekannten in der Stadt: Handwerker, Arbeiter, Bauern oder Seeleute würden ihr kaum helfen können.

Nanette, die kurz nach dem Gemetzel ankam, konnte ihre Augen nicht von der übel zugerichteten Frau abwenden. Die verkrüppelte Frau war so alt wie sie. Sie hatte die Fronde miterlebt, die Pest im Jahre 1631, als die Kranken ihre Kleider mit dem großen, weißen Kreuz kennzeichnen mußten, den verfluchten Sommer 45, als die Ernte auf den Feldern verkümmerte. Sie hatte die Soldaten die Dörfer plündern und Feuersbrünste ganze Wälder vernichten sehen. Wie Nanette. Aber hatten sie Kinder angelächelt, den Arm nach ihr ausgestreckt, ungeduldig nach ihrer

Brust gegriffen? Und hatte sie Anne länger als ein paar Monate gekannt? Nein, dann wäre sie kräftiger gewesen, denn ihre Herrin hätte nicht geduldet, daß ein so einsames Geschöpf Hungers stirbt. Nanette begriff jetzt, warum der Brotlaib und der Käse auf so geheimnisvolle Weise schrumpften. Gern hätte sie der Bettlerin ein Stück von ihrem Kuchen abgegeben.

»Warum hast du mir nichts gesagt, du Närrin?« fragte sie Anne. »Die arme Frau war genauso verbraucht wie ich und mußte auf der Erde schlafen.«

»In Nantes hätte man sie schon längst umgebracht«, sagte Guy Chahinian ernst.

14.
KAPITEL

Der Goldschmied sollte recht behalten, denn schon kehrten die Folterknechte zu ihrem Opfer zurück. Sie waren wie Raubtiere, die ihre Beute aufspürten, nachdem sie sie erlegt hatten. Noch bevor Anne LaFlamme und Guy Chahinian es verhindern konnten, trat Nestor Colin mit seinem Holzschuh gegen den regungslosen Körper.

»Sie ist wohl tot«, sagte der Mann zu seinen Kameraden.

»Was denn sonst! Ihr habt sie doch umgebracht!« schrie Marie LaFlamme. »Laßt sie uns nun begraben, wie es sich gehört.«

»Begraben?« wunderte sich Firmin Boucher. »Wir nehmen den Leichnam mit, damit den anderen Hexen endlich die Augen aufgehen.«

»Sie war eine arme Bettlerin, Sie Dummkopf«, brüllte

Anne. »Kümmern Sie sich nicht um sie. Das haben Sie ja auch nicht getan, als sie noch lebte.«

»Nein, sie muß verbrannt werden«, beharrte Nestor Colin.

»Meine Damen«, sagte Guy Chahinian, »wir haben uns hier vielleicht zu voreilig eingemischt. Diese Herren haben wichtige Gründe, so zu handeln. Ich dachte, man würde eine Frau mißhandeln, aber wenn es sich um eine Verbrecherin handelt, dann ist es natürlich etwas ganz anderes.«

Seine Widersacher zögerten, dem Goldschmied zu glauben, aber er schien ihnen den Schlag, den sie ihm versetzt hatten, nicht zu verübeln. Er lächelte sie fast an. In der Tat war ihm nicht mehr als ihnen an einer neuen Schlägerei gelegen, und er sah wohl ein, daß er sich gedankenlos in die Sache hatte hineinziehen lassen.

»Nehmen wir den Leichnam mit und übergeben ihn der Obrigkeit. Sie sollen selbst entscheiden, was sie damit machen wollen. Das ist ihre Aufgabe, und *Péronne*, Verzeihung, diese Personen wissen, was zu tun ist. Niemand soll sich der Justiz widersetzen.«

Péronne? Guy Chahinian schaute Anne so intensiv in die Augen, daß diese die Botschaft trotz ihrer Erregung und ihrer Traurigkeit verstand. Sie zitterte, ging aber dann von dem Leichnam weg und bedeutete ihrer Tochter, es ihr gleichzutun. Guy Chahinian war sicher ein pessimistischer Mensch, und sie weigerte sich, dem Grauen, das er voraussah, Glauben zu schenken, aber ihn den Namen seiner hingerichteten Cousine aussprechen zu hören, während er an seinen entblößten Knöcheln die schlaffe Haut der Leiche spürte, das beeindruckte sie sehr. Er hätte nicht ohne weiteres Péronne erwähnt: Die Hinrichtung der Alten hatte ihn wirklich in Angst und Schrecken versetzt.

Nachdem sie ein Kreuz auf die Stirn der Verblichenen

gezeichnet hatte, drang Anne mit so schnellen Schritten in das Dickicht ein, daß Guy Chahinian, Marie und Nanette ihr erst kurz darauf verdutzt folgten.

Am Waldessaum erklärte der Goldschmied seine scheinbare Sinneswandlung:

»Es tut mir leid, daß wir darauf verzichten mußten, die Alte zu beerdigen, aber es ist besser, wir überlassen sie ihnen und lassen sie auf dem Marktplatz ihren Triumph feiern. Wenn man die Leiche dieser Unglückseligen verbrennt, dann werden sich die Geister wieder beruhigen. Wollen wir es hoffen … Einige Hühner mit durchgeschnittener Kehle haben vor zwanzig Jahren in meinem Heimatdorf ausgereicht, mehrere Frauen auf dem Scheiterhaufen zu verbrennen. Die Alte ist jetzt tot, hoffen wir, daß diese Narren sie für all ihr Ungemach verantwortlich machen und daß die Stadt ihre Ruhe wiederfindet. Was mich betrifft, so werde ich jetzt mit dieser Hoffnung im Herzen noch zum Hafen hinuntergehen.«

Damit verabschiedete er sich von den Frauen. Wenig später schaute er auf die über das Wasser gleitenden Leichter und Fleuten und empfand eine kurze friedliche Ruhe.

Die Loire strahlte bis in die Ferne. Tausende von Goldplättchen säumten die Wogen und blendeten das Auge. Die Möwen, die sich von den Wellen treiben ließen, sahen aus wie Perlen, die ein glänzendes Gewand verzierten, und trotz der schillernden Farben, der Form und der Einzigartigkeit dieses Meisterwerks, bedauerte Guy Chahinian, daß er es nicht nachmachen konnte. Dieser Gedanke mißfiel ihm. Er stand der Hebamme in nichts nach: Er war genauso stolz wie sie. Das göttliche Werk nachahmen? Nur ein Narr konnte behaupten, daß das möglich war.

Er spazierte noch eine Weile weiter und freute sich, daß

er gegen Ende des Sommers in Nantes angekommen war. Er liebte es, dem neuerlichen Treiben am Hafen zuzuschauen. Der niedrige Wasserstand verhinderte im Sommer einige Unternehmungen, die man sofort ausführte, sobald die Loire wieder ein ausreichendes Niveau erreicht hatte, so daß die Galeonen und Fleuten hier wieder vor Anker gehen konnten. Im Herbst wurde der Betrieb wieder aufgenommen. Seit zwei Wochen wartete man auf die Rückkehr der *Lion-d'Argent*. Wenn die Expedition von Erfolg gekrönt war, würde die Stadt wieder voll jubelnder Menschen sein, nachdem Beute geteilt worden war, selbst wenn Guy Chahinian im Geist Geoffroy de Saint-Arnaud verdächtigte, einiges zu seinen Gunsten zu unterschlagen. Man würde in den Schankstuben lachen, die Freude der Seeleute und der beruhigten Familien würde vielleicht das Schreckgespenst der Hexerei in Vergessenheit geraten lassen. Man würde die überraschend milde Luft genießen, die Frauen würden wieder ihre Kleider aus hellen Stoffen tragen.

Einige Frauen wie Myriam Le Morhier stimmte der laue Wind ganz mildtätig.

»Diese sanfte Brise macht mir Lust, gut zu sein«, hatte sie Guy Chahinian anvertraut.

Gab es nicht auch andere, die diesen Wunsch mit ihr teilten?

Henriette Hornet hatte als erste auf die Leiche gespuckt. Die anderen hatten es ihr schnell gleichgetan. Pater Thomas hatte sich schwach widersetzt, aber kaum protestiert, als die rasende Menge anfing, die Leiche zu entblößen. Er hatte erfahren, daß die Hexe einen Klumpfuß hatte, und er verstand es gut, die Anwesenden über dieses Teufelsmal zu unterrichten. Bis heute hatte man ihn nur selten um Rat gefragt. Die Bürger aus Nantes begnügten sich damit, seine Predigten anzuhören, ohne ihn je um Rat zu fragen. War er nicht ihr geistiger Führer? Ohne die Jesuiten direkt anzuprangern, spielte er auf ihre Nachlässigkeit gegenüber teuflischer Gefahr an. Er war nicht ohne Grund in diese wohlhabende Stadt gesandt worden. Er würde es schon verstehen, die in der Religion so nachlässig unterwiesenen Geister auf den richtigen Weg zu bringen. Wenn die Bürger von Nantes wirklich um ihr Seelenheil fürchteten, dann würden sie bald den Orden, dem er angehörte, den Jesuiten vorziehen. Von Angst gedämpfte Freudenschreie ertönten aus der Menge, als man den Klumpfuß entdeckte. Die Menschen stießen sich gegenseitig weg, um ihn zu sehen. Sie zitterten vor Abscheu und Erregung und wollten von den Mördern zum hundertsten Mal hören, wie sie die Alte gefangen hatten. Nestor Colin, Clotaire Dubois, Firmin Boucher gaben bereitwillig Auskunft. Sie erklärten einstimmig, daß sich die Hexe mit einem Werwolf eingelassen habe, um die Hühner der Dubois zu reißen.

»Sie hielt einen Zauberstab in der Hand. Sie hat es aber nicht geschafft, auf den Stock zu steigen, als wir kamen. Wir waren nicht weniger als drei, um sie in unsere Gewalt zu bringen.«

»Und«, äußerte sich langsam Henriette Hornet, »dieses Satansweib wird ja nicht gerade schwer gewesen sein. Es wird ihr wohl jemand geholfen haben, euch standzuhalten.«

»Sie war wendig wie eine Schlange!«

»Wir müssen sie verbrennen!« bestätigte Nestor Colin. »Luzifer wird sich wieder mit ihr verbünden wollen.«

Ohne sich direkt zu äußern, bekundete Pater Thomas

durch ein leichtes Nicken des Kopfes seine Zustimmung. An seiner Seite stand Henriette Hornet, die sich freute, daß sie den neuangekommenen Pater als Beichtvater gewählt hatte, als die Ankunft von Offizieren, die durch den Menschenauflauf alarmiert worden waren, die Erregung der Menge wieder anheizte. Die von ihren Mitbürgern derartig unterstützten Henker fürchteten keine gerichtliche Strafe und erzählen ihre Geschichte im guten Glauben an ihr reines Gewissen. Die Offiziere nahmen die Aussagen gelassen entgegen, schlugen aber vor, den Fall vor einen Richter zu bringen, damit dieser entschied, was man mit der Leiche machen solle.

Sie legten den Leichnam auf eine Karre und schoben ihn bis vor das Haus des Magistrats. Dieser wußte auch nicht so recht, was man tun sollte, und wollte einen Kollegen um Rat fragen. War es der Mühe wert, einen Scheiterhaufen für eine Tote zu errichten? Eine Bestrafung hatte nur dann einen Sinn, wenn das Leiden der Verurteilten als Beispiel dienen konnte. Eine Leichenverbrennung wäre weniger aufsehenerregend. Jedoch würde ein öffentliches Spektakel die Leute zerstreuen. Diejenigen, die eine Leichenverbrennung vorgeschlagen hatten, wirkten entschlossen, diese auch durchzusetzen. Möglicherweise würden sie auf eine Erlaubnis verzichten, wenn der Magistrat nicht nach ihrem Willen entschied. Er würde an Macht verlieren. In Erwartung der Meinung eines weiteren Richters ordnete er an, die Leiche auf den Marktplatz zu bringen, damit jeder sie sehen konnte.

Am Abend konnten die Einwohner von Nantes vor lauter Fliegen kaum noch den Körper erkennen, und die ungewöhnliche Hitze dieser Jahreszeit trieb die Verwesung schnell voran. Am nächsten Tag um die Mittagszeit wußten die Menschen nicht mehr, was schlimmer war:

der Gestank der Leichenausdünstungen oder der Anblick der zerfledderten Toten.

Anne LaFlamme hatte gewußt, daß man die Leiche der Alten auf den Marktplatz gebracht hatte, aber als sie vierundzwanzig Stunden später erfuhr, daß die Leiche dort zur Verwesung bleiben sollte, übermannte sie eine derartige Wut, daß sie zu ersticken glaubte. Alle Warnungen Guy Chahinians konnten sie nicht länger zurückhalten. Sie würde zum Magistrat gehen, der die Zurschaustellung der Alten angeordnet hatte.

Eine Stunde später sprach man auf dem Marktplatz, am Hafen, in den Schankstuben und Wirtshäusern nur noch über den Auftritt der Hebamme. Im *Poisson d'or* hörte Guy Chahinian fassungslos dem Geschwätz zu:

»Wenn sie es so eilig gehabt hat, sie zu begraben, dann doch nur, weil sie wußte, daß man dieser Kreatur eine Messe verweigern würde. Sie selbst, Monsieur, haben sich ja schnell unserer Meinung angeschlossen«, sagte Nestor Colin zum Goldschmied. »Anne LaFlamme hat Sie mitgerissen, aber Sie haben Ihren Irrtum sofort erkannt, als Sie die Wahrheit über diese Hexe erfahren haben.«

»Anne LaFlamme wird es schon vorher gewußt haben«, verkündete Clotaire Dubois.

»Sie glauben, daß Anne LaFlamme wußte, daß die Hexe ...«

»Sie hat ja vorausgesagt, daß sich die Hexe rächen wird, indem sie uns den Schwarzen Tod schickt«, flüsterte Baptiste Crochet.

Er hatte seine Schenke außer zum Schlafen in letzter Zeit nicht verlassen, aber dank der brodelnden Gerüchteküche wußte er über die Worte der Hebamme besser Bescheid als jeder andere – oder glaubte das zumindest!

»Den Schwarzen Tod?«

Guy Chahinian wußte schon, daß Anne versucht hatte, dem Richter zu erklären, daß eine verweste Leiche Ungeziefer anzog. Das Ungeziefer verschleppte die giftigen Ausdünstungen der Krankheiten. Sie hatte die schlimmste genannt: die Pest. Sie hatte gehofft, den Verstand oder zumindest den Überlebenswillen des Richters zu wecken.

»Man hat sie nach Hause geschickt«, sagte Firmin Coucher.

»Da kann sie froh sein«, begann Germaine Crochet, aber sie hielt sofort inne, als sie Geoffroy de Saint-Arnaud sah.

Der Reeder wußte, daß Anne LaFlamme der Gesprächsstoff des heutigen Abends war, aber er setzte sich wortlos an seinen Stammplatz und bestellte wie jeden Tag seinen Wein, ohne im geringsten verwirrt zu wirken. Die verlegenen Bemerkungen über die Rückkehr seines Schiffes und das beständige Wetter, die er bis an seinen Tisch vernahm, amüsierten ihn insgeheim und bestätigten seinen Eindruck: Anne LaFlamme würde bald seine Hilfe brauchen.

Der Richter, der so dumm gewesen war, die öffentliche Zurschaustellung der Leiche anzuordnen, hatte schließlich die Leichenverbrennung gefordert, denn Anne LaFlammes Hinweis über die Risiken einer Seuche hatten ihn in Angst und Schrecken versetzt. Allerdings hätte er niemals seinen Irrtum zugegeben, und wenn die Mutmaßungen der Hebamme sich bestätigen sollten und seine Mitbürger durch irgendwelche Krankheiten hinweggerafft würden, dann sollte man gefälligst nicht ihn dafür verantwortlich machen. Also verkündete er laut und deutlich, daß man eine Hexe verbrennen würde, die so gut vom Teufel beschützt worden war, daß sie es geschafft hatte, einem Prozeß zu entgehen.

Obwohl Guy Chahinian Anne LaFlamme mit Warnungen überhäuft hatte, hoffte er, daß er sich irrte. Als er vor seiner Handwerksstube ankam, zweifelte er mehr denn je an einem glücklichen Ausgang der Sache.

15.
KAPITEL

Guy Chahinian hatte sich entschlossen, drei Kerzen auf einmal anzuzünden. Martin Le Morhier hatte bei ihm einen Anhänger für den Geburtstag seiner Frau in Auftrag gegeben. Der Goldschmied war glücklich über das ihm entgegengebrachte Vertrauen, und er wollte ein Juwel fertigen, bei dem Feinheit und Phantasie sich ergänzten. Der Kunde hatte ihm drei Smaragde gegeben, die von seiner letzten Seereise stammten.

»Es sieht so aus«, hatte Martin Le Morhier gestammelt, »es sieht so aus, als ob diese Farbe gut zu den Augen meiner Frau passen würde. Meine Frau hat sehr helle Augen, wissen Sie ... ungewöhnlich helle Augen.«

»Ja, wirklich, das ist mir aufgefallen. Ihre Augen sind so wunderschön wie ihr ansteckendes Lachen. Ist sie immer so fröhlich?«

»Ja«, beeilte sich Martin Le Morhier zu sagen. »Ja, ja. Nur wenn ich Nantes verlasse, dann nicht. Aber ich weiß nicht, wer von uns beiden dann trauriger ist.«

»Sie sollen schon seit zwanzig Jahren verheiratet sein? Ich kann es kaum glauben ...«

»Sieht Myriam noch so jung aus? Und ich so alt? Nein, Sie brauchen nicht rot zu werden. Ich weiß immer noch nicht, warum sie gerade mich genommen hat. Ich danke dem Himmel jeden Tag dafür, das können Sie mir glauben. Wir sind sehr dankbar. Es ist sehr selten, daß Mann und Frau so lange zusammen leben. Der Tod ist uns erspart geblieben, hat uns aber unsere Kinder genommen. Victor ist das einzige von ihnen, das das Licht der Welt erblickt hat. Myriam war nie länger als fünf Monate schwanger, und jedes Mal habe ich geglaubt, sie würde verbluten. Sie wäre gestorben, als unser Sohn geboren wurde, wenn Anne LaFlamme sie nicht gerettet hätte. Sie müssen mich für sehr aufdringlich halten, daß ich Ihnen das alles erzähle … Aber ich liebe Myriam und ich möchte, daß Sie mir ein Schmuckstück arbeiten, das alle Bürgersfrauen von Nantes vor Neid erblassen lassen. Ich will ein großes Schmuckstück, das alle sehen.«

»Ist das denn weise?«

Le Morhier zog die Augenbrauen zusammen.

»Weise?«

»Es wird viele Neiderinnen geben, die nach diesem Schmuck schielen.«

»Also, Monsieur, sagen Sie mir, was Sie denken.«

»Seit einiger Zeit sind die Gemüter erhitzt.«

»Sie sprechen von dieser unglückseligen Frau mit dem Klumpfuß. Myriam hat mir nach meiner Rückkehr aus London alles erzählt. Man hat sie erbarmungslos hingerichtet. Und ohne nachzudenken … Clotaire Dubois ist von der Hexerei wie besessen. Meine Seeleute sind auch manchmal abergläubisch, und ich selbst, ich liebe auch diese Nächte auf See nicht gerade, wenn schreckliche Klagen aus der Tiefe des Meeres zu kommen scheinen – vielleicht die Gefangenen der Tritonen … aber Clotaire Dubois …«

»Clotaire Dubois weiß, wie man seine Ängste mit anderen teilt«, sagte Guy Chahinian. »Baptiste Crochet ist nicht weit davon entfernt zu glauben, daß sein Wein umgeschlagen sei, weil er verhext worden ist. Firmin Blanchard sagt, daß seine Muttersau verendet ist, weil eine schwarze Katze durch den Stall gelaufen ist. Und seit Tagen regnet es, nämlich seitdem man die Alte verbrannt hat. Die Ernte ist verdorben. Im Winter wird es kein Brot geben. Ein Mensch ohne Brot ist ein Mensch ohne Gesetz, ganz dazu angetan, sich zu Gewalttätigkeiten hinreißen zu lassen.«

»Sie hängen heute ziemlich trüben Gedanken nach, Monsieur, aber was Sie sagen, hört sich vernünftig an. Sagen Sie mir, was ich machen soll.«

»Es geht Ihnen ganz gut, und wenn es wirklich zu einer Hungersnot kommt, dann sind Sie der letzte, der davon betroffen wird. Es scheint mir unangebracht, die Leute herauszufordern, indem Sie wunderschönen Schmuck zur Schau tragen.«

Martin Le Morhier dachte eine Weile nach. Wenn er selbst den Schmuck getragen hätte, hätte er darauf bestanden, ein auffälliges Stück in Auftrag zu geben, aber er befürchtete, die Aufmerksamkeit auf seine Frau zu lenken.

Guy Chahinian war froh, Martin Le Morchier überzeugt zu haben. Sein Argument war gewesen, daß Vorsicht geboten sei, aber er war auch der Meinung, daß ein dezentes Schmuckstück besser zu der glücklichen Besitzerin passen würde.

Er hatte für den Anhänger zwei reine Formen ausgewählt, einen Kreis und ein Oval aus gelbem Gold, die er geschickt miteinander verband. Dann hatte er auf den oberen Teil des Schmuckstücks – unter dem Schutz des Akanthus aus Trauben von stecknadelkopfgroßen Perlen – winzige Blätter ziseliert. Auf diese Weise war eine Blüte entstanden. Er schob nun noch einen Stift darunter, auf dem der größte der Smaragde glitzerte. Seine grüne Farbe fand man an der Verbindungsstelle der beiden Teile wieder, um die sich eine dünne, gedrehte Kette schlängelte, so daß die untere Spitze der Raute in einen glänzenden Tropfen mündete.

Der Goldschmied fuhr hoch, als er das Knistern des Kerzendochtes hörte, der soeben erlosch. Er rieb sich die Augen und rekelte sich. Er saß seit vier Stunden an seinem Arbeitstisch und hatte seine Müdigkeit bis zu dieser unerwarteten Unterbrechung gar nicht bemerkt. Als er aufstand, um eine neue Kerze zu holen, fühlte er einen dumpfen Schmerz im Rücken. Eigentlich hätte er sich von Anne LaFlamme behandeln lassen müssen, aber irgendwie glaubte er, daß auch er aus Achtung vor seinen eingekerkerten Kameraden ein wenig leiden müsse. Anne LaFlamme hätte ihm sicherlich mit dem Argument widersprochen, daß er seine Gesundheit schonen müsse, um seine Mission zu einem guten Ende führen zu können, aber er konnte sich nicht entschließen, sie aufzusuchen. Der Große Meister hätte ihn ebenfalls getadelt und ihm die Grundsätze der Bruderschaft noch einmal dargelegt: Der einzelne Mensch gilt nichts. Er existiert nur als Glied einer spirituellen Kette, aus der aller Egoismus verbannt werden mußte, um den Glauben zu bewahren und die Erleuchtung zu erlangen. Die Suche verlangte die Einheit von Männern, die gemeinsam ein Ziel anstrebten. Wenn Guy Chahinian darauf beharrte zu leiden, selbst wenn er kein großes Leid zu ertragen hatte, so war das dumm von ihm, und außerdem machte er sich schuldig. Wenn er die Schmerzen auch willkommen hieß, da sie sein Schuldgefühl gegenüber den eingekerkerten Kameraden minderten, so führten sie doch zu nichts. Er hatte unrecht, und er wußte es. Aber seit Wochen ohne Nachricht von seinen Freunden zu sein brachte ihn fast um den Verstand. Er träumte häufig, daß man sie hinrichtete, und wenn er erwachte, dann sprach nichts gegen diese schauderhaften Visionen. Er befürchtete, daß alle seine Brüder bereits hingerichtet sein würden, bevor er noch Zeit gefunden hätte, irgend etwas zu unternehmen. Aber er konnte die Dinge nicht vorantreiben, selbst wenn es höchste Zeit wurde, endlich den Ort zu finden, an dem sie ihre Experimente durchführen konnten, ohne gestört zu werden. Wie viele Brüder warteten auf sein Zeichen, um ihr Land zu verlassen? Sie waren entschlossen, die Bourgogne oder die Bretagne, das Baskenland oder die Länder im Norden zu verlassen, um die Bruderschaft zu retten. Mehrere waren schon umgekommen, denn die Obrigkeit stellte die Lichtkreuzbrüder mit den Ketzern auf eine Stufe. Um die Gold- und Silbergestirne, die Symbole ihrer Bruderschaft, an einen sicheren Ort zu bringen, mußte Guy Chahinian sich für das Exil entscheiden.

Die Sonne und der Mond lagen sorgfältig in Seide verpackt in einem Ledersäckchen, das er immer bei sich trug. Die kleinen, ziselierten Teller waren kaum größer als seine Hand und so leicht, daß Guy Chahinian oft beunruhigt war, weil er sie nicht auf seiner Brust spürte. Nachdem der Große Meister sie ihm anvertraut hatte, war Chahinian fast eine Woche ohne Stimme gewesen, so sehr entzückte und beunruhigte ihn die Bürde, die er von nun an zu tragen hatte. Als Hüter der Gestirne mußte er diese vor Nichteingeweihten verbergen und sie zum gegebenen Zeitpunkt den Anhängern der Bruderschaft zeigen. Die Gestirne wurden nur während der Feiern im Rahmen der Amtseinsetzung verwendet und waren seit dem Mord an dem Großen Meister und der Inhaftierung seiner Pariser Kameraden nicht mehr benutzt worden.

Er dachte unentwegt an die Gefangenen, während er ein

Blatt Gold polierte. Es gelang ihm nicht, sich an seiner Arbeit zu erfreuen. Die Schönheit des Schmucks erschien ihm nichtig. Er wußte, daß ein solcher Anhänger ein Zeichen der Liebe war, aber wie konnte man in diesen wirren Zeiten nur auf die Idee kommen, sich schmücken zu müssen? Er seufzte. Wie hätte er seine Mission zu Ende führen können, wenn er sich nicht in der Stadt niedergelassen hätte? Ohne Myriam und Martin Le Morhier hätte er mehr Mühe gehabt, sich einzurichten und anerkannt zu werden. Die reichen Bürger waren ihrem Beispiel gefolgt und hatten ihm immer feinere Arbeiten anvertraut, und so hatte auch Geoffroy de Saint-Arnaud ihm einen Diamanten von unglaublichem Gewicht übergeben und ihn angehalten, daraus einen Ring zu fertigen, der der Königin Maria-Theresia würdig gewesen wäre. Guy Chahinian hatte dem reichen Reeder versprochen, sich sofort im November ans Werk zu machen; vorher müsse er noch die angefangenen Arbeiten zu Ende führen. Er mochte Geoffroy de Saint-Arnaud noch immer nicht, zeigte aber ihm gegenüber immer Respekt, um sich sein Vertrauen zu erschleichen. Er wußte, daß seine Besuche bei der Hebamme den mächtigen, einflußreichen Reeder ärgerten, und er versäumte es nie, sich über seine schlechte Gesundheit zu beklagen, um seine häufigen Besuche zu rechtfertigen. Geoffroy de Saint-Arnaud tat so, als nehme er Anteil an diesen Sorgen, aber er hatte, als er den Ring in Auftrag gegeben hatte, eindeutig zu verstehen gegeben, daß dieser für Anne LaFlamme bestimmt war. Am Tag der Vermählung würde er ihr den Ring über den Finger streifen. Er unterstellte Guy Chahinian, daß er die Hebamme begehrte, und fand offenbar Freude an der Vorstellung, daß er ausgerechnet seinen Nebenbuhler diesen glitzernden Stein bearbeiten ließ.

Der Goldschmied erkannte daran jene Grausamkeit, die

Nanette angesprochen hatte. Wenn sie auch dem Reeder gedankt hatte, daß er Anne gerettet hatte, so hatte sie niemals wie viele andere behauptet, daß das Einschreiten von Geoffroy de Saint-Arnaud ein Zeichen des Himmels gewesen sei, das ihrer Herrin gebot, den Reeder zu heiraten.

»Was willst du denn?« hatte Madeleine Perrot ihre Nachbarin gefragt. »Anstatt daß du dich hier verheiratest, geht du morgen wieder zum Lazarett oder sammelst deine berüchtigten Kräuter. Hast du die Lektion nicht verstanden?«

»Marie begleitet mich jetzt immer. Sie ist begabt, und bald weiß sie mehr als ich«, erwiderte Anne fröhlich.

»Ich glaube nicht, daß es meinem Sohn gefallen wird, eine Ehefrau zu haben, die bei Morgengrauen loszieht, um den Wald zu durchsuchen.«

Anne widersprach heftig. »Sie sind noch nicht verheiratet. Simon ist weit weg.«

»Wenn es Simon in den Sinn kommt, kann er schnell wieder hier sein. Und er wird sicher wollen, daß Marie ihre Pflanzen schleunigst vergißt, um ihren Haushalt zu führen. Ein Soldat des Königs muß auf seine Frau stolz sein können.«

»Ein Soldat sollte froh sein, eine Ehefrau zu haben, die seine Wunden verbinden kann.«

Madeleine Perrot verzog ihr Gesicht, und Anne entschuldigte sich sofort. Sie hatte nicht darauf anspielen wollen, daß Simon leicht in einer Schlacht verletzt werden könnte: »Er ist in Paris, das weißt du doch, und nicht auf dem Land. Du wirst deinen Sohn wohlbehalten wiedersehen.«

»Wenn du nur recht hättest! Ich kann es nicht mehr erwarten, ihn endlich in meine Arme zu schließen. Es reichte schon, daß Michelle das Kloster nicht mehr verlassen hatte. Wir hätten sie nicht auch noch gehen lassen dürfen.«

»Wird sie ihr Gelübde ablegen?«

»Vermutlich nicht einmal das«, schimpfte Madeleine Perrot. »Was soll man mit einer Tochter, die weder den Eltern noch Gott dient. Was soll aus ihr werden? Aber es ist nicht so wie mit deiner Marie. Simon wird sie beschützen. Sie muß nicht wie du um ihren Schutz fürchten. Du bist eine Närrin! Wenn du den Reeder heiraten würdest, hättest du Diener und würdest im Herrenhaus wohnen. Denk an deine Tochter, die hätte …«

»An meine Tochter? Glaubst du denn, daß Geoffroy de Saint-Arnaud ihre Aussteuer bezahlt und daß er mit der gleichen Begeisterung deinen Sohn unterstützt, wenn er ihn als Schwiegersohn hätte?«

»Warum soll ich nicht hoffen, unsere Kinder besser versorgt zu sehen als uns. Simon und Marie könnten schneller heiraten«, brachte Madeleine Perrot zu ihrer Verteidigung hervor. »Du wirfst mir vor, daß ich ihnen ein einfacheres Leben wünsche. Du denkst nur an dich, wenn du einen Mann zurückweist, der unseren Kindern das Glück bringen könnte.«

›Oder dir‹, dachte die Hebamme, aber sie hielt sich zurück.

»Ich bin ihm dankbar, daß er mich aus dieser schrecklichen Situation befreit hat. Aber ich könnte den Reeder niemals heiraten.«

»Die Leute behaupten aber das Gegenteil!«

Anne LaFlamme wurde langsam ungeduldig.

»Das Gegenteil? Ich weiß ja noch, was ich tue, und ich habe Monsieur des Saint-Arnaud niemals auch nur die geringsten Hoffnungen gemacht. Dieses Theater geht nun schon seit Wochen. Benutzt man meine Abwesenheit, um diese lächerlichen Gerüchte anzuheizen? Hat je jemand gesehen, daß ich dem Reeder mehr als Respekt entgegengebracht habe?«

»Nein, aber die Leute sagen, daß er bester Laune sei, seitdem er dir das Leben gerettet hat.«

»Er ist froh, daß er mir helfen konnte.«

»Er hat Guy Chahinian aufgesucht und einen Ring bei ihm in Auftrag gegeben. Der Stein soll so groß sein wie eine Nuß.«

»Der wird für ihn sein. Er liebt Steine«, sagte Anne mit einer Spur Ironie in der Stimme.

Dennoch versäumte sie es nicht, den Goldschmied danach zu fragen, als sie ihn im Laufe des Tages traf. Er gab zu, daß der Reeder ihm diese Arbeit anvertraut hatte.

»Ich glaube, daß er wohl für Sie ist.«

»Also versucht er wieder einmal, mir ein Geschenk unterzujubeln. Ich werde es einfach ablehnen«, stellte sie fest.

»Kommen Sie mit in mein Atelier. Ich zeige Ihnen den Diamanten. Er muß einen beträchtlichen Wert haben.«

Als Anne den Stein sah, verschlug es ihr den Atem, und ihre Hand fuhr unwillkürlich an die Kehle. War Geoffroy de Saint-Arnaud verrückt geworden?

»Er kann mich nicht zwingen, ihn anzunehmen. Ich werde mit ihm sprechen und ihm sagen, daß er den Stein zurücknehmen soll. Ich bringe Sie um Ihre gut bezahlte Arbeit, aber ich kann nicht …«

»Lassen Sie nur. Ich verstehe Sie nur zu gut. Ich habe es nicht gewagt, Ihnen das zu sagen, aber jetzt bin ich erleichtert.«

Anne LaFlamme fand den Reeder zu Hause vor, und schon als er sie in den Salon kommen sah, spürte er ihre Aufregung. Rasch schickte er alle seine Bediensteten weg, damit niemand Zeuge dieser Auseinandersetzung würde. Die Hebamme schäumte vor Wut.

»Ich verlasse Nantes morgen, um ins Lazarett zu gehen, und ich bin froh darüber. So muß ich Ihr Herumscharwenzeln nicht mehr ertragen und mir nicht mehr anhören, wie Sie diese Dummheiten über uns verbreiten. Ich sage Ihnen meine Meinung nicht in aller Öffentlichkeit, weil ich mich noch an ihr mutiges Eingreifen erinnere, als ich überfallen wurde. Aber Sie sollen wissen, daß meine Tür Ihnen ab heute verschlossen ist.«

Anne LaFlammes Zurückweisung kränkte den Reeder so sehr, daß nicht viel gefehlt hätte, und er hätte sie auf der Stelle erwürgt, um sie zum Schweigen zu bringen. Aber da sie plötzlich wieder verschwand, ohne ihm die Zeit für eine Antwort zu geben, konnte er seiner Wut nur freien Lauf lassen, indem er sich seine Rache ausmalte, der er sich eines Tages hingeben würde. Als er sich wieder in Erinnerung rief, daß die Hebamme am nächsten Tag die Stadt verließ, freute sich Geoffroy de Saint-Arnaud. Selbst der Teufel hätte ihm sein dreckiges Lachen noch geneidet.

Er mußte sich nur schnellstens erkundigen, ob Anne LaFlamme niemandem von ihrer Auseinandersetzung erzählt hatte. Er würde zuerst Guy Chahinian aufsuchen. Sie schien gern in seiner Gesellschaft zu sein.

16.
KAPITEL

Guy Chahinian legte das fertige Schmuckstück für Myriam Le Morhier einen Moment zur Seite, um den Diamanten zu betrachten. Mit einem winzigen Wildledertuch polierte er ihn so lange, bis er in vollem Glanz erstrahlte. Der Goldschmied hatte noch nie einen Stein von dieser Größe gesehen, und es hatte Geoffroy de Saint-Arnaud gefallen, ihn damit zu verblüffen. Das schmeichelte seiner Eitelkeit, und er hatte Chahinian erzählt, daß er den Ring einem spanischen Piraten abgenommen habe. Er gab freimütig zu, daß er ihn vor dem Oberleutnant des Königs während der Aufteilung der Beute versteckt habe, und die Gewißheit, daß er nicht mit Strafe zu rechnen hatte, weil niemand es wagen würde, ihn zu beschuldigen, widerte Guy Chahinian an. Hatte denn der Schiffseigner vor nichts und niemandem Angst?

Als der Reeder ihn nach Anne LaFlamme gefragt hatte, mußte Chahinian Freundlichkeit heucheln, und er beichtete ihm, daß er ihr die Arbeit gezeigt habe.

»Ihre Leute haben geredet, es war zwecklos zu leugnen. Sie schien ziemlich bewegt zu sein, daß Sie ihr ein solches Geschenk machen wollen. Sie hat sogar gesagt, sie wolle es zurückweisen«, sagte Guy Chahinian lachend. »Also, ich mache schon seit zwanzig Jahren Schmuck für Frauen, und noch nie hat eine ein derartiges Geschenk abgelehnt. Sie ist so eitel wie andere Frauen auch, und sie wird sich an ihren Hals werfen, sobald sie den fertigen Ring erblickt. Die Frauen sind doch alle gleich!«

Als Guy Chahinian das beruhigte Gesicht Geoffroy de Saint-Arnauds sah, wurde ihm bewußt, daß er gut Theater auf der Bühne des Petit-Bourbon hätte spielen können. Er

158

war zwar kein Italiener wie die Schützlinge des Mazarin, aber seit er in Nantes angekommen war, gelang es ihm immer besser, seine Unruhe zu verbergen und Gefühle zur Schau zu tragen, die seinen wahren inneren Empfindungen entgegengesetzt waren. Anstatt den Stein mit dem Hammer in tausend Stücke zu hauen, wie er es gern getan hätte, ließ er ihn in ein Samtsäckchen gleiten, das er sorgsam verwahrte.

Seit Tagen ging ihm das eigenartige Benehmen des Reeders nicht aus dem Sinn. Warum wollte dieser unbedingt die Hebamme heiraten? Bei Baptiste Crochet, im Gasthaus *Poisson d'or*, wetteten die Gäste, daß noch Weihnachten Hochzeit sein sollte, und wenn Marie und Nanette auch diesem Gerede widersprachen, so konnten sie doch nicht verhindern, daß halb Nantes den Bediensteten Geoffroy de Saint-Arnauds Glauben schenkte. Die Bürgersfrauen wie Henriette Hornet und Françoise Lahaye verbargen nicht ihre Verwunderung, aber der Reeder schien sich so wohlwollend darüber zu amüsieren, daß die Gewißheit einer baldigen Hochzeit die Leute erfaßte.

Was würde passieren, wenn Anne LaFlamme aus dem Lazarett zurückkehrte? Sie hatte es Chahinian klar gesagt, daß sie Geoffroy de Saint-Arnaud niemals heiraten würde, und sie hatte mit der Bitte um Verschwiegenheit von ihrem Streit erzählt. Nach so harten, klaren Worten konnte kein Mann hoffen, daß eine Frau sein Werben doch noch erhörte. Was verbarg sich hinter der Hartnäckigkeit, mit der er ihr den Hof machte? Er war geizig, Guy Chahinian hatte das schnell erkannt, aber er zögerte nicht, ihr einen so teuren Stein zu schenken. Warum?

Die Dämmerung zwang den Goldschmied die feinen Arbeiten zu verschieben. Er hatte noch mehrere Klingen abzugraten und die Schneide einer Klinge von kleinen

Stahlsplittern zu säubern. Er hoffte nur, daß Arbeitswerkzeuge sich nicht in Waffen verwandelten. Er lächelte angesichts der vielen widersprüchlichen Regungen in seiner Seele. Er wollte Geoffroy de Saint-Arnaud angreifen und wünschte gleichzeitig, daß die Menschen aufhörten, sich zu bekämpfen.

»Ich bin noch zu jung, Meister«, sagte er zu sich selbst.

Seine Stimme hallte durch den kalten Raum, und sein Atem ließ die Flammen der Kerzen erzittern.

Seine eigene Stimme zu hören vertrieb kaum die Einsamkeit, die ihn ergriffen hatte, seitdem das ganze Zimmer von Dunkelheit erfüllt war. Er hatte das Gefühl, daß er selbst nicht viel mehr Kraft hatte als die schwache Flamme der Kerzen. Angst legte sich auf seine Brust, und er bedauerte wieder die Abwesenheit der Hebamme. Und doch beruhigte es ihn, an sie zu denken. Sie hätte ihm sicher gesagt, daß auch die zarten Flammen Kraft haben und daß der Wind oft mehr belebt als löscht.

Er drehte sich zum Ofen um und betätigte den Blasebalg. Er hatte es vorgezogen, auf einen Lehrjungen zu verzichten, um sein Geheimnis besser hüten zu können, aber in der Schankstube hatte er sich öffentlich beklagt, keinen Jungen gefunden zu haben, der die nötige Geschicklichkeit besaß, ihn zu unterstützen. Wenn er gar nicht über einen Lehrjungen gesprochen hätte, dann hätten die Leute daran zweifeln können, daß er wirklich zu einer der sechs Handwerksgilden gehörte. Immer wieder ließ er in Gesprächen einfließen, daß er in Paris in der Rue Dauphine gewohnt habe, dort wo die anderen Mitglieder der Gilde lebten, obwohl die Häuser mit den schmalen Fassaden aufgrund ihrer hervorragenden Lage sehr teuer waren.

»Sie haben alles verkauft?« hatte Geoffroy de Saint-

Arnaud ihn schon dreimal gefragt, der bezweifelte, daß man sich von seinem Gut trennen konnte.

»Den Laden und die beiden Zimmer darüber. Ich hatte keine andere Wahl. Ich habe so viele Arbeiten auf Kredit gemacht, bei denen gar kein Gewinn heraussprang. Und das Geld, das ich für Kost und Logis meines Lehrjungen bekommen habe, konnte mir auch nicht weiterhelfen. Und ich hatte diesen Ärger mit meinem Kompagnon, von dem ich Ihnen schon erzählt habe. Und außerdem«, sagte er etwas lauter, »machte der Lärm mir jeden Tag mehr zu schaffen. Weniger allerdings als dieser widerliche Gestank, der von der Seine bis zu meinem Fenster hochstieg. Die Wärme verpestet die Luft vom Johannestag an, und ich habe noch Weihnachten gehustet, weil ich den ganzen Sommer krank gewesen war. Sie wissen gar nicht, welches Glück Sie haben, immer an den Ufern der Loire gewohnt zu haben. Hier hätte ich mich schon vor dem Tod von Meister Charles niederlassen sollen. Ich wollte nicht in seinem Schatten wirken … Was für ein Esel war ich nur! Nur weil ich den reichen Leuten gefallen wollte, sind nun meine Lungen dahin.«

Der Reeder hatte den Goldschmied wegen seiner schwachen Konstitution bedauert, aber trotz des mitleidigen Lächelns hatte Guy Chahinian die ganze Verachtung gespürt, die seine vorgetäuschte Krankheit bei seinem Gegenüber hervorrief. Er war froh darüber. Es war ihm wohl gelungen, seine Mitbürger von seiner angeschlagenen Gesundheit zu überzeugen. So konnte er seine Ablehnung rechtfertigen, große Silberteile zu bearbeiten – der wahre Grund war, daß solche Aufträge ihn gezwungen hätten, sich besser auszurüsten und einen Lehrjungen einzustellen. Außerdem bot ihm sein Lungenleiden einen Vorwand, sich häufig mit Anne LaFlamme zu treffen.

Diese spielte sein Spiel mit und vergaß nie, sich in Gegenwart von Zeugen nach seiner Verfassung zu erkundigen und ihm diese oder jene Medizin zu empfehlen.

Was machte die Hebamme wohl jetzt, in diesem Augenblick, während er sich anschickte, einen Zinnstiel zu schmelzen, mit dem er ein Kerzenlöschhütchen reparieren wollte. Hatte sie sich bei Anbruch der Nacht schlafen gelegt? Oder beugte sie sich immer noch über eitrige Wunden? Die Dunkelheit im Lazarett mußte noch fürchterlicher sein als hier in seiner Handwerksstube, denn in der Finsternis war die Heilerin den Schmerzensschreien der Siechen noch schutzloser ausgeliefert.

»Das ist das Schlimmste«, hatte ihm die Hebamme anvertraut, als sie von ihrer Zeit erzählte, die sie außerhalb von Nantes verbrachte. »Ich ertrage den Anblick der schrecklichsten Verletzungen: gebrochene Glieder, aufgeschwemmte Bäuche, verfaulte Körper und Ströme von Blut, aber nie, niemals werde ich mich an diese hilflosen Schreie gewöhnen. Manchmal wäre ich gern taub.«

Er hatte ihr augenzwinkernd zugestimmt. Seit er sich in Nantes niedergelassen hatte, hörte er in seinen Alpträumen Péronne schreien. Schweißüberströmt und wütend über seine Machtlosigkeit wachte er im Morgengrauen auf. Diese Machtlosigkeit, die er damals empfunden hatte, als er regungslos der Hinrichtung beiwohnte, empfand er auch jetzt in Nantes, wenn er wach wurde und die entsetzlichen Erinnerungen in ihm aufstiegen. In seinen Träumen flehte Péronne ihn an, sie zu retten, aber wenn er zu ihr ging, um sie zu befreien, dann griff er nur in brennende Asche, die sein grünes Wams versengte. Sein Herz schmolz wie ein Blatt Gold und tropfte langsam zu Boden, wo es von der schwarzen Erde wie Ruß verschluckt wurde.

Der beginnende Tag gab ihm wieder seine Lebenskraft zurück, aber die Nacht kam wieder. Dann schlug sein Herz wild und ging erneut in Flammen auf. Der Goldschmied arbeitete jeden Abend länger, um seinen Alptraum hinauszuzögern, aber wie Prometheus schien er dazu verdammt zu sein, seine Qualen immer und immer wieder zu erleiden. Dem Patron der Goldschmiede wurde jeden Tag aufs neue die Leber von einem Adler zerfressen, weil er das Feuer des Olymps gestohlen hatte. Sollte nun sein Schüler das Opfer dieses nächtlichen Schreckgespenstes werden, weil er zugelassen hatte, daß die Flammen eine Frau vernichtet hatten?

Nach zwanzig Jahren, in denen er ziseliert, gehämmert und geputzt hatte, wußte er immer noch nicht, ob er das Goldschmiedehandwerk gewählt hatte, um seine Angst vor dem Feuer zu bekämpfen. Als er mit zwölf Jahren als Lehrjunge bei einem Onkel, der kinderloser Witwer war, untergebracht worden war, hatte er in der Wärme des Feuers eine solche Kraft gespürt, in dem roten Schimmer der Metalle eine solche Schönheit erkannt, daß er dieses Handwerk sehr schnell lieben gelernt hatte. Nur ungern war er von dem Ofen gewichen, um das Essen aufzutragen und das Geschirr zu waschen. Erst nachdem er die Vorderfront der Tür gereinigt, das Werkzeug geputzt, Holz gesammelt und den Laden gefegt hatte, pflegte man ihm einige Grundkenntnisse des Goldschmiedehandwerks beizubringen. Aber trotz dieser Dienste und der Brutalität, mit der ihm seine Kameraden, die in der Werkstatt wohnten, begegneten, zeigte er eine solche Neugierde, daß er die durch die häuslichen Pflichten verlorene Zeit schnell wieder aufholte. Die Statuten der Gilde hatten die Lehrzeit auf zwei Jahre festgelegt, aber Guy Chahinian kannte schon nach wenigen Monaten des Zuschauens die Nützlichkeit

des Sandes, des Holzes und des Kupfers für die Schmiede-
arbeit, und er wollte seinen Gesellenbrief erwerben, um in
den Handwerksstand aufzusteigen. Im Jahr 1642 hatte er
mit seinem Gesellenstück eindeutig seine Überlegenheit
gegenüber seinen Kameraden bewiesen, und schon bald
war seine Geschicklichkeit überall bekannt. Die Hähne,
die er auf die Löffelgriffe ziselierte, so hieß es bald allge-
mein, würden so echt aussehen, daß man glaube, sie krä-
hen zu hören. Und die Weizenähren, die er auf die Ränder
der tiefen Teller hämmerte, wirkten so natürlich, daß mancher gern daraus Brot gebacken hätte. Er wurde immer
berühmter, und als sein Onkel starb, erbte er den Laden.
Guy Chahinian war der jüngste und begabteste Goldschmied in Angers. Er hatte Talent, und er war reich. Aber
als er sich später in Paris niederließ, da sah man ihn kaum
lachen, Scherze machen oder sich vergnügen. Für ihn
zählte nur seine Arbeit, diese Arbeit, die ihn auf die Idee
zu dieser seltsamen Suche nach dem Licht gebracht hatte.
Aber auch diese Suche konnte seine Erinnerungen nicht
wegfegen. Immer sah er in den Flammen des Ofens die
Flammen des Scheiterhaufens.

Chahinian hörte, wie in der schwarzen Nacht der Regen
die Stadt überschwemmte, und er war nur froh, daß man
bei diesen Wolkengüssen keinen Scheiterhaufen errichten
konnte. Er befürchtete, da er solch sintflutartigen Regenfälle schon erlebt hatte, daß die Bürger von Nantes einen
Schuldigen für die verdreckten Straßen und die verdorbe-
nen Früchte suchen könnten.

17.
KAPITEL

Als der Kapitän nach Hause kam, fand er seine Frau in Tränen aufgelöst vor dem Vogelkäfigvor.

»Der Papagei hat seit gestern nichts gegessen«, jammerte Myriam Le Morhier. »Ich habe ihm Früchte, Nüsse und Naschwerk gegeben. Alles ohne Erfolg. Er lehnt alles ab. Er wird sterben, und das ist meine Schuld.«

»Liebes, beruhige dich. Dieser Vogel mag unser Klima nicht, das ist alles.«

»Ich habe ihm aus seiner Heimat entführt, aber ich habe nicht daran gedacht, daß er Sonne braucht. Das war dumm von mir – und äußerst selbstsüchtig.«

»Ich habe dich auch von einer Insel entführt, wo es selten regnet, und du hast dich niemals wegen des regnerischen Wetters in Nantes beklagt.«

Myriam Le Morhier tat so, als sei sie empört über diesen Vergleich.

»Was? Du wagst es, mich mit diesem Tier zu vergleichen?«

»Das würde mir nie in den Sinn kommen! Ich danke dem Himmel nur, daß er mir eine Ehefrau gegeben hat, die in der Lage ist, das sonnige Paradies zu vergessen, um das Herz ihres alten Gatten zu erwärmen.«

»Es ist mir egal, Martin … Und höre endlich auf, immer dein Alter so zu betonen. Ich werde genauso älter wie du, und es gefällt mir nicht, ständig darauf hingewiesen zu werden.«

»Ach, mein Liebling, wie können wir Gott für unser Glück danken?«

»Indem wir ihm ein Loblied singen, oder eher, indem wir es für uns singen lassen«, sagte Myriam und schüttelte sich vor Lachen. »Wenn du singst, dann wird es noch einen Monat in Nantes regnen, denn selbst der Herrgott könnte dir diese Mißtöne nicht verzeihen.«

»Mir bleibt auch kein Tadel erspart. Aber ich will zugeben, daß es besser ist, es anderen zu überlassen. Was hast du für Hintergedanken bei dem Ganzen ...«

Myriam spielte die Ahnungslose und fragte, ob er ihr das wirklich unterstellen wolle.

»Ja, mein Liebling. Sage mir doch, was du willst.«

»Ein gut gefülltes Geldsäckchen für Michelle Perrot.«

»Michelle Perrot?« brummte der Kapitän.

»Immer langsam, mein Lieber. Ich weiß, daß du weder ihren älteren Bruder noch ihre Mutter magst. Aber Michelle ist wirklich begabt. Sie könnte mit ihrer Flöte die wildesten Bestien bändigen.«

Der Kapitän nickte und sagte, sie habe ihm oft genug davon vorgeschwärmt.

»Sie hat große Fortschritte gemacht, seitdem sie sich ganz der Musik widmen kann. Durch deine Großzügigkeit ... Weißt du, daß ich letztes Mal, als ich ihrer Musik gelauscht habe, an dich gedacht habe?«

Vom ersten Ton an hatte Myriam Le Morhier eine Gefühlswelle erfaßt. Seitdem sie Cádiz am Tag nach ihrer Hochzeit verlassen hatte, hatte sie nie mehr so reine Töne vernommen. Obwohl ihre Hochzeit aus Gründen der Sicherheit im kleinsten Kreis vollzogen worden war, war die Feier sehr schön gewesen.

Myriam Le Morhier erinnerte sich noch, wie ihn der Reifrock, der das Brokat ihrer Röcke bauschte, entzückt hatte, weil er ihr genau die richtigen Rundungen verlieh. Später hatte sie zugegeben, daß das Korsett sie so sehr eingeschnürt habe, daß sie glaubte, in Ohnmacht zu fallen, als der Priester sie traute.

»Wenn dieser steife Kragen aus Spitzen nicht meinen Kopf gehalten hätte, dann hätte ich mich nicht so gerade halten können. Ich war froh, als ich mich endlich ausziehen konnte. Erinnere dich nur daran!«

Martin Le Morhier errötete immer, wenn ihn seine Frau an seine Begierde erinnerte. Sie war eine heißblütige und einfallsreiche Geliebte, und er erlebte mit ihr im Bett Freuden, die an Gotteslästerung grenzten. Glücklicher konnte man im Paradies auch kaum sein als in ihren Armen. Wie oft hatte er sich schon gewünscht, in ihren Armen, gegen ihren zarten Busen gepreßt oder zwischen ihren Schenkeln liegend, zu sterben und dann den erregenden Geruch ihres Geschlechts mit in die Ewigkeit zu nehmen.

Das Hochzeitskleid hatten sie unten in einen Mahagonikoffer gelegt, den sie am Tag nach ihrer Hochzeit mit an Bord der *Marie-Joseph* genommen hatten. Myriam hatte dieses Schiff geliebt, das sie in ihr neues Leben führte. Damals hatte sie nichts über Nantes gewußt, hatte weder Verwandte noch Freunde an den Ufern der Loire, aber Martin Le Morhier liebte sie genauso, wie sie ihn liebte. Und bis zur Geburt Victors hatte die junge Frau, die glücklich war, schwanger zu sein, befürchtet, ihren Sohn weniger zu lieben als den Vater. Die Furcht, über die sie nun lachte, als sie die Arie im Zimmer erklingen hörte, war umsonst gewesen. Als Victor geboren worden war, hatte sie gewußt, daß die beiden Männer ihres Lebens in ihrem Herzen niemals Rivalen sein würden.

Myriam Le Morhier küßte ihren Mann zärtlich auf die Stirn.

»Du mußt Michelle helfen.«

»Oh, du könntest ihr auch Geld geben, ohne daß ich widersprechen könnte«, neckte sie Martin Le Morhier, indem er auf das die Almosen betreffende Gesetz anspielte: Dieses war die einzige Ausgabe, die eine Frau ohne die Genehmigung ihres Gatten tätigen konnte.

»Aber weil du mir nichts abschlagen kannst, würde es mir überhaupt keine Freude machen, ohne deine Zustimmung wohltätig zu sein. Ich will es kurz erklären: Die Baronin von Jocary wird den Winter in Paris verbringen, und sie schlägt vor, Michelle mitzunehmen, damit unser Schützling ihre musikalische Ausbildung vervollkommnen kann und damit ihr Talent so bekannt wird, wie sie es verdient. Wenn Michelle in Nantes bleibt, wird sie nichts mehr hinzulernen. Man sollte ihre Begabung nicht verkümmern lassen. Ich habe niemals jemanden auf eine so gefühlvolle Weise musizieren gehört. Und die Baronin ist ganz meiner Meinung.«

Eine Woche zuvor war die Baronin im Kloster gewesen, wo die Mutter Marie-Joseph das junge Mädchen die Musik lehrte. Sie hatte gehört, wie das Mädchen sich an einer Arie von Jean Mignon versuchte, während sie sich in ihrer Zelle sammelte. Als sie das Kloster wieder verlassen wollte, hatte sie die wohlklingende Melodie vernommen und vor Entzückung ihr Gesangbuch fallengelassen. Mit wachsender Begeisterung hatte sie den reinen Fluß der von den tiefen Baßtönen gefolgten hohen Töne vernommen sowie die schweren, langen Töne oder die nur angedeuteten Triller. Die Musikerin, so glaubte sie, müßte eine der Damen sein, die in der Gesellschaft und bei Hofe geglänzt hatten, die aber mit dem Alter den Nichtigkeiten des Lebens entflohen war, um ihr Leben ganz Gott zu widmen. Die Töne waren so rein, daß sie die Baronin an die Stimme von Anne La Barre erinnerte, die für ihre Begabung bekannt war. Als Michelle ihre Zelle verließ, wollte die Dame der Flötenspielerin sofort gratulieren. Sie war überrascht, ein Kind anzutreffen, und sie hätte das Ganze nicht geglaubt, wenn sie nicht mit eigenen Augen gesehen hätte, wie das Mädchen die Flöte an den Mund führte. Von den ersten Tönen an hatte sich das Gesicht des jungen Mädchens erhellt, und die Zuhörerin hatte den Eindruck, als ob Michelle heimlich mit Engeln im Gespräch sei. Da sie sich selbst schon im Flötespielen versucht hatte, wußte die Baronin, welch eine Anstrengung ein solcher Wohlklang erforderte, und ihren verständlichen Neid verschweigend, hatte sie der Musikerin tausend Komplimente gemacht. Sie hatte sie nach ihrer Familie, ihrer Vergangenheit und ihren Studien gefragt. Fest überzeugt, daß Michelle Perrot außergewöhnlich begabt sei, war der Baronin die Idee gekommen, daß sie durch einen so liebenswerten Schützling eine gewisse Anerkennung in den Kreisen erlangen könnte, zu denen sie selbst gern gehört hätte. Sie mußte erreichen, daß man ihr die Verantwortung für sie übergab.

»Die Baronin von Jocary bittet mich, die Perrots zu überzeugen, Michelle gehenzulassen.«

»Aber wer ist denn diese Baronin?«

»Sie kommt aus Spanien, wo sie ihren Gatten begraben hat, der bei einem Duell starb. Um ihrer Seele Frieden zu geben, hat sie sich entschlossen, eine Pilgerfahrt durch Frankreich zu machen, wo sie geboren ist und wo sie nun bleiben will. Sie würde also Michelle Perrot mit nach Paris nehmen.«

»Und sie will, daß wir uns weiterhin um Michelles Unterhalt kümmern? Wenn sie nicht wohlhabend genug ist, um unseren Schützling zu ernähren, dann wird sie wohl zu diesen bedauernswerten Armen gehören, die nichts haben als ihren Adelstitel.«

»Nein. Sie hat nichts verlangt, und wenn man sie nach ihrem Äußeren beurteilt, dann wird sie keineswegs mittellos sein. Ich will Michelle nur für den Fall der Fälle Geld geben. Wenn die Baronin und sie nicht miteinander auskommen, oder wenn diese verstirbt.«

»Ist sie schon älter?«

»Nein. Aber du weißt ja, daß man in Paris sein Leben an jeder Straßenecke verlieren kann. Ich möchte der kleinen Michelle die Möglichkeiten offenlassen, nach Nantes zurückzukehren, falls es ihr da nicht gefällt.«

»Warum sollte man sie dann überhaupt erst dorthin schicken?« seufzte Martin Le Morhier. Fast hätte er hinzugefügt, daß die Musikerin nicht ihre Tochter sei, aber er schwieg. Er wußte zu gut, daß seine Frau sich für Michelle Perrot interessierte, weil ihr Sohn Victor immer selbständiger wurde. Er wußte auch, daß es für Myriam ein Bedürfnis war, anderen zu helfen – daher unterstützte sie auch immer die Gaukler –, und er lachte plötzlich laut los. Verwirrt fragte sie ihn nach dem Grund.

»Ich dachte gerade an die Komödie, zu der du uns im Frühling verdammt hast.«

»Du hättest dich sehen sollen, wie du gelacht hast!« widersprach Myriam. »Genauso wie ich.«

Welche Freude hatte es ihr doch bereitet, zu Hause eine Schauspieltruppe zu empfangen! Sie hatte die Fahrenden gegenüber der Kathedrale getroffen. Sie kamen gerade enttäuscht aus dem *Poisson d'or*, wo Baptiste Crochet ihnen eine Aufführung gegen Essen und Trinken verweigert hatte. Myriam Le Morhier hatte sie sofort zu sich nach Hause mitgenommen, wo ihr Gatte so überrascht war, daß er kein Wort mehr sagen konnte, bevor das Schauspiel zu Ende war.

»Also wirst du Michelle helfen?«

»Ja, natürlich; und sage ihr, daß sie sich an meine Schwester wenden kann, wenn es Unstimmigkeiten geben sollte.«

»Gut, dann müssen wir jetzt nur noch ihre Mutter über-zeugen.«

Mit vereinten Kräften versuchten die Baronin von Jocary und Myriam Le Morhier, Madeleine und Jules Perrot von den Vorteilen zu überzeugen, die ein Umzug nach Paris Michelle bringen würde. Wenn ihre Tochter erst ein gewisses Ansehen erlangt hätte, dann würde sie auch Geld verdienen.

»Eine jährliche Zuwendung von ungefähr dreihundert tourischen Pfund für Flötenspieler. Hinzu kämen noch die Billetts vom Hofe.«

»Billetts?« fragte der Mann voller Verwirrung über die hohen Summen, die da genannt wurden.

»Ja. Es handelt sich um eine Unterstützung, die entweder in Form von Lebensmitteln oder in bar gezahlt wird, wenn sie auf großen Festen spielt.«

»Und meine Tochter wird das alles bekommen?«

»Wenn sie dem König gefällt. Aber dazu müssen Sie sie mir anvertrauen.«

Während die Baronin ihre Gründe darlegte, umarmten sich Michelle und Marie lachend und glücklich, daß sie sich nach der wochenlangen Trennung endlich wiedersahen.

»Du hast gesagt, daß du häufiger aus dem Kloster nach Hause kommen würdest«, rief Marie.

»Wenn ich hinter diesen Mauern lebe, dann denke ich nicht mehr an die Welt da draußen. Und Mutter, Marie-Joseph aus dem Kloster läßt mich so viel arbeiten, daß ich immer erschöpft einschlafe, wenn es dunkel wird.«

»So eine Quälerei.«

»Ja, aber welch herrliche Qualen ... Wenn ich spiele, dann habe ich das Gefühl, daß meine Seele in den Himmel aufsteigt und sich dort so wohl fühlt, daß sie nicht mehr auf die Erde zurückkommen will.«

»Ich würde es vorziehen, wie ein Vogel nach Paris zu fliegen«, stellte Marie fest. »Seit September haben wir nichts mehr von Simon gehört.«

»Er kann nicht schreiben, und das Soldatenleben wird ihm kaum Zeit lassen, einen Schreiber oder Botschafter zu finden«, verteidigte ihn Michelle.

»Es wird doch jemanden unter seinen Kameraden in der Armee geben. Nein, er liebt mich nicht mehr, das ist es.«

Michelle wußte genau, daß die Freundin ihr das nur in der Hoffnung auf Widerspruch sagte, aber sie konnte der Freude nicht widerstehen, sie zu necken, indem sie ihr zustimmte.

»Vielleicht hast du recht. Auf den Festen, die der König gibt, sind schöne Frauen, und Simon muß dort sein, um auf ihre Sicherheit zu achten.«

Marie verzog das Gesicht, und ihre Freundin fing an zu lachen.

»Ach, bist du dumm. Simon kann doch kein schöneres Mädchen finden als dich, selbst wenn er durch die ganze Welt reisen würde. Wenn ich in Paris bin, dann kann ich dir schreiben, wie sehr er sich nach dir sehnt.«

»Was wirst du in Paris machen?«

»Hast du nicht diese Dame gesehen, die Madame Le Morhier begleitet hat?«

»Nein. Ich komme gerade vom Kräutersammeln.«

»Also, paß auf!«

Als Michelle ihr von der Einladung nach Paris erzählte, schöpfte die junge LaFlamme neue Hoffnung. Michelle könnte ihre Botschafterin und Mittlerin in Paris werden. Sie könnte ihr alles über Simons Leben in der großen Stadt berichten. Und warum sollte Michelle nicht, wenn sie erst einmal dort eingerichtet war und wichtige Leute kennengelernt hatte, für sie einen Platz in einem großen Haus finden können? Dann bräuchte sie nicht mehr auf die seltenen Briefe zu warten, dann könnte sie ihren Geliebten jeden Tag sehen. Simon würde vor Freude verrückt werden, wenn er diese Neuigkeit eruhr. Sie würden einige Zeit in Paris leben, um etwas Geld zu sparen, und anschließend nach Nantes zurückkehren. Simon würde den Laden ihres Vaters übernehmen, während sie Kranke pflegte. Marie wußte, daß sie die mütterliche Begabung geerbt hatte. Man hatte sie schon mehrmals um Rat gebeten, wenn ihre Mutter nicht da war, und obwohl sie dieses ihr entgegengebrachte Vertrauen einschüchterte, hatte sie doch, ohne zu zögern, einen heißen Breiumschlag oder einen Kräutertrunk verordnet.

»Das ist wunderbar, Michelle! Wie im Märchen.«

»Ich kann es gar nicht glauben«, sagte die Musikerin. »Ich habe ein bißchen Angst.«

»Angst? Wovor?«

»Paris ist weit. Wenn ich reich wäre, würde ich mein Testament machen, bevor ich gehe.«

»Aber du hast nichts zu vererben. Wenn du nach Paris gehst, dann wirst du berühmt und verdienst Hunderte von Pfund.«

»Ich war sehr gerne im Kloster.«

»Glaubst du denn, daß Madame Le Morhier bis ans Ende deiner Tage deinen Unterhalt bezahlt hätte? Du sagst doch selbst, daß Mutter Marie-Joseph dir nichts mehr beibringen kann. In der Hauptstadt hingegen wirst du die besten Lehrer haben.«

»Du hast recht … Da sind sie ja.« Madame Le Morhier lachte. Sie hatten es geschafft. »Komm! Ich will dich meinem neuen Vormund vorstellen.«

Die Baronin von Jocary musterte Marie LaFlamme und sagte sich, daß dieses junge Mädchen in den Pariser Salons

173

ganz schön für Unruhe sorgen würde. Nie hatte sie einen reineren Teint gesehen. Eine Fliege in den schmollenden Mundwinkeln hätte diesem Mädchen den nötigen, unterwürfigen Eindruck verliehen. Wenn sie erst einmal schöne Kleider tragen würde, dann würde sie unbestreitbar eine Rivalin von Louise de La Vallière oder aller anderen vom König bevorzugten Frauen sein. Es ging das Gerücht, daß er immer noch Louise nachweinte und daß Maria-Theresia zu streng und zu farblos sei, sie ihn jemals vergessen zu lassen. Aber die Schönheit Marie LaFlammes, die hatte etwas an sich, das jeden Liebeskummer wegfegen konnte. Die Baronin hätte ihre Spitzenbluse für diese Macht hergegeben.

Sie war bereit, ihre ganzen Ersparnisse zu wetten, daß Michelle Perrot in Paris die Herzen erobern würde. Sie würde sich darum kümmern. Man käme zu ihr, um das Wunderkind zu hören, und dann kämen sie vielleicht auch wieder, um zu spielen. Nicht etwa Flöte oder Geige, sondern das Bassettspiel, Biribi, Pharao oder Imperial. Die Baronin war ganz versessen auf Glücksspiele aller Art. Sie verdankte ihnen genausoviel Erfolg wie Unglück.

18.
KAPITEL

Madeleine Perrot krallte ihre Finger mit solch einer Kraft in ihren Rock, daß der Stoff anfing zu knirschen. Sie ließ ihn los, mußte sich aber beherrschen, nicht ihre geballte Faust gen Himmel zu strecken: Man hätte diese Geste sofort als Gotteslästerung gedeutet. Im Moment verwünschte sie die ganze Welt, die Erde, das Meer, den Himmel, die Hölle, Gott und Teufel in einem: es regnete. Es regnete an dem Tag, an dem ein Kind seine Mutter verließ, um nach Paris zu gehen und bei einer Baronin zu leben.

Als diese vorgeschlagen hatte, Nantes am Sonntag im Morgengrauen zu verlassen, hatte Madeleine Perrot vorgegeben, noch innerhalb der Familie ein Gebet sprechen zu wollen, um die Abfahrt hinauszuzögern. Sie wollte, daß alle ihre Nachbarn schon auf den Beinen waren, wenn die Baronin vor ihrer Tür anhielt. Michelle erschien in einem türkisfarbenen Samtkleid, das ihr Myriam Le Morhier geschenkt hatte, und die Baronin nahm sie lächelnd bei den Händen.

Leider war außer Marie LaFlamme niemand dabei. Die Neugierigen waren wegen des unaufhörlichen Windes und Regens zu Hause geblieben, und viele Einwohner hätten geschworen, es sei noch Nacht, wenn sie nicht die Kirchenglocken zur Laudes hätten läuten hören. Madeleine hatte Tränen der Wut vergossen, nachdem ihre Tochter und die Baronin von Jocary abgereist waren, aber als der Regen nachließ, hatte sie sich wieder beruhigt. Wenigstens konnte sie nun über ihre morgendlichen Abenteuer nach der Messe auf dem Kirchenvorplatz berichten. Sie lächelte, als sie ihren Kopf mit einem Schleier aus grauem Leinen bedeckte, den sie zur Feier des Tages trug. Die Spitzen des viereckigen Tuches fielen über ihre Wangen, wodurch ihr Gesicht schmaler als gewöhnlich wirkte, und es verlieh ihm ihrer Meinung nach eine gewisse Würde. Sie hörte der Predigt von Pater Thomas kaum zu, als sie gemeinsam mit ihrer Jüngsten die mächtige Kathedrale betrat. Als sie das Dröhnen des Donners vernahm, entfuhr ihr wie auch den anderen Frauen ein spitzer Schrei. Es war nur ein leises

Aufstöhnen der Enttäuschung – aber innerlich wütete sie. Würde man ihr auch noch den öffentlichen Auftritt nach Ende der Messe verderben? Unter dem Gewölbe, unter dem sie saß, konnte sie von den im Kirchenschiff sitzenden Bürgersmännern nicht gesehen werden. Sie mußte schon in der Nähe des Portals bleiben, wenn sie nach der Messe die Blicke der Leute auf sich ziehen wollte.

Nur wenige der Gläubigen taten es ihr gleich, denn die Beruhigung war nur vorübergehend. Der Wind erhob sich noch stärker als vorher und riß die Haare der Leute in die Höhe. Die Männer flüchteten vor dem Regen, der ihre Straußenfedern an den Hüten im Nu in armselige Gerippe verwandelte, und die Frauen bangten um ihre mit Spitzen geschmückten Locken. War es bei den Reichen Koketterie, die sie so schnell vom Kirchenvorplatz vertrieb, so gingen die Armen weg, um ihr einziges Kleid zu schonen.

Madeleine Perrot wurde immer wütender, als sie die Leute davonziehen sah. Zu allem Überfluß wehte nun auch noch ein Windstoß ihren Schleier fort. Sie sah, wie er in die Höhe flatterte, sich drehte, über den Marktplatz flog und dann in einer Schlammpfütze landete. Jetzt war es um ihre Zurückhaltung geschehen. Sie rannte auf den Schleier zu, verfluchte Vater und Mutter und schrie laut auf, als sie sah, daß ein Hund sich auf den grauen Stoff stürzte. Er nahm ihn zwischen seine Zähne und machte sich hüpfend davon, ohne auf die Flüche der unglücklichen Besitzerin zu achten. Einen Augenblick lang bedauerte Madeleine Perrot, daß der Platz nicht völlig menschenleer war. Dann hätte sie alles zerschlagen, zerbrochen, zertrümmert, was ihr in die Finger gekommen wäre. Statt dessen befahl sie ihrer Jüngsten, den Köter zu verfolgen und Steine nach ihm zu werfen. Sie selbst blieb wie versteinert vor der Wasserpfütze stehen. So also endete der Tag, an dem sie ihren

Triumph hatte auskosten wollen. Sie hatte allen unter die Nase reiben wollen, daß eine Dame von hohem Stand sich für ihre Tochter interessierte und sie sogar mit nach Paris nahm. Ein böser Geist hatte wohl seine Finger im Spiel, denn der Regen hatte ihr diesen erhabenen Augenblick verdorben. Und nun fraß auch noch so ein Ungeheuer ihren Haarschmuck. Kein Wunder, daß sie nicht sofort hörte, wie Henriette Hornet nach ihr rief.

»Stehen Sie doch nicht da herum. Sie werden ja ganz naß. Kommen Sie hierher.«

Ein Dutzend Leute, unter ihnen auch die Frau des Baders, hatten es vorgezogen, sich unter dem Kirchenschiff unterzustellen, anstatt ihre Toilette zu zerstören. Die geschmuggelte Seide, wenn sie auch schrecklich teuer war, war für dieses Wetter nicht geeignet. Henriette Hornet beklagte sich lautstark darüber.

»Wozu soll man denn riskieren, in den Kerker zu kommen, weil man Kleider aus Pékinstoff trägt, wenn der Regen sie ruiniert! Und dieser Wind! Ihr schöner, grauer Schleier ist ein für allemal verloren.«

Françoise Lahaye wunderte sich, daß ihre Freundin so freundlich mit der Frau des Tischlers sprach, und in ihrem Nachahmungstrieb tat sie es Madame Hornet gleich und sagte mit zuckersüßer Stimme:

»Ich habe Ihren Schleier gesehen, als Sie in die Kirche gekommen sind. Er war aus einer Spitze bester Qualität.«

»Das ist schade«, sagte Henriette Hornet und schaute Madeleine mitleidig an. »Aber vielleicht sind Sie noch Schlimmerem entkommen. Das Tier hatte die Tollwut, es hätte Sie beißen können.«

Madeleine Perrot geriet in Panik und wollte ihrer Tochter nachlaufen, aber Henriette Hornet hielt sie zurück.

»Machen Sie sich keine Sorgen. Ihre Tochter hat die Verfolgung des Hundes viel zu spät aufgenommen. Sie konnte ihn gar nicht mehr einholen, und sicher wartet sie artig auf Sie. Denn sie ist doch artig, nicht wahr? Wie ihre ältere Schwester. Es ist wirklich ärgerlich, daß sie bei diesem Wolkenbruch nach Paris aufgebrochen ist. Ich habe während der Messe gebetet, denn es wäre wirklich unangenehm, wenn sie und ihre Beschützerin umkehren müßten.«

Madeleine Perrot bedankte sich eilig bei Henriette Hornet.

»Wir sind alle froh, daß die Baronin von Jocary Ihre Tochter entdeckt hat, aber wir müssten Sie tadeln, daß Sie ihr Talent vor uns versteckt haben, wenn wir nicht wüßten, daß Ihr Kind Paris erobern wird. Sie wird ganz Nantes Ehre machen ... Wenn sie nur ohne Schwierigkeiten bis zur Stadt kommt! Dieser Eisregen ist ja richtig ... richtig grausam.«

»Grausam?« wiederholte Madeleine Perrot, die viel zu verwirrt war, um nachzudenken.

»Ja, grausam«, beharrte die Frau des Baders. »Wir werden schlimme Dinge durchmachen müssen. Ich habe Angst.«

»Angst?« fragte Geoffroy de Saint-Arnaud, »Angst, Madame?«

»Sehen Sie denn nicht, daß ungewöhnliche Dinge passieren? Die ganze Natur ist durcheinander geraten, und das kann doch nur bedeuten, daß unsere Welt in Gefahr ist und daß der Teufel schon mitten unter uns ist.«

»Der Teufel?« Françoise Lahaye geriet bei diesen Worten ins Stottern.

Henriette Hornet schaute langsam in die Runde, bevor sie erneut die Stimme hob: »Mein Gatte hat eigenartige Krankheitsfälle behandelt. Einfach zu ungewöhnlich, als daß man weiterhin das Werk des Teufels leugnen könnte. Der Regen ist vergiftet. Die Leute haben Grippe und Fieber, und man sagt, daß es mit dem schlechten Wetter zusammenhängt, aber sie werden nicht wieder gesund. Trotz der Pflege meines Mannes wäre ich nicht erstaunt, wenn einige in den nächsten Tagen sterben würden. Hauptsächlich Kinder, leider Gottes! Wir wissen alle, daß es der Teufel ist, der diesen Tribut von uns fordert.«

Geoffroy de Saint-Arnaud war außer sich vor Freude. Welch eine gute Idee war es gewesen, noch hier bei den Bürgersleuten zu verweilen. Er war so dumm gewesen, seinen Diener schon nach Hause zu schicken, der denn auch mit dem Regenschirm fortgegangen war. Wie konnte er ihn nur mit diesem wertvollen Stück gehenlassen? Und wer würde ihn sehen, wenn er ihn nicht bei Regenwetter benutzte? Er mußte schon sehr zerstreut sein, daß ihm so etwas passierte, aber die beachtliche Verspätung der *Lion-d'Argent* machte ihn verrückt. Man munkelte, er wußte es wohl, daß das Schiff mit Mann und Maus untergegangen sei. Es ließ ihm keine Ruhe, wenn er an die Ballen Seide, die Gewürze, an das ein für allemal verlorene Holz und an die auf See gemachte Beute dachte, dessen Wert er überschlug.

Nach Ende der Messe war er in der Kirche geblieben, um Kerzen zu kaufen. Pater Thomas hatte versprochen, für die armen Seeleute der *Lion-d'Argent* zu beten, selbst wenn es so aussah, als habe der Herrgott die Einwohner aus Nantes seit einiger Zeit vergessen. Das schlechte Wetter und noch anderes Ungemach, das ehrbare Bürger erleiden mußten, waren der Beweis.

Geoffroy de Saint-Arnaud schüttelte ernst den Kopf,

bevor er den Pater fragte, wie man denn Gottes Zorn besänftigen könne. Als Pater Thomas ihn zum Ausgang brachte, flüsterte er, daß er hinter gewissen Ereignissen teuflische Absichten entdeckt habe, aber mehr könne er nicht sagen.

Geoffroy de Saint-Arnaud dachte noch über diese Enthüllungen nach, als er sah, wie Madeleine Perrot ihren Schleier verlor. Diese Szene hatte ihn amüsiert, und da es noch immer regnete, war er unter dem Kirchenportal stehengeblieben. Dann hörte er, worüber die Gläubigen rings um ihn sprachen, und ging zu ihnen. Was Madame Henriette Hornet von sich gab, gefiel ihm so sehr, daß er das schlechte Wetter ganz vergaß.

»Im Nachbardorf hat man einer Frau die Kehle durchgeschnitten, als sie aufs Feld ging«, sagte Geoffroy de Saint-Arnaud, »aber Sie wollen doch nicht im Ernst behaupten, daß es das Werk Luzifers war?«

»Es war vielleicht ein Soldat«, meinte die Witwe Bonnet.

»Schweigen Sie still, Madame«, schnitt ihr Henriette Hornet rücksichtslos das Wort ab. »Wie können Sie so etwas von diesen Helden behaupten, die unser Vaterland und unsere Ehre verteidigen?«

Françoise Lahaye musterte Henriette Hornet sprachlos. Denn sie hatte die Frau des Baders schon ganz anders über das französische und das feindliche ›Soldatenpack‹ sprechen gehört. ›Bestien! Wilde!‹ hatte sie die Musketiere verflucht. Sie hatte um ihr Leben und ihre Tugend gebangt, als sie aus Paris gekommen war, um sich in Nantes niederzulassen, denn unterwegs hatte sie die von diesen Rohlingen verwüsteten, ausgeplünderten und zerstörten Dörfer gesehen.

»Steht nicht Ihr Sohn im Dienst des jungen Königs?« fragte Henriette Hornet Madeleine Perrot, um ihrer Freundin ihren Sinneswandel zu erklären.

»Ja, Madame.«

»Wie mutig! Und Sie selbst sind auch sehr beherzt.«

»Verzeihung, Madame, aber ich verstehe nicht ganz …«

Henriette Hornet beugte sich zu ihr hinüber.

»Sind Sie nicht die Nachbarin dieser Wunderheilerin, dieser Anne LaFlamme?«

»Ja doch, Madame.«

»Ist sie nicht ein wenig seltsam? Sammelt sie nicht geheimnisvolle Kräuter in der Abenddämmerung? Ihre Tochter soll auch Heilsäfte zubereiten …«

»Das weiß ich nicht, Madame.«

»Sie decken sie, weil Sie Angst vor ihrer Macht haben, nicht wahr?«

Madeleine Perrot gefiel die Richtung nicht, in die sich diese Unterhaltung entwickelte, zumal Geoffroy de Saint-Arnaud neugierig mitlauschte. Er würde es sicher nicht einfach hinnehmen, wenn man andeutete, daß seine Verlobte eine Hexe sei. Tatsächlich zeigte sich der Reeder jetzt äußerst empört. »Madame Hornet, Ihr Gerede schockiert mich. Sie wollen doch wohl nicht behaupten, daß Madame LaFlamme sich verdächtig benimmt?«

Henriette Hornet musterte Geoffroy de Saint-Arnaud von Kopf bis Fuß. Dieser eingebildete Mensch trug ein Wams, das besser zu ihrem Mann gepaßt hätte, aber da er noch nicht das Vermögen gemacht hatte, das ihm zustand, mußte sich dieser mit einfacheren Kleidern zufriedengeben.

»Sie hat diese schreckliche Hexe mit dem Klumpfuß gedeckt«, antwortete sie langsam. »Sagen Sie mir, warum?«

»Weil sie gut ist«, sagte der Reeder verlegen. »Sie hatte Mitleid mit ihr.«

»Mitleid? Ich stimme Ihnen zu. Sie wollte einer Schwester helfen! Was macht die Wunderheilerin mitten im Wald, wenn alle ehrbaren Bürger beten?«

»Sie sammelt Pflanzen«, bestätigte der Mann.

»Wie ich es gesagt habe. Zauberpflanzen, die ihr die Hexe beschafft.«

»Dafür haben Sie keinerlei Beweise.«

»Wie erklären Sie sich, daß es regnet, seitdem man versucht hat, die Leiche der Hexe zu verbrennen? Das ist ihre Rache, und Anne LaFlamme ist am nächsten Tag zum Lazarett aufgebrochen. Sie ist geflohen, um nicht wegen Mittäterschaft angeklagt zu werden.«

»Ich verbiete Ihnen, in diesem Ton über Madame La-Flamme zu sprechen. Sie tun gerade so, als handele es sich um eine gemeine Verbrecherin.«

»Das habe nicht ich gesagt, das haben Sie gesagt«, erwiderte die Bürgersfrau zufrieden, bevor sie die glatten Stufen des Kirchenvorplatzes hinunterging. Sie verschwand im Regen, ohne daß er Zeit gehabt hätte zu widersprechen.

19.
KAPITEL

Françoise Lahaye war genauso verärgert wie Madame Perrot, denn wenn sie auch nicht das Mißfallen der Frau des Baders erregen wollte, so verstand sie es doch, auf den Reeder Rücksicht zu nehmen, der bei ihrem Mann Nadeln und Garne aller Art kaufte. Als sie die großen Schleifen auf den Schuhen Geoffroy de Saint-Arnauds erblickte, die wie Windmühlenflügel aussahen, mußte sie daran denken, daß dieser Mann noch eitler war als viele Frauen. Kein anderer Bürger in Nantes trug solche Schuhe. Selbst die Fremden, die aus Paris kamen, kannten die neueste Mode nicht so gut wie der Reeder. Als Saint-Arnaud erfuhr, daß Ludwig XIV. seine Stiefel verschmähte, trug er seine von da an nur noch zur Jagd.

Françoise Lahaye wollte ihm wegen seiner Kleidung Komplimente machen, als sie sah, daß Pater Thomas seinerseits auf die Schleifen der Schuhe starrte. Er musterte sie eingehend, und Françoise erinnerte sich an seine Predigt über die Eitelkeit am Michaelistag. Da hatte er in so eindringlichen Worten die Gefahren der Eitelkeit beschrieben, daß sie seitdem darauf verzichtete, die cremefarbene Halsspitze zu tragen, die sie sich Ende des Sommers gekauft hatte. Das Mißfallen, das sie jetzt in den Augen des Priesters las, war unmißverständlich, aber sie wartete vergebens darauf, daß er Saint-Arnaud zurechtwies – vielmehr lächelte der Pfaffe dem Reeder zu. Gekränkt hielt sie die Luft an. Die Reichen haben also ein Recht auf Eitelkeit und können ihr Gold für Firlefanz ausgeben, ohne daß man es ihnen vorwirft? Myriam Le Morhier trug weiterhin Kleider aus teurem Tuch und stellte ihren mit hauchdünnen Stoffen bedeckten Busen zur Schau. Françoise Lahaye hatte bis heute gehofft, daß der Priester sie dafür von der Kanzel herab geißeln würde. Nein, er verschloß die Augen vor den Ausschweifungen der Reichen. Wütend vergaß Françoise Lahaye das Geschäft ihres Mannes und überlegte, wie sie dem Reeder eins auswischen könnte, als dieser auch schon davoneilte, um mit dem Rechtsgelehrten Darveau zu sprechen. Daß er gerade in dem Augenblick verschwand, da ihr die verletzenden Worte einfielen, ärgerte sie maßlos. Sie würde ihr Gift auf andere Art versprühen müssen

– vielleicht mit ein paar gemeinen Anspielungen auf Anne LaFlamme.

Sie drehte sich zu Madeleine Perrot herum und beteuerte, daß sie die Meinung Henriette Hornets ganz und gar teile.

»Es gehört Mut dazu, sein Leben in den Dienst des Königs zu stellen. Ich verstehe nicht, wie man behaupten kann, die Soldaten seien Plünderer. Diese Frau und das Kind, denen man in der Nachbargemeinde die Kehle durchgeschnitten hat, sind sicher Opfer eines Ungeheuers geworden.«

»Ein Ungeheuer?« fragte Madame Bonnet, die den anderen hatte einreden wollen, daß ein Soldat dieses Verbrechens fähig sei.

»Clotaire Dubois hat schon mal von einem Werwolf gesprochen ...«

»Ein Werwolf?«

»Wir sollten nicht darauf warten, bis dieses scheußliche Tier in unsere Stadt eindringt. Wir müssen uns vereinen, um den Teufel zu bekämpfen.«

Verwirrte Gesichter schauten fragend auf Pater Thomas. Dieser hörte Françoise Lahaye so aufmerksam zu, daß man hätte meinen können, er billige ihre Mutmaßungen. Langsam versammelten sich immer mehr Menschen. Sie waren besorgt und hilflos. Als es auch noch anfing zu donnern, wurde ihre Angst noch größer, und die Frauen fingen an zu jammern. Die Männer waren nicht weit davon entfernt, es ihnen gleichzutun. Sie schauten zum Himmel empor, als befürchteten sie, daß dieser jeden Moment niederstürze. Pater Thomas machte ihren Klagen ein Ende, indem er sie ermahnte, auf dem Heimweg zu beten. Wenn sie dem Herrgott Ehre erwiesen, dann blieben sie vielleicht vor den bösen Geistern verschont – und vor den Hexen.

184

Françoise Lahaye aber lenkte die Aufmerksamkeit der Versammelten erneut auf den Teufel: »Seht euch den Himmel an, meine Freunde! Er ist noch schwärzer als der Boden eines Kessels! Wem, glaubt ihr wohl, haben wir so ein Wetter zu verdanken? Der Himmel ist so schwarz, daß man sich schon in der Hölle glaubt!«

Ohne es zu merken, wiederholte sie, berauscht durch die Aufmerksamkeit der Menge, die Worte Henriette Hornets. Trotz des starken Regens fror sie nicht, da sie nach Hause ging. Sie genoß noch den Moment, als alle ihr gebannt zugehört hatten.

Als sie nach Hause kam, unterhielt sich ihr Mann gerade mit drei Männern. Diese hatten kaum Zeit, ihr die üblichen Höflichkeiten zu erweisen, da erzählte sie schon, warum sie so spät kam. Jacques Lecoq und Michel Chatonnay erklärten dazu, daß Anne LaFlamme eine hervorragende Naturheilerin sei, aber niemand wisse, woher sie ihre Kenntnisse habe. Vom Teufel? Wirklich?

Guy Chahinian, der dritte der Männer in dieser Runde, bezahlte in aller Eile seine Einkäufe und entfernte sich.

Françoise Lahaye rief sofort aus:

»Hat er Angst? Es gefällt ihm nicht, wenn man über Hexerei spricht! Das ist es! Er hat versucht, die Gefangennahme der Alten zu verhindern.«

»Aber er hat seinen Irrtum schnell eingesehen«, wandte Jacques Lecoq ein.

»Aber er war es doch, der die Naturheilerinnen gewarnt hat.«

»Er hat auf meinen Rat hin Anne LaFlamme aufgesucht. Er hat das *Poisson d'or* verlassen, ohne einen Bissen gegessen zu haben, weil ihm seine Koliken so sehr zu schaffen machten.«

»Diese LaFlamme hätten sie ihm nicht empfehlen sollen. Sogar Geoffroy de Saint-Arnaud hat sie nur recht zurückhaltend verteidigt. Und überhaupt, wer sagt uns, ob sie ihn nicht auch verhext hat? So wie er jetzt hinter ihr her ist?«

Fast hätte Jacques Lecoq erwidert, daß Anne LaFlamme keines Zaubertranks bedürfe, um andere Menschen zu verzaubern, aber er schwieg. Justin Lahaye war ein guter Kunde, und wenn er seiner Frau widersprach, würde er ihn vielleicht als Kunden verlieren.

»Monsieur de Saint-Arnaud macht sich Sorgen. Er hat bei Pater Thomas zehn Kerzen gekauft ...«

»Wahrscheinlich weil die *Lion* noch nicht zurückgekehrt ist«, sagte Michel Chatonnay. »Der Kleine lungert den ganzen Tag am Hafen herum und wartet auf ihre Rückkehr.«

»Stets zu Ihren Diensten, gnädiger Herr«, murmelte der Kleine, als er der Ziege die Kehle durchschnitt. Das Tier quiekte, das Blut spritzte plätschernd aus der Wunde, und der Mann spürte, wie feuchte Wärme seine Kleider bis auf die Haut durchdrang. Die Pfoten der Ziege schlugen gegen seine Waden, und er schlitzte ihr den Bauch auf, wie es ihm Geoffroy de Saint-Arnaud befohlen hatte. Er riß ihr die Eingeweide heraus, nahm das Herz und trug es weg. Als er den Körper des Tieres ganz ausgehöhlt hatte, wischte der Zwerg seinen Säbel an dem beigefarbenen Fell des Tieres ab, nahm sein Hemd und vergrub das noch schlagende Herz. Der Mann freute sich, daß alles so gut klappte: Alle verräterischen Spuren waren verwischt, Erde war locker und leicht aufzuwerfen. Obwohl ihm die Gefahr, hier irgend jemandem zu begegnen, gering zu sein schien, lief er schnell an einen abgelegenen Platz. Das

Geräusch der Münzen, die gegen seine Schenkel schlugen, dröhnte in seinen Ohren.

Es war eine kalte Nacht, und Geoffroy de Saint-Arnaud hatte dem Wirt des *Poisson d'or* befohlen, das Feuer den ganzen Abend brennen zu lassen. Vor den riesigen Holzscheiten, die im Kamin brannten, rieb er sich zufrieden die Hände. Welch ein Glück war es gewesen, daß er mitbekommen hatte, wie Lucie Bonnet einen Musketier eines Verbrechens beschuldigt hatte und wie die Leute auch noch von einem Werwolf gefaselt hatten. Das Schicksal vereinfachte ihm alles.

Lucie Bonnet war die Nachbarin von Jean Grouvais. Man machte sich hier und da über diesen Idioten lustig, über seine schleppende Aussprache, seine abstehenden Ohren, seine Kleidung, die er oft verkehrt herum trug. Aber man verschonte ihn, da er Dienste annahm, die selbst ein Kloakenfeger abgelehnt hätte. Dafür gab man ihm zu essen und zu trinken. Jean Grouvais hatte die vielen Gläser Wein, die ihm Geoffroy de Saint-Arnaud spendiert hatte, getrunken, ohne Fragen zu stellen.

Am nächsten Tag hatte sich der Idiot gefragt, wie er den Weg zu seiner Hütte, in der er schlief, hatte finden können. Als er aufstand, hatte er den ganzen Wein, den er am letzten Tag heruntergestürzt hatte, wieder erbrochen. Einer Fontäne gleich hatte er alles wieder von sich gegeben, und wenn er auch durchaus an ekelerregende Gerüche gewöhnt war, sprang ihm doch der Gestank seiner Galle an die Kehle, und er rannte hinaus, um die frische Luft einzuatmen und sich vom Regen waschen zu lassen.

Durch das Bild, das sich ihm nun bot, wurde ihm wieder übel. Voller Entsetzen starrte er auf die Eingeweide der

Ziege, um die sich nun die Ratten stritten. Er sah nur noch Dutzende von Rattenbeinen. Er erbrach sich aufs neue und fing an zu schreien.

»So laut«, sagte Baptiste Crochet im *Poisson d'or* zu Geoffroy de Saint-Arnaud, »daß alle Leute es gehört haben müssen.«

»Der arme Jean! Ich hätte ihm nicht so viel zu trinken ausgeben dürfen, dann hätte er sein Gut verteidigen können. Na ja, derjenige, der seine Ziege getötet hat, muß verdammt stark gewesen sein.«

»Er hätte ihn getötet.«

»Das war der Werwolf«, stellte ein Kunde fest.

»Niemand hat ihn gesehen«, widersprach der Reeder vorsichtig.

»Kein Mensch hätte so etwas getan. Er hätte das Tier geklaut, nicht das Herz«, ließ Germaine Crochet verlauten.

»Warum hat man es geopfert?« fragte Saint-Arnaud.

Hinten im Saal saß Guy Chahinian, der über das Geschick des Reeders erschrak, die Gemüter auf heimtückische Art anzuheizen, um dann wieder Toleranz zu predigen. Dieser Mann spielte mit den Gefühlen der anderen Menschen, erging sich erst in Phantastereien, nur um sie dann selbst vorsichtig zu widerlegen. Aber warum wollte er die Leute dazu bringen, unbedingt an einen Werwolf zu glauben?

»Meinen Sie wirklich, daß die Ziege einem Ungeheuer zum Opfer gefallen ist?« fragte Guy Chahinian.

»Das habe ich nicht gesagt. Ich frage es mich nur. Die Tiere massakrieren ihre Beute nicht auf diese Weise, um dann nur das Herz zu fressen.«

»Es ist ein Werwolf«, wiederholte der Nadelhändler Lahaye, der ein guter Kunde im *Poisson d'or* war. Seine Frau, die es früher nicht so gern gesehen hatte, wenn er trank, ermunterte ihn nun, in die Schenke zu gehen, damit er dort für sie fleißig in der Gerüchteküche mitwirkte. Sie wollte nicht wahrhaben, daß sie nicht so gut Gerüchte in die Welt setzen konnte wie Henriette Hornet. Allerdings hatte Madame Hornet, die merkte, daß ihr Einfluß auf Françoise Lahaye abnahm, sich entschlossen, aus ihr eher eine Komplizin als eine Rivalin zu machen, da ihr alles wichtig war, was sie über Anne LaFlamme erfahren konnte.

Geoffroy de Saint-Arnaud räusperte sich. »Man hat wohl von einer Frau und ihrem Kind gesprochen, die hier in der Nähe ermordet worden sind, aber Lucie Bonnet hat gesagt, daß es ein Soldat war, der …«

»Es ist doch gar keine Armee hier in der Gegend!« widersprach Justin Lahaye, dessen älterer Bruder während des Aufstands der Holzschuhmacher gefallen war. »Lucie Bonnet erzählt dummes Zeug. Soviel ich weiß, war sie doch gar nicht dabei!«

»Bei *diesem* Verbrechen war sie wohl nicht dabei«, sagte Geoffroy de Saint-Arnaud.

Guy Chahinian fing an zu zittern. Versuchte der Reeder, Lucie Bonnet als Schuldige hinzustellen? Aber schuldig wofür? Und warum?

»Vielleicht nicht bei diesem Verbrechen, wie Sie sagen«, fing ein anderer Gast wieder an, »aber wenn sie uns etwas verheimlicht?«

»Also, meine Freunde«, sagte Geoffroy de Saint-Arnaud freundlich, »das sind doch alles Phantastereien. Überlegen wir doch mal: Was kann uns denn diese arme Spinnerin verschweigen? Und aus welchem Grund? Sie hat einen Soldaten beschuldigt, ohne nachzudenken.«

Germaine Crochet mischte sich sofort ein: »Sie will uns glauben machen, daß ein Soldat die beiden getötet hat, weil sie den richtigen Mörder wohl kennt.«

»Das heißt, sie kennt also einen …« begann der Reeder.

»Einen Werwolf! Ich hab's doch immer gesagt«, beteuerte Lahaye lauthals.

»Nein«, protestierte Geoffroy de Saint-Arnaud, »einen Verbrecher, wollte ich eben sagen.«

»Verbrecher, ja, da haben Sie recht, denn es ist ja ein Werwolf! Und Lucie Bonnet beschützt ihn. Er wird wohl nachts zu ihr kommen.«

»Und sie wohnt neben Jean Grouvais«, sagte Baptiste Crochet. »Sie wird dem Ungeheuer gesagt haben, daß der kleine Jean nicht zu Hause ist und hier einen hebt. Er wird dann losgegangen sein und das Zicklein getötet haben.«

»Aber warum sollte sie denn einem Werwolf helfen? Sie müßte ihn doch fürchten wie wir alle. Nein, sicher war es ein Mann.«

»Der das Herz mitgenommen und verspeist hat?«

»Also, ich sage es euch noch einmal«, sagte der Reeder scheinheilig, »Lucie Bonnet müßte genauso vor Angst erstarrt sein wie ihr und ich, Auge in Auge mit dem Ungeheuer. Stellt euch doch diese arme Frau so ganz allein vor.«

»Genau! Wenn das Ungeheuer bei ihr ist, dann ist sie ja nicht mehr allein.«

»Wenn es überhaupt existiert«, sagte der Reeder.

»Du lieber Gott«, schwor Clotaire Dubois, der eben eine Schale Apfelwein bestellt hatte, »ich habe schon einmal einen Werwolf gesehen, und es war ein grauenhafter Anblick. Sollte er zurückgekommen sein?«

»Ja, um die Ziege des kleinen Jean zu töten.«

Guy Chahinian stand plötzlich auf und lächelte den Schankwirt, der ihn erstaunt ansah, entschuldigend an.

»Entschuldigen Sie, aber wenn ich hier von verschlungenen Herzen und verstreuten Eingeweiden höre, dann wird mir übel. Ich mache einen kleinen Rundgang zum Hafen.«

»Bei diesem Wetter?«

»Wenn der Wind mir durchs Gesicht fegt, wird mir wieder wohler«, sagte der Goldschmied. Eine bessere Ausrede fiel ihm nicht ein – er wollte zu den Le Morhiers gehen. Sie würden sicher einsehen, daß man Lucie Bonnet warnen müsse. Der Kapitän konnte ihm vielleicht das Verhalten Geoffroy de Saint-Arnauds erklären, mit dem er ständig zu tun hatte. Und den er nicht mochte, das hatte er dem Goldschmied anvertraut.

»Wir machen dieselbe Arbeit, denn ich rüste auch seit einigen Jahren Schiffe aus, und manchmal schifft der Reeder sich auch auf seinen Schiffen ein. Aber wir haben nicht die gleichen Methoden. Ich arbeite hart, das können meine Männer Ihnen bestätigen. Aber ich behaupte nicht, ein Jahr lang Bürgermeister gewesen und mit aller Härte für die Steuern für die Ankerplätze eingetreten zu sein, um dann ein Jahr später zu schmuggeln. Und ich ersetze meine Kanonen nicht durch Waren.«

»Ihre Kanonen?«

Martin Le Morhier hatte Guy Chahinian erklärt, daß die Offiziere des Königs die Schiffe vor der Abfahrt inspizierten, um zu überprüfen, ob auch die verlangte Anzahl von Kanonen für die Verteidigung an Bord war. Geoffroy de Saint-Arnaud mietete sich ein Drittel der verlangten Waffen, führte sie seinen Besuchern vor und ließ sie, sobald sie fort waren, wieder von Bord bringen. Um den Feind zu täuschen, hatte er Luken und Kanonenattrappen auf den Rumpf zeichnen lassen. Aber wenn der Gegner ihn trotzdem angriff, dann war der Untergang des Schiffes unausweichlich.

Guy Chahinian rief sich diese Vertraulichkeiten wieder ins Gedächtnis, als er an die Tür der Le Morhiers klopfte. Nun mußte er seinerseits den Kapitän ins Vertrauen ziehen. Hatte er eine andere Wahl?

20.
KAPITEL

»Zu spät, wir sind zu spät gekommen«, murmelte Guy Chahinian.

»Ich hätte mit euch gehen sollen, dann hätten wir Lucie Bonnet gefunden!« sagte Myriam Le Morhier.

Martin Le Morhier hämmerte wütend mit dem Schürhaken auf den Boden.

»Und dann hätten sie dich auch mitgenommen! Verdammt, Liebes, du hast wohl den Verstand verloren.«

»Aber sie haben diese Frau ohne Grund gefangengenommen!«

»Das weiß ich genausogut wie du!« tobte der Kapitän in ohnmächtiger Wut.

Myriam Le Morhier unterdrückte ihre Tränen und rannte aus dem Zimmer, bevor ihr Mann Einwendungen machen konnte.

»Ich war zu grob zu ihr! Aber Myriam hat nicht gesehen, was wir gesehen haben! Was können wir nun tun?«

»Ich weiß es nicht«, seufzte der Goldschmied. »Niemand wird uns anhören. Der Durst nach Rache macht sie taub.«

»Rache? Gegen diese Witwe? Wer kann sie denn beneiden? Sie hat doch nichts!«

»Ich weiß. Durch ihr Elend bleibt sie allein, und weil sie Witwe ist, lebt sie im Elend ...«

»Und selbst wenn wir sie gewarnt hätten, wo hätte sie sich mit ihren beiden Kleinen bei diesem Gewitter und dieser Kälte versteckt?«

»Sie hat Kinder?« fragte Chahinian.

»Zwillinge.«

»Ich hätte sie mit zu mir genommen.«

»Man hätte sie schnell gefunden. Sie haben sich ja auch eingemischt, als diese Frau mit dem Klumpfuß hingerichtet wurde. Sie sind ein Fremder, und Sie werden den Menschen hier immer verdächtig bleiben. Vergessen Sie das nie. Meine Frau ist es heute noch ...«

»Madame Le Morhier?« wunderte sich Guy Chahinian.

»Glauben Sie denn, daß ich so hart bin und daß mir das Schicksal dieser Witwe egal ist? Wenn ich Myriam ausgeschimpft habe, weil sie uns begleiten wollte, dann nur, weil ich das Schlimmste für sie befürchte. Und das schon seit unserer Hochzeit in Spanien.«

Martin Le Morhier erklärte ihm, daß seine Frau in Cádiz geboren worden sei und daß ihr Vater Spanier war. Ihre jüdische Mutter war aus dem Baskenland geflohen, als Lancre dort wütete.

»Lancre!« rief Guy Chahinian entsetzt aus. Er erschauerte bei dem Gedanken an Hunderte von Frauen, die dieser Richter in seinem Haß gegen das jüdische Volk hatte verbrennen lassen.

»Ja, Lancre. Sie wissen ja, daß dieser Mann aus Bordeaux die Juden der Hexerei bezichtigt hat. Myriams Mutter war damals mit einem jüdischen Händler verheiratet gewesen. Sie konnten sich nach Cádiz einschiffen, wo sie zum Christentum übertreten wollten, aber der Mann von Myriams Mutter starb fast sofort nach ihrer Ankunft, und sie fand sich allein in diesem fremden Land wieder. Sie war sehr hübsch. Sie hat dann schnell wieder geheiratet, und zwar einen spanischen Offizier ihres Glaubens, und von diesem Mann hat Myriam die goldbraune Gesichtsfarbe geerbt. Wenn auch ihre Eltern fast wie durch ein Wunder den Verfolgungen in Frankreich wie auch in Spanien entkommen sind, so hat ihre Mutter dennoch nie vergessen, daß es gefährlich ist, Jüdin zu sein. Und Myriam ist Jüdin.«

»Wie konnten Sie ...«

»Ein katholischer Priester hat uns getraut. Er hat unsere Ehe gesegnet, ohne sich darüber Gedanken zu machen, daß Myriam Jüdin ist. Weil sie unseren Glauben angenommen hat ... Und wissen Sie, in diesem Nest gab es so viele Arme und Elende. Sie drückten sich alle gegen die Pforten der kleinen Kapelle. Ja, ich habe die Beihilfe dieses Priesters erkauft, und ich werde niemals den Zug der Bettler vergessen, die uns nach der Trauung zugejubelt haben. Myriam und ich haben immer geglaubt, daß uns die Almosen, die wir ihnen gegeben haben, Glück gebracht haben.«

»Ist das der Grund, warum sie so viel Geld für wohltätige Zwecke spendet?«

Martin Le Morhier zögerte mit der Antwort.

»So einfach ist das nicht. Wenn man von Nächstenliebe spricht, dann spricht man auch von Eitelkeit und von Geschäften. Denn man gibt, um groß zu scheinen oder um Gott zu gefallen. Einige glauben, sie könnten sich so ihren Schutz erkaufen ... Ich persönlich zweifele kaum daran, daß der Herrgott es gutheißt, wenn man den Armen hilft, aber ich zweifele auch nicht daran, daß einige seiner Vertreter hier auf Erden gern das Geld einstecken, das Myriam ihnen gibt.«

Guy Chahinian konnte nicht länger seine Verwunderung verbergen.

»Sie sagen da Sachen, die Pater Thomas gar nicht gefallen würden.«

»Aber Pater Thomas nimmt herzlich gern unsere Almosen an, glauben Sie mir. Und Sie sind der erste, mit dem ich so offen darüber spreche. Ich will, daß Sie wissen, wovor ich Angst habe. Die Welt ist groß, aber man kann nie wissen. Myriam könnte hier jemanden, den sie aus Cádiz kennt, wiedertreffen. Wenn ich nicht dermaßen in Nantes verwurzelt wäre, dann hätte ich diesen Hafen schon längst verlassen, weil hier so oft spanische Schiffe vor Anker liegen.«

»Es müßte schon mit dem Teufel zugehen, wenn man sich für den Glauben Ihrer Frau interessieren sollte. Sie sind Katholik, und Ihr Sohn ist getauft. Wer sollte darauf kommen?«

»Ich bin ein Narr, stimmt, aber ich bin dermaßen glücklich mit Myriam, daß es mir oft ungerecht erscheint, und eines Tages werde ich es bezahlen müssen. Szenen wie die beim Abendessen versetzen mich in Angst und Schrecken. Wie kann man denn Lucie Bonnet beschuldigen, der Ziege die Kehle durchgeschnitten zu haben?«

»Ja, warum?« fragte Myriam Le Morhier, die wieder hereinkam.

Ihr Gatte nahm sie bei den Händen und küßte sie. »Entschuldige meine Ungeduld, aber du machst mich wahnsinnig.«

Myriam Le Morhier lächelte ihn zärtlich an, dann breitete sich wieder Angst auf ihrem Gesicht aus, und sie verlangte, daß man ihr alles erzählen solle, ohne etwas auszulassen.

Guy Chahinian berichtete über die Gespräche, die er im

Poisson d'or verfolgt hatte, über seine Jagd nach Lucie Bonnet, wie er Martin Le Morhier getroffen hatte, und ihre Verzweiflung, als sie feststellten, daß die Spinnerin, die das Haus verlassen hatte, um ihren Kunden die Arbeiten zu bringen, verhaftet und auf den Dorfplatz geschleppt worden war. Sie hatten gesehen, daß die Soldaten sie vor der rasenden Menge schützten, aber wenn sie auch so vor einer Steinigung bewahrt wurde, dann hatte man sie sicher in eine dunkle Zelle gesperrt, was noch schlimmer war als die Steine.

»Geoffroy de Saint-Arnaud war es, der mit seinen Unterstellungen Lucie Bonnet ihren Henkern ausgeliefert hat. Er war es, der den Leuten alles eingeredet hat, und dann hat er ganz so getan, als glaube er nicht so recht daran. Ich verstehe nur den Grund nicht.«

»Geoffroy de Saint-Arnaud macht nichts, was ihm nichts nützt«, sagte Martin Le Morhier halblaut. »Aber was kann ihm die Verfolgung Lucie Bonnets einbringen?«

»Es würde ihm doch eher schaden«, sagte seine Frau, »denn die Spinnerin gibt ihm doch einen Teil ihres Verdienstes, weil sie auf seinem Land leben darf ... Und ihre Kinder?«

»Sie waren nicht bei ihr«, behauptete der Kapitän.

Myriam Le Morhier atmete tief durch.

»Wir können nicht hier herumstehen und nichts tun, mein Lieber. Sonst werden sie auch noch die Kinder in den Kerker werfen.«

»Es wäre Ihr Untergang, wenn Sie Ihre Sympathie für Lucie Bonnet so offen zeigten. Bonnets Kinder werden ins Waisenhaus kommen. Wenn sie nicht schon da sind.«

»Aber ...«

»Ihr Gatte hat leider recht, und nur das Interesse, das Geoffroy de Saint-Arnaud an Lucie Bonnet hat, kann sie retten. Er hat sicher nicht ohne Grund ihren Namen immer wieder erwähnt.«

»Ich verstehe diese ganze Geschichte nicht«, schimpfte der Kapitän. »Was will er nur?«

»Er will den Scheiterhaufen brennen sehen«, antwortete Guy Chahinian. »Aber warum? Geoffroy de Saint-Arnaud ist nicht wie diese Richter, die den Haß der Bauern gegen noch ärmere heraufbeschwören. Ihm ist doch die Meinung der armen Menschen völlig egal. Er muß einen anderen Grund haben, in den Köpfen dieser leichtgläubigen Menschen Vorstellungen vom Teufel heraufzubeschwören, damit sie Lucie Bonnet verantwortlich machen. Aber welcher?«

»Glauben Sie, daß man sie verurteilen wird?« fragte Myriam Le Morhier.

»Wer ist verantwortlich dafür, daß die Ernte verdirbt? Wer bringt uns den ganzen Regen? Gott kann es nicht sein. Also wer? Jeder hat irgendeinen Grund, unzufrieden zu sein ...«

»Meine Hühner legen schon seit dem St. Stephanustag keine Eier mehr. Sie müssen wohl verhext worden sein.«

»Verhext?« sagte Guy Chahinian, als er sich den Neugierigen näherte, die auf dem Platz Bouffay ihre Meinungen austauschten.

»Die Kuh von Boucher ist tot«, sagte Juliette Guillec, die Frau des Bierbrauers. »Lucie Bonnet hatte ihm einen Spaten für seinen kleinen Garten geliehen.«

»War sie nicht auch bei Ihnen?« fragte Henriette Hornet jetzt Madeleine Perrot.

Madeleine Perrot bekreuzigte sich und lächelte die Arztfrau an. Sie hatte gestern lange über die plötzlichen

Freundschaftsbeweise von Madame Hornet nachgedacht. Dann endlich war ihr ein Licht aufgegangen. Diese Frau sprach erst so überaus freundlich mit ihr, seitdem Michelle mit einer Baronin nach Paris gegangen war. Träumte Henriette Hornet vielleicht von einer Ehe ihres Sohnes mit Michelle? Sie beugte sich vor, um Madame Hornet anzuvertrauen, daß sie Lucie Bonnet tatsächlich ein altes Gerät gegeben habe.

»Sie hätte sonst mein Holz verdorben …«

»Sie hat nie für mich gearbeitet«, sagte Françoise Lahaye. »Vielleicht sind ihre Söhne verhext. Oder ihr Spinnrad?«

»Ich habe nichts bei ihr in Auftrag gegeben«, versicherte Madeleine Perrot sofort. »Sie ist zu uns gekommen, ohne daß wir sie darum gebeten hätten.«

Marie LaFlamme schrie dazwischen:

»Aber ihr habt doch alle Leinen von ihr gekauft.«

»Du irrst dich, Marie«, antwortete Madeleine Perrot mit harter Stimme.

»Ihre Sinne sind vielleicht getrübt«, sagte Juliette Guillec. »Vielleicht benutzt sie zuviel von den Zauberkräutern.«

»Was wollen Sie damit sagen?« sagte Geoffroy de Saint-Arnaud.

»Ich? Gar nichts. Warten wir ab, bis die Spinnerin die Namen ihrer Mittäterinnen preisgibt.«

»Im *Poisson d'or* habe ich mich hinreißen lassen zu sagen, daß …«, begann der Reeder.

»Im *Poisson d'or!*« kreischte Juliette Guillec. »Ich wundere mich, daß Sie sich an solchen Orten aufhalten, Monsieur de Saint-Arnaud.«

Der Bierbrauer Guillec, der Bier braute und vertrieb, war seit jeher ein Konkurrent des Schankwirtes Crochet.

Sein Frau verpaßte keine Gelegenheit, das *Poisson d'or* schlechtzumachen, obwohl die Existenz dieses Gasthauses sie eigentlich in keiner Weise beunruhigen konnte. Egide Guillec besaß einen Morgen Land und zwei Kühe mehr als Baptiste Crochet, er konnte lesen und seinen Namen schreiben. Er war sogar Magistratsbeamter, und er verdiente mit seiner Brauerei mehr Geld als der Schankwirt mit seinem Gasthaus. Dennoch gefiel es ihm nicht, wenn die Leute in die Schenke gingen, weil sie dort viele Gerüchte aufschnappten.

»Germaine Crochet macht köstliche Fleischpastete«, sagte Guy Chahinian naiv. »Sie schmeckt sogar mir wunderbar, obwohl ich nie besonders großen Hunger habe.«

»Sie haben recht, Monsieur«, stimmte Geoffroy de Saint-Arnaud ihm zu. »Haben Sie sich von Ihrem Unwohlsein während des Essens wieder erholt?«

»Ja, ich habe einen langen Spaziergang gemacht.«

»Ach ja, ich bin an Ihrem Laden vorbeigekommen. Sie waren aber nicht da.«

Der Goldschmied entschuldigte sich tausendmal. Wenn er das geahnt hätte, wäre er zu Hause geblieben.

»Und Sie sind bei diesem Regen spazierengegangen?«

»Nein, ich bin bei den Le Morhiers vorbeigegangen. Der Kapitän hat mit mir über die Arbeit gesprochen. Ich habe Ihnen ja davon erzählt.«

»Und er war nicht zu Hause?«

Im ersten Moment fragte sich Guy Chahinian, ob der Reeder ihm gefolgt sei. Besser war es, ehrlich zu sein, und so erklärte er, daß Martin Le Morhier am Hafen gewesen sei.

»War seine Frau bei ihm?« kreischte Françoise Lahaye mit schriller Stimme, die sofort die Aufmerksamkeit auf sich zog. »Wo er ist, ist sie auch. Nur nicht auf dem Meer. Und da auch noch …«

»Da auch noch, wie Sie richtig sagen, denn sie haber. ja zusammen eine lange Reise gemacht«, sagte Henriette Hornet.

»Bestimmt eine sehr lange Reise«, spottete Juliette Guillec, die bis zur Rückkehr des Kapitäns aus Cádiz geglaubt hatte, daß er um ihre Hand anhalten würde. Die Ehe zwischen ihnen war schon so gut wie abgemacht gewesen.

Sie kannten sich schon so lange. Und er liebte seine Stadt zu sehr, daß sie nie darauf gekommen wäre, er könne eine Fremde heiraten.

»Und durch die Reisen hat der Kapitän seinen außergewöhnlichen Geschmack bekommen … Seine Frau soll, wenn man gewissen Reisenden glaubt, diesen Kindern ähneln, die aus dem Verkehr unserer Seeleute mit eingeborenen Frauen stammen. Sagt man nicht, daß die Juden im Süden eine dunkle Haut haben? Was meinen Sie dazu, Monsieur de Saint-Arnaud? Sie sind doch schon so weit herumgekommen.«

»Auf solche Dinge achte ich gar nicht«, behauptete er.

»Und Sie, Monsieur Chahinian, glauben Sie, daß sie Jüdin ist?«

»Ich glaube, daß Madame Le Morhier sehr hübsch ist«, sagte er verlegen. Stotternd fügte er noch hinzu, daß er sich in diesen Dingen wenig auskenne, als Marie LaFlamme ihm ins Wort fiel.

»Es stimmt, sie ist hübsch. Und ein guter Mensch. Und alle wissen, daß sie von Piraten entführt und dann in Cádiz in einem Kloster erzogen wurde, wo Monsieur Le Morhier sie zum erstenmal gesehen hat.«

»Das ist es, was man so erzählt … Aber ihr Gatte hängt

so sehr an ihr, daß man glauben könnte, sie kauft und benutzt Zauberpuder.«

»Sie sind eifersüchtig!« schrie Marie. »Vor lauter Neid kriegen Sie ja kaum noch Luft! Sie haben noch nie geliebt!«

»Wahrscheinlich weiß ein Matrosenkind wie du besser als wir, was Liebe ist. Liebe!«

Madeleine Perrot sah jetzt eine Möglichkeit, sich jetzt noch mehr Achtung seitens Henriette Hornet zu erwerben, und wandte sich an Marie.

»Wenn du dabei an Simon denkst«, verkündete sie, »vergiß ihn. Michelle wird ihm Frauen vorstellen, die besser sein werden als du …«

»Michelle wäre jetzt nicht in Paris, wenn Madame Morhier ihr nicht alles bezahlt hätte.«

Madeleine Perrot stieg Schamröte ins Gesicht, als sie daran dachte, aber die Frau des Baders half ihr sofort aus der Verlegenheit.

»Wenn Ihre Tochter sich an meinen Mann und mich gewandt hätte, so hätten wir ihr auch geholfen. Mit dieser Marie wird sie schlecht beraten gewesen sein.«

»Nein. Ich hatte recht. Michelle hat es immer gefallen, auf meinen Rat zu hören. Und sie wird es nicht vergessen. Simon auch nicht.«

»Du hast ein niedliches Gesicht, nicht häßlich, das will ich dir schon zugestehen«, sagte Henriette Hornet, »aber der Sohn von Madame Perrot dient dem König. Bald wird er am Hofe sein. Und dort wird er bleiben.«

Während sie Marie musterte, dachte Madame Hornet, daß sie, sobald sie zu Hause sein würde, einen Brief schreiben und Anne LaFlamme und ihre Tochter beschuldigen würde. Die Unverschämtheit der Tochter war unerträglich.

»Ich werde nach Paris fahren«, schrie Marie. »Sie werden schon sehen.«

Die Frauen brachen in schallendes Gelächter aus. Mitten im Lachen fragte Françoise Lahaye:

»Mit welchem Geld denn? Hast du vielleicht geerbt?«

Marie wurde blaß. Sie sah nicht, daß der Reeder ihre Miene genau beobachtete. Denn auf einmal stieg das Bild ihres Vaters vor ihrem geistigen Auge auf: sein lächelndes, von Salz und Sonne gegerbtes Gesicht. Und als Geoffroy de Saint-Arnaud ihre Hand nahm, zuckte sie zusammen. Sprachlos hörte sie ihn sagen, daß sie wahrscheinlich mehr Geld haben würde, als sie sich vorstellen könne, wenn sie seine Stieftochter werden würde. Sie fühlte die roten Samthandschuhe des Reeders auf ihren Fingern: Sie dachte an das Moos, das sie mit ihre Mutter pflückte. Hatte Anne ihre Meinung geändert, ohne ihr etwas zu sagen? Würde sie jetzt doch noch den Reeder heiraten? In ihrer Beklemmung wagte Marie es nicht mehr, ihre Hand zurückzuziehen.

Alle wußten doch, daß der reichste Bürger von Nantes hartnäckig an seinem Entschluß festhielt, Anne LaFlamme zu heiraten. Wer die Hebamme und Kräuterfrau in seinem Beisein offen kritisierte, brachte sich in große Gefahr.

Vor gut einer Stunde hatte es aufgehört zu regnen, und Guy Chahinian kam es vor, als ob die klare Luft die Gesten der Schauspieler in diesem Drama, das er gerade erlebte, erstarren ließ. Es hätte ihm gefallen, wenn sie ihre Haltung beibehalten hätten wie diese außergewöhnlichen Puppen, die er in der Schweiz bei einem Freund gesehen hatte. Mit einem Schlüssel wurden sie in Bewegung gesetzt, aber man konnte die Bewegung stoppen, indem man einen ausgefeilten Mechanismus blockierte. Chahinian seufzte: Der Hochmut, immer dieser Hochmut, den Schöpfer der Welt zu spielen, die Zeit anzuhalten.

Der Einbruch der Dunkelheit sorgte dafür, daß sich die

Menge der Neugierigen auflöste. Die Dunkelheit kam dem Goldschmied gelegen, der die Le Morhiers gern heimlich aufsuchen wollte. Er mußte ihnen sofort alles erzählen, was er gehört hatte. Er wunderte sich, daß der Kapitän nicht auf den Marktplatz gekommen war, dankte aber dem Himmel dafür. Wenn er dieses Geschwätz gehört hätte, wäre er sicher vor Wut außer sich geraten.

21.
KAPITEL

Martin Le Morhier wünschte wirklich alle Bürger von Nantes zur Hölle. Sein Zorn ließ seine Frau vor Schreck zusammenfahren.

»Wenn ich an all die Fässer denke, die wir bei diesem Guillec gekauft haben! Daß man so über dich spricht!«

»Mach nicht so eine Szene«, flehte Myriam Le Morhier. »Ich bin nicht die, die ich vorgebe zu sein. Du weißt es, und Monsieur Chahinian weiß es auch. Er wird dir wie auch ich raten, dich zu beruhigen. Nicht wahr, Monsieur?«

»Ich wäre beruhigt, wenn ich dich in Sicherheit wüßte«, erwiderte der Kapitän. »Sie haben gehört, was unser Freund über den Tod seiner Cousine erzählt hat?«

»Das liegt doch schon zwanzig Jahre zurück!«

»Aber die Scheiterhaufen brennen schon seit über zwei-hundert Jahren«, sagte Guy Chahinian leise. »Und das Feuer kann hier wieder entfacht werden. Wissen Sie, daß man in Toulouse vierhundert Frauen verbrannt hat? In einer einzigen Woche, sagt man. Können Sie sich dieses grauenhafte Bild vorstellen: Berge von Fleisch und Fett, verbrannte Haare, alles ein einziger Todeskampf? Tagelang brennt die Stadt, und die Gaffer versuchen zu erraten, ob es sich um den Knochen eines Arms oder eines Beins handelt, der den Flammen entkommen konnte und dort erstarrt und schwarz irgendwo in der Asche der Opfer liegt!«

»Hören Sie auf!« rief Myriam.

»Nein, sprechen Sie weiter, Chahinian, damit meine Frau endlich begreift, wie ernst die Lage ist. Ich schicke dich nicht frohen Herzens nach Paris, meine Liebe. Aber wir haben keine andere Wahl. Du wirst morgen zu meiner Schwester reisen. Ich hoffe dennoch, Monsieur, daß Sie sich irren und daß sich unsere gute Stadt nicht so gebärdet, wie Sie befürchten.«

»In Nantes blüht der Handel, das weiß ich«, gab Guy Chahinian zu. »Aber folgt Ihre Stadt dem Wunsch des Königs? Diese Stadt gilt als unabhängig. Seit 1640 verfolgt das Pariser Parlament die Menschen nicht mehr, die der Hexerei oder eines Teufelspaktes beschuldigt werden. Aber bevor in allen französischen Gemeinden Einhelligkeit darüber herrscht, wird es noch eine Menge Hinrichtungen geben. Je starrsinniger sich eine Provinz dem Wunsch des Königs nach einer einheitlichen Regelung widersetzt, desto größer die Gefahr, daß sie die weisen Frauen vernichten. Sicherlich ist Nantes eine dem Fortschritt aufgeschlossene, weltoffene Handelsstadt. Aber die Armen sind auch hier gänzlich mittellos. Ich fürchte, in ihrer Not würden sie bereitwillig einen Menschen opfern, in der Hoffnung, Gottes Zorn zu beschwichtigen. Fragt sich nur, welchen Gottes?«

»Das klingt ja wie eine Gotteslästerung«, stellte Myriam Le Morhier fest, ohne daß ein Vorwurf in ihrer Stimme mitschwang.

»Vielleicht. Und diejenigen, die Lucie Bonnet im Namen göttlicher Gerechtigkeit beschuldigen? Wird von ihnen der Name Gottes nicht mißbraucht?«

»Wir müssen Anne LaFlamme vor diesen Gerüchten warnen, die über sie und ihre Tochter in Umlauf sind«, sagte der Kapitän. »Es wäre besser für sie, die Stadt zu verlassen.«

»Nantes zu verlassen?« rief Victor Le Morhier mit erregter Stimme.

»So wie du auch«, verkündete sein Vater.

Victor hatte Marie seit seiner Rückkehr nach Nantes noch nicht gesehen. Er war einen Monat auf See gewesen, aber er war sicher, daß sie inzwischen noch hübscher sein würde als zuvor. Wie die Sonne, die Blumen zum Erblühen brachte, so wirkte die Zeit auf dieses Geschöpf. Sie machte Maries Gesichtszüge noch feiner, betonte den Glanz ihrer Augen und ihr neckisches Lächeln. Wenn Victor auch in seiner Kindheit selten mit Marie gespielt hatte, so hatte er sie doch häufig beobachtet. Es hatte ihm immer Freude gemacht, ihr nachzusehen, wenn sie zum Hafen lief und ihre Röcke festhielt, wenn sie an den Strand kam. Und immer hatte er Pierre LaFlamme um den fröhlichen Empfang bei seiner Rückkehr beneidet. Er beneidete sogar Ancolie, Maries Katze, um der Zärtlichkeiten willen, die sie ihr zukommen ließ, und in seinen phantastischen Träumen hatte er oft gewünscht, sich in eine Katze zu verwandeln oder Simon Perrot ähnlich zu werden. Natürlich war ihm nicht entgangen, wie sehr Marie versuchte, diesem zu gefallen. Er war hübsch, das war nicht zu leugnen, und außerdem lebhaft, kraftvoll und ungestüm. Mit einem Wort: das genaue Gegenteil des Kapitänssohnes. Victor zog den wilden Spielen die Kartographie und die Astronomie vor. Er wollte unbekannte Länder entdecken, und er wartete ungeduldig, daß er endlich an Bord eines Schiffes gehen und eine große Fahrt machen konnte. Er war schon auf Schiffen mitgefahren, die von seinem Vater kommandiert wurden, und die Seeleute, die darauf lauerten, daß der Sohn des Kapitäns sich haarsträubende Fehler leistete, warteten vergebens. Victor glitt über die Rahen, übernahm die Wache, las Karten und lauschte aufmerksam den Geschichten der Älteren. Abends, bevor er einschlief, schwor er sich, eines Tages nach Madagaskar, Ceylon, Trinidad oder zum Kap der Guten Hoffnung zu segeln. Wie Pierre LaFlamme würde er in diesen fernen Ländern seltsame Dinge auftreiben, die die Frauen entzückten. Simon Perrot würde Marie niemals buntgefiederte Vögel oder Stoff, der so zart wie ihre Haut war, schenken können. Niemand hatte Simon mehr ermuntert, Soldat in der Armee des Königs zu werden, als Victor Le Morhier. Wenn Simon weg war, dann konnte er zur See fahren, ohne befürchten zu müssen, Marie bei seiner Rückkehr als frischgebackene Braut anzutreffen.

Und jetzt mußte der Sohn des Kapitäns erfahren, daß sie Nantes verlassen sollte. »Aber wohin gehen denn Marie und Anne?« fragte er.

»Nach Paris«, antwortete Guy Chahinian. »Ich habe gute Freunde dort.«

Nach Paris? Wo Simon Perrot wohnte? Victor wurde blaß.

»Und ich werde auch dort hingehen«, sagte Myriam Le Morhier. »Mit unserem Sohn.«

»Aber …«

»Wir brechen morgen nach Paris auf, Victor.«

»Endlich!« sagte Martin Le Morhier erleichtert, »endlich nimmst du Vernunft an, Myriam.«

»Können wir Anne und ihre Tochter mitnehmen?« fragte die Frau.

»Nein, ich will nicht, daß man glaubt, du seist deren Komplizin. Es wäre zu gefährlich.«

»Und die beiden LaFlammes? Sie sind in noch größerer Gefahr! Was meinen Sie, Monsieur Chahinian?«

»Marie bietet jedem die Stirn, anstatt sich etwas zurückzuhalten. Es ist seltsam, aber unserem Vorhaben durchaus dienlich, daß sie behauptet hat, sie wolle nach Paris, um dort Simon und Michelle Perrot zu treffen. Es war übrigens Michelle, die Madame Hornet als Vorwand diente, um dich schlechtzumachen, Myriam.«

Myriam Le Morhier zuckte mit den Schultern.

»Henriette Hornet ist mir völlig gleichgültig. Ihr Mann muß ein miserabler Arzt sein, das sieht man schon an ihrer gelben Haut, die aussieht wie Pergamentpapier. Ich bedauere nicht, Michelle Perrot geholfen zu haben, auch wenn ihre Mutter dumm ist. Man darf den Streit der Erwachsenen nicht über die Kinder austragen.«

»Es sind keine Kinder mehr, Liebling«, sagte Martin Le Morhier.

»Ihr Gatte hat recht«, meinte der Goldschmied. »Marie LaFlamme ist eine Frau, kein Kind mehr. Erinnern Sie sich, wie sie steif und fest behauptet hat, Simon Perrot zu heiraten. Sie ist fest dazu entschlossen, und ich wette, daß wir sie mit diesem Argument dazu bringen werden, nach Paris zu reisen, auch wenn mir dieser Simon gar nicht gefallen hat.«

»Ich dachte, Maries Interesse für Simon habe seit seiner Abreise nachgelassen«, sagte der Kapitän.

»Das ist nicht nur eine Laune! Sie hat laut und deutlich verkündet, daß sie ihn heiraten wird und daß niemand ihn so liebt wie sie.«

Victor Le Morhier glaubte einer Ohnmacht nahe zu sein, und er band erregt sein Jabot auf.

»Was ist denn mit dir los?« fragte ihn seine Mutter.

»Ich bin empört!« antwortete er mit Mühe. »Alle diese Leute, über die ihr da sprecht, sind doch einfach stockdumm. Wer auch nur einmal in seinem Leben eine Reise gemacht hat, weiß doch, daß niemand über Regen, Kälte oder Feuer bestimmen kann. Meine Patin kennt sich schlicht und einfach mit Pflanzen aus.«

Mit diesen Worten rannte der junge Mann aus dem Zimmer. Er hatte Angst, vor den anderen in Tränen auszubrechen. Wenn Marie ihn endgültig abwies, dann wollte er seinem Schmerz nicht noch öffentliche Demütigungen hinzufügen. Er würde seine Mutter nach Paris begleiten, aber er nahm sich fest vor, die Hauptstadt wieder zu verlassen, bevor Marie eintraf.

Während Victor Le Morhier versuchte, seinen Kummer in einer Hafenschenke zu ertränken, brachte der Kapitän Guy Chahinian zur Tür und versprach ihm, sich morgen früh zum Lazarett zu begeben.

»Meine Geschäfte führen mich ständig hier und dorthin, zu Wasser und zu Lande, zu Pferd oder zu Fuß. Niemand wundert sich, wenn ich unterwegs bin. Sobald meine Frau und mein Sohn nach Paris abgereist sind, werde ich Anne LaFlamme warnen. Obwohl so eine Reise zahlreiche Gefahren birgt, ist mir doch lieber, wenn Myriam mich verläßt. Sie haben mich voll und ganz von den Gefahren, die hier auf sie lauern, überzeugt.«

Guy Chahinian legte freundschaftlich seine Hand auf die Schulter des Kapitäns. Daß dieser Mann in solcher Eile handelte, zeigte ihm, daß er genau der Mann war, den er gesucht hatte.

Trotz der Kälte wanderte Guy Chahinian noch lange durch die Straßen von Nantes. Es war Vollmond, eine runde und strahlende Silberkuppel, aber ihm war unwohl, als er sie ansah. Der Mondschein verformte gnadenlos die Häuserwände, ließ auf der Takelage der Schiffe Gespenster tanzen und zerschnitt auf grausame Weise die kahlen Äste der Bäume. Während des Unwetters hatten die Bäume alle Blätter verloren, und die Äste ragten wie um Gnade für die Menschen flehende, ausgestreckte Hände gen Himmel. Aber hörte Gott auf diese Gebete? Würde er die weise Frau beschützen?

Weise ... Anne LaFlamme war es kaum. Der Goldschmied machte sich Vorwürfe, daß er sie nicht schon am Tag seiner Ankunft, als er Henriette Hornet über sie reden gehört hatte, dazu gebracht hatte, Nantes zu verlassen. Der Große Meister hätte ihm jetzt sicher vorgeworfen, sich in seine Melancholie zu vergraben, aber so war er nun einmal: einfach zu schwermütig. Warum hatte der Große Meister ausgerechnet ihn ausgewählt, die heiligen Symbole aufzubewahren? Es stimmte schon, daß er über ein breites Wissen verfügte, aber mehrere Sprachen zu sprechen bedeutete ja nicht, daß man sich überall Gehör verschaffen konnte. Und wenn er die Veränderlichkeit von Metallen erklärten konnte, die Macht des Bernsteins und des Goldes, den Lauf der Planeten und die Bauweise der Kathedrale, so fehlte seiner Stimme und seinen Bewegungen doch diese Wärme, die Aufmerksamkeit der Leute auf sich zu lenken. Die Lichtkreuzbrüder schätzten ihn sehr, aber vertrauten sie ihm auch voll und ganz?

Guy Chahinian schien es in dieser Nacht, als ob das ganze Universum bebe.

»Wir können jetzt nicht mehr länger warten!« verkündete der Rechtsberater Darveau. »Monsieur de Saint-Arnaud

wird nicht kommen. Wir werden ohne ihn den Fragen-
katalog durchgehen.«

»Es ist vielleicht noch zu früh«, murmelte der *Bailliff*
Antonin. »Die Menschen werden sich schrecklich aufregen.«

Die Rechtsgelehrten und die Richter, die zusammenge-
kommen waren, um über das weitere Vorgehen zu entscheiden, sahen den Mann verwundert und etwas mißtrauisch an. Wie konnte man die Aufgaben des Bailliff
einem solchen Narren anvertrauen? Wußte er denn nicht,
daß es immer etwas zu verdienen gab, Vorteile oder Gold
für diejenigen, die den Prozeß führten? Unter dem Vorwand, das göttliche Gesetz anzuwenden und das Verbrechen der Majestätsbeleidigung zu bestrafen, indem man
die Hexerei bekämpfte, steckten die Richter kein schlechtes Sümmchen ein, nämlich zehn Prozent der gesamten
Prozeßkosten, und außerdem konnten sie einmal ihre
Macht spielen lassen. »Die Hütte von Lucie Bonnet ist
nicht mehr als sechzig Pfund wert, aber zusammen mit
dem Land bringt sie sicher hundert ein«, rief jetzt einer.

»Nein, nein, sie gehört doch dem Reeder«, meinte ein
anderer.

»Und die Kinder?«

»Die werden öffentlich versteigert, wenn die Hexe verurteilt worden ist, oder sie müssen in dem Krankenhaus
arbeiten, in das man sie schon gebracht hat. Sie sind alt
genug.« Marcel Antonin zog die Augenbrauen zusammen,
unterdrückte aber seine Frage. Die Angeklagte hatte ihre
Schuld noch nicht gestanden, wie konnte man dann
behaupten, sie sei eine Hexe?

Der Rechtsgelehrte Darveau kündigte an, daß er die
Zeugen im Laufe des Tages vernehmen wolle.

»Dann ist da noch dieser Brief, den der Oberleutnant

heute morgen gefunden hat. Wir müssen ihn sorgfältig prüfen. Vielleicht können wir von Lucie Bonnet mehr über Anne und Marie LaFlamme erfahren.«

»Wir sollten sofort die Festnahme der beiden anordnen«, überlegte der Magistratsbeamte Guillec. »Meiner Frau sind gestern erstaunliche Dinge zu Ohren gekommen! Marie LaFlamme war dermaßen überheblich, und man kann dieses Benehmen nur so erklären, daß sie sich von übernatürlichen Mächten beschützt weiß.«

»Wir haben nicht genug in der Hand«, rutschte es Marcel Antonin heraus. Er wurde sofort rot, weil er befürchtete, man könne von ihm eine Erklärung fordern, warum er Marie LaFlamme verteidigte. Wenn er sich den Richter widersetzte, könnte man ihn leicht verdächtigen, auch ein Sohn Satans zu sein. Er wußte genau, daß er seine Worte besser abwägen sollte, aber er konnte nicht umhin, so zu reagieren, als er Maries Namen hörte. Er konnte der Anschuldigung, daß Marie LaFlamme eine Hexe sei, höchstens zustimmen, weil sie ungewöhnlich schön war. Es grenzte fast an ein Wunder: Er hatte noch nie ein so hübsches Gesicht und einen so anmutigen Körper gesehen. Wenn er sie am Hafen oder auf dem Markt traf, packte ihn die Verwirrung. Er hatte noch nie mit ihr gesprochen, noch nicht einmal daran gedacht, sie anzusprechen: Mit Engeln spricht man ebensowenig wie mit Feen. Daß sie Zauberei betrieb, lag im Bereich des Möglichen. Aber daran wollte er nicht denken. Er liebte es zu sehr, von ihr zu träumen, wenn er seine Frau nahm.

»Es stimmt, daß Anne LaFlamme sich gut mit Salben auskennt«, erklärte jetzt der Richter Rolin. »Aber es wäre doch höchst unangenehm, zugeben zu müssen, daß wir eine Hexe für die Pflege der Kranken im Lazarett entlohnt haben.«

»Ist es Ihnen lieber, wenn sich das Böse ausbreitet? Wenn wir alle bald von Ketzern beherrscht werden?« wetterte der Rechtsgelehrte Darveau. »Wenn Anne LaFlamme angeklagt wird, dann muß auch über sie entschieden werden.«

»Und ihre Tochter?« fragte Egide Guillec.

»Über die auch. Ihre Frau hatte recht, uns über ihr gestriges Verhalten zu unterrichten. Wir werden in diesem Sinne eine Entscheidung treffen.«

Um den Eifer des Magistratsbeamten Guillec zu belohnen, reichte ihm der Rechtsberater ein kleines Handbuch.

»Lesen Sie vor! Es wird sehr nützlich für uns sein, wenn wir uns alle davon inspirieren lassen.«

Egide Guillec war über diesen Vertrauensbeweis aus den Reihen der gebildeten Richter entzückt wie ein Schüler. Er konnte lesen, besaß aber sicher nicht das Wissen dieser Richter, und er glich seine Unkenntnis durch Unterwürfigkeit aus. Er nahm den »Hexenhammer« – es handelte sich um eine kurze Zusammenfassung des Werkes der gelehrtesten Hexenjäger – respektvoll entgegen, zögerte aber zu sagen, wie geehrt er sich fühle. Er schwieg aus Angst, nicht die richtigen Worte zu finden. Wenigstens hatte er im Unterschied zu dem ahnungslosen *Bailliff* die Gelehrten nicht verärgert.

Marcel Antonin galt als ein Mensch, der nie richtig wußte, was er eigentlich im Leben wollte. Einige wunderten sich sogar darüber, daß er es schaffte, seinen Grund und Boden zu bestellen.

Und wenn der Teufel ihm geholfen hatte?

Vielleicht sollte ich mal mit dem Rechtsgelehrten darüber sprechen, dachte sich Egide Guillec.

Guy Chahinian schaute zum hundertsten Mal innerhalb einer Stunde auf seine Uhr: die silbernen Zeiger lagen beide auf der Zahl Neun. Seufzend steckte er seine goldene Taschenuhr in die Tasche seines Lederkittels, als es an seinem Fenster klopfte. Im nächsten Moment trat Martin Le Morhier ins Zimmer und rieb sich die Hände.

»Verdammt! Es friert wie Weihnachten. Myriam hätte ihren Biberpelzumhang umlegen sollen, und mein Sohn, der ja Stürme genug erlebt und während der Wache genug gefroren hat, hat seinen Mantel aus grobem Tuch genommen. Ich komme etwas zu spät, denn ich bin noch am Justizplatz vorbeigegangen. Sie haben offenbar genug Zeugen aufgetrieben, die bereit sind, Lucie Bonnet zu beschuldigen ...«

»Jetzt schon?« seufzte Guy Chahinian.

Martin Le Morhier nickte voller Wut und Scham.

»Sie hatten recht. Ja, die Bürger von Nantes sind nicht gütiger oder schlauer als die Basken, die Menschen in Bordeaux oder in Rouen! Nur noch unser Abt scheint noch alle seine Sinne beisammenzuhaben.«

»Der Abt?«

»Der Abt Germain. Er lebt fast wie ein Einsiedler im Jesuitenkloster. Er hat es immer den anderen Priestern überlassen, die gut besuchten Messen zu lesen. Er zieht es vor, zur Frühmesse zu läuten. Wenn er die Glocken läutet, dann wird er sicher an seine Jugend erinnert, als er den Marsgasten half, die Rahe aufzutoppen. Er war fast zehn Jahre Schiffsprediger.«

»Ich dachte, die Geistlichen würden diesen Posten hassen?«

»Ja, die meisten. Welcher Geistliche verläßt schon für einen mageren Lohn freiwillig eine gute Gemeinde, um ohne Annehmlichkeiten Meere zu durchqueren, wo immer Gefahr lauert. Der Abt Germain ist jedoch in Nantes geboren. Er stammt aus einer Seemannsfamilie und kennt die Seewege, die Meeresengen, die Kaps und die Arbeit der Männer an Bord. Er achtete sie. Er lacht mit ihnen genausoviel, wie er mit ihnen betet. Der hat schon einige Meutereien verhindert! Er weiß, wie man die erhitzten Gemüter beruhigt. Bis heute. Er hat seinen Ruhesitz verlassen, um Lucie Bonnet zu verteidigen, aber vergebens. Pater Thomas hat verkündet, daß alle diejenigen, die die Richter nicht in ihrer Arbeit unterstützten, Opfer des Teufels seien.«

»Entweder sagen die Leute also gegen Lucie Bonnet aus, oder sie kommen selbst dran. Das ist Wahnsinn ... Wird das Boot bereitliegen?«

»Ja, heute nachmittag. Nein, lassen Sie«, sagte der Kapitän und schob den Geldbeutel zurück, den Guy Chahinian ihm reichte. »Ich habe bei Anne LaFlamme immer in der Schuld gestanden. Sie hat meine Frau gerettet, als sie sie entbunden hat, und meinen Sohn auch. Ich werde sie im Lazarett abholen, während Sie mit Marie bei Dragon auf uns warten.«

»Dragon?«

»Ja, er ist mir voll und ganz ergeben.«

»Und Nanette?«

»Nanette würde sie nur aufhalten. Sie muß in Nantes bleiben.«

»Sie werden sie festnehmen, damit sie ihnen sagt, wo Anne und Marie abgeblieben sind. Und damit sie ihre Wut an ihr auslassen können, wenn sie feststellen, daß sie ihnen entkommen sind.«

»Ich werde Nanette bei mir verstecken.«

»Sie sind verrückt! Da kennen Sie Anne LaFlamme aber schlecht. Wenn Nanette nur im geringsten gefährdet ist, wird sie sich weigern, Nantes zu verlassen. Nein, sie wird in Le Croisic bleiben, solange Anne sich in Paris oder woanders einrichtet und sie nachkommen lassen kann.«

»In Le Croisic?«

»Dort wurde sie geboren. Meine Leichter fahren oft dorthin.«

»Es ist bewundernswert, an was Sie alles denken!« sagte Guy Chahinian. »Ich verstehe, daß Sie das Kommando über die Männer führen und die Expeditionen leiten können.«

»Auf See muß man seine Fehler teuer bezahlen. Ich bin froh, daß mein Sohn Situationen richtig beurteilen kann. Er liebt die Seefahrt noch mehr als ich. Er hatte keine Lust, den Hafen zu verlassen, und seit gestern hat er keinen Ton mehr von sich gegeben. Hier, nehmen Sie das«, sagte Martin Le Morhier und gab dem Goldschmied einen Plan, der ihm half, das Haus des treuen Dragon zu finden.

Guy Chahinian sah seinem Besucher nach, der schnellen Schrittes davonging. Anne LaFlamme war bei ihm in guten Händen. Er hatte weniger als drei Meilen zurückzulegen, und wenn er schnell ritt, würde Martin Le Morhier in einer Stunde am Lazarett sein.

Viele Neugierige waren dem Gerichtsdiener gefolgt, der mit der Hausdurchsuchung bei Lucie Bonnet beauftragt worden war. Er sollte das teuflische Puder oder die Zaubersalbe finden, die Madame Bonnet die Macht verliehen hatten, durch die Lüfte zu fliegen.

»Was ist denn hier los?« fragte Guy Chahinian verwirrt.

»Also, Sie wissen auch nie etwas«, rief Juliette Guillec und lächelte. »Das ist die Hütte von der … Na ja, Sie wissen schon, was ich meine. Sie werden hier sicher ihre Kräuter und ihre Giftmischungen finden!«

»Hat sie jemanden vergiftet?«

»Mensch, na klar! Sie hatte einen Spinnrocken. Die Richter haben das schriftliche Geständnis einer Hexe aus Saint-Clément, die vor sechs Jahren ihre Komplizinnen verraten hat, holen lassen. Man wird jetzt erfahren, ob sie Lucie Bonnet und Anne LaFlamme am Platz der Gehängten gesehen hat. Dort wo Mandragora wächst, die Pflanze mit den Menschenköpfen.«

»Vor sechs Jahren?«

»Oder sieben, ich weiß es nicht mehr genau. Sicher aber ist, daß der Leichter von Jérôme Bluteau in diesem Jahr auf der Erdre gefahren ist. Mein Mann hat es mir gesagt. Als Magistratsbeamter muß er den ganzen Tag im Gericht bleiben. Und morgen muß er wieder hin. Das ist eine harte Aufgabe, aber jemand muß es ja machen.«

»Natürlich«, stimmte der Goldschmied zu. »Sie sehen Ihren Gatten nur selten, aber er bekämpft die Ketzerei.«

Juliette Guillec lachte frei heraus und nickte.

»Ja, Monsieur. Ich kann Ihnen sagen, daß er mich oft nach meiner Meinung über die Urteile fragt und daß ich eine Menge über den Prozeß weiß.«

»Noch mehr als Madame Hornet?«

»Sie meint immer alles zu wissen, nur weil ihr Mann Arzt ist.« Sie lächelte verschlagen und sah dem Goldschmied direkt in die Augen. »Wahrscheinlich hat Anne LaFlamme Ihnen auch schon Kräuter gegeben.«

Guy Chahinian machte ein verlegenes Gesicht. »Es stimmt, daß ich mehrmals bei ihr war. Aber ich weiß nichts über sie. Ich wußte nicht, daß man ihr nicht trauen kann.«

Juliette Guillec drückte kräftig seinen Arm.

»Sie sind ja vielleicht naiv, Sie Armer ...«

»Und ganz allein«, jammerte Guy Chahinian. Er versuchte die Frau ein wenig für sich einzunehmen. Wenn er es geschickt anfing, dann würde sie ihm vielleicht alles sagen, was ihr Mann ihr über den Prozeß sagte.

Juliette Guillec wurde durch das Knarren der Tür abgelenkt: Der Gerichtsdiener trat aus der Hütte. Seine enttäuschte Miene verriet, daß er nichts gefunden hatte. Unzufriedenes Gemurmel wurde laut.

»Er hat nicht richtig gesucht«, murmelte Juliette Guillec. »Aber die Richter werden die Bonnet schon zum Sprechen bringen. Und der Henker wird bald dasein. Mein Mann hat es mir gesagt.«

»Ich muß Ihren Mann unbedingt einmal kennenlernen. Er scheint mir sehr klug zu sein. Sonst wäre er nicht Magistratsbeamte und könnte sein Wissen nicht an die Richter weitergeben. Kennen Sie die Richter?«

»Natürlich«, log Juliette Guillec, die nur Alphonse Darveau und Eudes Pijart kannte. »Die Darveaus tragen schon seit einem Jahrhundert die Robe. Und die Frau von Eudes Pijart ist die Schwester des Juristen Darveau. Dieser hat meinem Mann sein Buch geliehen. ›Das Unglück der Hexerei‹ heißt es, glaube ich. Monsieur Guillec wollte es mir nicht zeigen, weil zu viele schreckliche Dinge für eine schwache Frau darinstehen.«

Guy Chahinian fuhr vor Schreck zusammen. Handelte es sich etwa um das *Malleum Maleficarum?* Den *Hexenhammer?* Wollten sie es anwenden?

Es war 1486 erschienen, und dieses Handbuch war seitdem in Tausenden von Exemplaren in einem handlichen Format gedruckt worden, so daß man während eines Prozesses ständig darin nachschlagen und sich daran halten konnte, wenn Zweifel auftauchten. Guy Chahinian hatte dieses Werk schon vor einigen Jahren gelesen, aber er hatte keine Zeile von dem entsetzlichen Werk vergessen.

Juliette Guillec zog ihn am Ärmel.

»Hören Sie mir überhaupt noch zu?«

»Entschuldigen Sie, aber ich dachte gerade daran, daß ich meinen Umhang holen muß. In Nantes ist die Luft feuchter als in Paris, und ich habe mich noch nicht an das Klima hier gewöhnt. Aber wir sehen uns später wieder?«

»Heute nachmittag im Gericht?«

Sobald Chahinian sich außer Sichtweite wußte, beschleunigte er seinen Schritt. Marie LaFlamme und Nanette mußten sofort ihr Haus verlassen, wenn sie dann auch bei Dragon länger auf Anne warten mußten.

Trotz des kühlen Winds lief dem Goldschmied der Schweiß über den Körper, als er das Haus, in dem er viel zu selten gewesen war, betrat. Schnell klopfte er fünfmal an die Tür. Er hörte, wie Nanette den Riegel wegschob. Die Tür knarrte, und er mußte wieder an den Gerichtsdiener denken, der verärgert das Haus von Lucie Bonnet verlassen hatte. Wenn auch die erste Hausdurchsuchung erfolglos verlaufen war, so würde er sicher bei der nächsten entschädigt werden: Der Goldschmied konnte sich seine Freude vorstellen, wenn er in das Haus Anne LaFlammes eindrang. Wie ein begeisterter Jagdhund würde er dem Richter die Kräuter, Körner, Öle und Salben bringen. Alle diese Beweise mußten verschwinden!

»Monsieur?« stotterte Nanette.

»Wo ist Màrie?«

»Sie ist, ohne ein Wort zu sagen, weggegangen. Sie ist verrückt geworden!«

»Wie meinen Sie das?«

»Sie ist gestern heulend nach Hause gekommen und hat

gesagt, sie würde Madeleine Perrot hassen. Später wollte sie nichts essen, und vor einer Stunde ist sie gegangen, ohne mich auch nur eines Blickes zu würdigen. Was ist denn wieder los?«

»Die Leute behaupten, Lucie Bonnet sei eine Hexe. Und genau dasselbe haben sie auch über Ihre Herrin gesagt. Sie müssen hier weg! Suchen Sie alle Kräuter und Salben zusammen und verbrennen Sie sie. Ich werde inzwischen Marie suchen.«

»Sie muß unten am Hafen sein, an den Kais.«

Guy Chahinian verließ das Haus und verfluchte Marie LaFlamme. Mußte sie sich an so einem Tag am Hafen herumtreiben? Der Wind fegte über die Loire, und der Schaum umspülte ungestüm den Rumpf der Schiffe. Die Leichter, die es gewagt hatten, den Hafen zu verlassen, schaukelten trotz schwerer Ladung stark. Chahinian lief mehr als eine Stunde am Hafen herum und wagte es nicht, die Schiffer, Steuermänner, Schiffsjungen oder Vorarbeiter, die er traf, nach Marie zu fragen. Alle diese Männer hatten Marie vielleicht gesehen, aber sie durften nicht wissen, daß er sie suchte. Wo sollte er sie suchen? Er kannte das junge Mädchen nur flüchtig und kannte sich auch in der Stadt schlecht aus. Verzweifelt vernahm er das Angelusläuten einer Kirche. Er kehrte um und hoffte, daß Marie inzwischen nach Hause zurückgekehrt sei.

Martin Le Morhier war noch nie im Lazarett gewesen. Er kannte das Siechenhaus, das eher wie ein Massengrab oder ein Gefängnis als wie ein Hospital aussah, und er hatte sich vorgestellt, daß die Notbaracken und die aufgestellten Zelte auf diesem einsamen Fleckchen Erde ein ähnliches Elend widerspiegelten. Diese Vermutung wäre auch richtig gewesen, wenn Anne LaFlamme sich nicht um das Lazarett gekümmert hätte. Sicher, die Betten bestanden nur aus Strohsäcken, die mit schon tausendmal geflickten Decken überzogen waren, aber Armut hatte hier nichts mit Unsauberkeit zu tun, und der Kapitän, der befürchtet hatte, noch ekelerregendere Gerüche als in einer Soldatenbude einzuatmen, nahm das Taschentuch sofort von seinem Mund weg, als er die Tür des Gebäudes aufstieß und sah, wie sauber hier alles war. Ein Kranker sagte ihm, daß er Anne LaFlamme, die gerade die Wäsche wusch, hinter den Baracken finden würde.

Als sie ihn erkannte, riß sie erstaunt die Augen auf. Beinahe wären ihr die Tücher aus der Hand gefallen.

»Was machen Sie denn hier? Ist jemand krank?«

»Marie ist in Gefahr und Sie ebenfalls.«

Anne LaFlamme hörte dem Kapitän, der ihr alles erklärte, sprachlos zu. Je länger sie zuhörte, desto mehr mußte sie einsehen, daß die Befürchtungen des Kapitäns nicht von der Hand zu weisen waren.

»Ich habe der halben Stadt das Leben gerettet! Und jetzt will man mich wegjagen?«

»Nein. Man will Sie töten. Sie begreifen wohl gar nichts. Guy Chahinian weiß genau, was hier los ist. Er hat schon Schlimmeres gesehen. Wir haben Ihre Flucht vorbereitet.

Meine Schwester wohnt in Paris, und der Goldschmied hat dort treue Freunde, die Sie vorübergehend unterbringen können. Solange, bis Sie …«

»Eine Stadt, die uns alle drei aufnimmt?«

Martin Le Morhier nickte zögernd. Über Nanette würde man später sprechen.

»Ihre Tochter kann Ihnen selbst sagen, was sie gestern auf dem Marktplatz gehört hat. Henriette Hornet hat behauptet, daß Marie Zauberkräfte benutze. Nur Geoffroy de Saint-Arnaud hat sie verteidigt, indem er behauptet hat, daß sie bald zu seiner Familie gehören würde …«

»Immer noch! Wo ich ihm doch ganz klar gesagt habe …«

»Weisen Sie ihn nicht in solch einem Moment zurück. Seine Unterstützung ist Ihnen sicher. Er hat sich geweigert, mit den Richtern zu tagen.«

»Und aus Dank dafür muß ich ihn heiraten, oder ich kann aus Nantes fliehen, wie Sie es mir raten?«

Martin Le Morhier faßte sie an den Handgelenken und rüttelte sie hin und her.

»Schweigen Sie! Wenn Sie Nantes nicht verlassen, um Ihr Leben zu retten, dann tun Sie es für Ihre Tochter. Die Hysterie ist so plötzlich in diese Stadt gefahren wie ein Orkan, der die Masten vom Schiff reißt. Gestern noch hat sich niemand für das Schicksal von Jean Grouvais und Lucie Bonnet interessiert. Heute bemitleidet man Jean und fängt schon an, Lucie zu foltern. Wachen Sie endlich auf!«

»Und meine Kranken?« sagte sie mit Blick auf die Baracken.

»Es sind nicht viele. Man wird sie wieder ins Siechenhaus bringen.«

»Wer ist *man*?«

Martin Le Morhier seufzte.

»Wenn Sie hier bei ihnen bleiben, dann können auch sie der Hexerei bezichtigt werden. Sie hätten sich umsonst um sie gekümmert, wenn sie dann durch Ihre Schuld auf dem Scheiterhaufen verbrannt würden. Die stärkeren werden sich um die schwächeren kümmern. Verteilen Sie Ihre Kräuter und Salben und beten Sie. Das ist alles, was Sie im Moment für sie tun können. Wir müssen in zwei Stunden bei Guy Chahinian sein. Beeilen Sie sich, in Gottes Namen!«

Anne LaFlamme sah den Kapitän ein paar Sekunden an, dann ging sie zu ihren Kranken und gab eifrig ihre Anweisungen. Sie traf alle Entscheidungen klar und deutlich und mit einer Sicherheit, um die sie sogar ein Offizier beneidet hätte. Als sie wieder beim Kapitän war, reichte sie ihm, während sie in den Sattel stieg, ein Heft, nahm es dann wieder an sich und streichelte den Hals des Pferdes.

Vor den Stufen des Gerichtspalastes versammelten sich zahlreiche Neugierige. Einem Abszeß gleich schwoll die Menge immer mehr an. Dichtgedrängt standen sie nebeneinander, denn alle Zeugen wollten ihre Aussage vor den Scharfrichtern machen, und es hätte eines Orkans bedurft, um sie zu vertreiben, so groß war ihre Freude darüber, daß man ihnen Gehör schenkte. Ein Bauer namens Maillet war Lucie Bonnet gerade gegenübergestellt worden.

»Und? Was haben Sie gesagt?«

»Die Wahrheit: daß sie zu meinem Nachbarn Jean Boubay gesagt hat, er würde wieder gesund, wenn er sie heiratet. Er kann es ja nun nicht mehr erzählen. Der Arme.«

Sie werden Marie nach dem Essen verhören«, bestätigte Juliette Guillec an Guy Chahinian gewandt, der Marie LaFlamme heimlich in der Menge suchte. Gestern war sie so unvorsichtig gewesen, den Anklägern Widerstand zu leisten. Wer weiß, ob sie es nicht noch einmal versuchen würde.

»Ich sehe Pater Thomas gar nicht«, begann der Goldschmied.

»Er ist auch da drinnen, um Lucie Bonnet zu einem Geständnis zu bringen. Man sagt, daß er schon Teufelsaustreibungen vorgenommen hat.«

»Alles Blödsinn!« schrie eine kräftige Stimme. Guy Chahinian drehte sich um, und aus dem Getuschel, das nun einsetzte, hörte er, daß es Abt Germain war. Sein Talar mit den zu kurzen Ärmeln ließ die muskulösen mit zahlreichen Narben übersäten Arme frei, während sein nur locker umgehängter Wollumhang die breiten Schultern erkennen ließ. Der Jesuit stand kerzengerade da, die Fäuste gegen die Hüften gestemmt, als ob er zum Kampf bereit sei. Der Goldschmied fand, daß er Ähnlichkeit mit Louis Patin habe. Er hatte dieselbe Art, aller Welt die Stirn zu bieten, dieser vor Wut rasenden Welt.

»Ihr seid alle verrückt«, wiederholte der Abt. »Lucie Bonnet ist eine mutige Frau.«

»Sie hat mich unfruchtbar gemacht«, sagte Juliette Guillec, deren Ehemann ihr so oft ihre Kinderlosigkeit vorwarf.

»Und ich habe meine Jüngste verloren« schrie Henriette Hornet, die immer noch auf ihren Mann böse war, weil er ihr Kind nicht hatte retten können.

Germain schüttelte den Kopf.

»Lucie Bonnet hat auch drei Kinder begraben müssen. Wer hat ihr die Kinder genommen? Nach eurer seltsamen Logik müßte also eine andere Hexe Lucie Bonnet Schaden zugefügt haben.«

»Da haben Sie ganz recht«, sagte Henriette Hornet.

»Jemand muß ja so mächtig sein, daß er seit Tagen den Wind durch unsere Stadt fegen läßt und unseren Grund und Boden vernichtet.«

»Und Sie, Sie schaden sich mit diesem Prozeß nur selbst. Sie zahlen die Magistratsbeamten und Richter, die niemals den Schneefall und die Krankheiten der Viehherden verbieten könnten, und wenn sie euch auch alle verbrennen würden. Die Pariser Regierung hat vor mehr als zwanzig Jahren darauf verzichtet, die der Hexerei bezichtigten Menschen zu verfolgen. Ihr würdet also nur dem König gehorchen und in seinem Sinn handeln, wenn ihr alle nach Hause gehen und keine Zeugenaussagen abgeben würdet.«

»Sie glauben also, daß Lucie Bonnet der Ziege von Jean Grouvais nicht das Herz herausgerissen hat?« fragte Henriette Hornet ungläubig.

»Was soll sie gemacht haben?«

»Wird nicht gesagt, daß manchmal Tieropfer gefordert werden? Oder auch Kinder?«

»Man muß beim Sabbat die Herzen mit Kräutern kochen«, fügte Françoise Lahaye hinzu.

»Dazu muß man die teuflischen Pflanzen kennen. Wer kann die denn pflücken«, fragte Henriette Hornet, indem sie sich rasch zu Marie LaFlamme umdrehte.

Diese erwiderte wütend:

»Es stimmt, daß meine Mutter mehr Kranken das Leben gerettet hat als Ihr Gatte. Denn sie macht Umschläge, anstatt die Siechen bei jeder Gelegenheit zur Ader zu lassen.«

»Sie gibt alles zu!« freute sich Henriette Hornet. »Sie gibt zu, daß sie mit ihrer Mutter die Heilkunde betreibt.«

Beunruhigt sah der Goldschmied, wie Marie mit dem Finger auf ihre Patienten zeigte.

224

»Du, Yves Dorsec, du hättest ohne meine Mutter deine Hand verloren, und du, Catherine Bourlé, du hättest alle deine Babys zu Grabe getragen, so schwach wie sie bei der Geburt waren. Was dich angeht, Jacquemine Lamoury, dich hätte doch der Schwarze Tod hinweggerafft. Nur Sie, Madame Hornet, Sie wollten meine Mutter nicht bitten, Sie zu entbinden, als Sie Ihr Kind zur Welt gebracht haben. Sie hätten es aber tun sollen!«

»Marie«, versuchte Guy Chahinian sie zu unterbrechen. »Marie!«

Die junge Frau war viel zu erregt, um die Absichten des Goldschmieds zu durchschauen, und beschimpfte nun auch ihn.

»Ach Sie. Sie müssen immer klagen und jammern. Meine Mutter hat Ihnen sehr geholfen, als sie Ihnen Eisenhut gab. Sie hätte Sie alle verrecken lassen sollen.«

»Sie ist besessen«, schrie Françoise Lahaye.

»Wie können Sie es wagen, sie ohne den geringsten Beweis zu beschuldigen?« widersetzte sich Geoffroy de Saint-Arnaud.

Guy Chahinian war wieder überrascht, daß der Reeder sich für Marie einsetzte. Und wenn er sich in diesem Mann ganz einfach irrte? Dem Reeder schien die Verteidigung von Marie wirklich am Herzen zu liegen.

»Antworten Sie, Madame Lahaye. Haben Sie Beweise?«

»Wir werden sie bald haben«, verkündete Henriette Hornet. »Zumindest wenn Marie uns nicht auf teuflische Weise entkommt, um ihre Mutter zu warnen. Hat sie keine Kräuter bei sich?«

Henriette Hornet hatte ihren Satz noch nicht zu Ende gesprochen, als sich die Leute Marie näherten, ihren Mantel auseinanderrissen und ihre Kleider durchwühlten.

»Hören Sie auf!« schrie der Abt.

»Sie haben kein Recht dazu«, protestierte Geoffroy de Saint-Arnaud und stemmte sich den Bauern und Bürgersleuten entgegen.

»Sie haben die Mutter, überlassen Sie uns die Tochter«, sagte Nestor Colin und zog am Ärmel von Maries Bluse, die mit einem Ruck zerriß. Ihr Arm, den man nun sehen konnte, war dermaßen weiß, daß sofort Ruhe eintrat, die einen Augenblick später durch die Schreie der Männer, die sich auf Marie stürzten, unterbrochen wurde. Sie versuchte zu fliehen. Aber die Männer rissen ihr trotz der Drohungen Geoffroy de Saint-Arnauds den Schal und dann ihre Mütze weg. Die Frauen mischten sich ein, zogen Marie an den Haaren und kniffen sie in ihre glatte Haut, die ihre Ehemänner so erregte. Guy Chahinian tat so, als ob auch er Marie mißhandeln wolle, um sich ihr zu nähern und sie so vor weiteren Schlägen zu schützen, aber bald wurden die Schreie des Opfers, die Vorhaltungen des Abts, die Drohungen des Reeders, die Beschimpfungen der Männer und das Gekreische der Frauen so laut, daß ein Offizier aus dem Gericht stürzte und mit der Muskete in die Luft schoß, um die Ruhe wiederherzustellen.

Die Leute wichen vor Marie LaFlamme zurück. Ihr wurde eiskalt, und sie zitterte so stark, daß Françoise Lahaye von neuem ausrief, daß Marie LaFlamme vom Teufel besessen sei.

»Was haben Sie gesagt, Madame?« fragte der Offizier.

Zu seinem großen Mißfallen war es nicht allein Madame Lahaye, die ihm eine Antwort gab. Vielmehr drängte es alle Zeugen des Vorfalls, den Offizier ihre Eindrücke mitzuteilen. Sie drängelten sich um ihm und bölkten ihre Erklärungen mit so viel Haß hinaus, daß die Tür des Gerichtspalastes erneut aufging: Der Bailliff Marcel Antonin trat heraus und ging auf Marie LaFlamme zu. Ihre

Wangen waren vom Kampf gerötet, und ihre blauen Augen waren vor Angst weit aufgerissen. Zum erstenmal in seinem Leben wagte es der Bailliff, sie anzusprechen.

»Du, komm hierher.«

Marie ging langsam auf ihn zu. Bei jedem Schritt hob sich ihre Brust. Ihre Hüften schaukelten, und ihre Haare wippten auf und nieder. Trotz ihrer wahnsinnigen Angst hielt sie sich aufrecht.

Als sie kaum noch eine Armlänge vom Bailliff entfernt war, fragte sie dieser nach dem Grund der Aufregung, die sie verursacht hatte. Sie wollte den Mund zu einer Antwort öffnen, aber Juliette Guillec kam ihr zuvor.

»Sie hat zugegeben, teuflische Kräuter zu benutzen!«

Zustimmendes Gemurmel erhob sich ringsum. Der Bailliff sah auf das junge Mädchen, dann zum Offizier. Dieser wartete nicht mehr auf genauere Anweisungen seines Vorgesetzten. Er packte Marie LaFlamme an den Handgelenken, drehte ihr die Arme auf den Rücken, schleppte sie in den Gerichtspalast und ließ sich weder von den Fußtritten, die sie ihm versetzte, beeindrucken, noch von ihren durchdringenden Schreien. Der Bailliff folgte ihm.

Guy Chahinian hatte genug gesehen. Als Juliette Guillec ihn in der Menschenmenge suchte, eilte er schon zu Martin Le Morhier und Anne LaFlamme.

Er brauchte gar nichts zu sagen.

Als Anne LaFlamme sah, daß Guy Chahinian allein kam, wurde sie leichenblaß. Martin Le Morhier stützte sie, während er den Goldschmied fragend ansah.

»Sie haben sie festgenommen. Geoffroy de Saint-Arnaud hat nichts ausrichten können, und ich selbst dachte, es wäre besser, daß die Zeugen mich auf ihrer Seite glaubten.«

Während er sich verteidigte, fragte sich Guy Chahinian, ob es so klug von ihm gewesen sei, sich unter die Menge zu mischen, oder ob er nur zu feige gewesen war. Denn er wollte nicht auch mißhandelt, eingekerkert und gefoltert werden.

Anne LaFlamme ergriff seinen Arm.

»Wir müssen sofort nach Nantes zurückkehren. Sie können mir alles unterwegs erzählen.«

»Aber, Madame«, begann Martin Le Morhier.

Anne LaFlamme sah ihn überhaupt nicht an und schlug mit entschlossener Hand auf die Kruppe ihres Pferdes. Sie würde ihre Tochter befreien. »Ich werde das Pferd hierlassen«, sagte sie, »und ich bitte Sie, bis zum Sonnenuntergang zu warten. Dann können Sie wieder in die Stadt reiten. Man darf uns nicht zusammen sehen, Monsieur Chahinian. Ich möchte, daß Sie dieses Heft an sich nehmen. Gehen Sie bitte sorgfältig damit um. Zwanzig Jahre Suche und Arbeit stecken darin. Ich werde es noch brauchen und meine Tochter auch.«

Als Anne LaFlamme durch die Tür ging, hatte die Sonne die Wolken verjagt und erwärmte plötzlich die Luft, aber die Einwohner der Stadt bemerkten diesen so sehr ersehnten Wechsel nicht. Sie zogen es vor, über die teuflische Macht der Hebamme zu spekulieren.

»Mama«, schrie Marie und stürzte sich in die Arme der Hebamme. »Mama!«

Ihre unnatürlich hohe Stimme übertönte das Krachen der Tür, die hinter Anne LaFlamme zufiel. Lucie Bonnet stand erschrocken auf, sackte dann wieder zusammen, als ob sie einem Starrkrampf zum Opfer gefallen sei. Die Hebamme, die plötzlich in dieses Halbdunkel gekommen war, drückte ihre Tochter fest an sich, küßte ihre Tränen weg und vergaß dabei die eigenen. Sie mußte an einen lang zurückliegenden Herbst denken: Marie und Simon hatten mit Michelle Fangen gespielt und waren auf denselben Stein gesprungen, und sie war gefallen, während Simon munter weiter spielte. Marie hatte ihre Tränen bis zum dem Moment zurückgehalten, da sich Michelle, die ihre Augenbinde verloren hatte, über das Blut auf dem Bein ihrer Freundin erschreckt hatte. Sie hatte Marie nach Hause gebracht, die starrsinnig behauptete, die Wunde schmerze überhaupt nicht. Später hatte sie dann doch noch geweint, doch nur, weil sie enttäuscht war, daß Simon sie nicht nach Hause begleitet hatte. Immer Simon, hatte Anne LaFlamme damals gedacht. Wenn ihre Tochter Tränen vergoß, war er immer im Spiel. Und an diesem Abend, im Halbdunkel des Kerkers, als Anne ihre Tochter trösten wollte, da murmelte diese: »Simon, Simon wird uns hier herausholen, Mama. Er ist Soldat des Königs. Er erfährt bestimmt schnell, daß man uns eingesperrt hat.«

Anne LaFlamme seufzte bei dem Gedanken, die Träume ihrer Tochter zerstören zu müssen. Nein, Simon würde nichts erfahren. Er würde nicht kommen, und er würde niemals die Tochter einer Hexe heiraten.

»Du bist keine Hexe«, widersprach ihr Marie. »Sie werden schon sehen!«

Anne schüttelte den Kopf.

»Nein. Ich bin es, die den Henker sehen wird.«

Marie drückte die Hände ihrer Mutter fast kaputt.

»Dazu haben sie nicht das Recht!«

»Sie haben alles Recht der Welt«, flüsterte die Matrone.

Anne LaFlamme zeigte auf Lucie Bonnet und fügte hinzu: »Sie haben einen Tag gebraucht, um sie festzunehmen, einen Nachmittag, um dich zu ergreifen, eine Stunde, um mich in den Kerker zu werfen. Die ganze Prozedur wird länger dauern, ich weiß es. Guy Chahinian hat schon darüber gesprochen.«

»Dieser Angsthase«, stieß Marie LaFlamme aus. »Er war der erste, der abgehauen ist, als der Offizier seine dreckigen Pfoten nach mir ausgestreckt hat.«

Die Wut lenkte sie von ihrem Schmerz ab und verlieh ihr neue Kraft. Und dann versicherte Marie noch einmal ihrer Mutter: Simon Perrot würde von ihrer Verhaftung erfahren. »Er liebt mich. Er wird uns retten.«

Mit Vernunft war ihr nicht beizukommen, dachte Anne LaFlamme.

»Und von wem, glaubst du, soll er es erfahren?«

»Von Geoffroy de Saint-Arnaud. Er war der einzige, der mich verteidigt hat. War er es nicht auch, der dich im Lazarett gewarnt hat?«

Anne nickte schwach. Sie wollte Marie in ihrem Glauben lassen. Sie durfte auch nicht wissen, welche Rolle Guy Chahinian wirklich spielte. Sonst könnte sie ihn womöglich im Verlauf eines Verhörs verraten.

Verhör? Niemals! Ihre Tochter würden sie nicht anfassen. Als sie auf ihre unordentlichen Haare, die zerrissene Bluse und den schmutzigen Rock sah, sagte sie sich, daß sie, die Mutter, die schlimmsten Folterungen verdient hätte, weil sie die Warnungen des Goldschmieds nicht früher beherzigt hatte. Jetzt ließ sie sich vor ihrer Tochter auf die Knie fallen und bat sie um Vergebung.

Marie streichelte ihrer schluchzenden Mutter liebevoll über die Schultern. Es war ihr nie aufgefallen, wie mager sie war, wie zerbrechlich, wie zart und wie alt. Sie hatte immer eine emsige Frau bewundert, die Pflanzen pflückte oder sie bei der Krankenpflege einsetzte, die Arme und Beine richtete oder absägte, Wunden öffnete oder nähte, ein Schienbein behandelte oder opferte. Marie küßte ihre Mutter auf die Stirn, und Anne stand langsam wieder auf, als ob sie aus einem bösen Traum erwacht sei. Doch ein Blick auf die Steinmauern belehrte sie sofort eines Besseren, ohne daß die Hoffnungslosigkeit sie von neuem erschütterte. Sie wollte ihre Tochter wieder beruhigen, als Lucie Bonnet anfing zu jammern.

»Sie ruft nach ihren Kindern«, sagte Marie. »Sie wird alles zugeben, was die Scharfrichter hören wollen, um sie wiederzusehen. Aber ich werde im Verhör standhalten.«

»Nein«, murmelte Anne LaFlamme. »Du nicht. Du wirst die ganze Schuld auf mich schieben.

»Was? Ich soll …«

»Hör mir zu. Es ist unsinnig, daß wir alle beide hierbleiben. Es würde mir bessergehen, wenn ich dich in Sicherheit wüßte. Wenn du mich beschuldigst, werden sie dich vielleicht laufenlassen.«

Marie schrie: »Dann wäre ich frei! Und ich würde Simon sagen, daß du im Kerker sitzt. Du glaubst mir nicht? Ich werde ihn in Paris suchen!«

»Mein armes Kind …«

»Michelle wird mich aufnehmen. Sie wird mich zu

Simon bringen, und er kommt dann nach Nantes, um dich zu befreien.«

»Wer sagt dir denn, daß Simon noch immer in Paris ist? Die Soldaten sind mal hier, mal dort.«

»Er ist in Paris. Ich weiß es, und ich fühle es. Und Michelle und er sprechen sicher oft über mich.«

Marie und Anne LaFlamme hatten beide mit ihren Vermutungen recht: Simon traf sich in Paris mit seiner jüngeren Schwester vor der St.-Pauls-Kirche. Simon beschwerte sich zwar, daß Michelle ihn nicht in das Haus ihrer Herrin einlud, aber das junge Mädchen blieb unnachgiebig. Diese Entschlossenheit machte Simon wahnsinnig, denn er war es gewohnt, daß seine Schwester ihm gehorchte. Er warf ihr vor, daß ihr die Änderungen in ihrem Leben wohl zu Kopf gestiegen seien und daß sie jetzt ihre Familie mißachte. Sie weinte und erwiderte, nur die Baronin allein könne entscheiden, wen sie in ihr Haus einlade und wen nicht. Schließlich teilte Simon dem Mädchen seine bevorstehende Versetzung mit.

Seitdem sie Nantes verlassen hatte, war die Musikerin ihrer Gastgeberin in allem gefolgt, ohne im geringsten darüber nachzudenken. Die Baronin hatte sich schon gefragt, wie intelligent Michelle sei, ohne daß diese Frage von großer Wichtigkeit war. Was allein zählte, war, daß sie Gäste anlockte und diese so sehr in ihren Bann zog, daß sie in die Salons eingeladen wurde. Außerdem war wichtig, daß sie glänzte, wenn sie spielte. Die übrige Zeit aber sollte sie im Hintergrund bleiben. Wenn sie auch ungeduldig war, endlich mit ihrer Entdeckung prahlen zu können, so konnte die Baronin von Jocary doch ihre Eile zügeln, damit sie Michelle unter den besten Bedingungen vorzeigen konnte.

Was die Baronin aber besonders interessierte, war, wo in Paris welche Spiele gespielt wurden. Armande de Jocary hatte sich nicht ohne Grund im Marais-Viertel niedergelassen. Sie wußte, daß sie hier Liebhaber des Pokers, des Lombers oder Landknechts finden würde. Sie wetterte, weil das Gesetz sie zwang, heimlich zu spielen, und sie hoffte, daß Ludwig XIV, der bei Hofe sehr wohl zum Spiel ermunterte, die strengen Auflagen lockern würde. Bis es soweit war, sollte Michelle ihr als Tarnung dienen.

Am Tag nach ihrer Ankunft hatte die Baronin einen bekannten Kapellmeister holen lassen, der widerwillig zugestimmt hatte, sich das junge Mädchen anzuhören. Er konnte seine Bewunderung nicht verhehlen, und als das junge Mädchen seine Flöte niedergelegt hatte, hatte der Meister die Baronin zur Seite genommen, um sie zu überreden, ihm Michelle anzuvertrauen. Ihr Platz, so sagte er, sei in einer Kirche, um Gott zu ehren. Die Baronin, die nun bezüglich der Talente ihres Schützlings beruhigt war, hatte versprochen, darüber nachzudenken.

Sie lachte noch über ihre Lüge, als sie für sich und Michelle Perrot Kleider bestellte. Anschließend begab sie sich zum Perückenmacher. Und kurz darauf stellte sie eine Köchin und Diener ein. Sie wettete, daß sie noch vor Weihnachten alle Leute von Rang in ihrem Haus empfangen würde.

Bis es soweit war, schärfte sie Michelle immer wieder ein, sie solle spielen, spielen und nochmals spielen.

Die Musikerin brauchte zum Üben nicht ermuntert zu werden. Da sie es jedoch gewöhnt war, in der Abtei ihre Stunden zu nehmen und im Kloster zu beten, hatte sie, als sie von Mutter Marie de l'Epiphanie Abschied genommen hatte, den Wunsch geäußert, sich in die Kirche zurückziehen zu dürfen, um Gott zu bitten, sie zu inspirieren. Die

Baronin hatte diesen Wunsch nicht ablehnen können. In den ersten Tagen hatte sie Michelle zur St.-Pauls-Kapelle begleitet, überließ dann aber diese Rolle ihrer Dienerin Josette. Die Baronin zog der bescheidenen Kirche des Marais-Viertels die Predigten in Saint-Germain vor, wo sich die Leute drängelten, um den berühmten Bourdaloue zu hören. Auch die Zwölf-Uhr-Messe in der Karmeliter-kirche, wo sich die reichen Bürger trafen, besuchte sie gern.

Zwei Wochen nach ihrer Ankunft in Paris hatte Michelle der Baronin immer noch nichts von ihrem Bruder erzählt. Sie ahnte, daß ein Soldat in den Salons ihrer Gastgeberin nicht gerade willkommen sein würde. Die Baronin von Jocary empfing Leute aus ihren Kreisen oder Künstler. Simon Perrot war weder das eine noch das andere. Im übrigen wußte die Baronin ja, daß Simon in Paris weilte. Wenn sie mit ihrem Schützling bisher noch nicht über ihn gesprochen hatte, so könnte das heißen, daß sie nichts von ihm wissen wollte. Aber da sie ihr nicht verboten hatte, ihn zu sehen, hatte Michelle entschieden, ihren älteren Bruder heimlich zu treffen. Sie mußte die Dienerin Josette ins Vertrauen ziehen, damit diese die Briefe austauschte, die ihre Treffen festlegten. Josette, die kaum älter war als Michelle, war entzückt über diese Gelegenheit, ihre Herrin zu hintergehen. Sie hatte der Musikerin geschworen, daß sie nicht verraten würde. Als sie dann Simon zum ersten-mal sah, fand sie diesen jungen Burschen ungewöhnlich hübsch. Für ein paar Augenblicke kam ihr der Verdacht, Michelle könnte sie angelogen haben und Simon sei nicht ihr Bruder, sondern ihr Verehrer. Doch die Gespräche der beiden hatten sie beruhigt. Sie sprachen über ihre Familie, über ihr Land und ihre Freunde. Er erzählte von den Schlachten, in denen er gekämpft hatte, zählte seine dem

234

König erwiesenen Dienste auf und bauschte die Gefahren auf, die die von ihm bewachten Gefangenen darstellten. Nachdem er sie schon mehrmals gesehen hatte, begann Simon mit Josette zu schäkern.

Wenn er die beiden jungen Mädchen aus der Rue Pavée kommen sah, winkte er ihnen zu. Das entzückte Lächeln der Dienerin brachte Simon dazu, ihr den Hof zu machen. Er war sicher, daß er das junge Mädchen verführen konnte. Wenn er erst einmal mit ihr zusammen wäre, dann könnte er sie auch bei der Baronin besuchen. Dann würde er endlich wissen, wo seine Schwester wohnte.

Entgegen seiner Gewohnheit machte er Michelle keine Vorwürfe, lachte sie sogar an und kündigte ihr fröhlich an, daß er sicher bald ausgezeichnet werden würde.

»So schnell?« wunderte sie sich. »So schnell?«

Josette klatschte in die Hände und schaute Simon voller Bewunderung an. Doch dann fragte sie beunruhigt: »Bleiben Sie denn in Paris?«

»Das weiß ich nicht.«

»Was sagst du denn da?« sagte Michelle. »Mensch, Simon! Ich bin doch eben erst in Paris angekommen.«

»Ich gehe dorthin, wohin mich der König schickt«, sagte er. In seiner Stimme schwang Schadenfreude mit.

»Und Marie? Was ist mit Marie?« rief Michelle aufgebracht.

»Marie?«

Josette preßte ihre Lippen zusammen. Es war nicht das erste Mal, daß sie diesen Namen hörte. Wer war denn dieses Mädchen?

»Ja! Marie!« beharrte Michelle. »Sie wird mich hier besuchen! Bitte verlaß Paris nicht, bevor du sie getroffen hast. Dann kehren wir zusammen nach Nantes zurück.«

Simon lachte laut los.

»Ich soll mich hier mit Marie treffen? Und dann nach Nantes zurückkehren? Um Dorsche zu angeln oder Tischler zu werden? Du hast wohl den Verstand verloren, meine liebe Schwester.«

»Aber was ist mit Marie?« stotterte Michelle. »Ich dachte, daß ... sie liebt dich ...«

»Dann viel Spaß« sagte der Soldat. »Was ist, kaufst du mir jetzt die Stiefel, von denen ich dir erzählt habe?«

»Wo soll ich denn das Geld hernehmen?«

»Myriam Le Morhier hat dir doch Geld gegeben. Das hast du doch gesagt.«

»Aber das ist nur für den Notfall.«

Simon fluchte und wandte sich an Josette.

»Finden Sie es richtig, daß sie sich weigert, ihrem Bruder zu helfen?«

Josette ging näher zu Simon, um ihm ihre Zustimmung zu zeigen. Michelle zuckte mit den Schultern und sagte, daß sie darüber nachdenken würde, dann bat sie die beiden in die Kirche.

Simon wartete, bis sich seine Schwester zum Gebet niedergekniet hatte, dann gab er Josette ein Zeichen, ihm nach draußen zu folgen.

Michelle merkte nichts davon. Sie war zu aufgewühlt über das, was sie eben gehört hatte. Ihrem Bruder war Maries Liebe völlig gleichgültig. Aber sollte sie ihrer besten Freundin das auch schreiben?

»Ich schwöre dir, Mama«, schrie Marie. »Simon wird dich hier herausholen. Aber ... aber wenn man dich verhört, während ich in Paris bin? Und wenn ...«

»Mach dir keine Sorgen, ich werde ihnen schon antworten. Falsch natürlich ...«

236

»Und warum kann ich nicht einfach Clotaire Dubois und Françoise Lahaye beschuldigen? Und Henriette Hornet?«

»Marie! Du weißt ja nicht, was du sagst.«

»Ja doch! Warum sind wir die einzigen, die verfolgt werden?«

Lucie Bonnet stieß einen langen Schrei aus, der Anne LaFlamme daran hinderte, mit Marie zu schimpfen. Sie rüttelte die Spinnerin sanft, um sie aus ihrem Alptraum zu wecken.

»Wo sind meine Kinder? Meine Kinder!«

»Abt Germain hat versprochen, daß er sich um sie kümmert. Schlafen Sie weiter, morgen wird ein langer Tag.«

25.
KAPITEL

Nein, nicht für Lucie Bonnet: Der Henker war schon da.

Der 3. Dezember war so deutlich in Guy Chahinians Gedächtnis eingeprägt wie die Gravuren auf seinen Goldschmiedearbeiten.

Obwohl er in den letzten Tagen kaum geschlafen hatte, hatte der Goldschmied in dieser Nacht wieder kein Auge zugemacht. Er hatte gesehen, wie die aufgehende Sonne das Kopfsteinpflaster der Straßen vergoldete, die Steine der Türmchen in rosafarbenes Licht tauchte und den Rauhreif auf seiner Fensterscheibe leuchtendrot färbte. Für gewöhnlich liebte er die Morgendämmerung, aber an diesem Tag erfaßte ihn eine unbeschreibliche Angst, als die

Glocken zur Morgenandacht läuteten. Als seine Cousine getötet worden war, war der Schrecken so unerwartet in ihn gefahren, daß er ihn erst in den Wochen nach ihrer Hinrichtung in seiner ganzen Tiefe spürte. In Nantes aber wurde Chahinian sofort von dem ganzen Grauen des blutigen Wahns erfaßt. Da sich alle seine Befürchtungen in den letzten Stunden bestätigt hatten, ahnte er, daß dieser Wintermorgen noch größeres Unheil bringen würde.

Die ungeduldigen Einwohner von Nantes drängelten sich an den Kais, um der sogenannten Wasserprobe beizuwohnen – einem besonders gemeinen Ritual der Hexenverfolgung. Von den Reichsten bis zu den Ärmsten warteten alle Bürger voller Ungeduld auf die Ankunft Lucie Bonnets. Die spürbare Aufregung der Schaulustigen ließ ahnen, wie sich die Gemüter im Verlauf des Prozesses gegen Anne und Marie LaFlamme erhitzen würden. Worüber übrigens viel gesprochen wurde. Juliette Guillec sagte jedem, der es hören wollte, daß man mehrere Briefe mit wertvollen Hinweisen im Opferstock der Kathedrale gefunden habe. Pater Thomas könne es bestätigen. Henriette Hornet lobte sich im stillen, daß sie mit gutem Beispiel vorangegangen war.

Schreie waren zu hören, als die Kutsche mit den Richtern auftauchte, gefolgt von dem Holzkarren, in dem die Verurteilte saß.

»Jetzt wird man ja sehen, ob sie eine Hexe ist!« sagte Juliette Guillec zu Guy Chahinian. »Sehen Sie sie doch an. Benimmt sie sich nicht eigenartig?«

Der Goldschmied mußte mehrmals schlucken, als er sah, daß der Gerichtsdiener die Unglückliche auf den Boden warf und dann auf sie einschlug, damit sie sofort wieder aufstand. Mit Hilfe dreier Freiwilliger wurde sie zum Kai geschleppt. Beschimpfungen prasselten von allen

Seiten auf sie nieder, und man spuckte auf die zerrissenen Kleider der Gefangenen, deren Gesicht durch den Schrecken zu einer Fratze entstellt wurde. Unter ihren Augen hatten die Jahre des Elends tiefe Ränder hinterlassen, die nun in der Angst stärker hervortraten. Ihre blutleeren Lippen standen weit auseinander. Mit den eingefallenen Augen und ihrem offenen Mund, dem aber kein Schrei entdrang, war sie schon ein Bild des Todes.

Lucie Bonnet konnte in der Menge niemanden erkennen. Nur die Gesichter ihrer Zwillinge. Abt Germain, so hatte Anne LaFlamme ihr versichert, Abt Germain würde sich um Justine und Guillaume kümmern.

Guillaume und Justine.

Lucie Bonnet schrie diese beiden Namen, als man sie in den Fluß warf. Ihre Hände und Füße waren zusammengebunden, aber sie schlug in dem eisigen Wasser verzweifelt um sich. Die Gaffer beugten sich gefährlich weit vor, um das Wunder mitzuerleben. Aber in weniger als drei Minuten war Lucie Bonnet untergegangen, erschöpft durch das Gewicht ihrer zerlumpten Kleider. Als sie in einem schwachen Strudel unter der Wasseroberfläche verschwand, seufzten die Zuschauer enttäuscht auf. Ein leichtes Plätschern gab ihnen noch einen Funken Hoffnung. Vielleicht würde Lucie Bonnet doch wieder an die Oberfläche aufsteigen. Die durch Pater Thomas vor der Vollstreckung geheiligte Loire würde dieses Geschöpf des Teufels wieder hergeben. Die Hexe würde überleben und so den Beweis ihrer satanischen Macht liefern.

Doch nichts dergleichen geschah.

Lucie Bonnet war ertrunken. Einen eindrucksvolleren Beweis ihrer Unschuld konnte es nicht geben.

Guy Chahinian hatte ihren Todeskampf nicht mitverfolgt. Sprachlos war er zwischen Grauen und Erleichterung hin- und hergerissen. Man hatte eine arme Frau umgebracht, und wieder hatte er hilflos dabeigestanden wie damals am Fuße des Scheiterhaufens, auf dem Péronne verbrannte. Er war kein Trost, daß Lucie Bonnet ein weniger schlimmes Ende als seine Cousine erlebt hatte und daß sie den schlimmsten Folterungen entkommen war, indem sie auf den Grund des Flusses gesunken war. Denn sie hatte vor der Wasserprobe Qualen genug erdulden müssen.

Warum hatte man das Verfahren geändert? Chahinian fragte seine Nachbarin danach.

»Sagen Sie mal, Madame Guillec, Sie kennen sich doch mit dem Gesetz besser aus als ich … Ich habe schon einmal eine Hinrichtung in Paris gesehen, aber da hatte man den Verurteilten zwei Tage lang verhört, bevor man ihn mit Gewichten beschwert in die Seine geworfen hat.«

»Ist er auf der Wasseroberfläche geblieben?«

Ein Gefühl des Ekels ließ den Goldschmied erzittern. Diese Frau fragte ihn mit fast genießerischer Miene über das Schicksal eines seit Jahren toten Mannes aus, als ob die Tatsache, daß er vielleicht an der Wasseroberfläche geblieben war, sie für diese morgendliche Enttäuschung entschädigen könnte. Immer auf der Hut, sie zufriedenzustellen, bestätigte Guy Chahinian ihr, daß der Hexenmeister nicht auf den Grund gesunken sei.

»Das habe ich mir schon gedacht«, gab sie in ihrer dummen Art zurück. Dann erklärte sie ihm, daß Lucie Bonnet im Morgengrauen zugegeben habe, daß sie von Anne La-Flamme behandelt worden sei. Der Henker hatte seine Werkzeuge gerade erst zurechtgelegt, der bloße Anblick hatte ausgereicht, sie zu einem Geständnis zu veranlassen.

»Und was hat sie gestanden?« murmelte der Goldschmied.

»Daß sie die Matrone gerufen hat, um von ihr entbunden zu werden. Sie hat gleich zwei Kinder bekommen. Das ist sicher ein Beweis der Zauberei. Sie hat Fieber bekommen und LaFlamme holen lassen. Dabei wußte sie doch, daß Anne LaFlamme eine Hexe war, aber sie hat sie bei sich geduldet.«

Wie viele Einwohner von Nantes hatten es genauso gemacht wie sie? hätte Guy Chahinian fast gesagt. Statt dessen sagte er: »Aber man hat doch nichts bei Lucie Bonnet gefunden.«

»Sie haben nicht richtig gesucht. Aber man wird bei Anne LaFlamme die größten Überraschungen erleben. Sie gehen morgen hin. Pater Thomas wird sie begleiten.«

Stolz auf ihr Wissen, erzählte die Frau des Magistratsbeamten, daß die Hebamme schon deshalb überaus verdächtig sei, weil sie sich ohne zu zittern den Richtern ausgeliefert hätte. Diese Selbstsicherheit liefere schon den Beweis für ihre unheimliche Macht. Die Richter hatten daher Pater Thomas gebeten, aus dem Haus Anne LaFlammes nach der Durchsuchung den Teufel auszutreiben.

Die Frau verstummte jetzt, als sie Geoffroy de Saint-Arnaud sah, der einen äußerst ängstlichen Eindruck machte. Was er heute, seit er auf den Beinen war, gesehen und gehört hatte, erschütterte ihn. Wenn er auch die Verhaftung Lucie Bonnets herausgefordert hatte, so hatte er doch nicht voraussehen können, daß sie so schnell hingerichtet werden würde und daß sich die Gemüter derart erhitzten. Noch weniger hatte er damit gerechnet, daß die Richter den normalen Prozeßablauf mißachteten und Anne LaFlamme und ihre Tochter dermaßen schnell einkerkern würden. Er hatte gedacht, daß sie einige Tage vor Angst zittern würden, wenn sie spürten, daß der Verdacht der Nachbarn auf ihnen lastete, sie den Prozeß der Spinnerin mit wachsender Angst verfolgten und ahnten, daß sie bald das gleiche Schicksal ereilen würde. Das wäre der Moment gewesen, da er der Hebamme einen Handel vorgeschlagen hätte, den sie nicht hätte abschlagen können.

Der Reeder verfluchte sich im stillen wegen seiner mangelnden Voraussicht. Wenn die beiden Frauen verbrannt worden waren, würde man ihr Haus und ihren Grund und Boden verkaufen, um von dem Erlös die Richter zu bezahlen. Und der Schatz wäre verloren: Anne LaFlamme würde das Geheimnis sicher preisgeben, wenn man sie in die Enge trieb.

Während er hier draußen stand, listeten die Richter im Gerichtshof wohl gerade die Merkmale auf, die eine Hexe von einer ehrbaren Frau unterschieden. Vielleicht ist es ein weiterer Fehler von mir gewesen, sagte sich der Reeder jetzt, Marie öffentlich in Schutz zu nehmen und dem Tribunal fernzubleiben, dem er normalerweise angehörte. Von nun an würde man in seiner Gegenwart schweigen, wo er doch unbedingt auf dem laufenden bleiben und die neuesten Gerüchte erfahren mußte. Chahinian, ja, Guy Chahinian könnte ihm vielleicht doch noch nützlich werden. Der Goldschmied würde sich seinen neugierigen Fragen nicht verschließen, denn kein anderer Bürger hier konnte ihm so gewinnbringende Aufträge erteilen.

Er holte ihn ein, als dieser gerade seine Werkstatt erreicht hatte. Chahinian bedachte ihn mit einem freundlichen Lächeln.

»Monsieur de Saint-Arnaud! Welch eine Ehre, Sie bei mir zu empfangen.«

»Das haben Sie gut gesagt, Monsieur, denn die Ehre bringt mich zu Ihnen. Ich will mit Ihnen über Anne LaFlamme sprechen.«

»Aber ... aber warum denn?« fragte der Goldschmied,

242

der befürchtete, der Reeder könne von seinem Ausflug zum Lazarett erfahren haben.

»Weil Sie die Heilerin so oft gesehen haben.«

»Oft? Ich kenne sie nicht so gut wie Sie.«

Dieser Mann ist tatsächlich ein ziemlicher Feigling, sagte sich der Reeder.

»Aber vielleicht hat sie sich Ihnen anvertraut?«

»Mir?« fragte Chahinian ungläubig.

»Verstehen Sie mich richtig! Ich werde es nicht hinnehmen, daß man Anne LaFlamme wie Lucie Bonnet verurteilt. Aber damit ich etwas unternehmen kann, muß ich wissen, was sie wirklich getan hat, falls gewisse Anschuldigungen Hand und Fuß haben ...«

»Aber ich weiß nichts darüber, Monsieur.«

»Sie haben doch die Gespräche im Gerichtspalast und auf dem Marktplatz verfolgt.«

»Ich weiß nicht mehr als Sie. Aber man hat mir gesagt, daß die Zeugen heute nachmittag vernommen werden. Und zur gleichen Zeit soll dann das Haus der LaFlammes durchsucht werden. Gehen wir also am besten dahin! Wenn die Gerichtsdiener tatsächlich etwas Belastendes gefunden haben, werden sie es uns unschwer verheimlichen können.«

»Hoffen wir es. Vielleicht könnten Sie, Monsieur Chahinian, sich auch im Gerichtspalast umhören.«

»Wenn Sie es wünschen, Monsieur de Saint-Arnaud.«

»Ja. Danach kommen Sie zu mir. Ich will wissen, was die Zeugen sagen.«

»Es dauert noch, bis die verhört werden. Die Richter erörtern jetzt erst die Erkennungszeichen der Hexen ...«

Nanette hatte sämtliche Heilkräuter und Salben der Heilerin verbrannt, aber sie konnte nicht ahnen, daß der Besen, den sie jeden Morgen benutzte, und die Fäden, die an einem großen Nagel über dem Kaminsims hingen, als Hexenwerkzeug beschlagnahmt wurden, das es ihrer Herrin erlaubt habe, zum Sabbat zu fliegen oder Surringe zu verknoten. Guy Chahinian sah die Gerichtsdiener mit zufriedener Miene aus dem Haus der Hebamme kommen. Freudiges Gemurmel in der Menge und die Verleumdungen der Schaulustigen, die sich jetzt auf den Weg machten, ließen ihn seine Hoffnungen begraben. Die Zeugen kamen aus allen Ecken der Stadt, und diese wachsende Menge glich jenem sagenhaften Ungeheuer mit tausend Tentakeln, das sich in der Nähe unbekannter Inseln herumtrieb. Es hieß, daß diese Krake Frauen erwürge und jahrelang Kinder verschlungen habe, ohne jemals satt zu werden. Die aufgeregte Menschenmenge gierte nicht weniger nach ihren Opfern. Die Leute schlugen sich fast, um ihre Aussage machen zu können. Sie forderten ein Opfer.

Die Richter würden sie nicht enttäuschen.

Zwischen zwei Zeugenaussagen diskutierten sie noch einmal das Gesetz, verglichen ihre Beobachtungen und schrieben Fragen nieder, die sie der Angeklagten später stellen würden.

So wie es ihr die Mutter geraten hatte, erklärte Marie, daß sie sich von ihr lossage. In aller Demut bat sie um eine Trennung von ihrer Mutter, die sie andernfalls auch noch verhexen werde. Anne hatte ihre ganze Überredungskunst aufgewandt, um ihre Tochter von der Notwendigkeit dieser Beschuldigungen zu überzeugen, aber erst nachdem man Lucie Bonnet weggeführt hatte, war es ihr endlich gelungen. Die Richter hatten sich dennoch geweigert, Marie in eine andere Zelle zu bringen: Wenn sie es ernst meinte mit ihrer Lossagung, dann konnte sie ihre Mutter doch auch noch für die Anklage belauschen. Sie mußte also in der Zelle ihrer Mutter bleiben.

Während sich die Richter über die genauen Aussagen Marie LaFlammes freuten, schlugen sie in den Schriften der berühmtesten Inquisitoren nach, um den Prozeß auch gut zu führen.

»Die Matrone hat nicht geweint. Keine Tränen bei der Einkerkerung sind ein Merkmal.«

»Mehrere Kranke haben gesagt, daß Anne LaFlamme ihnen Äpfel gegeben habe. Danach hätten sie Magenschmerzen bekommen, als ob sich tausend Teufel in ihren Eingeweiden stritten. Die Früchte waren verhext.«

»Äpfel?« rutschte es dem Bailliff Antonin verwundert heraus.

»Man muß sich vor allen Sachen hüten, die diese Frau berührt hat! Vor allen Sachen!« wiederholte der Richter Rolin. Er hatte gelesen, daß der berühmte Nicolas Rémy schon von frühester Kindheit an gewußt habe, daß er sich vor den Teufeln hüten müsse, die seine Murmeln fehlleiteten. Er selbst erinnerte sich, daß die Teufel die kandierten Früchte, die er seiner Mutter zu Weihnachten geschenkt hatte, verdorben hatte.

Wie der Richter so fürchteten auch seine Kollegen, durch die teuflischen Antworten Anne LaFlammes betrogen zu werden. Auch sie stützten sich auf die Vorschriften der Inquisitoren.

»Wir müssen nun«, sagte der Rechtsgelehrte Darveau, »das Teufelsmal suchen. Zusammen mit den Zeugenaussagen hätten wir dann alles, um sie zu einem Geständnis zu bringen.«

»Und der Henker wird uns helfen«, erklärte der Magistratsbeamte Guillec.

Dieser Mann hatte in kürzester Zeit eine Selbstsicherheit erlangt, wodurch er seinesgleichen an Grausamkeit noch überbot. Nachdem er die letzten Worte ausgesprochen hatte, lauerte er auf die Anerkennung des Rechtsgelehrten, der ihm den »Hexenhammer« geliehen hatte – das gelehrte Buch der Hexenjäger Jacob Sprenger und Heinrich Institoris. Sein diskretes Lächeln entzückte ihn. Im Eifer des Gefechts wiederholte er, daß der bei Anne LaFlamme gefundene Rosenkranz ihr vielleicht gar nicht gehöre. Die Tatsache, daß sie behaupte, ihn seit dem Tod ihres Mannes zu besitzen, bewies nichts, da man nicht glauben mußte, was eine Hexe sage.

»Wer wird den Henker unterstützen?« fragte der Richter Pijart. »Monsieur Gigaudon, Monsieur Le Franc oder Monsieur Hornet?«

»Ich schlage Monsieur Hornet vor. Er hat in Paris studiert, wie Sie wissen, und er ist unparteiisch, denn er kennt die Angeklagte nicht. Man soll sie nun holen lassen. Wir werden die Suche nach dem *punctum diabolicum* noch diesen Abend durchführen.«

Henriette Hornet zeigte unverhohlene Genugtuung, als ein Gerichtsdiener ihr sagte, sie solle ihrem Mann Bescheid geben, daß man ihn heute abend nach dem Essen bei Gericht erwarte. Voller Empörung beobachtete Guy Chahinian die selbstgefälligen Gesten der Frau des Arztes. Er verließ diese Stätte der Verleumdung und begab sich auf dem schnellsten Weg zum Kapitän.

»Wir müssen etwas tun.«

»Aber wie denn?« jammerte Martin Le Morhier.

»Ich werde zu Geoffroy de Saint-Arnaud gehen«, entschied Guy Chahinian. Immerhin hatte dieser hoch heute nachmittag behauptet, daß er Anne LaFlamme helfen wolle. »Ich kann es kaum glauben, aber wir dürfen nichts außer acht lassen. Selbst nicht diesen Reeder.«

»Glauben Sie, daß er die Richter kaufen wird?«

»Er hat mir wohl einen riesigen Diamanten für den Verlobungsring anvertraut. Zwischenzeitlich lassen sie Anne und Marie durch Abt Germain sagen, daß wir uns bemühen, sie zu retten. Er kann ihnen doch die Beichte abnehmen?«

»Ja, ich glaube schon.«

»Er soll jeden Tag zu ihnen gehen … Im Kerker muß man sich an sein Kommen und Gehen gewöhnen. Und er soll immer seinen weiten Umhang tragen.«

»Was wollen Sie damit sagen?«

»Daß ich den Abt nach einigen Besuchen vertreten werde, wenn er einverstanden ist. Ich gehe jetzt zum Reeder.«

Als Guy Chahinian das noble Haus erreicht hatte, flog ein Rabe vor ihm auf die Tür zu. Der Vogel setzte sich auf den Steinsturz, und nachdem er die Inschrift in gothischen Lettern mit seinem Kot beschmiert hatte, krächzte er schrill. Der Goldschmied hatte das Gefühl, daß sich der Vogel über ihn lustig mache und Geoffroy de Saint-Arnaud nur einen Haufen Dreck wert sei.

Wie kann ich mich nur einem solchen Mann anvertrauen? fragte sich der Goldschmied.

Guy Chahinian sagte ihm dennoch, was er soeben im Gericht gehört hatte, und betonte, daß man Monsieur Hornet hatte holen lassen. »Sie wollen sich heute abend mit dem Teufelspakt befassen.«

»Heute abend?« fragte der Reeder.

»Ja, Sie müssen noch heute abend zum Gericht gehen, wenn Sie Anne LaFlamme die Nadelprobe ersparen wollen. Aber sind Sie denn wirklich sicher, daß sie unschuldig ist? Man hat bei ihr einen Besen und Schnüre gefunden.«

»Ein Besen und Schnüre beweisen gar nichts.«

»Morgen wird man es wissen, wenn sie auf die Fragen der Richter antwortet.«

»Morgen? Morgen?« wiederholte Geoffroy de Saint-Arnaud.

»Ja! Heute nacht werden keine Verhöre durchgeführt. Nach der Nadelprobe werden sie alle erschöpft sein. Sie tagen schon seit Sonnenaufgang.«

Der Reeder konnte seine Zufriedenheit schlecht verbergen. Er war sicher, daß Anne LaFlamme ihn nach der Nadelprobe endlich anhören würde. Er würde ihr beweisen, daß die Probe, der sie unterzogen worden war, nicht als Folter galt. Wenn erst die Verhöre begannen, dann würde sie die wahre Hölle erleben – zusammen mit ihrer Tochter.

Dann fiel ihm plötzlich ein, daß Anne LaFlamme ja schon während der Nadelprobe von dem Schatz sprechen könnte. »Sie haben ganz recht, Chahinian. Es eilt«, sagte er, während er nach dem Diener klingelte. »Meinen schwarzen Mantel, schnell.«

Der Diener wollte sich gerade entfernen, als der Reeder ihn zurückrief.

»Warten Sie! Sagen Sie, Monsieur, haben die Richter die Amtstracht ihrer Pariser Kollegen übernommen?«

Seine Eitelkeit schockierte Guy Chahinian, ohne ihn wirklich zu überraschen. Während Anne LaFlamme sich in ihrer Zelle den Kopf zermarterte und auf das Schlimmste gefaßt war, wollte ihr Verehrer wissen, ob die Mitglieder oder der Präsident der Versammlung das Barett, den Talar und den weiten Hermelinumhang trugen.

»Das weiß ich nicht.«

»Macht nichts. Ich nehme den Umhang.«

Beim Umziehen ergriff Geoffroy de Saint-Arnaud die zwei Ecken des Umhangs so, daß man den unteren Teil seiner bestickten Rheingrafenhose und die Spitzenvolants sehen konnte. In seiner Eitelkeit vergaß der Geck ganz, daß vorläufig niemand seine Kleidung sehen würde, denn er pflegte ja die Kutsche zu benutzen, um sich gegen die Kälte zu schützen. Da er vom Goldschmied keine Auskünfte mehr erwarten konnte, verabschiedete er ihn an seiner Tür, ohne auf den Gedanken zu kommen, ihm einen Platz in der Kutsche anzubieten. Guy Chahinian war erleichtert. Er mochte diesen Mann immer weniger.

Er irrte lange an den Kais umher und fragte sich, ob er nicht einer jener Menschen sei, die das Unglück magisch anziehen. Alle seine Freunde waren, mit Péronne angefangen, durch die Hand eines Henkers gestorben. Wäre es nicht besser, sich selbst in die Loire zu stürzen und Lucie Bonnet Gesellschaft zu leisten? Er hatte nichts für sie tun können. Und auch für Anne und ihre Tochter konnte er nur noch beten. Aber auch Gebete würden nicht verhindern, daß die Stahlnadeln das Fleisch der Frauen zerstach.

Er sah glänzende Punkte in den metallenen Spiegelungen der Wellen, er sah die Sonne in einer Blutlache untergehen. Er sah, wie der Efeu die Steine erwürgte, die Misteln die Birken erstickten und der Frost die Gräser verbrannte. Das Knurren eines Hundes zerriß die Stille der Abenddämmerung und kündigte die Schrecken der nächsten Stunden an.

Während der Goldschmied über Gottes Gnade nachsann, dankte Geoffroy de Saint-Arnaud dem Himmel für sein Glück. Als er den Gerichtshof betrat, traf er als ersten den Bailliff Marcel Antonin, der ihm erzählte, daß Marie ihre Mutter der Hexerei bezichtigte. Der Reeder hätte vor Freude am liebsten mit den Händen geklatscht: Jetzt würde es ganz einfach sein. Voller Demut würde er seinesgleichen erklären, daß er getäuscht worden sei, verhext von Anne LaFlamme. Die Richter würden verstehen, daß er sich rächen wollte.

Eilig bot er sich an, Anne LaFlamme das Geständnis zu entlocken. Er würde die Liebe, die er ihr vergeblich entgegengebracht hatte, einsetzen, um sie zu täuschen. Man gratulierte ihm zu seinem Erfindungsreichtum und ließ ihn wissen, daß die Beschuldigte vielleicht schon während der Nadelprobe alles gestehen würde.

»Die Nadelprobe ... Aber ...«

»Sie sind gerade dabei. Abt Germain hat die Hexe heute nachmittag besucht, aber er behauptet, daß sie nicht gestanden habe. Sie haben nur gebetet. Als ob sie noch beten könnte. Na ja ... Wenn Sie die Hexe zum Sprechen bringen können ...«

»Ich werde es versuchen«, stammelte Geoffroy de Saint-Arnaud. »Ich werde es versuchen.«

Er hoffte, der erste zu sein, der sie zum Reden brachte.

Der Henker war ein Mann mit großer Erfahrung, und der Richter Pijart, der Rechtsgelehrte Darveau sowie der Arzt Hornet unterstützten ihn mit wachsender Hochschätzung. Der Henker hatte ihnen wahre Wunder über die Erfolge seiner Verhörmethoden versprochen.

Er ging langsam zu Werke und befahl sogar dem Arzt, eine Stunde zwischen jeder Probe zu warten. Der Richter widersprach ihm, indem er sich auf seine große Müdigkeit berief. Er konnte nicht einwilligen, daß man die Sitzung dermaßen verzögerte. Trotz der Unruhe, die ihm überkam, als er die Versteifung seines Gliedes bemerkte – Beweis der Macht der Hexe –, war er zu verwirrt, um die Erregung, die ihn beim Anblick des nackten Körpers überkam, zu unterdrücken.

Monsieur Hornet rasierte seine Rivalin mit so unmäßiger Freude, daß seine Hände zu zittern begannen. Es war ihm gleichgültig, ob er sie verletzte. Niemand würde sich beschweren. Er hatte mit dem Schädel begonnen, schnitt mit Abscheu die langen Haare der Hebamme ab. Wie ein wildes Tier sah sie nun aus, was ihn zum Lachen gereizt hätte, wenn ihn der Ernst des Rechtsgelehrten nicht davor zurückgehalten hätte.

Der Henker stach eine fingerlange Nadel in die linke Wange. Das Blut quoll heraus. Dann machte er sich an der rechten Wange zu schaffen. Das Blut spritzte noch immer. Anschließend waren Hals, Ohren und Nase an der Reihe, Stellen, an denen man die Nadel tief hineinstechen konnte.

Anne dachte an Pierre, an Marie, an ihre Mutter. Erbarmen, Gott. Sie dachte an nichts mehr. Nur noch an eines: daß alles ein Ende hatte. Erbarmen. Alles sollte endlich aufhören.

Als man ihr die Schamhaare wegrasierte, dachte sie nicht mehr an ihre Erleichterung, die sie empfunden hatte, weil man ihre Augen verschont hatte. Sie wurde wie ein Stück Fleisch von einem Schlachter betatscht. Wie ein Stück Fleisch wurde sie geschlagen, gestochen, auf die eine, dann auf die andere Seite gerollt. Der Arzt und der Rechtsgelehrte zogen sie an den Händen, während der Richter ihr Bein nahm und es fest gegen sein Glied drückte. Trotz des dicken Stoffes der Robe wußte sie, was los war, und es gelang ihr, ihn anzuspucken.

Man stach sie zweiunddreißigmal, bis man ein Mal auf ihrer linken Pobacke entdeckte. Sie war schon halb bewußtlos, als der Henker ihr das Hemd ins Gesicht warf. Der Stoff war sofort mit roten Flecken übersät, und als man Anne LaFlamme in ihre Zelle schubste, hatte Marie, nachdem sie wieder aus ihrer Ohnmacht erwacht war, Zeit, die Wundmale zu zählen.

Und sie schwor, ihre Mutter zu rächen.

27.
KAPITEL

Marie, die den Schlaf ihrer Mutter bewachte, wurde durch Schritte aufgeschreckt: Zwei Männer, die miteinander sprachen, näherten sich der Zelle.

Sie erkannte zuerst die Stimme des Kerkermeisters, dann die des Reeders. Ihr Herz schlug vor Freude höher. Geoffroy de Saint-Arnaud würde sie nicht in diesem erbärmlichen Loch aufsuchen, wenn er nicht vorhätte, ihnen zu helfen.

Sie küßte ihre Mutter auf die Stirn, um sie zu wecken. Anne stöhnte, als sie wieder zur Besinnung kam, bemühte sich aber, ihre Tochter anzulächeln. Als sie langsam aufstand, suchte sie vergebens nach einer weniger schmerzhaften Position. Dann ging die Zellentür auf.

»Kommen Sie«, befahl Gilles Rouget. »Nein, du nicht!« sagte er zu Marie und stieß sie zurück. »Nur sie. Geh an das Ende des Ganges. Jemand will mit dir reden.«

Anne preßte eine von Motten zerfressene Decke an ihren Körper und schwankte zu dem bezeichneten Ort. Sie sah in das Kerzenlicht, mußte mit den Augen blinzeln. Es schien ihr, als habe sie seit Ewigkeiten kein Tageslicht mehr gesehen. Geoffroy de Saint-Arnaud wich einen Schritt zurück, als er sie erblickte. Ihr kahlrasierter Schädel betonte ihr kantiges Gesicht. Sie war wahrhaftig häßlich und zu bedauern. Sie hatte nicht mehr diesen schelmischen Schimmer in den Augen. Sie bestand nur noch aus Angst. Ohne ein Wort zu sagen, deutete er auf den Stuhl. Ächzend ließ die Gefangene sich nieder.

»Sie haben gesehen, Anne LaFlamme, daß Sie sich in einer brenzligen Lage befinden, um nicht zu sagen, in einer hoffnungslosen. Ich komme gerade von Ihren Richtern, und die Nagelprobe ist offenbar überzeugend verlaufen. Sie werden morgen ein Verhör erdulden müssen, das Ihnen erlaubt zu zeigen, in welchem Grad Sie mit dem Teufel verbunden sind.«

»Blödsinn«, murmelte die Hebamme.

»Das werden wir ja sehen. Wir haben mehrere Zeugenaussagen, die beweisen, daß Sie eine Hexe sind. So wie Ihre Tochter auch.«

Anne zitterte.

»Zittern Sie vor Kälte, oder haben Sie Angst um Marie? Wird sie die Daumenschrauben und die Wippe ertragen?«

»Sie ist keine Hexe. Sie hat mich sogar verleugnet, mich, ihre Mutter.«

Geoffroy de Saint-Arnaud lachte.

»Die Richter haben Ihnen diese Geschichte vielleicht geglaubt, aber ich … ich kenne Sie genau.«

Er schwieg einen Moment, bevor er ihr die Wahrheit um die Ohren schlug.

»Sie sind verloren, Madame. Verloren. Sie werden bald zum Scheiterhaufen geschleppt. Ich empfehle Ihnen, auf die Fragen der Richter bereitwillig zu antworten, wenn Sie es vorziehen, erwürgt zu werden, bevor man sie röstet. Ich habe Hexen gesehen, die sich stundenlang in den Flammen gewunden haben, bevor sie endlich ihre Seele aushauchten. Sie sollten Ihrer Tochter alles gut erklären. Wenn sie gebeten wird, den Sabbatreigen zu tanzen, dann soll sie es schnell machen. Vielleicht wird man sie dann mit Ihnen erwürgen.«

»Ich werde Ihnen nicht länger zuhören«, sagte Anne und erhob sich unter großen Schmerzen. »Wenn Sie sich rächen wollen, weil ich Sie abgewiesen habe, dann ist das Ihre Sache, ob ich mir das anhören muß, entscheide immer noch ich selbst.«

»Immer noch hochnäsig. Setzen Sie sich wieder hin, und hören Sie mir gut zu. Sie werden sterben, ich kann nichts mehr für Sie tun. Zu viele Menschen wollen Ihren Tod. Aber ich kann dafür sorgen, daß Marie freigelassen wird.«

»Marie«, murmelte Anne LaFlamme.

»Ach, das interessiert Sie wohl?«

Der Mann kostete seine Rache aus.

»Sagen Sie mir, wo der Schatz liegt, und sie wird die Zelle schnell verlassen.«

Anne öffnete den Mund, machte ihn wieder zu und schluckte. War Geoffroy de Saint-Arnaud verrückt geworden? Ein Schatz?

»Der Schatz?« stotterte sie. »Welcher Schatz?«

»Aha! Sie wollen mit mir ein Ratespiel spielen. Gut, ich werde Ihnen helfen. Es ist sehr bunt. Grün wie ein Smaragd, rot wie ein Rubin, blau wie ein Saphir. Erinnern Sie sich jetzt? Es stimmt, daß Ihr Gatte die Steine schon vor langer Zeit versteckt hat, nämlich kurz vor seinem Tod, glaube ich. Es scheint so, daß Sie nicht die Zeit gehabt haben, sie an sich zu nehmen, bevor man Sie verhaftet hat. Das ist auch besser so.«

Anne schüttelte mit dem Kopf. »Besser für wen?« fragte sie und dachte angestrengt nach. Pierre? Ein

Schatz? Wenn das Leben Maries nicht auf dem Spiel gestanden hätte, dann hätte Anne LaFlamme schallend gelacht. Aber sie begriff rasch, daß der Reeder an diese mysteriöse Beute glaubte und daß der Schatz als Lösegeld dienen sollte. Geoffroy de Saint-Arnaud durfte nicht erfahren, daß sie noch nie etwas von diesen wertvollen Steinen gehört hatte.

»Besser für mich und für Marie«, erwiderte der Reeder kühl. »Wenn ich den Schatz habe, dann sorge ich dafür, daß Marie den Kerker verlassen kann.«

In der Hoffnung, auf diese Weise Zeit zu gewinnen, täuschte die Hebamme einen Wutanfall vor. »Also darum wollten Sie mich heiraten. Geben Sie es zu.«

»Sehen Sie sich doch an. Den Schatz will ich haben. Ihr Mann hat mir alles erzählt, bevor er gestorben ist. Dieser Idiot! Er bat mich, die Edelsteine an den Staat zurückzugeben, damit sein Andenken nicht getrübt werde. Ich nehme an, daß er den Schatz des Piraten als Mitgift für Ihre Tochter aufbewahrt hat. Aber Marie und Simon Perrot können ihn sicher nicht so gut gebrauchen wie ich.« Der Reeder lachte laut und sprach dann weiter. »Genug geredet. Sagen Sie mir, was ich wissen will.«

»Sie haben mich betrogen, Monsieur«, sagte Anne mit bebender Stimme. In der Tat hatte der Reeder ihre Menschenwürde in den Dreck gezogen. »Glauben Sie denn, daß ich so dumm bin? Sie werden meine Tochter und mich im Stich lassen, sobald Sie haben, was Sie wollen. Wenn mein Gatte wollte, daß der Schatz an den Staat zurückgeht, dann werde ich morgen mit den Richtern darüber sprechen. Man soll Pierres letzten Willen achten.«

»Nein! Geben Sie mir Ihre Tochter. Ich heirate sie, wenn der Schatz ihre Mitgift ist.«

»Meine Tochter soll Sie ...«

»Ja. Sie sagen den Richtern nichts über den Schatz, und ich heirate Marie.«

»Sind Sie sicher, daß die Richter meine Tochter freilassen werden?«

»Glauben Sie mir, ich bin ziemlich einflußreich.«

Anne LaFlamme wurde speiübel. Wie konnte man seine Tochter einem solchen Ungeheuer zur Frau geben? Sie mußte es dennoch tun, aber wenn sie früher auch ihm gegenüber blind gewesen war, so ging ihr jetzt doch ein Licht auf: Ohne bestimmte Sicherheiten konnte sie ihm Marie nicht anvertrauen. Sobald sie hingerichtet sein würde, verbot nichts und niemand dem Reeder, sich ihrer Tochter zu entledigen, indem er sie einfach der Hexerei bezichtigte. Nein. Und dann tötete er sie selbst, weil er Angst hatte, daß Marie ihrerseits etwas von dem Schatz erzählen könnte. Ihr Schweigen hatte einen Preis.

»Ich will meine Tochter sehen, Monsieur.«

»Morgen früh will ich eine Antwort haben. Noch bevor man Sie verhört«, sagte der Reeder und verließ den Raum.

Erfreut dachte er darüber nach, daß die Kälte des Kerkers die Hexen fast von der Wohltat des Scheiterhaufens überzeugen mußte. Dies sagte er dem Rechtsgelehrten, der es wiederum zwei Richtern weitererzählte. Der Reeder beteuerte, Anne von der Notwendigkeit eines Geständnisses überzeugt zu haben, beharrte aber auf der Unschuld ihrer Tochter. »Sie schaut ihre Mutter überhaupt nicht mehr an. Und als der Kerkermeister die Zellentür aufgemacht hat, wollte sie raus, um vor ihr zu fliehen. Anne LaFlamme ist mit Sicherheit eine Hexe.«

»Morgen werden wir ihr Geständnis bekommen.«

»Noch acht Stunden, mein Kind, mehr Zeit bleibt uns nicht mehr. Bei Tagesanbruch holen sie mich ab. Im Winter bricht die Morgendämmerung später an, aber doch noch zu früh …«

»Ich frage mich, ob zuerst der Hahn oder Geoffroy de Saint-Arnaud kräht? Mama, ich …«

»Wenn du tust, was ich dir sage, dann bist du gerettet.«

»Du auch?«

»Vielleicht. Wenn du Geoffroy de Saint-Arnaud heiratest.«

Anne LaFlamme mußte ihre Tochter belügen, um sie zu überzeugen, den Reeder zu heiraten, denn Marie, die das falsche Spiel des Reeders in Angst und Schrecken versetzte, hätte niemals sein Angebot angenommen. Seitdem Anne ihr von dem Gespräch erzählt hatte, bekam Marie vor lauter Wut kaum noch Luft. Vor Wut … und Neugierde: Das Gerede von diesem Schatz verwirrte sie. Sie war ziemlich verwundert, daß ihr Vater ausgerechnet Geoffroy de Saint-Arnaud die Existenz dieses Schatzes verraten hatte.

»Es ist nur ein Märchen! Dein Vater hat nie etwas von dieser Beute erzählt«, hätte Anne LaFlamme fast gesagt. »Wenn er diese wertvollen Steine besessen hätte, so hätte ich es gewußt.«

Doch die Heilerin wußte, nur wenn ihre Tochter zumindest an die Möglichkeit der Existenz eines solchen Schatzes glaubte, würde sie sich nicht bei Saint-Arnaud verraten. Der Mann war zu habsüchtig und zu gerissen, um nicht alles zu versuchen, Marie zum Sprechen zu bringen. Abt Germain würde ihr zur rechten Zeit die Wahrheit sagen.

»Warum fürchtet der Reeder unsere Hinrichtung so sehr?«

»Ihm würde alles entgehen. Außerdem hat er Angst, daß wir den Richtern von dem Schatz erzählen. Diese wollen auch die Edelsteine an sich raffen. Geoffroy de Saint-Arnaud muß glauben, daß er der einzige ist, der die Beute erbt. Er hält mich für dumm, wenn er glaubt, ein einfaches Heiratsversprechen würde mich zum Sprechen bringen. Er muß dich auch *wirklich* heiraten.«

»Er soll mich heiraten!« schrie Marie entsetzt. »Aber ich hasse ihn.«

»Ist dir der Tod lieber?«

Anne LaFlamme sah ihre Tochter zugleich resigniert und zärtlich an. »Du hast keine andere Wahl. Hast du gehört, wie der Kerkermeister gesagt hat, daß es dem Henker gut geht?«

»Aber ich liebe Simon. Ich kann dem Reeder nicht gehören.«

»Simon kann dir nicht helfen. Hör mir zu! Du bist frei, wenn du Geoffroy de Saint-Arnaud heiratest.«

»Und wenn er den Schatz gefunden hat, dann bringt er mich um.«

»Nein, du fliehst, sobald du den Schatz hast. Hier sind die drei Hinweise, die du kennen mußt.«

Marie hörte ihrer Mutter aufmerksam zu, und wenn sie auch der Gedanke, Geoffroy de Saint-Arnaud zu heiraten, anwiderte, so mußte sie doch zugeben, daß Anne recht hatte. Ein schwacher Lichtschimmer brachte bei Tagesanbruch etwas Licht in die Zelle, und so konnte die Hebamme wieder das Gesicht ihrer Tochter erkennen. Sie dazu verdammen zu müssen, die Umarmungen des Reeders zu erdulden, war ihr unerträglich. Sie wußte, wie empfindlich ihre Tochter war, welch ein Unglück, von einem solchen Mann in die körperliche Liebe eingeweiht zu werden. Doch so fürchterlich die Zärtlichkeiten dieses Verräters auch sein mochten, die Flammen des Scheiterhaufens waren tödlich. Wenn sich alles so abspielte, wie Anne hoffte, konnte Marie mit diesem schrecklichen Gatten dem Tod entgehen. Martin Le Morhier und Guy Chahinian würden ihr helfen, das wußte sie. Auch der Abt hatte ihr das versprochen. Er hatte versprochen, nach dem Verhör wieder mit ihr zu beten und ihre Seele Gott zu befehlen.

Jetzt flehte Anne ihren heiligen Schutzpatron an, ihr die nötige Kraft zu geben, den Richtern standzuhalten und Geoffroy de Saint-Arnaud reinzulegen.

Als sie ihn im Raum am Ende des Gangs wiedersah, dankte Anne nur dem Himmel, daß ihr Gatte verstorben war. Pierre hätte es nicht ertragen, sein geliebtes Kind einem solchen Ungeheuer auszuliefern. Anne dachte an ihr Märchen und hoffte, daß ihre List so viel wert sei wie die von Ariadne, und daß Marie ihre Freiheit wiedererlangt wie all die jungen Athenerinnen, die geopfert werden sollten.

»Also, Madame, wann ist die Hochzeit?«

Anne LaFlamme preßte die Lippen zusammen, um ihm nicht ins Gesicht zu spucken. Sie holte tief Luft und erklärte ihm alles.

»Wann Sie wollen, aber nur unter der Bedingung, daß ich zum Zeitpunkt der Hochzeit noch am Leben bin.«

Geoffroy de Saint-Arnaud tobte. »Das ist doch Unsinn. Sie sind schon verurteilt.«

»Also müssen Sie sehr schnell heiraten«, sagte Anne unbeirrt. »Marie ist im Glauben, daß Sie mich aus dem Kerker holen werden, und nur darum willigt sie in Ihren Antrag ein. Aber meine Richter haben nicht die Absicht, wie Sie so schön sagen, mich zu vergessen. Ich habe meine Tochter angelogen, aber ich will sicher sein, daß Sie sie heiraten und nicht nach mir den Henkern ausliefern. Übrigens wird der Schatz Ihnen ein für allemal verlorengehen, sollten Sie Ihre Absichten nach meinem Tod ändern. Marie wird den Richtern alles sagen. Es wäre besser für Sie, die ganze Sache zu beschleunigen. Je eher Sie Marie geheiratet haben, desto schneller wird der Freund meines Mannes auftauchen.«

»Der Freund von Pierre?« fragte der Reeder beunruhigt. »Welcher Freund?«

»Derjenige, der die andere Hälfte des Rätsels kennt.«

»Rätsel?«

Die Gesichtszüge Geoffroy de Saint-Arnauds wurden ganz schlaff.

»Glauben Sie denn, daß mein Gatte so dumm war, die Steine einfach in unserem Garten zu vergraben, so daß man nur die Erde umgraben müßte, um den Schatz zu finden? Nein! Es war ein für allemal entschieden, daß seine Tochter den Schatz erbt, bis das schlechte Gewissen meinen Mann dazu gebracht hat, Ihnen davon zu erzählen und Sie zu bitten, die Beute an den König zurückzugeben. Aber ihm ist nicht mehr die Zeit geblieben, Ihnen zu sagen, das er sich ein Rätsel ausgedacht hat, um das Versteck des Schatzes zu schützen.«

»Aber was für ein Rätsel denn?« brüllte der Reeder.

»Es ist ganz einfach. Marie hat die ersten drei Hinweise, ein Seemann die drei anderen. Zusammen führen sie zur Beute.«

»Aber was ...«

»Pierre liebte geistreiche Spiele, und vor allem mißtraute er den Schwärmereien seiner Tochter. Sie sind sicher auch meiner Meinung, daß Simon Perrot nichts taugt, aber Marie ist in ihn vernarrt. Da Pierre befürchtete, daß Simon nach der Hochzeit seinen wahren Charakter zeigen wird, sobald er erst einmal ihre Mitgift verjubelt hat, ist ihm die

Idee mit dem Rätsel gekommen. Wenn er auch auf See gestorben ist, so hat er doch nicht aufgehört, seine Tochter vor sich selbst und vor einer schlechten Ehe zu schützen. Marie wird die zweite Hälfte des Rätsels drei Monate nach der Hochzeit erfahren. Bis dahin hätte sie Zeit genug gehabt zu erkennen, wie Simon wirklich ist. Bis dahin hatte sie sich gewußt, ob sie ihr Vermögen mit ihm teilen will oder nicht. Mit einem solchen Vermögen in der Hand hätte sie ihn dann ja auch verlassen können.«

Die Wut nahm Geoffroy de Saint-Arnaud den Atem. Und Zweifel nagten an ihm. »Was beweist mir, daß Sie mir die Wahrheit sagen?«

»Was beweist Ihnen das Gegenteil? Sie müssen mir glauben, aber wenn Sie Marie nicht heiraten, dann verzichten Sie damit auch auf den Schatz. Mein Gatte hat mir gesagt, er habe noch nie so reine Edelsteine gesehen. Und er ist viel herumgekommen. Aber er hat immer gewußt, wie schwach ich oft Marie gegenüber bin, aus diesem Grunde hat er mir nie verraten, wo die Steine versteckt sind. Er hatte Angst, ich könnte sie unserer Tochter zu früh geben. Sie können sich denken, daß Simon Perrot niemals weggegangen wäre, wenn er gewußt hätte, daß unsere Tochter drei Monate nach ihrer Hochzeit reich sein würde. Nur Sie und ich wissen von der Existenz des Schatzes. Marie weiß es jetzt auch. Ich habe ihr eben die ersten drei Hinweise genannt, aber nur durch Pierres Freund können Sie den Schatz finden. Ich weiß nicht, wie dieser Mann heißt. Ich weiß noch nicht einmal, ob er aus Nantes stammt.«

Geoffroy de Saint-Arnaud ließ sich von der Hebamme die ganze Geschichte noch einmal erzählen, in der Hoffnung, sie bei einem Fehler zu ertappen, einem Widerspruch, aber es stimmte alles überein. Hätte sie dieselbe

Selbstsicherheit während des Prozesses gezeigt, wäre es den Richtern schwerer gefallen, sie zu einem Geständnis zu bewegen. Auf einmal fiel ihm ein, daß er ja den Richtern versprochen hatte, Anne zu einem Geständnis zu bewegen. Er ermahnte sie also ernsthaft, sich während der Verhandlung unterwürfiger zu zeigen, wenn sie ihrer Tochter helfen wolle.

»*Sie* werden Marie helfen, Monsieur. Ich muß nur bis zu ihrer Hochzeit am Leben bleiben, und so lange muß ich auch noch den Richtern standhalten.«

»Wie kann ich denn sicher sein, daß Ihre Tochter mir die drei Hinweise nach der Hochzeit verrät?«

Anne LaFlamme fuchtelte ärgerlich mit der Hand.

»Ich nehme an, daß Sie Marie ununterbrochen beobachten werden. Aber merken Sie sich gut, daß Marie, und nur sie allein, von dem Vertrauensmann meines Mannes die andere Hälfte der Lösung erfahren wird.«

»Und dieser Freund? Will der nicht auch seinen Anteil?«

Anne LaFlamme hatte mit dieser Frage gerechnet.

»Er weiß gar nicht, um was es geht. Pierre hat ihm nur gesagt, daß er zweihundert Pfund bekommen wird, wenn er meiner Tochter das Pergament mit den drei fehlenden Teilen bringt.«

»Aber Ihre Tochter? Wenn sie sich entscheidet zu schweigen?«

»Ich habe Marie nicht gesagt, was für ein ekelhafter Mensch Sie sind. Dann hätte sie ja auch kaum eingewilligt, Sie zu heiraten. Sie ist jung und dickköpfig, und sie kann nicht die Gefahr abschätzen, in der sie sich befindet. Ich weiß, was mit Lucie Bonnet passiert ist und welches Schicksal mich erwartet. Aber meine Tochter glaubt noch immer an Wunder. Sie glaubt sogar, daß Simon sie als Soldat des Königs aus dem Kerker befreien kann. Ich habe ihr gesagt: Wenn du Monsieur de Saint-Arnaud schon nicht liebst, so solltest du ihm wenigstens dankbar sein und ihm bereitwillig erzählen, was er wissen will. Dennoch könnte sie es vorziehen, Simon Perrot alles zu erzählen, wenn sie gar zu unglücklich mit Ihnen ist. Verhindern Sie also, daß Simon und Marie sich wiedersehen.«

»Alte Hexe«, schimpfte der Reeder.

Anne LaFlamme musterte ihn, ohne mit der Wimper zu zucken. Sie hoffte, mit ihren letzten Worten die zukünftigen Leiden ihrer Tochter etwas gemildert zu haben. Wenn Geoffroy de Saint-Arnaud sich um Maries Gunst bemühen mußte, dann würde er vielleicht vorübergehend seine gemeinen Absichten vergessen, damit sie ihm sagte, was sie über das Rätsel wußte.

28.
KAPITEL

Als Anne LaFlamme den Gerichtssaal betrat, wurde ihr von dem süßlichen, ekelhaften, schweren Geruch übel. Durch den grauen Nebel des Weihrauchs erkannte sie die Männer wieder, die bei der Nagelprobe zugegen gewesen waren, und außerdem den Magistratsbeamten Guillec und den Bailliff Antonin. Die anderen Richter waren auch keine Fremden für sie, aber man hatte darauf geachtet, daß in dieser Versammlung niemand war, den sie als Heilerin behandelt hatte – ausgenommen Geoffroy de Saint-Arnaud, der sie anstarrte, bis der Rechtsgelehrte seine Stimme erhob, um die Ruhe wieder herzustellen.

»Vergessen Sie niemals, verehrte Richter«, verkündete er, »daß die übernatürliche Kräfte uns von allen Seiten umgeben. Um uns geht es in diesem Kampf zwischen Gut und Böse. Denken Sie immer daran, daß die Hexe ein hinterlistiges Wesen ist. So hat 1634 eine Frau behauptet, daß sie nur einmal im Jahr zum Sabbat gehe, wo doch jeder weiß, daß diese schrecklichen Zeremonien jeden Sonnabend stattfinden. Seien Sie auf der Hut, verehrte Richter, seien Sie auf der Hut.«

Nach diesen Ratschlägen forderte der Rechtsgelehrte einen der Richter auf, die Anklageschrift zu verlesen. Anne war völlig sprachlos, als sie erfuhr, daß Germaine Michaud gesehen haben wollte, wie die Angeklagte von einer Ratte am Hals gebissen worden sei, und daß mehrere Zeugen beobachtet hatten, wie sie mit einer schwarzen Katze gesprochen habe.

Anne LaFlamme erfuhr auch, daß sie verantwortlich sei für die Viehseuche, die ganze Viehherden und auch einzelne Tiere dahingerafft hatte, für die Überschwemmungen, die die *Belle-Croix-Brücke* 1657 weggespült hatte, für die Hagelschauer im letzten Jahr, für das Feuer am St.-Pauls-Tag und natürlich für die sintflutartigen Regenfälle, die ganz Nantes in den letzten Wochen überschwemmt hatten. Nachdem der Magistrat diese Naturkatastrophen aufgezählt hatte, listete er weitere Schäden auf: Kreuzschmerzen oder Fieber irgendeines Bauern, eine Fehlgeburt oder Rheuma einer Bürgersfrau. Ein gewisser Percheval behauptete, daß Anne LaFlamme während der Hochzeitsfeierlichkeiten seiner Schwester den berühmten Zauberstab verknotet habe, wodurch die Ehemänner zeugungsunfähig werden. Seine Schwester hatte seitdem noch keine Kinder bekommen. Einem Schuhflicker schwanden jedesmal die Kräfte, wenn die Hebamme ihn behandelte. Er kämpfte sozusagen schon mit dem Tod. Schließlich waren sich alle Zeugen mit den Richtern einig, daß die Beschuldigte mit dem Teufel Beziehungen pflegen müsse, da sie nie der Pest oder der Lepra zum Opfer gefallen sei.

Als der Magistrat eine Pause machte, fragte Anne ihn, was sie denn davon gehabt hätte, diese Missetaten zu begehen.

»Die Hexen werden vom Teufel für ihrer Zaubereien entlohnt«, antwortete der Magistratsbeamte, der gar nicht merkte, daß er den Rechtsgelehrten verärgerte. Denn dieser sah es nicht gern, daß die Richter mit der Angeklagten sprachen. Sie hatte keine Fragen zu stellen, sondern nur zu antworten, wenn sie gefragt wurde. Der Rechtsgelehrte versuchte vergebens, die Aufmerksamkeit von Egide Guillec auf sich zu lenken.

»Dann müßten sie ja reich sein«, sagte Anne LaFlamme.

Der Magistratsbeamte war verwirrt, las aber stotternd weiter.

»Die Hexen können sich in wilde Tiere verwandeln. So nimmt auch der Teufel verschiedene Gestalten an: Er erscheint als Ziegenbock, als Windhund, als Rabe oder Wolf. Es liegt in seiner Natur, sich zu verwandeln, um ehrbare Menschen zu täuschen.«

»Wie kann man denn eine Hexe erkennen?« fragte Anne LaFlamme.

Der Rechtsgelehrte sprang auf: so ein unverschämtes Geschöpf! Die Angeklagte versuchte offenbar, die Rollen vor Gericht zu tauschen.

Er beruhigte sich wieder und sagte mit lauter Stimme: »Meine Herren, jetzt ist der Zeitpunkt gekommen, mit der Vernehmung der Angeklagten zu beginnen.«

Nachdem er sich nach dem Familienstand Anne La-

Flammes, ihrem Namen, Vornamen, ihren Eltern und ihrem Geburtsort erkundigt hatte, fing er sofort an.

»Seit wann bist du eine Hexe?«

»Ich bin keine Hexe.«

Er überhörte geflissentlich die Antwort.

»Was hast du dem Teufel geschworen?«

»Nichts.«

»Wann hast du der Taufe, der Heiligen Jungfrau und den Sakramenten abgeschworen?«

»Zu keinem Zeitpunkt«, erwiderte Anne LaFlamme.

»Wann bist du dem Teufel zum erstenmal begegnet?«

»Ich habe ihn noch nie gesehen.«

»Hast du, seitdem du eine Hexe bist, die heilige Hostie empfangen?«

»Ich habe das Abendmahl empfangen, aber ich bin keine ...«

»Aha, du gibst also zu, das Abendmahl empfangen zu haben. Und wie viele Menschen sind durch deine Schuld gestorben?«

»Ich habe niemanden getötet«, schrie die Angeklagte.

»Der Bruder von Clotaire Dubois ist aber doch gestorben, nachdem du ihn behandelt hast.«

»Das Fieber, das er sich in Indien geholt hat, ist schuld daran.«

»Benutzt der Teufel ein Instrument aus Holz oder aus Metall, um sich mit den Hexen zu vereinigen?« fragte der Richter Pijart, und er hoffte, daß seine Kollegen das Zittern seiner Stimme nicht bemerkten. Er selbst wagte es nicht, aber er hoffte sehr, daß man die Hexe aufforderte, sich auszuziehen, und daß man sie zwang zu zeigen, wo der Teufel sie gewöhnlich küßte. Hexen hatten in der Vergangenheit von den unglaublichen sexuellen Wundertaten des Teufels gesprochen und über ihr Gefühl, während der Vereinigung von einem phantastischen Spieß durchbohrt worden zu sein. Würde Anne LaFlamme dieses bestätigen? Würde sie zugeben, daß das Instrument des Gehörnten eiskalt war? Küßte sie den Teufel auf den Rücken, das Gesäß oder auf den After?

Anne LaFlamme mußte den Richter Pijart gar nicht ansehen, um zu wissen, welche Wirkung seine Fragen auf ihn hatten, und wie schon in der Folterkammer, ahnte sie seine krankhafte Erregung. Ihr wiederaufflackernder Kampfgeist gab ihr Mut, die nächste Behauptung abzustreiten.

»Nein. Mit diesem Besen, den Sie mir da zeigen, kann ich nicht durch die Lüfte fliegen.«

»Außer wenn Sie ihn mit Salbe bestreichen. Ich habe hier die Zusammensetzung dieser unheilvollen Paste«, sagte der Magistratsbeamte Guillec, der in seiner schwarzen Robe hin und her zappelte.

Er stolperte über die Wörter Pentaphilon und Hyoszyamin, zählte aber die anderen Zutaten problemlos auf: Belladonna, Blut der Fledermaus, giftiger Nachtschatten, Schierling, Petersilie, Pappelblätter, Mohn, Eisenhut und Krötenspeichel. Einige Handbücher behaupteten, daß auch noch Mutterkorn zur Herstellung der Salbe nötig sei. Stritt sie ab, diese Pflanze zu kennen?

Nein, sie kannte Mutterkorn. Glücklicherweise! Die Kirche behauptete, daß die Schmerzen bei der Niederkunft nur die verdiente Strafe für die Frauen sei, für die Ursünde Evas, aber Anne LaFlamme hatte wie auch viele andere Heilerinnen häufig Mutterkorn eingesetzt, um die Niederkunft voranzutreiben, sie hatte Schwarzwurz gegen Blutungen benutzt und Belladonna verabreicht, wenn die Wehen zu früh einsetzten, die Krämpfe zu heftig wurden oder eine Fehlgeburt drohte. »Ich habe viele Kinder gerettet, weil ich die Mütter entbunden habe«, sagte sie nur.

»Es sind aber doch viele gestorben«, empörte sich der Magistratsbeamte Guillec. »Sie brauchen ja die Leichen der Neugeborenen, damit Sie sie in einem Kupferkessel kochen können.«

»Damit Sie sie essen können«, fügte ein Richter hinzu.

Egide Guillec erklärte noch genauer, daß die Hexen weder den Kopf essen, weil der mit heiligem Öl gesalbt sei, noch die rechte Seite.

»Die rechte Seite?« wunderte sich ein Richter.

»Man bekreuzigt sich mit der rechten Hand«, erklärte der Rechtsgelehrte. »Sehen Sie sich das hier an, Madame.«

Mit dem Finger zeigte er auf einen langen Spieß, der auf einem Tisch in der Mitte des Raumes lag und bei der Hebamme gefunden worden war. Sie benutzte ihn, um die Kräuter zum Trocknen aufzuhängen.

Anne LaFlamme zuckte mit den Schultern.

»Aha! Sie können es nicht abstreiten. Sicher stoßen Sie den Kopf der Neugeborenen damit durch. Es wird behauptet, daß Sie auch das Fleisch der Erhängten essen.«

Anne LaFlamme schrie angewidert auf, was die Richter mit Genugtuung zur Kenntnis nahmen.

»Stimmt es, daß Sie Ihr Festessen nie salzen und daß Sie nach dem Essen lieber einen Reigen tanzen?«

Dem Richter Pijart wurde es plötzlich ganz heiß: Würde man die Beschuldigte am Ende auffordern, diesen Teufelsreigen vorzuführen?

»Ich bin nie beim Sabbat gewesen«, beteuerte Anne La-Flamme klar und deutlich.

Der Magistrat Pijart blieb hartnäckig.

»Wenn Sie nicht getanzt haben, dann nur, weil Sie damit beschäftigt waren, sich mit dem Teufel zu vereinigen. Er hat Sie ja übrigens auch gekennzeichnet, wie wir gestern gesehen haben. Aber einige der Herren waren nicht dabei.

Heben Sie Ihr Hemd hoch, damit diese jetzt das Teufelsmal sehen können.«

Die Hebamme sah die Folterknechte an. Ihr Blick wanderte von einem zum anderen. Es sah so aus, als ob Geoffroy de Saint-Arnaud lächelte. Nur der Bailliff Antonin schlug verwirrt die Augen nieder: Anne LaFlamme starrte auf den glänzenden Schädel des kleinwüchsigen Mannes und riß mit einem Ruck ihr Hemd auf. Erstaunte Ausrufe waren zu hören, einige husteten oder lachten, als sie den mißhandelten Körper sahen. Anne unterdrückte ihr Schamgefühl, denn sonst hätte sie versucht, ihre Brust und ihr Geschlecht mit den Händen zu bedecken. Sie stand unbeweglich da und wollte nicht zeigen, wie sehr sie sich gedemütigt fühlte. Sie wurde aufgefordert, sich mehrmals um sich selbst zu drehen, vorzugehen und zurückzugehen. Sie bebte am ganzen Körper vor Kälte und Wut. Der Richter fragte den Rechtsgelehrten, ob diese Zuckungen der Angeklagten nicht des Teufels Werk seien.

Alphonse Darveau glaubte nicht daran, nickte aber mit dem Kopf und behauptete, daß dieses Zittern den Teufelsreigen einleitet.

Als die Hebamme von einem Brechreiz geschüttelt wurde, rief ein Richter aus:

»Passen Sie auf. Sie wird gleich eine Kröte ausspucken.«

Sie hätte sich gewünscht, dazu fähig zu sein. Sie hätte sich gewünscht, Giftschlangen ausspucken zu können, widerliche Insekten, phantastische Ungeheuer, Teufel, ja, oder Inkuben oder Sukkuben, die man ihr vorwarf zu lieben. Sie hätte sich gewünscht, daß ihr Feuer, Wasser und Luft gehorchten, daß ein Feuer den Gerichtspalast verzehre, eine Überschwemmung die Henker ertränke, der Blitz den Rechtsgelehrten erschlage. Aber sie war nur zu einem fähig: alles abzustreiten.

Nichtsdestoweniger konnte sie nicht behaupten, nie in der Höhle gewesen zu sein, in der die hinkende Frau getötet worden war, und sie konnte auch nicht abstreiten, daß sie im Wald Kräuter sammelte.

»In der Nähe des Lazaretts, in dem ich die Siechen pflege. Von der Stadt bezahlt! Von Ihnen, meine Herren«, sagte sie in einem Anfall von Wut. »Von Ihnen! Sie haben mich doch als Matrone zugelassen.«

Der Rechtsgelehrte unterdrückte einen Jubelschrei. Endlich hatte er die Angeklagte da, wo er sie haben wollte. Jetzt konnte man über Tatsachen sprechen. Wenn niemand Anne LaFlamme hatte fliegen sehen, so wußten doch alle Einwohner von Nantes von ihren Kräutern und den Siechen.

»Wir entschädigen Sie, weil Sie auf die Siechen achten und ihnen zu Essen geben sollen, aber nicht, damit Sie diese heilen. Mit Schrecken haben wir die Wahrheit über ihre Machenschaften erfahren.«

Er erinnerte die Versammelten daran, daß die Kirche ihr Vorgehen für ketzerisch halte.

»Diese Frau hat nicht Medizin studiert, und dennoch heilt sie Menschen. Also ist sie eine Hexe.«

Er hatte den Satz noch nicht zu Ende gesprochen, als Anne LaFlamme außer sich vor Wut auf ihn losging. Der Rechtsgelehrte glaubte, sie mit diesem angeblichen Beweis zu vernichten, aber er hatte nur ihre Wut entfacht.

»Die Frauen haben kein Recht auf Wissen, was?«

»Wir schützen Euch vor Euch selbst!« brüllte der Rechtsgelehrte. »Die Frau ist ein leichtsinniges, lügnerisches und sinnliches Wesen.« Mit dem »Hexenhammer« in der Hand erläuterte er nach Sprenger: *femina* kommt von *fe*, was Glauben heißt, und von *minus*, was gering bedeutet. »Durch ihre Schwäche ist die Frau also viel einfacher zu bestechen als ein Mann. Das weiß der Teufel. Darum gibt er ihnen die Macht, die das Gesetz ihnen zu ihrem besten verweigert; die Macht zu heilen. Er kennt den Wert dieses Köders.«

»Nicht der Teufel hat mir beigebracht, was ich weiß. Ich habe gelernt. Ich habe gelesen, und ich habe einen Lehrer gehabt.«

Sobald ihre Worte verklungen waren, erkannte Anne LaFlamme ihren Fehler. Sie hatte ihr Wissen zugegeben. Jetzt würde man nicht mehr aufhören, sie über das Ausmaß ihrer Macht zu verhören. Glücklicherweise war der Mann, der ihr ihre anatomischen und botanischen Kenntnisse vermittelt hatte, tot und lag seit langer Zeit unter der Erde. Kein Unschuldiger würde aufgrund ihrer Erklärungen verhaftet werden.

Erklärungen, die ihr vielleicht das Heil brachten, dachte sie und schöpfte wieder Hoffnung. Sie müßte für ihr Studium mit einer langen Kerkerstrafe rechnen, könnte aber dem Scheiterhaufen entkommen, wenn sie hartnäckig leugnete, eine Hexe zu sein.

Der Rechtsgelehrte erkannte dieses Problem. Da er aber eine solche Wende des Verhörs um jeden Preis verhindern wollte, fing er wieder an, ihr Fragen über ihren teuflischen Geliebten zu stellen. Er würde den Widerstand der Angeklagten schon brechen, und wenn es eine Woche dauern sollte. Er wußte, daß der Magistrat und mehrere Richter nahe daran waren, Anne LaFlamme dem Henker auszuliefern, aber Alphonse Darveau hatte nicht vor, die Verhandlung zu verkürzen, denn es gefiel ihm sehr, seine dämonologische Gelehrsamkeit zur Schau zu stellen. Um seine Kollegen nicht zu verärgern, schlug er dennoch eine Vertagung vor.

Überrascht stellte Anne fest, daß sie wieder in ihre Zelle

geführt wurde, ohne daß irgendwelche Folterungen festgesetzt worden waren. Hatte Gott sie erhört? Sie würde wieder mit Marie und Abt Germain beten.

»Lieber Vater«, sagte Anne, die sich vor dem Pater hingekniet hatte. »Segnen Sie mich. Sie haben mich heute verschont.«

Abt Germain hauchte zärtlich einen Kuß auf die Stirn der Hebamme. Er flüsterte Worte der Ermutigung und begann, Gebete zu sprechen, die die Frauen eilig nachsprachen. Aus seiner Tasche holte er zwei Milchbrötchen, die die Gefangenen dankbar annahmen. Als sie das süße Brot aß, erinnerte sich Anne an die Gier, mit der die hinkende Frau die Äpfel gegessen hatte, die sie ihr gegeben hatte. Ihr fiel wieder dieser Ausdruck in ihren Augen ein – es war der Blick eines gehetzten Tieres. Sicher sah sie, Anne, heute genauso aus. Und die Jäger waren mit ihr noch nicht fertig. Sie würden erst zufrieden sein, wenn sie sie in Stücke gehauen hätten. Vielleicht würden sie den Rest von ihr auf dem Marktplatz ausstellen oder auf dem Platz der Gehängten. Diese Gehängten, die sie angeblich verschlungen haben sollte.

»Sie haben gesagt, daß ich Menschenfleisch esse.«

»Mein armes Kind«, sagte Abt Germain liebevoll. »Sie sind verrückt. *Sie wissen nicht, was sie tun.*«

»Aber ich verzeihe ihnen«, sagte sie. »Ich bin keine Heilige. Ich bin nur eine einfache Frau, weder eine Göttin noch eine Hexe. Werden sie das verstehen?«

»Nein, ich befürchte, daß sie das nicht begreifen werden«, sagte der Abt. »Sie schulden dir zuviel, um dir verzeihen zu können. Dem Menschen behagt es nicht, bei jemandem in der Schuld zu stehen.«

»Du hättest sie sterben lassen sollen«, schrie Marie.

»Das hätte sie nicht gekonnt. Doch wenn sie ihnen auch das Leben gerettet hat, so scheint es doch, als habe sie nichts für ihre Seelen tun können. Ich übrigens auch nicht«, sagte Abt Germain traurig. Seine Schäfchen hatten sich so leicht von Gott abgewandt und eine Unschuldige verurteilt.

Mit aller Kraft hatte der Abt versucht, die Gläubigen zu mehr Weisheit zu ermahnen. Vergebens. Er hatte den Eindruck, auf taube Ohren zu stoßen. Man hörte ihm in diesem unbeschreiblichen Lärm, in dem alles drunter und drüber ging, nicht mehr zu. Anne konnte nur noch beten.

Und Marie blieb nur die Ehe mit dem Reeder.

»Also, Monsieur de Saint-Arnaud?« fragte der Rechtsgelehrte. »Haben Sie uns nicht versprochen, Anne LaFlamme dazu zu bringen, ein Geständnis abzulegen? Sie haben versagt.«

»Noch nicht. Ich habe mich herabgelassen, ihr eilfertig den Hof zu machen, während sie sich dem Teufel hingab. Ein Jüngling hätte mehr Verstand gehabt. Ganz Nantes macht sich jetzt über mich lustig. Sie hat mich verhext. Noch nie ist Geoffroy de Saint-Arnaud so hereingelegt worden. Ich kann es unmöglich eingestehen. Aber der Tod Anne LaFlammes ist Ihnen sicher und wird meinen Zorn besänftigen. Ich will also meine persönliche Rache. Lassen Sie mich die Tochter heiraten.«

»Die Tochter heiraten?« schrie Alphonse Darveau.

»Hören Sie mich an! Marie LaFlamme verleugnet nicht nur ihre Mutter, sondern sie heiratet auch noch deren Verehrer. Schlimmer kann man die eigene Mutter nicht beleidigen! Die Matrone wird dann wissen, daß alles aus ist und daß sie von meiner Seite keine Hilfe mehr zu erwarten hat. Dann wird sie gestehen.«

Der Bailliff Antonin, der schon seit Anfang der Woche versuchte, Marie LaFlamme vor dem Scheiterhaufen zu retten, war der erste, der Geoffroy de Saint-Arnaud beipflichtete.

»Es stimmt, daß die Tochter ihre Mutter verleugnet. Der Kerkermeister hat gehört, wie sie sich gegenseitig beschimpft haben«, log er. »Wir haben seitenlange Anschuldigungen gegen Anne LaFlamme, aber kaum Mitteilungen über Marie.«

»Aber warum haben Sie dem Mädchen nicht früher den Hof gemacht?« fragte der Rechtsgelehrte argwöhnisch.

»Anne LaFlamme hatte ihn verhext. Er hat es Ihnen doch gerade schon gesagt.«

Geoffroy de Saint-Arnaud enthielt sich weiterer Rechtfertigungen seiner Entscheidungen. Wenn er zu sehr darauf beharrte, Marie heiraten zu wollen, dann forderte er die Neugierde Alphonse Darveaus heraus. Allerdings erwähnte er noch, daß ganz Nantes wisse, wie vernarrt Marie LaFlamme in Simon Perrot gewesen sei. Sie hätte ihn, den Reeder, daher bei einem früheren Heiratsantrag zweifellos zurückgewiesen. »Heute ist alles anders. Die Perrots würden ihrem Sohn niemals erlauben, die Tochter einer Hexe zu heiraten.«

»Aber Sie, Sie haben keinerlei Befürchtungen?« fragte der Magistrat Rolin mißtrauisch. »Was ist, wenn Marie auch über Zauberkräfte verfügt?«

»Nein, ich habe Erbarmen mit dem armen Kind. Denken Sie daran, daß sie ihre Mutter verleugnet hat, ohne im geringsten mißhandelt worden zu sein. Ihr Aufschrei kam aus tiefster Seele. Bedenken Sie auch die Kosten zweier Prozesse gegen Mitglieder einer Familie. Der Verkauf des

Hauses oder vielmehr der Hütte der LaFlammes bringt Ihnen nur eine lächerliche Summe ein, die kaum reichen wird, die Kosten für die Zeugenaussagen und Ihre Arbeit im Tribunal zu decken. Woher wollen Sie das Geld nehmen, um neue Zeugen gegen Marie LaFlamme zu bezahlen?«

»Wenn Sie das Mädchen heiraten, dann bekommen Sie das Haus«, machte der Rechtsgelehrte geltend.

»Da habe ich ihn endlich da, wo ich ihn haben wollte«, dachte der Reeder erleichtert. Es war also die Verlockung des Geldes, die das Handeln Alphonse Darveaus bestimmte. Dieser hoffte wohl, einige Hundert Pfund am Schluß des Prozesses einkassieren zu können. Als Geoffroy de Saint-Arnaud von den Kosten eines zweiten Prozesses gesprochen hatte, hatte er die Stirn gerunzelt. Sicher, alle Richter wurden vom Verkaufserlös des Besitztums der Angeschuldigten bezahlt, aber der Gewinn verringerte sich, wenn sie zusätzliche Zeugenaussagen bezahlen mußten.

»Ich werde an das Gericht die Summe des entsprechenden Werts, den die Güter der Angeklagten haben, zahlen.«

»Sie werden also das Haus Anne LaFlammes kaufen?« wunderte sich der Magistrat Pijart.

Geoffroy de Saint-Arnaud hatte sich seine Antwort schon zurechtgelegt.

»Ja, meine Herren. Ich will dieses Haus mit meinen eigenen Händen niederreißen. Marie LaFlamme wird dann schnell begreifen, wer der Herr im Haus ist. Sie wird mir gegenüber niemals das Verhalten ihrer Mutter an den Tag legen. Ich werde sie schon zu bändigen wissen. Das ist mein Preis.«

Den Richter Pijart betrübte der Gedanke, daß ihm die Folter einer zweiten Angeklagten entging. Aber die

Summe, die der Reeder nun als Kaufpreis vorschlug, könnte ein angemessener Trost sein. Wie der Rechtsgelehrte war auch er überrascht, wieviel Geld de Saint-Arnaud für das Haus zahlen wollte. Dem Richter schossen verwirrende Gedanken durch den Kopf. War Geoffroy de Saint-Arnaud vor allem an seiner Rache gelegen? Und würde er, der Richter, sich von dem Geld ein Pferd kaufen können?

»Sie wissen hoffentlich, was Sie tun, Monsieur«, sagte er nun.

»Pater Thomas wird uns trauen. Ich will, daß Anne La-Flamme die Glocken in ihrer Zelle läuten hört.«

»Aber dann wird sie doch schon tot sein«, gab der Rechtsgelehrte zu bedenken.

»Tot?« fragte Geoffroy de Saint-Arnaud enttäuscht. »Aber nein! Ich will, daß sie an diesem Tag noch am Leben ist. Sie werden sie nach meiner Hochzeit hinrichten, meinetwegen an demselben Tag, wenn Sie wollen. Aber nicht vorher.«

»Sie soll noch im Kerker bleiben?«

»Sie sollen beide noch im Kerker bleiben. Ein Aufenthalt im Kerker wird meine Braut zähmen«, sagte er lachend. »Ich will aber nicht, daß sie am Hochzeitsabend zu mager ist. Ich komme für die Unkosten auf.«

Da der Rechtsgelehrte hinsichtlich der Unkosten, die eine längere Inhaftierung der Gefangenen verursachen würde, beruhigt war, sagte er dem Reeder, daß er jetzt zu seiner Verlobten gehen könne.

Das Gebet hatte Anne LaFlamme getröstet. Und die Selbstsicherheit, mit der sie Geoffroy de Saint-Arnaud entgegentrat, gefiel diesem überhaupt nicht.

»Und? Teilen Sie mir jetzt mit, daß Sie mein Schwiegersohn werden?«

»Ja. Das Aufgebot wird morgen ausgehängt. Ich werde Ihre Tochter zu Weihnachten heiraten«, sagte er mit Blick auf Marie, die sofort den Kopf senkte.

Ihre Mutter hatte behauptet, ihrer Tochter gegenüber das Handeln des Reeders gerühmt zu haben. Marie hätte ihm jetzt also ihre Dankbarkeit zeigen müssen, aber dazu war sie nicht fähig. Anne hoffte, daß er das stolze Auftreten ihrer Tochter für Schüchternheit hielt.

Geoffroy de Saint-Arnaud lachte und erklärte, daß er diese Unterwerfung zu schätzen wisse. Dann bedeutete er Anne LaFlamme, ihm zu folgen. Gebieterisch wies er den Kerkermeister zurück. Sobald das Hallen seiner Schritte im Gang schwächer wurde, sagte er zur Hebamme, daß sie morgen ein Geständnis ablegen müsse.

»Sie haben nichts mehr zu verlieren. Wenn Sie nicht gestehen, dann werden Sie gefoltert. Viele würden es sich wünschen.«

»Aber wenn ich gestehe, werde ich geröstet.«

»Nicht vor der Hochzeit«, sagte der Reeder. »Ich habe den Richtern weisgemacht, daß Ihre Anwesenheit mir für meine Rache wichtig sei.«

»Wenn ich kein Geständnis ablege, dann werde ich nur des Landes verwiesen.«

»Nein. Man würde das normale und das besondere Verhör auf Sie anwenden. Das sind Qualen, die Sie nicht ertragen würden. Niemand könnte es.«

Er erzählte ihr von den Daumenschrauben, der Wippe und den Beinschrauben und beschrieb jede Folterart mit großer Genauigkeit. Die Gestelle und den Rost beschrieb er mit nicht zu überbietender Grausamkeit. Zwar kenne er nicht so gut wie sie alle menschlichen Knochen, sagte er, aber er versichere ihr, daß man sie auf einer Bahre zum Scheiterhaufen tragen müsse, da alle ihre Glieder ausgerenkt und zerschlagen sein würden. Er schloß mit der Bemerkung, daß ein Geständnis ihr die Möglichkeit einräume, erwürgt zu werden, bevor man sie verbrenne. »Wäre das nicht besser?«

»Wäre es nicht besser, wenn Sie mir dieses ganze Grauen ersparten? Wer weiß? Man könnte mich ja durch diese Foltern auch dazu bringen, daß ich über alles rede, auch über Ihre Absichten …«

»Hören Sie mit diesen Tricks auf, Madame, oder Ihre Tochter wird vor Ihren Augen verbrannt.«

»Und Ihnen entgeht der Schatz.«

»Und Ihre Tochter stirbt. Sagen Sie mir jetzt, was ich machen muß, um den Freund Ihres Mannes zu verständigen … Das Aufgebot? Oder die Hochzeit öffentlich ausrufen lassen?«

»Sie müssen nur drei Dinge in Ihrer öffentlichen Bekanntmachung in der großen Messe hervorheben: sprechen Sie nicht von Marie LaFlamme, sondern von Marie-*Pierre* LaFlamme. Bitten Sie darum, daß Sie um *drei Uhr* nachmittags getraut werden und daß das Ave Maria *dreimal* gesungen wird«, log die Hebamme. »Der Mann weiß dann, daß er in genau drei Monaten hierherkommen muß.«

»Er ist also in Nantes geblieben?«

»Das weiß ich nicht. Pierre hat sich den Mann ausgesucht, den er brauchte, nicht ich.«

Geoffroy de Saint-Arnaud verzog spöttisch das Gesicht.

Anne LaFlamme hatte es nicht gewagt, ihrer Tochter ihre Verurteilung mitzuteilen, weil sie befürchtete, daß Marie dann all ihren Mut verlieren und sich weigern würde, sie zu verlassen und den Reeder zu heiraten. Sie wußte, daß dieser ihre Verurteilung bewirkt hatte, und wartete seit dem Ende der Hochzeitsfeierlichkeiten auf die Rückkehr der Richter in ihre Zelle.

Sie hatten sich beeilt. Sie würde ihr Geständnis wiederholen. Sie würden weitere Einzelheiten erfahren. Der Henker war geduldig.

Es war schon spät, und die Zelle wurde durch das hereindringende Licht nur schwach erhellt. Der Richter Pijart hatte noch schnell Kerzen bringen lassen. Er hatte dem Kerkermeister sogar geholfen, sie nahe der Folterbank aufzustellen. Durch die zahlreichen Flammen blitzten die Klingen und Zangen noch stärker, und die Schatten der Richter verwandelten sich an den Mauern zu Ungeheuern. Ihre Seelen zogen sich an den nassen Steinen entlang, die schon so viele Schreie daran gehindert hatten, nach draußen zu dringen. Sie verlängerten sich auf diesen Granitsteinen, die nicht so hart waren wie ihre Seelen. Diese Schatten wühlten sich in den stinkenden Lehm, in dem die Mauern standen und der doch sauberer war als diese Menschen. Der Tanz der schwarzen Figuren um die rötliche Glut bot einen entsetzlichen Vorgeschmack auf die Hölle. Nein, nicht die, die Anne LaFlamme nach ihrem Tod erwartete, sondern die, durch die sie vorher gehen mußte.

Sie hatte Angst.

Wahnsinnige Angst.

Sie war so bleich, als man sie zum Henker brachte, daß

dieser einen Moment fürchtete, sie könne die Besinnung verlieren. Aber er wußte sehr genau, wie er seine Kunden wiederbelebte.

Guy Chahinian schluckte und wandte seine Augen von den Händen Anne LaFlammes ab. Die Daumenschrauben, deren Klingen unter die Fingernägel der Angeklagten geschoben wurden, hatten die Finger der Hebamme in eine blutige Fleischmasse verwandelt. Er vergaß sofort die Angst, die ihn heute morgen beim Aufstehen überfallen hatte, als er Martin Le Morhier getroffen hatte, um die letzten Einzelheiten ihres Betrugs zu besprechen.

Die beiden Männer hatten den Prozeßverlauf in einer Art geistiger Verwirrung verfolgt. Sie fühlten sich machtlos. Nur ihr Plan, Marie zu retten, hielt sie noch aufrecht. Sie hatten die Nachricht von der Hochzeit wie alle Bürger von Nantes mit Verwunderung zur Kenntnis genommen, hatten aber schnell verstanden, daß Anne sich aufgeopfert hatte. Abt Germain hatte, ohne das Beichtgeheimnis zu verletzen, lange mit Martin Le Morhier gesprochen und ihm von den Gesprächen in und außerhalb der Zelle berichtet. Anne LaFlamme hatte, bis sie mit dem Reeder gesprochen hatte, alles geleugnet. Und sie hatte nach ihrem Geständnis die Zelle nicht mehr mit ihrer Tochter geteilt. Diese Trennung war ihr sehr schwergefallen, war aber für Marie sicherer. Sie hatte ihre Tochter Abt Germain anvertraut, der ihr versprochen hatte, sie zu beschützen, ohne zu wissen, wie er dieser Aufgabe gerecht werden sollte. Sie hatte ihm vom Kapitän und vom Goldschmied erzählt. Diese hatte dem Jesuiten dann ihren Plan unterbreitet, und er hatte sofort eingewilligt, ihnen zu helfen. Er würde ihnen seine Kirchentracht leihen.

»Ich habe sehr wenig mit dem Kerkermeister gesprochen, selbst wenn ich ihm seinen Beruf nicht übelnehme …
Denn auch ich bin nur ein armer Sünder. Ich kann die Richter nicht ohne Widerwillen ansehen. Auch ihnen bin ich, so gut es ging, aus dem Weg gegangen. Sie haben mich kaum bemerkt. Die Kapuze ist weit und verdeckt Ihr Gesicht gut. Und um die Zeit, zu der Sie hingehen wollen, ist Gilles Rouget kaum wach. Mit etwas Glück schläft er dann noch seinen Rausch aus.«

»Ich kümmere mich darum, daß er genug trinkt«, hatte Martin Le Morhier gerufen. »Wir nehmen die Hochzeit als Vorwand, um zu feiern. Sie können sich auf mich verlassen. Er wird noch am Morgen betrunken sein.«

Der Kapitän hatte nicht zu viel versprochen. Als er sich an jenem Morgen dem Kerkermeister näherte, nachdem er den ersten Wachposten, an dem die Männer ihn geistesabwesend begrüßten, passiert hatte, kam dem Goldschmied nach Wein stinkender Atem entgegen, der ihn beruhigte. Er rüttelte Gilles Rouget, der sich die Augen rieb und mit belegter Stimmte murmelte, daß er ihm die Zellentür öffnen werde. Guy Chahinian mußte ihn auf dem Weg dorthin fast stützen und ihm helfen, den Schlüssel in das Schloß zu stecken. Er achtete darauf, die Tür zu versperren. Der Kerkermeister merkte nichts, ging den Gang zurück und ließ sich auf eine Bank fallen.

Anne LaFlamme sprang auf, als er ihren Arm packte und ihr den Mund zuhielt, um zu verhindern, daß sie einen Überraschungsschrei ausstieß. Als sie aus einem Reflex heraus auf ihn einschlug, um sich zu verteidigen, sah er ihre entsetzlich mißhandelten Hände, mit denen sie nicht mehr schlagen konnte, sondern nur gerade noch versuchen konnte, ihn zurückzustoßen. Zu seiner großen Erleichterung faßte sich Anne schnell wieder. Mit großer

Zärtlichkeit faßte er sie an den Handgelenken. Sprachlos drückte er sie an sich.

»Daß Sie gekommen sind!« sagte sie schließlich mit vom vielen Schreien heiserer Stimme.

Er wühlte in den Taschen seines Talars, nahm ein Stück Stoff heraus und breitete es vor Anne LaFlamme aus. Sie erkannte sofort die Muskatnuß. »Ich dachte, daß ... wenn Sie wollen, dann könnten Sie ...«

»Oh, mein Freund«, murmelte die Hebamme verwirrt. »Darum sind Sie gekommen? Woher kennen Sie dieses Gift?«

»Ich habe in Ihrem Buch nachgesehen, um zu prüfen, ob ich ein gutes Gedächtnis habe. Mein Freund, der Apotheker Jules Pernelle, hatte mir schon früher einmal von der Gefahr erzählt, die diese Frucht darstellt. Aber ich komme zu spät«, sagte er mit einem schnellen Blick auf die gebrochenen Hände.

»Es war absurd«, war ihre Antwort. »Wenn man an den Folgen der Folter stirbt, dann beweist das die Schuld. Aber wenn ich sie überstanden hätte, dann hätten sie gesagt, daß der Teufel mir die Zauberkräfte verliehen hat, um die Folterungen auszuhalten ... Ich konnte mich seit meiner Verhaftung nicht mehr waschen! Sie haben beschlossen, daß Hexen schlecht riechen. Also rieche ich schlecht, und ich bin eine Hexe. Wenigstens werde ich den Flammen dank Ihnen entgehen können. Denn sie weigern sich, mich zu erwürgen, obwohl ich Namen genannt habe.«

»Namen?«

»Die ich erfunden habe. Bis sie die alle überprüft haben, bin ich nicht mehr. Aber sagen sie dem Müller, daß er vorsichtig sein soll. Sie haben mich gefragt, ob ich in der Nacht, in der ich zum Sabbat gegangen bin, gesehen habe, daß sich die Flügel der Mühle drehten.«

Der Goldschmied fuchtelte mit der Hand, als ob er ein Tier verjagen wolle.

»Vergessen Sie ihn. Er war einer der ersten, der sie beschuldigt hat. Behauptet, er habe um Mitternacht Weizen gemahlen, ohne daß er die Flügel hätte anhalten können, da er Opfer Ihrer Zauberkräfte geworden sei.«

Ein tiefer Seufzer entrang sich Annes Brust. »Sprechen wir lieber über Marie.«

Guy Chahinian empfing das mündliche Testament, ohne daß er versuchte, seine Tränen zurückzuhalten. Aber er faßte sich schnell wieder, um nachdrücklich zu bestätigen, daß er alle Wünsche der Verurteilten achte. Er hörte sich mit besonderer Aufmerksamkeit die unglaubliche Geschichte des Schatzes an. Er verbarg nicht seine Verwunderung darüber, daß Anne so durchtrieben sein konnte, wo sie doch vorher so naiv gewesen war. Er wollte sich gerade Vorwürfe machen, daß er ihr Geoffroy de Saint-Arnaud geschickt hatte, aber sie beruhigte ihn. Es war die einzige Möglichkeit gewesen, Marie zu retten. Zumindest vorübergehend. Der Goldschmied schwor sogleich, daß er dem Reeder Marie entreißen werde, daß er sie beschützen und sie wie ein Vater lieben werde. Das wertvolle Heft der Hebamme würde er ihr übergeben, sobald er es für angebracht hielt. Marie sollte die Heilkunde weiterhin erlernen. Er würde dafür Sorge tragen.

Mit ungewöhnlicher Inbrunst betete er gemeinsam mit Anne LaFlamme, bemühte sich, genauso mutig wie sie zu sein, und suchte nach den richtigen Worten, um ihr zu versichern, wie sehr er sie immer bewundert habe. Sie dankte ihm würdevoll und fügte hinzu, daß sie das Gift erst einnehmen werde, wenn sie die Schritte ihrer Folterknechte, die sie zur Hinrichtung führen würden, hören würde. Er hatte Zeit genug, seine verräterischen Kleider zurückzugeben und nach Hause zu gehen.

»Sie kümmern sich um Marie? Sie schwören es mir?«

»Noch bevor ein Monat verstrichen ist, wird sie weit weg von Nantes und in Sicherheit sein. Ich werde ihr die Wahrheit über den Schatz verraten und daß Ihnen keine Wahl blieb, als zu lügen.«

Marie LaFlamme taumelte zum Fenster und riß es auf. Sie lehnte sich gefährlich weit über das schmiedeeiserne Gitter hinaus und atmete tief die kalte Nachtluft ein. Vielleicht gab ihr ja wenigstens diese frische Luft ein Gefühl von Sauberkeit. Sie hätte sich so gern gewaschen, um ihren besudelten Körper reinzuwaschen. Aber ihre Angst, das Zimmer zu verlassen, war zu groß.

Und noch größer war ihre Angst, Geoffroy de Saint-Arnaud wiederzusehen.

Zuerst hatte sie noch nicht einmal gewagt, sich mit den Fingerspitzen zu berühren, so schmutzig fühlte sie sich. Sie war auf dem Rücken liegengeblieben und schluckte ihre Schreie hinunter. Aber sie hatte es nicht verhindern können, sich in das Nachtgeschirr zu erbrechen. Sie rührte sich nicht, um es zu leeren. Vielleicht würde der beißende, saure Geruch Geoffroy de Saint-Arnaud bis zum nächsten Tag fernhalten.

Sie schaute zitternd zu den Sternen, ließ sie nicht aus den Augen, als wolle sie sich von ihnen beschwichtigen lassen, um alles zu vergessen. In einen Schlaf sinken, der mehr als hundert Jahre dauerte. Und am Ende dieses Traume würde kein Mann kommen, der sie weckte, sie anfaßte und beschmutzte.

Geoffroy de Saint-Arnaud hatte ihr Hemd mit einem

Ruck aufgerissen und dann sofort ihren Hals gepackt, um sie zu küssen – oder eher zu beißen. Sie hatte versucht, seinen dicken Lippen zu entgehen, die ihren Mund suchten, aber der Mann drückte ihren Kiefer so fest, daß sie schreiend den Mund öffnete. Er preßte seine schleimige Zunge in ihren Mund, so daß sie kaum noch Luft bekam, aber sie wollte den Speichel des Vergewaltigers nicht hinunterschlucken. Er hatte sie auf das Bett geworfen, sich wie ein Tier auf sie gestürzt und sie mit seinem Körper fast erdrückt. Wie ein Verrückter knetete er mit seinen Händen ihre Brust und machte sich zwischen ihren Schenkeln zu schaffen. Plötzlich hielt er inne. Sie hatte geseufzt, wußte nicht, was los war, glaubte, es sei vorbei, doch im nächsten Moment stand er auf, zog seine Hose herunter, drückte ihre Beine weit auseinander, zwang sie, die Knie anzuheben und drang mit einem Ruck in sie ein. Sie hatte vor Schreck und Schmerz geschrien, hatte sich verteidigt und versucht, den Angreifer wegzuschieben, aber er nahm sie, ohne auf die Faustschläge des Opfers zu achten. Mit höllischer Geschwindigkeit bewegte er sich in ihr hin und her, drang so tief er konnte in sie ein. Als er endlich von ihr abließ, stellte er fest, daß sie die Besinnung verloren hatte. Er säuberte sein blutverschmiertes Glied an ihrer zerrissenen Bluse und verließ das Zimmer, um mit seinen Freunden zu trinken und zu feiern. Er rühmte sich ihnen gegenüber, wie gut er seine Ehepflicht erfüllt habe. Aber er hoffe, daß die frischgebackene Ehefrau beim nächsten Mal auch ihren Teil dazu beitragen werde.

»Sie schreien immer, aber sie gewöhnen sich daran«, bestätigte einer der Gäste.

»Trinken wir, meine Herren.«

Die Gesänge der Betrunkenen hatten Marie geweckt. Einige Augenblicke lang hatte sie sich gefragt, wo sie war, dann kehrte die Erinnerung zurück, die Erinnerung an den widerlichen Atem Geoffroy de Saint-Arnauds, an seine Brutalität, an die selbstgefällige Genugtuung in seinem Blick, als er sie nahm. Hatte die Mutter ihr nicht beteuert, den Reeder überredet zu haben, sie nicht zu mißhandeln? Aber vermutlich hielt Geoffroy de Saint-Arnaud dies auch nicht für eine Mißhandlung. Marie war jetzt seine Frau, und er hatte sich nur sein Recht genommen.

Und er verstand es, ihr Abend für Abend seine Macht zu beweisen.

Und jeden Abend, wenn er sie weckte, um sie zu nehmen, schrie sie, sobald sie ihn erkannte, und rief nach ihrer Mutter.

»Sie wissen genau, daß Sie tot ist«, sagte er ihr eines Nachts. »Eine sehr merkwürdige Sache übrigens ... Der Zufall geht manchmal eigenartige Wege. Man könnte fast an Zauberei glauben. Ihre Mutter war leblos, als man sie dem Henker brachte, und der konnte sie nicht wieder zum Leben erwecken.«

Er betatschte Maries Körper wie ein Pferdehändler.

»Ich finde, Sie sind ziemlich mager. Sie sollten mehr essen. Noch nie standen Ihnen so viele Leckereien zur Verfügung. Man hat mir doch gesagt, Sie seien eine Feinschmeckerin ...«

Marie schloß angewidert die Augen. Wie hätte sie Hunger verspüren können, wenn vom Tod ihrer Mutter gesprochen wurde. Sie schleppte sich von ihrem Schlafzimmer in den Salon, vom Salon in ihr Schlafzimmer. Mit ihren dunklen Kleidern erinnerte sie an die Hexen in den Märchen. Einige Diener des Reeders hatten sogar Angst vor den Begegnungen mit ihr. Jeden Tag verkümmerte sie ein wenig mehr, und nun sorgte sich sogar ihr Gatte schon um sie: Wenn sie vor der Rückkehr des Matrosen starb, dann würde er nichts erfahren und den Schatz verlieren. Diese Vorstellung beunruhigte ihn. Er suchte Guy Chahinian in seinem Laden auf und vertraute ihm seinen Kummer an.

»Sie ist mager wie ein räudiger Hund, aber es fehlt ihr an nichts«, fluchte er. »Und sie sollte froh sein, daß ihre Mutter nicht verbrannt worden ist.«

Guy Chahinian hatte zögernd zugestimmt.

»Ist es nicht merkwürdig? Die Richter glauben mehr denn je, daß Anne LaFlamme mit dem Teufel unter einer Decke gesteckt hat und daß er sie ihnen dann entrissen hat. Ob das wohl wahr ist?«

»Wenn sie nicht an den Folgen der Folter gestorben ist«, gab der Goldschmied zu bedenken, der emsig einen goldenen Halm polierte.

»Nein, nein! Der Henker hat einen guten Ruf. Es ist ihm immer gelungen, die Leute zu schonen. Wenn er eine zweite Sitzung angeordnet hat, dann nur, weil Anne La-Flamme es hätte aushalten können. Ihre Tochter ist nicht so stark.«

»Tatsächlich?«

»Sie weiß genau, daß ihre Mutter hingerichtet worden wäre. Es ist schon zweifelhaft, daß sie Trauer für eine Verurteilte trägt, aber daß sich außerdem weigert zu essen, das ist lächerlich. Ich werde Doktor Hornet nachher aufsuchen.«

Guy Chahinian fröstelte. Hornet? Marie würde dessen Dienste zurückweisen. Sollte man sie zum Essen zwingen? Sie mästen? Anne hätte nicht gewollt, daß man ihre Tochter so behandelte.

»Bei den jungen Mädchen«, ließ er langsam verlauten, »bringen die harten Methoden nicht immer die gewünschten Ergebnisse. Wenn man sie zum Essen zwingt, dann leidet sie immer noch unter ihrer Traurigkeit. Und wenn der

Aderlaß auch die Gifte aus dem Körper zieht, wie es heißt, dann hat er doch nicht die gleiche Wirkung auf Melancholie.«

Geoffroy de Saint-Arnaud schlug so heftig mit der Faust gegen das Regal des Goldschmieds, daß die Silberteile, Fäden, Zangen und Klammern klirrend herunterfielen.

»Was soll ich bloß machen?« brummte er.

»Es müßte jemand in ihrer Nähe sein, der sie gut kennt und der sie zur Vernunft bringen kann.«

»Wer? Sagen Sie mir wer?«

»Ich weiß es nicht«, gab der Goldschmied zu. »Fragen Sie vielleicht Madeleine Perrot.«

»Madeleine Perrot? Die Mutter dieses Simon? Sie sind wohl verrückt. Marie würde sie ständig nach Neuigkeiten über diesen Taugenichts fragen.«

Guy Chahinian winkte ab.

»Nein! Fragen Sie Madeleine Perrot, ob sie jemanden kennt. Sie war schließlich Maries Nachbarin.«

Der Reeder beruhigte sich wieder. Dieser Mann hatte vielleicht recht. Was bedeutete es schon, noch eine Dienerin einzustellen, wenn Marie dadurch gerettet werden könnte. Er würde sie nur so lange behalten wie nötig, nämlich zwei Monate. Seine Ehefrau könnte darin einen Freundschaftsbeweis sehen, der sie vielleicht dazu brächte, zur gegebenen Zeit über den Schatz zu sprechen.

»Ich werde Ihren Rat befolgen. Zeigen Sie mir jetzt unseren Schmuck. Wird er bald fertig sein? Ich will ihn meiner Gattin schnell schenken … Vielleicht gefällt er ihr besser als die indischen Baumwollstoffe, die ich ihr nach der Rückkehr der *Lion d'Argent* geschenkt habe.«

»Ihre Mutter ist gerade gestorben … Aber kein Schmerz kann andauern, wenn man einen solchen Diamanten geschenkt bekommt«, sagte Guy Chahinian, als er die

Arbeit aus dem Etui holte. »Wenn ich mich nicht versündigte, würde ich heute weiter daran arbeiten. Die Schönheit Ihrer Gattin wird die Götter inspirieren. Als gewöhnlicher Sterblicher hoffe ich, ihr die Ehre zu erweisen, die ihr zukommt.«

Geoffroy de Saint-Arnaud lachte.

»Ich zweifle nicht an Ihrem Talent.«

30.
KAPITEL

Als der Reeder die Tür des Goldschmiedemeisters hinter sich schloß, machte er ein freundlicheres Gesicht. Er würde schon jemanden finden, der sich um Marie LaFlamme kümmerte. Eine erfahrene Frau, die das richtige Essen für sie kochte, sie wieder zur Vernunft brachte und ihr erklärte, daß ein Ehemann ein Recht auf das Entgegenkommen seiner Gattin habe, daß es ihre Aufgabe sei, sich seinen Bedürfnissen zu unterwerfen. Wenn er auch zunächst seine Freude an den Schreien Maries gehabt hatte, an ihrem Flehen, ihren Klagen und ihren Tränen, sobald er in sie eindrang, so verärgerte es ihn jetzt jede Nacht mehr. Letzte Nacht hätte er sie fast mit der Decke erstickt, um ihrem Jammern ein Ende zu machen, und am Morgen hätte er ihr gern die Augen verbunden, um ihrem ausdruckslosen Blick zu entgehen.

Madeleine Perrot brauchte einige Zeit, um zu verstehen, was der Reeder von ihr wollte, so überrascht war sie, als er sie nach der großen Messe ansprach. Sie zitterte am ganzen Leib: Simon! Marie mußte von Simon gespro-

chen haben. Sie würde alles abstreiten. Übrigens hatte
Simon Marie nie geliebt. Der Reeder konnte da ganz
beruhigt sein. Und Simon würde noch lange in Paris bleiben. Geoffroy de Saint-Arnaud möge beruhigt nach
Hause gehen. Als der Reeder sie nach einer anderen Person fragte, die Maries Vertrauen genieße, geriet sie ins
Stottern.

»Eine Frau? … Die Marie dient? … Warum? … Ich weiß
nicht …«

»Überlegen Sie«, sagte der Reeder ungeduldig.

»Früher war es Nanette. Aber sie ist seit den Verhaftungen verschwunden.« Etwas leiser fügte sie hinzu: »Man
könnte meinen, sie sei auch davongeflogen.«

»Hat sie seitdem niemand mehr gesehen?«

»Nicht daß ich wüßte. Aber vielleicht ist sie in ihren
Geburtsort zurückgekehrt, um dort zu sterben.« Madeleine Perrot erklärte, daß Nanette nicht in Nantes geboren,
sondern in jungen Jahren hierhergezogen sei. Sie vermute,
daß sie aus Le Croisic stamme. Sie hatte mal davon gesprochen. Der Reeder könne ja Jacques Lecoq fragen, der sie
besser kenne.

Geoffroy de Saint-Arnaud stieg am *Poisson d'or* aus der
Kutsche aus, um einen Becher Wein zu trinken. Kaum daß
er den Gasthof betreten hatte, hellte sich sein Gesicht auf:
Der Tuchhändler saß neben dem Kamin, der Kapitän Le
Morhier saß nicht weit von ihm.

Jacques Lecoq war lange durch den Schnee gelaufen,
und seine Kleider waren durchnäßt. Er bibberte vor Kälte
und rieb sich vor dem Kamin die Hände. Hier vor den kni-
sternden Holzscheiten wurde ihm wieder wohler, und er
sah und hörte nicht, wie Geoffroy de Saint-Arnaud zu ihm
kam. Er sprang auf, als sich dieser neben ihn setzte und
seine nassen Handschuhe auch vor den Kamin hielt. »Was

für eine Kälte«, sagte er. Sonst fiel ihm nichts ein, was er dem Reeder hätte sagen können.

»Kommen Sie von weit her? Die Geschäfte gehen nicht gut bei diesem Schnee. Beten wir, daß er im Laufe des Tages schmilzt.«

»Diese Verspätungen sind ärgerlich. Ich bin nur bis nach Bourgneuf gekommen.«

»Sie waren nicht in Le Croisic? Schade.«

Jacques Lecoq runzelte die Stirn und sagte vorsichtig: »Dort komme ich nicht oft hin.«

»Aber Sie kennen die Leute dort?«

»Das kommt ganz darauf an«, beharrte der Tuchhändler. »Das kommt ganz darauf an.«

»Nanette? Die Amme von Marie LaFlamme?«

»Bah, die kennt doch jeder hier«, sagte der Händler. Er hörte nicht gern den Namen der LaFlammes. Er wollte den Tod von Anne und seine eigenen Feigheit vergessen.

Martin Le Morhier, der ganz in der Nähe saß, blieb fast die Luft weg, als er Nanettes Namen hörte.

Der Reeder ließ nicht locker: »Aber sie stammt doch aus Le Croisic?«

»Ich glaube wohl.«

»Sie wissen nicht zufällig, ob sie dorthin zurückgekehrt ist?«

Da er das beunruhigte Gesicht des Händlers sah, erzählte de Saint-Arnaud ihm von dem Gespräch, das er mit Guy Chahinian geführt hatte. Martin Le Morhier überlegte, daß der Goldschmied ihn, den Kapitän, wohl seitdem suchen dürfte, um ihm von dem Treffen zu berichten. Sollten sie Nanette warnen? Nanette, die nach Nantes zurückkehren sollte, um sich um Marie zu kümmern, auf die Gefahr hin, dieses mit ihrem Leben zu bezahlen.

»Ich gäbe viel darum, wenn ich wüßte, wo sie steckt«,

verkündete Geoffroy de Saint-Arnaud mit erhobener Stimme.

»Hier ist sie schon seit Wochen nicht mehr gesehen worden«, sagte Germaine Crochet entschuldigend. »Vielleicht ist sie gestorben?«

»Ich hoffe nicht«, beteuerte der Reeder. »Ich will, daß sie für mich arbeitet und daß sie sich um meine Frau kümmert. Sie kennt sie ja schon von Geburt an.«

Wir sollte man herausfinden, ob der Reeder aufrichtig war? Es war ja auch möglich, daß er sich der alten Amme entledigen wollte, um alle Spuren von Maries Vergangenheit zu beseitigen. Martin Le Morhier geriet ins Grübeln. Aber als der Reeder erklärte, daß seine Frau die Küche in seinem Haus nicht mochte, weil sie an die von Nanette gewöhnt sei, war er genauso erstaunt wie alle Gäste der Schenke. Es war zumindest ungewöhnlich, daß Geoffroy de Saint-Arnaud den Mut hatte, eine solche Rücksichtnahme zu zeigen.

Der Kapitän beugte sich vor und befragte den besorgten Ehemann. »Könnte Nanette denn bei Ihnen wohnen? Sie hat immer bei Anne LaFlamme gelebt …«

»Wenn sie in dieser Hütte leben will, warum nicht. Ich habe das alte Haus nicht niedergebrannt, weil ich meiner Frau einen Gefallen tun wollte. Wenn Nanette nur käme und für Marie kocht! Sie geht sonst zugrunde, Monsieur. Ich habe getan, was ich konnte.«

Der traurige Ton, in dem er die letzten Worte gesprochen hatte, setzte sich im Kopf von Germaine Crochet fest. Sie würde allen ihren Gästen erzählen, wie Monsieur de Saint-Arnaud seine junge Frau verwöhnte, die es gar nicht verdient hatte.

Der Reeder erhob sich, zahlte und sagte noch einmal, daß er denjenigen belohnen würde, der ihm die Amme schicke.

Kurz darauf verließ auch Martin Le Morhier die Schenke und schlug den direkten Weg zum Goldschmied ein. Der Schnee knirschte unter seinen Füßen, aber er hörte es nicht. Er achtete nicht auf die verschneite Landschaft, die abgerundeten Mauern der weißgestrichenen Häuser oder das sanfte Licht, das sich schimmernd in der Loire spiegelte. Er bemerkte nicht den frischen Geruch des Wassers, der die Stadt reinigte. Er dachte nur an den merkwürdigen Gesichtsausdruck des Reeders, als dieser mehrmals wiederholt hatte, daß er Nanette finden müsse.

»Er macht wirklich einen unruhigen Eindruck«, sagte er zu Guy Chahinian.

»Na klar! Er will nicht, daß Marie stirbt, bevor er an den Schatz rankommt.«

»Den Schatz«, schrie Martin Le Morhier. »Niemand war besonnener als Pierre. Eine Beute zu entwenden, darauf steht Todesstrafe. Er liebte seine Frau und Tochter zu sehr, als daß er sich in so eine Gefahr begeben hätte. Außerdem gehörte er nicht zu den Menschen, die sich in schlecht beleuchteten Straßen fremder Häfen herumtreiben. Er trank nicht und hatte keine Weibergeschichten. Wo und wann hätte er überhaupt diesen Piraten treffen sollen? Ich frage mich, was ihn dazu verleitet hat, dieses Märchen zu erfinden.«

»Die Möglichkeit, damit ihre Tochter zu retten. Aber alles wäre umsonst gewesen, wenn Marie jetzt zugrundeginge.«

»Sie muß durchhalten«, sagte der Kapitän. »Sie kann Nantes schon in Kürze verlassen.«

»Aber davon weiß sie nichts, und wir haben keine Möglichkeit, sie einmal zu treffen. Geoffroy de Saint-Arnaud hat sie von der Außenwelt vollkommen abgeschottet, und mit ihrer Verzweiflung hilft sie ihm noch, ohne es zu wissen. Darum muß Nanette zu ihr. Wir hätten dann jemanden dort.«

»Sind Sie sicher, daß Geoffroy de Saint-Arnaud nicht vorhat, die Amme verschwinden zu lassen, für den Fall, daß sie von der Existenz des Schatzes Wind bekommen hat?«

Guy Chahinian seufzte.

»Nein, der Reeder kann sich, glaube ich, gar nicht vorstellen, daß jemand einer Dienerin so vertraut, daß er ihr ein solches Geheimnis anvertraut. Vergessen Sie nicht, daß Anne ihm gesagt hat, sie wisse nichts. Außerdem sagen Sie selbst, daß er in alle Öffentlichkeit gebeten habe, man solle Nanette ausfindig machen. Trotz seiner Macht könnte er sie nicht ungestraft umbringen – jedenfalls nicht sofort, und später werden beide Frauen in Sicherheit sein.«

»Beten wir, daß Sie recht haben und daß es schnell wieder milder wird. Der Frost und der Schnee erschweren das Reisen.«

»Können Sie Nanette trotzdem holen lassen?« fragte der Goldschmied.

»Ja, sie wird bald hier sein. Sie wird sagen, daß sie in Le Croisic vom Tod ihrer Herrin erfahren habe. Niemand wird ihr glauben, aber über den Willen Saint-Arnauds wird nicht diskutiert.«

»Gott erhöre Sie! Marie muß sehr unglücklich sein. Im Gefängnis schien sie mir noch beherzter zu sein.«

»Ich weiß doch, wie eitel sie immer war«, sagte der Kapitän nachdenklich. »Ich weiß, daß die Ehe keine Herzensangelegenheit ist und daß die Zuneigung, die Myriam und ich für einander empfinden, einigen lächerlich erscheinen mag. Aber Marie kann wohl nicht mit der Angst leben, bis ans Ende ihrer Tage mit Saint-Arnaud zusammenzubleiben. Sie versucht, diese Zeit zu verkürzen, und das wundert mich überhaupt nicht.«

»Nanette muß sie vom Gegenteil überzeugen«, sagte der Goldschmied, als er Martin Le Morhier nach Hause brachte. »Und Sie müssen wieder mal dafür sorgen.«

»Sie kümmern sich später um Marie, das wissen Sie ja. In drei Wochen brechen Sie auf nach Paris. Ich beneide Sie. Sie werden meine Frau vor mir wiedersehen.«

»Vielleicht hätte sie ja schon zurückkehren können. Die Menschen scheinen sich nach Anne LaFlammes Tod beruhigt zu haben. Sie haben zwar bedauert, daß sie nicht öffentlich verbrannt wurde, aber sie konnten sich ja ihre Überreste lange genug ansehen. Ich bin trotzdem erstaunt, daß es keine weiteren Verhaftungen gegeben hat. Anne hat niemanden verraten. Aber wenn sie gewollt hätte …«

»Die Bettler ersetzen jetzt die Hexen. Es gibt so viele von ihnen.«

Martin Le Morhier erinnerte noch einmal an die Anfang des Jahres angeordneten Maßnahmen der Stadtverwaltung. Wie es der Goldschmied vorausgesagt hatte, war die Ernte verdorben, was eine Hungersnot verursacht hatte. Die Stadtverwaltung teilte Lebensmittel an die Ärmsten aus, und diese lobenswerte Geste lockte Hunderte von Umherirrenden in die Stadt. Man riet den Einwohnern, diese Bettler auszupeitschen und ihnen jegliche Nahrung und jeglichen Unterschlupf zu verweigern. Einige waren eifrig bemüht, diesen Anordnungen nachzukommen, und wenn man an einer Straßenecke die Leichen dieser notleidenden Menschen fand, dann war man erleichtert, daß die Leichen durch den Frost erstarrt waren und darum eine Seuche verhindert wurde.

»Woran denken Sie?« fragte ihn Martin Le Morhier.

»Daß im Moment keine Seuchengefahr besteht …«

»Solange es kalt bleibt. Obwohl ich mir besseres Wetter für die Seefahrt wünsche, habe ich Angst vor den vielen Krankheiten, die dann ausbrechen könnten. Darum ist es mir auch lieber, daß Myriam in Paris bleibt, wo sie gut untergebracht ist.«

In Paris dürfte es auch nicht besser sein, dachte der Goldschmied und lächelte seinen Freund an.

»Hoffen wir, daß das rege Stadtleben meine Frau ablenkt«, sagte Martin Le Morhier. »Ich habe ihr einen Brief bringen lassen und sie vom Tod Anne LaFlammes unterrichtet. Sie hat die Hebamme sehr geschätzt. Was Marie angeht, so hoffe ich doch, daß ich meiner Gattin bald bessere Nachrichten geben kann.«

»Ihre Schwester könnte Marie auch noch unterbringen?«

Martin Le Morhier nickte. »Für eine gewisse Zeit. Aber wir müssen die Kleine bei jemandem in die Lehre geben.«

»Ich habe Verbindungen in Paris«, sagte Chahinian. »Machen Sie sich keine Sorgen. Das Geschäft eines Apothekers wäre genau das Richtige.«

»Pflanzen?«

»Ja. Ich habe Anne LaFlamme versprochen, dafür zu sorgen, daß ihre Tochter nicht alles vergißt, was sie ihr beigebracht hat. Aber es wäre gefährlich, wenn sie mit ihrem Wissen hausieren ginge.«

»Und Sie? Was wird aus Ihnen? In der Hauptstadt lauern sicher einige Gefahren auf Sie?«

Der Goldschmied zögerte, bevor er ihm eine Antwort gab. Es war ihm wichtig, daß sein Freund sich seines Vertrauens sicher war, aber wenn er ihm seine wahre Mission eröffnete, könnte der Kapitän, ohne es zu wollen, in die Sache verwickelt werden. Wer wußte, ob man nicht Martin Le Morhier eines Tages über ihn ausfragen würde.

»Manchmal ist es besser, wenn man nicht alles weiß«, murmelte er leise.

»Mir ist es lieber, wenn mir Stürme angekündigt werden. Aber ich respektiere Ihr Schweigen.«

»Ich würde es gerne brechen, aber ich fürchte, daß man Sie dann der Mittäterschaft beschuldigen könnte. Nein! Glauben Sie nicht, ich hätte ein Verbrechen begangen. Aber meine Suche nach der Wahrheit stört einige Leute.«

»Sollten Sie etwa ein Hugenotte sein?« versuchte es Martin Le Morhier.

»Nein, aber nicht viel besser …«

Sein Schweigen bedeutete Kapitän Le Morhier, daß sein Freund heute nichts mehr dazu sagen würde.

Martin Le Morhiers Sehnsucht nach seiner Frau war größer geworden, seit er mit Guy Chahinian über sie gesprochen hatte. Er war schon oft längere Zeit von seiner Frau getrennt gewesen, aber bisher war er dann immer auf See gewesen und hatte so viele Dinge zu tun gehabt, daß die Abwesenheit seiner Frau ihm nicht so schrecklich zu schaffen gemacht hatte. Aber so allein in Nantes, wo er immer wieder die jüngsten Ereignisse vor Augen hatte, da war die Einsamkeit bitter für ihn. Sein Haus kam ihm leer vor, sein Bett zu groß, die Decke eiskalt. In der letzten Nacht hatte er von Myriam geträumt, von ihrer letzten gemeinsamen Liebesnacht, bevor sie aus der Stadt geflohen war. Sie war zu ihm unter die Decke gekrochen, war langsam an seinem Körper abwärts bis zu seinem Geschlecht geglitten und hatte es zärtlich und entschlossen mit ihren geschickten Händen gefangengenommen. Mit ihren Fingern glitt sie in alle Richtungen über das harte Fleisch, drückte es, ließ es wieder los, spannte die Haut seines Gliedes und achtete auf die Wirksamkeit ihrer Zärtlichkeiten. Als er die heißen Lippen Myriams auf seinem erregten Glied gespürt hatte, hatte er vor Glück gestöhnt. Er kannte die unglaubliche Geschicklichkeit ihrer Zunge und die unerträgliche Wärme ihrer Brust, aber jedesmal, wenn Myriam ihm ihr Können in der Liebe bewies, hatte er den Eindruck, sie noch nie so geliebt zu haben. Nur von dem Wunsch beseelt, seine Frau glücklich zu machen, schaffte er es, ihrem geschickten Angriff zu widerstehen. Er hatte sie wieder in seine Arme genommen, sie auf den Rücken gelegt und sie seinerseits voller Lust mit seinen Lippen liebkost und war dann sanft in sie eingedrungen. Seit ihrer Abreise dachte er an sie, wenn er seinen Körper streichelte, aber sein Traum war so wirklich gewesen, daß sein Höhepunkt ihn unbefriedigt zurückließ. Seine Lust hing von Myriams Nähe ab, von ihrer Zärtlichkeit, ihrer sanften Haut, ihrer rauhen Stimme und ihrem erfrischenden Lachen. Er konnte sich nur mit ihrer Abwesenheit abfinden, weil er wußte, daß sie in Paris in Sicherheit war und daß seine Schwester Louise sie dazu zwingen würde, sich zu vergnügen, um sie dieses Exil vergessen zu lassen.

Louise Beaumont bemühte sich in der Tat, ihre Schwägerin und deren Sohn zu beschäftigen. Sie hatte schnell erkannt, daß sich der junge Victor in Paris langweilte. Er sagte ständig, daß die Stadt ziemlich dreckig sei, daß er sich danach sehne, wieder aufs Meer hinauszufahren, und daß er bald nach Dieppe gehen wolle. Zu Beginn ihres Aufenthalts hatten wenigstens die Besuche Michelle Perrots sein Interesse geweckt, und er war nach ihrem Treffen sogar ziemlich aufgeregt gewesen. Als sie sich erneut bei Madame Beaumont sahen, hatte Michelle gerade erfahren, daß Simon nicht nach Nantes zurückkehren würde, um Marie wiederzusehen.

»Er liebt sie nicht. Er hat es mir gesagt«, hatte die Musikerin beteuert, ohne zu ahnen, daß Victor Le Morhier jetzt wieder wahnsinnige Hoffnung schöpfte. »Und? Hörst du mir zu? Wie kann ich denn Marie so etwas schreiben?«

»Man muß es ihr aber trotzdem sagen! Und dein Bruder wird das bestimmt nicht erledigen.«

Michelle Perrot hatte den Kopf gesenkt und geseufzt. Das Wiedersehen mit Simon hatte sie nicht so gefreut, wie sie es sich vorgestellt hatte. Während des einen Jahres, in dem sie getrennt gewesen waren, hatten die Erinnerungen ihn idealisiert, aber ihr Wiedersehen hatte sie dazu gezwungen, zuzugeben, daß ihr Bruder hart, grausam und durchtrieben war. Ihr gefiel weder, wie er mit seinem sanften Blick kokettierte, noch der drohende Ton, den sie so oft in seiner Stimme bemerkte. Sie fragte sich, ob sie diese Eindrücke Marie schreiben solle. Warum sollte sie ihr nicht sagen, wer Simon wirklich war?

»Nein«, hatte Victor Le Morhier gesagt. »Sie wird dir nicht glauben. Du hast ja selbst lange gebraucht, bis du eingesehen hast, daß Simon nur auf seinen Vorteil bedacht ist. Er mußte dir erst mit dieser Geschichte mit dem Hut und dann mit den Stiefeln auf die Nerven gehen, bis du es verstanden hattest. Nein, schreibe ihr, was er dir gesagt hat. Ich werde dafür sorgen, daß sie deinen Brief erhält.«

»Marie wird dann sehr traurig sein.«

»Sie wird es auch sein, wenn sie ihn heiratet.«

»Ich weiß … Ich bringe dir meinen Brief am Montag.«

Victor Le Morhier hatte offensichtlich seine Pläne geändert. Er hatte nicht mehr davon gesprochen, sich nach Dieppe zu wenden, hatte aber versucht, seine Mutter vorsichtig auszufragen, ob Anne und Marie LaFlamme nach Paris kämen, wie es sein Vater und Monsieur Chahinian vorausgesagt hatten. Würde er die Zeit haben, nach Nantes zurückzukehren, um Marie den Brief zu geben, ehe sie ihrerseits die Stadt verlassen hatte? Wenn er sie noch erwischte, mußte er sie davon überzeugen, ihm nach Paris zu folgen. Er fragte sich gerade, ob seine Patin einverstanden wäre, ihm Marie anzuvertrauen, als ein Kurier aus Nantes eintraf.

Durch den Kurier erfuhren sie von den tragischen Ereignissen. Der Tod Anne LaFlammes stimmte Victor sehr traurig, aber die Nachricht von Maries Hochzeit mit dem Reeder schmetterte ihn zu Boden.

Das junge Mädchen war für ihn ein für allemal verloren.

31.
KAPITEL

Der Kater miaute schon eine Weile und lauerte darauf, daß seine Herrin aufwachte. Würde sie sich vielleicht endlich herablassen, mit ihm zu spielen? Er wollte, daß sie das Fenster öffnete, damit er den Pirol fressen konnte, der hinter der Scheibe herumstolzierte.

Marie LaFlamme kam seinem Wunsch nach, denn sie wußte, daß der Vogel sofort wegfliegen würde, wenn er sie sähe. Als sie die frische Morgenluft einatmete, wurde der jungen Frau so schwindelig, daß sie sich am Holzrahmen festhalten mußte. Dennoch durchströmte sie ein Glücksgefühl, das sie an die milden Temperaturen und die Kraft des Frühlings erinnerte. Sie hätte gern den Geruch des Meeres gefühlt, das leuchtendrote Licht, das den Hof überflutete, geschmeckt und die Feuchtigkeit der wieder erwachten Erde getrunken.

Eine Fee hatte den schwarzen Schleier zerrissen, der sie seit dem Tod ihrer Mutter umhüllt hatte. Wie eine wandelnde Leiche war sie sich vorgekommen. Jetzt trieb eine unbekannte Kraft sie dazu, ihren Kater in den Arm zu nehmen und mit ihm ungestüm durch das Zimmer zu tanzen. Sie drückte das Tier an ihr Herz und war überzeugt, es spürte, daß das Leben wieder in ihr pulsierte. Tatsächlich schnurrte Ancolie glücklich darüber, daß seine Herrin wieder die wurde, die sie vor der Hochzeit gewesen war – ein temperamentvolles, lachendes Mädchen. Ja, Marie fand ihre Freude wieder, die ihr die neu erwachte Natur gab, und das Brausen der Wellen auf dem Kies, das Gackern der Teichhühner in den Mooren, der nach Himbeeren duftende Tau in der Morgendämmerung des Augusts, die stärkende Kraft des Nordens, oder der Zauber einer Sternschnuppe würden sie von diesem Tag an wieder begeistern, das wußte sie.

Zum ersten Mal seit Wochen erinnerte sie sich an das Gesicht ihrer Mutter vor den qualvollen Leiden. Anne La-Flamme lächelte sie an und gab ihr einen Weißdornzweig. Sie sagte zu ihr, sie solle die Pflanze pflücken und Gebrauch davon machen, denn der Weißdorn lasse das Blut gerinnen. Dieses Bild vor ihrem inneren Auge war so klar, daß Marie jetzt, allein mit ihrem Kater, mit lauter Stimme versprach, ihrer Mutter zu gehorchen. »Ich werde diese Pflanze suchen und eines Tages Kranken das Leben retten, das schwöre ich. Aber ich schwöre auch, daß ich Geoffroy de Saint- Arnaud vergiften werde.«

Sie spuckte den Namen des verhaßten Gatten mehr aus, als daß sie ihn sprach, als ob schon der bloße Gedanken an den Reeder sie besudelte. Als sie das Fenster schloß, sah sie ihr Spiegelbild in dem Glas. Sie sprang auf. Das sollte wirklich sie sein, diese bleiche Kreatur mit den eingefallenen Wangen? Sie lief zu einem Spiegel: Wie mager sie geworden war! Und ihre Haare! Sie waren ordentlich geflochten, hatten aber ihren Kupferglanz verloren, auf den sie so stolz gewesen war. Als sie mit ihrer Katze im Zimmer herumgewirbelt war, hatte sie geglaubt, ihre Beine würden ihr den Dienst versagen. War es die zu große Gefühlsaufwallung oder die lange Bettlägerigkeit, die sie schwach machte? Mit einer energischen Handbewegung ließ Marie einen ihrer Haarzöpfe durch die Luft kreisen. Sie war wütend auf Geoffroy de Saint-Arnaud, aber noch mehr auf sich selbst. Wie hatte sie sich so einlullen und niederdrücken lassen können? Der Mann wollte sie vernichten, und sie hatte gleichsam eingewilligt und den Racheschwur vergessen, den sie bei ihrer Verhaftung ausgestoßen hatte. Von heute an würde Nanette sie nicht mehr jammern hören. Nanette? Wo war sie? Sie erinnerte sich, daß sie das liebe, zerfurchte Gesicht der Amme gesehen hatte, die ihr Mut zugesprochen hatte. Hatte sie nur von ihrer Amme geträumt, oder hatte diese wirklich an ihrem Bett gesessen? Welches Wunder hatte sie hierher verschlagen? Was könnte sie dazu bewogen haben, in die Dienste von Geoffroy de Saint-Arnaud zu treten?

Marie stürzte zur Zimmertür und blieb dann stehen, weil ihr einfiel, daß sie nur ihr dünnes Nachthemd trug. Sie griff nach einer Decke, in die sie sich ungeschickt einwickelte, stapfte aus dem Zimmer und schrie mit der ihr eigenen Ungeduld: »Nanette! Nanette!«

Eine Dienerin, die wenige Minuten später herbeigelaufen kam, wich zurück, als sie Marie sah.

»Sie sind … Sie können wieder gehen?«

»Scheint so. Ist Nanette … Wo ist meine Amme?«

»In der Küche. Sie kocht gerade den Brei für Sie.«

»Gehen wir also in die Küche.«

302

Die Dienerin riß die Augen weit auf und murmelte dann, daß sie nicht wisse, ob der Herr es gutheißen würde.

»Wo ist er?«

»Am Hafen.«

»Das ist eine gute Nachricht. Los, helfen Sie mir. Geben Sie mir Ihren Arm. Ich werde Monsieur de Saint-Arnaud sagen, daß ich allein hinuntergegangen bin.«

Auf der Treppe begegneten den beiden einige Bedienstete, und auf alle machte Marie LaFlamme den gleichen furchsamen Eindruck. Einige bekreuzigten sich, andere stotterten unverständliche Worte.

»Sehe ich denn so häßlich aus?« fragte sie halblaut. »Man könnte ja meinen, die hätten ein Gespenst gesehen.«

Die Dienerin ließ sie mit einem spitzen Schrei stehen und stürzte die restlichen Stufen der Treppe eilig hinunter. Marie blieb einen Moment sprachlos stehen. Was hatte sie denn gesagt, daß sie das arme Mädchen so erschreckt hatte? Sie stützte sich auf das Geländer und war entschlossen, hinunterzugehen, obwohl sie die schwankenden Stufen an einen starken Seegang erinnerten.

Endlich hatte sie die Küche erreicht. Nanette stocherte mit einem Schürhaken in der Glut des Kamins. Sie hörte die Stimme Maries, drehte sich um, ließ den Schürhaken fallen und blieb dann regungslos stehen, als das junge Mädchen auf sie zutrat.

»Nanette! Sag doch etwas! Findest du mich denn auch so häßlich?«

Die alte Frau machte den Mund auf, dann wieder zu, ohne ein einziges Wort zu sagen. Marie rüttelte ungeduldig an ihrem Arm und zeigte auf einen gußeisernen Topf, der auf dem Tisch stand. Sie fragte die Amme, ob sie ihr die Bohnensuppe gekocht habe, die sie so gern aß. Nanette war so verwirrt, daß sie mehrmals das Wort

»Suppe« murmelte, bevor sie in ein Schluchzen ausbrach. Marie nahm sie zärtlich in die Arme, und als ihre Amme sich etwas beruhigt hatte, sagte sie lächelnd zu ihr, eigentlich habe sie gehofft, lachend und nicht mit Tränen empfangen zu werden. »Freust du dich denn nicht, mich zu sehen?«

»Meine Kleine … Meine Kleine … Wenn du wüßtest …«

»Ich weiß nichts, aber ich weiß, daß du mir erklären wirst, was passiert ist. Hatte ich Fieber?«

»Ob du Fieber gehabt hast? Ja, Pater Thomas war schon hier und hat dir die Sterbesakramente verabreicht.«

»Pater Thomas! Den kann ich nicht leiden!«

Nanette mußte nun doch lachen.

»Du bist kaum aus deinem Tiefschlaf erwacht, da fängst du schon an, wählerisch zu werden. Ob Pater Thomas da war oder nicht, Hauptsache du lebst.«

»Aber bestimmt nicht, weil er hierhergekommen ist, sondern dank deiner Pflege. Es stimmt doch, daß du bei mir gewacht hast?«

»Ja. Früher warst du immer so ein Schleckermaul gewesen, aber hier hast du weniger als ein Spatz gegessen. Ich kenne mich mit den Pflanzen nicht so gut aus wie deine arme Mutter. Aber es hat dir bestimmt nicht geholfen, daß dieser Esel von Hornet dich ständig zur Ader gelassen hat. Deine Jugend hat dich gerettet, mein Kind, und die Heilige Jungfrau.«

»Sie hat aber doch meine Mutter vergessen.«

»Lästere nicht«, sagte die Amme langsam. »Ich habe stundenlang an deinem Bett zu ihr gebetet und sie angefleht. Sie hat mich erhört, und ich werde meinen Pilgergang machen.«

»Pilgergang?«

»Ich habe es geschworen, daß ich in der Kathedrale von

Notre-Dame in Paris Gebete sprechen werde, sobald du wieder hergestellt bist.«

»Aber du …«

»Ich werde dort hingehen«, sagte die alte Frau in einem Ton, der keinen Widerspruch duldete.

Marie lächelte sie an und verschob den Versuch, ihrer Amme zu erklären, daß sie für eine solche Strapaze viel zu alt sei, auf ein anderes Mal. Sie ergriff die faltigen, von dicken Venen durchzogenen Hände, küßte sie liebevoll und fragte dann, wann Pater Thomas gekommen sei.

»Letzten Montag, und einmal Ende Januar.«

»Aber welchen Tag haben wir denn heute?«

»Es ist bald Fastnacht«, sagte Nanette leise.

»Was?« schrie Marie. »Das ist ja ungeheuer.«

Nanette erklärte ihr, daß sie mehr als einen Monat im Bett gelegen habe. Sie selbst sei einige Wochen nach ihrer Hochzeit hier eingestellt worden. »Ich glaube, du warst fast so mager wie mit zehn Jahren. Du hast mich angesehen und geweint, und dann hattest du scheinbar wieder vergessen, daß ich bei dir war. Anfangs hast du geschrien und um dich geschlagen, wenn ich dich füttern wollte, dann bist du ruhiger geworden. Aber du hast das ganze Essen wieder erbrochen, selbst meinen Zimtbrei. Und du magst doch weiß Gott meinen Zimtbrei! Du hast alles erbrochen und am ganzen Leib gezittert. Dann bist du wieder in die Kissen gefallen, als ob du verhext worden wärst.«

Nanette machte eine Pause, bevor sie leise hinzufügte, daß einige Leute nicht damit aufhören können, böse Gerüchte zu verbreiten. »Die sagen, du seist genau wie Anne eine Hexe! Sie sind alle verrückt hier. Aber dein Mann hat sie zum Schweigen gebracht. Er verbietet, daß man irgend etwas Schlechtes über dich sagt. Vielleicht habe ich mich in ihm geirrt. Er hat mich angefleht, dich zu retten.«

»Er ist nicht wegen mir beunruhigt … Aber erzähl nur weiter. Ich werde es dir danach erklären …«

»Mehr gibt es nicht zu berichten. Zweimal warst du wirklich kurz vorm Sterben. Es ist noch keine Woche her, da wagten es die Bediensteten nicht, dein Zimmer zu betreten. Nur noch dein Ehemann und ich sind zu dir gekommen. Er kam zehnmal am Tag. Vorgestern hast du besser geschlafen. Ich habe Kerzen angezündet und eine Messe für dich gelesen. Der Reeder hat auch mehrere Messen für dich in der Kathedrale gelesen. Er wollte nicht, daß du stirbst, das ist sicher. Du wirst sehen, daß er dunkle Ränder unter den Augen hat.«

»Um so besser. Denn es sind keine Gewissensbisse, die ihn so zermürbt haben.«

»Das mußt du mir erklären.«

»Warte, ich will zuerst wissen, wie Saint-Arnaud dich gefunden hat. Pater Germain hat uns im Gefängnis gesagt, daß Martin Le Morhier dich versteckt hätte.«

»Gott segne ihn! Er hat mich fast erschlagen müssen, um mich von zu Hause wegzuschaffen und mich in Le Croisic festzuhalten. Die ersten Tage war ich wütend auf ihn. Ich wollte zu euch in den Kerker, aber als er mir erklärt hat, daß ich dir lebend mehr nutzen kann, da habe ich verstanden, daß er recht hatte. Er war es, der gewußt hat, daß dein Mann mich sucht, damit ich dich gesundpflege, und der mich nach Nantes zurückgebracht hat. Ich kann mir gut vorstellen, daß man mich in den Kerker geworfen hätte, wenn dein Gatte mich nicht gebraucht hätte. Anne hat ihnen nicht gereicht. Ich habe dem Kapitän nicht geglaubt, als er mir gesagt hat, sie sei tot.«

»Ich verstehe«, murmelte Marie. »Ich habe auch nicht

geglaubt, daß sie umbringen werden. Ich dachte immer, daß Mama nicht sterben könne.«

»Ich weiß ... Als Martin Le Morhier mir gesagt hat, daß ihre Überreste noch zur Schau gestellt worden seien, mußte ich es schon einsehen ...«

»Man hat ... die sterblichen Überreste von Mama ... gezeigt?«

Nanette schlug die Augen nieder.

»Sie haben es gewagt?«

»Vergiß es, mein Kind. Es ist besser.«

»Niemals!« schrie Marie. »Sie werden für diese Schmach bezahlen. Ich werde es nicht hinnehmen, daß ...«

Die Amme hielt sie an den Handgelenken fest.

»Du wirst es nicht hinnehmen? Jetzt reicht es, meine Kleine! Deine Mutter ist nicht mehr da, um dir in aller Freundschaft zu sagen, daß du dich besser beherrschen solltest ... Ich werde jetzt in einem anderen Ton mit dir sprechen. Du bist weder eine Königin noch eine Prinzessin, sondern du bist die Tochter einer Verurteilten. Ob du nun hinnimmst oder nicht, was sie ihr angetan haben, ändert daran nichts. Halte deinen Hochmut im Zaum, denn du hast überhaupt keine Macht. Vielleicht bist du die am reichsten verheiratete Frau in Nantes, aber dein Mann wird dir sicher nicht helfen, Annes Henker zu rächen. Du kannst mit deiner Schönheit nicht alles erreichen, mein Kind, vergiß das nie. Die Zeiten, in denen man aufgrund deines hübschen Lachens Nachsicht mit dir geübt hat, sind vorbei.«

Nanette ließ die junge Frau los, behielt sie aber im Auge. Marie starrte die Amme sprachlos an.

»Aber Nanette ...«

»Nein. Versuch nicht, mein Herz zu erweichen. Du mußt endlich einsehen, daß du deine Zukunft gefährdest, wenn du immer wieder Dummheiten anstellst und so dickköpfig bist.«

»Aber ich will meine Mutter rächen.«

»Ach ja? Und wie? Willst du die Richter alle umbringen?«

Marie zuckte ratlos mit den Schultern.

»Spiel dich nicht so auf«, schimpfte die alte Frau.

»So hör mir doch zu. Du wirst schon sehen, daß ich recht habe und daß ich Mama rächen kann. Setz dich hin. Es dauert nicht lange.«

»Du bist noch ziemlich wackelig auf den Beinen«, schimpfte Nanette. »Es wäre vielleicht besser, wenn du wieder ins Bett gingst.«

»Nein! Du mußt erst wissen, was hier gespielt wird.«

Marie erzählte genau, was sich im Kerker abgespielt hatte. Sie hätte ihre Amme schonen können, wenn sie die Einzelheiten der Folter, die Anne erlitten hatte, weggelassen hätte, aber sie wollte, daß Nanette ihren Wunsch nach Rache teilte. Dann erzählte sie von dem Schatz, hinter dem der Reeder her war. Als sie mit ihrem Bericht fertig war, fragte sie, ob sie nun verstehe, warum Geoffroy de Saint-Arnaud ein Ungeheuer sei.

»Ich werde ihn mit meinen eigenen Händen umbringen!« tobte Nanette.

»Nein. Ich werde es sein, die das Vergnügen hat, ihn zu vergiften. In einem Monat oder in einem Jahr oder in zwanzig Jahren, sobald ich eben weiß, welche Pflanze ich nehmen muß, damit er ganz fürchterlich leidet, bevor er abkratzt.«

Nanette nickte zögernd, auch wenn sie wußte, daß Anne diesen Schritt niemals gutgeheißen hätte. Anne La-Flamme hatte immer nur gesagt, daß es ihr Schicksal sei, Menschen zu heilen. Sie hätte nicht erlaubt, daß ihre Kräuter zu einem solchen Zweck mißbraucht würden. Aber war ihr eigenes Ende nicht so fürchterlich gewesen, daß man zwangsläufig auf die Idee kommen mußte, ihre Henker auszurotten? Doch, sie würde Marie helfen, beschloß Nanette und fragte: »Aber wie willst du denn die Kräuter sammeln? Dein Ehemann wird dir niemals erlauben, in den Wäldern zu suchen.«

»Ich weiß. Und er wird mich ständig verfolgen lassen, damit ich den Schatz nicht ohne ihn finde. Ach, wenn ich nur wüßte, welchem Matrosen mein Vater die andere Hälfte des Rätsels gegeben hat.«

»Sogar deine arme Mutter hat es nicht gewußt ...«

»Sie hat noch nicht einmal versucht, es zu erfahren. Aber Vater hat den Schatz für mich versteckt, weil er mich geliebt hat. Ich werde ihn finden und ihn für mich ganz allein behalten.«

»Und der Reeder?«

»Ich werde fliehen. Ich gehe zu Simon nach Paris. Mit diesem Schatz können wir in eine schönes Land reisen, und wir drei werden sehr glücklich sein, meine Nanette.«

Die Amme preßte die Lippen zusammen. Also dachte sie immer noch an diesen Taugenichts Perrot. Anne hätte es niemals hingenommen, daß Marie mit diesem Kerl ihre Mitgift durchbringen würde. Sie seufzte tief und fragte sich, warum alles so kompliziert geworden sei. Obwohl sie Marie gerügt hatte, fragte sich Nanette, welches wohl der göttliche Wille sei. Wie hatte ER erlauben können, daß Anne verurteilt worden war? Wußte ER denn nicht, daß sie eine Heilige war? Oder wollte ER sie näher bei sich haben? Sie hatte den Eindruck, daß sie die Wahrheit nicht erfassen konnte. Sie konnte sich noch so oft sagen, daß Gott Marie gerettet hatte, so blieb es doch dabei, daß sie gar nicht erst krank geworden wäre, hätte man Anne nicht hingerichtet. Sie bekreuzigte sich und erschrak über ihre ketzerischen Gedanken. Sie mußte bei Pater Germain beichten. Sie unterdrückte einen Aufschrei.

»Ich habe ihn vergessen.«

»Wen?«

»Pater Germain. Er muß mit mir beten, weil du wieder gesund bist. Dein Mann mag ihn nicht besonders, und unser Abt zieht es auch vor, ihm aus dem Weg zu gehen. Er läßt sich immer dann hier blicken, wenn der Reeder nicht da ist. Er wird nach dem Essen kommen, und ich habe noch nichts vorbereitet. Du mußt etwas essen. Geh schnell wieder ins Bett, dann bringe ich dir dein Essen.«

»Aber ich fühle mich großartig«, widersprach Marie.

»Du weißt ja nicht, was du sagst. Du hast tagelang im Delirium gelegen. Ich helfe dir die Treppe hinauf.«

»Das kann ich doch allein.«

»Du hörst jetzt auf mich, meine Kleine. Ich habe dich nicht gepflegt, damit du deine Gesundheit sofort wieder ruinierst!«

»Du hast mich gerettet, damit du mich ärgern kannst!« murmelte Marie.

»Sag das noch einmal!«

Marie zog bockig die Schultern hoch.

»Ich dachte, daß all die schlimmen Dinge, die du erlebt hast, dich verändern würden. Aber du bist noch immer genauso unverschämt wie früher, Marie. Was muß denn noch alles geschehen, damit du endlich Vernunft annimmst? Hast du nicht genug durchgemacht?«

»Doch! Darum ja! Und jetzt bist du auch noch gegen mich!«

Nanette wollte Marie eine Ohrfeige verpassen, aber das Mädchen wich geschickt aus: »Wie du siehst, bin ich gar nicht so schwach ... Nanette. Nanette?«

Die Amme hatte sich abrupt umgedreht und hielt krampfhaft ihre Tränen zurück. Nun war es schon so weit, daß sie fast ihre Kleine verhauen hätte, wo an diesem Morgen doch nur Freude hätte herrschen sollen. Aber von wem hatte Marie nur diese Dickköpfigkeit?

»Nanette«, murmelte Marie und ging auf die Amme zu. »Weine nicht wegen meiner Dummheiten. Es ist zu dumm. Ich gehe wieder ins Bett.«

Die alte Frau drehte sich um und erklärte Marie schluchzend, daß sie solch eine Angst gehabt habe, sie zu verlieren. Marie nickte und sagte noch einmal, daß sie unter der Bedingung wieder in ihr Zimmer gehe, daß man ihr ganz schnell eine Suppe bringe. Sie wußte, daß sie die Amme von ihren Sorgen ablenkte, wenn sie nach ihrem Essen verlangte. Ihr gefiel diese übermäßige Rührung nicht. Sie war doch am Leben geblieben, oder nicht? Wozu sollte es gut sein, ständig über die Vergangenheit zu grübeln und zu sagen, daß sie, Marie, leicht auch wie ihre Mutter hätte enden können? Immer wenn sie an Anne dachte, mußte sie an Rache denken.

Als sie unter die Decke des großen Bettes kroch, mußte Marie im stillen zugeben, daß ihre Amme recht hatte: Sie fühlte sich noch sehr matt, und trotz ihres Wunsches, wachzubleiben, um über ihr zukünftiges Verhalten gegenüber Geoffroy de Saint-Arnaud nachzudenken, schlief sie so schnell ein, daß Nanette die Suppe wieder in die Küche zurücktragen mußte, nachdem sie Marie liebevoll zugedeckt hatte. Als Nanette die Treppe hinunterging, entschloß sie sich, den Pater darum zu bitten, Marie zu segnen.

Die Nachricht von der sogenannten Wiederauferstehung
Marie LaFlammes verbreitete sich genauso schnell, wie
sich zuvor ihre Vermählung mit dem Reeder herumge-
sprochen hatte. Die Tochter der Hexe hielt scheinbar noch
einige Überraschungen für ihre Mitbürger bereit. Als sie
nach zwei Monaten wieder vor der Kathedrale auftauchte,
wichen die Menschen mit verhaltener Bewunderung
zurück. Sie trug einen langen, schwarzen Samtumhang,
der ihren klaren Teint, ihre reinen Gesichtszüge und den
Glanz ihrer Locken, die ihre Stirn und ihre Schläfen verzierten, betonte. Die dunkle Kleidung hob die Schönheit
ihres Gesichts hervor. Die vielen Bürger, die in Trauerklei-
dung wie Vogelscheuchen aussahen, hatten einen weiteren
Grund, die neue Ehefrau des Reeders zu hassen. Zumal sie
die Ehre, die man ihr hatte zuteil werden lassen, noch nicht
einmal anerkannte.

Marie LaFlamme hatte sich im hinteren Teil des Kir-
chenschiffs hingekniet und ihren Ehemann während der
ganzen Messe nicht einmal angesehen. Es schien so, als sei
er für sie unsichtbar. Er hatte ihr in der Kutsche, die sie zur
Kathedrale fuhr, noch so sehr drohen können, sie behielt
doch ihr Verhalten bei, das er seit ihrer Gesundung an ihr
kannte: Sie mißachtete ihn. Er konnte vor ihr hin und her
laufen, wettern, schimpfen oder toben, sie schaute einfach
starr geradeaus, was ihn sehr verärgerte. Wenn sie auf
seine Fragen antwortete, dann immer mit der gleichen
monotonen Stimme, ohne daß sie die geringsten Gefühle
gezeigt hätte. Sprach sie hingegen mit Nanette oder anderen Dienern, so war sie überaus lebhaft, lachte, gab Wider-

worte oder schrie laut. Nur ihm gegenüber zeigte sie sich so leblos wie eine Marionette.

Vor drei Tagen hatte er sie geschlagen, weil er dieses merkwürdige Verhalten nicht länger ertragen konnte. Sie hatte keine Miene verzogen, und ihre blauen Augen waren ausdruckslos geblieben. »Wenn Sie mich töten«, hatte sie ruhig gesagt, »bin ich Ihnen nicht mehr von Nutzen.« Durch diese schlichte Bemerkung war seine Wut noch größer geworden, und nur die Hoffnung, bald in den Besitz des Schatzes zu gelangen, hatte ihn davor zurückgehalten, seine Frau auf der Stelle zu erstechen.

Bald würde sich der Kleine, sein verbrecherischer Handlanger, mit ihr vergnügen. Er hatte die Phantasie dieses bösen Geistes angeregt, indem er ihm die mit Marie verbrachten Nächte in allen Einzelheiten geschildert hatte. Er hatte dem zwergenhaften Schurken von ihrem heißen Körper, ihren festen Schenkeln und ihren runden Waden erzählt. Er hatte ihm vorgeschwärmt, wie sie geschrien und wie sie sich verteidigt habe, um sich schließlich geschlagen zu geben. Er hatte ihm auch gesagt, daß sie so eng gebaut sei, daß er glauben würde, es mit einer Jungfrau zu treiben. Der Kleine mußte sich nur noch wenige Wochen gedulden.

Als das Ehepaar Saint-Arnaud in der Kutsche davonfuhr, bildeten sich sofort Gruppen vor der Kathedrale, um dieses Ereignis zu besprechen.

»Die Macht Monsieur de Saint-Arnauds hat es seiner Frau erlaubt, wieder in die Kirche zu gehen«, ließ Henriette Hornet verlauten.

»Ich dachte eigentlich, sie sei exkommuniziert worden«, sagte Françoise Lahaye.

»Dann hätte er sie nie geheiratet. Aber es ist schon ganz schön mutig, die Tochter einer Hexe zu heiraten.«

Jacques Lecoq, der die Händler, mit denen er geplaudert hatte, stehen ließ, empörten diese Worte. »Anne La-Flamme ist verurteilt worden, weil ihre Schuldigkeit bewiesen war. Aber gegen die Tochter haben sie nichts in der Hand.«

»Sie müssen zugeben, daß sie ziemlich plötzlich wieder gesund geworden ist. An einem Tag liegt sie im Sterben, und am nächsten tanzt sie wieder.«

»Sie hat getanzt?« wunderte sich der Händler.

»Das hat zumindest eine Dienerin behauptet.«

»Es ging ihr einfach besser, das ist alles.«

»Mein Mann ist Arzt, Monsieur, und er hat noch nie erlebt, daß jemand so plötzlich wieder gesund geworden ist.«

»Was wollen Sie damit sagen?«

»Gar nichts …«

»Immerhin hat sie ja auch einen exzellenten Arzt gehabt«, sagte Jacques Lecoq. »Marie ist dank der Hilfe Ihres Mannes wieder gesund geworden. Das ist doch nicht verwunderlich.«

Die Bürgersfrau preßte die Lippen zusammen, um ihre Wut zu unterdrücken. Was sollte sie darauf sagen? Ihr gefiel Jacques Lecoqs Verhalten nicht. Er hatte Anne La-Flamme während des Prozesses kaum verteidigt, aber jetzt ergriff er Partei für ihre Tochter. Wie einige andere Männer auch, die dem Zauber ihrer blauen Augen nicht widerstehen konnten; oder wie einige Frauen, die inzwischen bedauerten, die Hebamme vorschnell beschuldigt zu haben; Leute, die hofften, dadurch in der Gunst Geoffroy de Saint-Arnauds zu steigen, oder vorsichtige Menschen, die sich immer noch vor der Zauberkraft Anne LaFlammes fürchteten.

»Er hat wohl ihren Körper geheilt, aber ihre Seele … Das

Handeln ihrer Mutter hat sie bestimmt verdorben«, beharrte Juliette Guillec. »Nicht wahr, Monsieur Chahinian?«

Der Goldschmied, der von Gruppe zu Gruppe ging, um alle Gerüchte aufzufangen, tat so, als habe er ihre Frage nicht verstanden. Der Ton ihrer Stimme war so haßerfüllt, daß Chahinian sofort klar wurde: Marie mußte Nantes schleunigst verlassen. Sie hätte schon längst in Paris sein sollen.

Die Baronin von Jocary hatte Josette Wasser holen lassen, damit sie die Wunde ihres Schützlings waschen konnte. Sie bemühte sich mehr aus eigenem Interesse als aus Fürsorge darum, daß Michelle Perrot schnell wieder gesund wurde. Wie hatte es dieses Dummerchen nur geschafft, sich beim Brotschneiden in den Finger zu schneiden! Sicher, das Roggenbrot war nicht mehr ganz frisch gewesen, aber auch nicht so hart wie das Brot des Bäckers aus der Nachbarschaft. Die Baronin hatte es von Josette, die sich merkwürdig bereitwillig gezeigt hatte, in den Markthallen besorgen lassen. Josette, die früher widerwillig hier in Paris Besorgungen gemacht hatte, rannte nun fast sofort los, wenn ihre Herrin sie losschickte, um einen Truthahn, ein Rebhuhn, Schweinswürstchen oder Schweinegeschlinge, einen Karpfen oder eine Barbe zu kaufen. Die Baronin hatte schnell Verdacht geschöpft, daß ihr Dienstmädchen sich in einen Fisch- oder Geflügelhändler verknallt habe, weil sie jetzt so freudig einkaufen ging. Sie mußte ihren Verehrer wohl zwischen den einzelnen Besorgungen im Nachbarviertel treffen. Die Kleine hatte erzählt, daß die Preise der Markthallenhändler niedriger seien als auf dem zweimal wöchentlich stattfindenden Markt, und daß sie gern an der St.-Merri-Kirche vorbeiginge. Armande de Jocary hatte gelacht, schien es aber zu billigen, denn vielleicht hielt Josettes Freund für sie einige schöne Stücke zu günstigen Preisen zurück. Es war kein Wunder, daß ihr Empfang, den sie vor zwei Tagen gegeben hatte, von Erfolg gekrönt gewesen war, denn die Baronin hatte mehr als fünfzehn Pfund für das Essen ausgegeben. Natürlich hatte sie auf Frischlinge und Tauben verzichtet, denn die waren entschieden zu teuer, aber sie hatte gehofft, daß die Kapaunen ihren Gästen trotzdem schmeckten.

Sie hatte also am übernächsten Tag den Eindruck, daß es ein gelungener Empfang gewesen sei, als Josette unter dem Portal verschwand. Die Gäste waren begeistert gewesen, als sie erfuhren, daß sie eine Wallfahrt gemacht hatte, um das Andenken ihres Gatten zu ehren. Wenn sie die Wahrheit gewußt hätten …

Armande Boulet war nie verheiratet gewesen. Sie war lange mit einer Gruppe Gaukler umhergereist, bis sie Octavio de Jocary getroffen hatte. Er hatte sie im Spiel, der spanischen Sprache und der Lektüre unterrichtet. Zehn Jahre lang waren sie durch ganz Frankreich gereist, und sie hatten von ihrer Geschicklichkeit, die Leute beim Würfeln und Kartengeben hinters Licht zu führen, gelebt. Da sie nie beim Betrügen erwischt wurden, behauptete Armande de Jocary eines Tages, daß sie die Märkte vergessen könnten, um sich in besseren Kreisen umzusehen. Ihr etwas ängstlicherer Lebensgefährte versuchte vergebens, sie davon abzuhalten, und als sie ihm eröffnete, sie wolle ihn verlassen, klagte er sie als Kurtisane an. Sie wurde zu einer Kerkerstrafe verurteilt, und sie begriff schnell, daß nur eine öffentliche Abbitte sie aus diesem Kerker befreien konnte. Sie zeigte sich bekehrt und flehte, man möge sie in ein Kloster stecken. Das religiöse Leben war hart, aber Armande de Jocary hoffte, hier Frauen aus reichen Familien zu treffen, die ihr Bildung und gute Manieren vermitteln könnten. Sie blieb sieben Jahre im Kloster, davon fünf gegen ihren Willen. Von einem solchen Ort kommt man so leicht nicht wieder weg, und die, die sich jetzt Baronin von Jocary nannte, hätte hier versauern können, wenn nicht ein Feuer genau zum richtigen Zeitpunkt das Kloster zerstört hätte. Armande nahm die Geldkassette, in der die Äbtissin die Mitgift der Glaubensschwestern aufbewahrte, an sich. Sicher würde man den Verlust der verschollenen Goldstücke beweinen, aber wie sollte man sie unter den Trümmern wiederfinden? Sie flüchtete nach Spanien, wo sie sechs Monate lebte. Dort faßte sie den Entschluß, sich den Titel einer Baronin zuzulegen, und sie verpflichtete sich zu einer langen Pilgerfahrt, um Buße zu tun. Ihre Begegnung mit Michelle Perrot war das Zeichen, daß sie auf dem rechten Weg war.

Während sie mit dem roten Band spielte, das die Mitte ihres Dekolletés zierte, dachte die Baronin daran, daß sich ihre Gäste kaum an den königlichen Erlaß hielten. Der vor wenigen Jahren verstorbene Mazarin – der als Nachfolger und Geschöpf Richelins eine Sturmflut von haßerfüllten Flugschriften seitens der Fronde auf sich einstürzen sah – hatte das Tragen von Gold- und Silberstoffen verboten. Diese Anweisung wurde befolgt, aber niemand hatte auf Schmuck, Knöpfe, Kettchen, Kantillen und Pailletten verzichtet. Die Reichen von Paris widersetzten sich dem Befehl, nahmen das Risiko einer Bestrafung auf sich, nur damit sie sich durch ihre Kleidung besser von den Bürgersleuten und Bettlern absetzen konnten.

Die Baronin von Jocary fühlte sich geschmeichelt, als sie sah, wie sich ihre Gäste ausstaffiert hatten. Es war kein

Fehler gewesen, auf Michelle Perrot zu setzen, die sie in Michelle-Angèle des Lys umgetauft hatte und als elternlose Cousine vorstellte. Die Musikerin hatte sich zurückgehalten, um nicht vor ihrer Gönnerin loszulachen, aber sie mußte an ihren Bruder denken, der losprusten würde, wenn er diesen Namen hören würde. Na ja, wenn es der Baronin von Jocary gefiel, fügte sich Michelle eben. Ihr neues Leben war aufregend genug. Ständig bat man sie vorzuspielen, und sie mochte diese Stadt mit den zahlreichen Kirchen, in denen die Orgeln erklangen. Zwar vermißte sie ihre Eltern und Marie, aber sie wußte, daß dieses Opfer eine Prüfung Gottes auf dem Weg zu ihrer wahren Bestimmung war. Michelle Perrot hoffte, dem Kapellmeister der Kapelle von Saint-Julien empfohlen zu werden. Dann konnte sie sich ganz der Kirchenmusik widmen. Es mißfiel ihr zwar nicht, in den Salons zu spielen, aber richtig glücklich würde sie diese Art weltlicher Musik auf die Dauer nicht machen. Sie wartete also darauf, daß Gott ihre Gebete erhören möge.

»Mein Gott, ist Josette langsam!« schimpfte die Baronin. »So weit ist es doch nicht bis zum Apotheker.«

»Aber das macht doch nichts. Der Schnitt ist nicht sehr tief. Ich schwöre es Ihnen, Madame«, versicherte Michelle nachdrücklich.

»Und wenn sich die Wunde entzündet? Vergessen Sie nicht, daß wir am Donnerstag den Marquis de Saint-Onge besuchen werden. Es ist wichtig, daß Sie ihn mit Ihrem Spiel überraschen. Wenn Sie so ungeschickt sind, dann muß ich Ihnen von jetzt an verbieten, ein Messer in die Hand zu nehmen.«

Michelle seufzte, anstatt eine Antwort zu geben. Es hatte keinen Zweck, zu versuchen, die Baronin zu beschwichtigen, wenn sie wütend war. Glücklicherweise dauerte ihre Wut nie lange. Sie tobte und beruhigte sich dann schnell wieder.

»Aber was macht sie denn bloß so lange?« fragte sie jetzt. »Josette hat einen Verehrer, nicht wahr?«

Michelle tat erstaunt.

»Einen Verehrer? Josette?«

»Hat sie Ihnen gesagt, welcher Händler es ist?«

Michelle, die ungern log, war über diese Formulierung der Frage erleichtert und antwortete ehrlich, daß sie nicht wisse, um welchen Händler es sich handele.

»Sie hat sich doch nicht in einen Bäcker verliebt? Oder in einen Metzger?«

»Soviel ich weiß, nicht, Madame.«

Die Adelsfrau machte ein enttäuschtes Gesicht. Sie hätte doch gewettet, daß ihr Dienstmädchen von einem Händler belästigt wurde.

Diese Wette hätte sie verloren. Sie hatte schon lange nicht mehr gespielt, und sie hatte vielleicht recht, auch weiterhin darauf zu verzichten, trotz der schrecklichen Lust, die sie verspürte. Auch machte es ihr Sorgen, ihr letztes Geld seit ihrer Niederlassung in Paris dahinschwinden zu sehen. Die Anmietung des Hauses hatte sie mehr als elftausend Pfund gekostet. Aber sie konnte trotzdem nicht auf Dienstmädchen verzichten, und sie konnte auch nur in Kreisen spielen, die ihrem angedichteten Baronentitel angemessen waren. Voller Ungeduld wartete sie darauf, endlich bei gebildeten, adeligen Leuten zu Partien eingeladen zu werden oder auch an den Hof. Ludwig XIV. gefiel es, wenn seine Kurtisanen am Spieltisch viel Geld einsetzten, damit sie ihm dann, wenn sie erst einmal ruiniert waren, vollkommen ausgeliefert waren. Die Baronin wußte nicht, ob das stimmte, aber sie schwor sich, überall, wohin sie kam, als Siegerin den Tisch zu verlassen. Glücklicherweise hatte der Marquis de Saint-Onge gestern einen freundlichen Herzog mitgebracht, der ihr vorgeschlagen hatte, nächste Woche bei ihm zu spielen.

Als Josette endlich zurückkam, hatte die Baronin einen Grund, ihrem ganzen Ärger Luft zu machen. Sie schrie ihr Dienstmädchen an und riß ihr dann fast das Wasser aus der Hand. Sie zwang Michelle, ihre Hand eine Stunde in das Wasser zu halten. Die Musikerin konnte ihr noch so oft sagen, daß etwas Salz im Trinkwasser den gleichen Effekt gehabt hätte, aber die Baronin bestand auf der Befolgung ihrer Anweisung und blieb die ganze Zeit neben Michelle stehen. Sie sprachen über die Auswahl der Suiten, die sie dem Marquis de Saint-Onge zu Gehör bringen sollte.

»Werden Sie das alles spielen können?«

»Ich glaube schon, Madame.«

»Ich hoffe es, mein Kind. Der Marquis ist sehr einfluß-reich.«

Als sie das hörte, entschied sich Michelle sofort für eine Kantate von Charpentier, die sie vor sechs Monaten einstu-diert hatte. Die Baronin hatte sie noch nie gehört, denn Michelle spielte sie nur, wenn sie allein war. Obwohl sie Schuldgefühle hatte, dieses Stück ihrer Gönnerin zu ver-heimlichen, konnte Michelle sich doch nicht entschließen, es vor ihr zu spielen. Sie hatte das Gefühl, diese ihr heilige Melodie durch eine gewisse Geheimhaltung schützen zu müssen. Sie wußte, daß die Baronin ihr Talent schätzte, aber sie hatte oft den Eindruck, daß diese nicht wisse, wel-che Tiefen in ihr verborgen waren. Die Adelsfrau verwech-selte Kunst mit handwerklichem Geschick, und Michelle beeindruckte sie oft mit schweren Melodien, in denen die Noten unaufhörlich aufeinander folgten. Es waren den-noch die scheinbar leichteren Melodien, die die meiste Arbeit verlangten. Einem einfachen Stück Würde oder

Leichtigkeit zu verleihen, jeder einzelnen Note Seele einzuhauchen, das war für Michelle die wahre Herausforderung.

Sie hatte schon versucht, Marie oder ihrem Bruder diese Gefühle zu erklären, aber diese hatten geantwortet, daß sie sich alles nur erschweren würde. Manchmal beneidete sie die beiden. Simon belastete sich nie mit unnützen Fragen. Er machte, wozu er Lust hatte, ohne einen Augenblick zu zögern. In dieser Hinsicht wäre Michelle ihm gern etwas ähnlicher gewesen. Sie mißbilligte sein Verhalten Josette gegenüber, denn sie ahnte wohl, daß ihr Bruder das Dienstmädchen nicht ernst nahm und vermutlich nur mit ihr spielte. Nur die Betroffene selbst merkte das nicht. Wie Marie, die immer glauben wollte, daß Simon sie liebte. Ja, eine Zeitlang hatte Marie auch Michelle davon überzeugt. Wenn man Marie so reden hörte, dann mußte man glauben, Simon habe ihr, bevor er Nantes verließ, mehr oder weniger deutlich einen Antrag gemacht. Die Flötenspielerin wußte jetzt, daß Marie phantasierte.

Ob sie wohl inzwischen den Brief erhalten hatte, in dem sie ihr sehr schonend die traurige Wahrheit beibrachte? Sie hatte Victor Le Morhier den Brief gegeben, der sofort versprochen hatte, ihn weiterzuleiten.

Marie hat Geoffroy de Saint-Arnaud geheiratet, um ihr Leben zu retten, so dachte Victor. Aber sie liebte sicher immer noch Simon! Er wollte ihr den Brief von Michelle schnell schicken. Sie würde dann so niedergeschlagen sein wie er selbst. Er schob den Brief in eine Tasche seines Wamses aus grauem Samt und ging trotz der Proteste seiner Mutter und seiner Tante, die Unglück befürchteten, hinaus auf die Straßen von Paris.

»Du kennst diese Stadt doch noch gar nicht.«

»Und wenn ich eines Tages nach Indien fahre, das ich ja auch nicht kenne? Ich bin doch nicht dumm!«

»Geh auf keinen Fall zur Pont-Neuf«, riet ihm Louise Beaumont. »Man wird dich dort sofort ausrauben.«

Victor Le Morhier versprach, diese Brücke zu umgehen, gedachte aber genau das Gegenteil zu tun. Er wollte zwar nicht sterben, um Marie zu vergessen, aber er hoffte, daß die Angst den Schmerz vertriebe, und er ging der Gefahr mit einer ihm unbekannten Leichtfertigkeit entgegen. Wenn er sich auf See so dumm anstellte, dann würde er nie seine Galonen verdienen.

Er erreichte die Pont-Neuf ohne Zwischenfälle und wollte sie gerade überqueren, um ins Saint-Germain-Viertel zu gelangen, als er zwei Männer sah, die sich über das Brückengeländer beugten, um einen dritten in die Seine zu werfen. Er hätte sich fast auf die Banditen gestürzt, aber diese flüchteten schon an das andere Ende der Brücke. Er rannte, so schnell er konnte, zum Flußufer und riß sich das Wams vom Körper. Er fluchte, als er die Hilfeschreie des Opfers hörte, denn die Nacht war so schwarz, daß er nur schlecht erkennen konnte, von wo die Klagerufe kamen, die schnell schwächer wurden. Er warf sich ins Wasser und wunderte sich, daß in die Kälte nicht völlig lähmte. Dann erinnerte er sich daran, daß er, ohne daß es seine Eltern erfahren hätten, im Eiswasser der Loire geschwommen war, wenn er wußte, daß Marie LaFlamme kam, um ihren Vater zu begrüßen. Sie hatte ihm eines Tages gesagt, daß er gut schwimme und daß er recht habe, es zu erlernen.

Die Schreie wurden schwächer, aber Victor wußte jetzt, wo das Opfer war. Er hatte schon eine Ecke des Mantels in der Hand, zog daran, bekam dann einen Arm zu fassen, den er sofort unter den Kopf des Mannes schob. Er dankte dem Himmel, daß der Mann noch atmete, aber er hatte nicht mehr die Kraft, sich zu verteidigen. Er würde ihn ohne viel Mühe ans Ufer ziehen. Aber das schien sehr weit entfernt zu sein. Die Last wurde Victor immer schwerer, der schon befürchtete, jetzt seinerseits zu ertrinken, als er endlich gegen einen Stein trat. Er sammelte seine letzten Kräfte, um den Geretteten aus den Fluten zu ziehen, dann ließ er sich atemlos, schwitzend und zitternd vor Kälte neben ihn fallen. Nach einigen Minuten schaffte er es auf-zustehen, um sein Wams zu holen. Als er zurückkehrte, kam das Opfer wieder zur Besinnung.

»Wo bin ich? … Was ist … Au, mein Kopf!«

»Man hat Sie zusammengeschlagen und ins Wasser geworfen, aber Sie sind gerettet. Sie müssen schnell nach Hause gehen. Wenn wir hierbleiben, bringt uns die Kälte sicher um, wo Sie Ihren Mördern doch gerade entkommen sind. Können Sie bis zur Straße gehen? Vielleicht finden wir eine Wache, die Sie begleiten kann.«

Der Mann schüttelte den Kopf.

»Das ist nicht nötig. Ich wohne gleich in der Nähe. Wenn Sie mir helfen würden … Es geht mir schon besser.«

Victor Le Morhier war da nicht so sicher, wagte es aber nicht, dem Fremden zu widersprechen. Er stützte ihn unter den Achseln und führte ihn so auf die Straße. Der Mann hatte nicht gelogen, denn er wohnte in der Rue de la Verrerie in einem Hinterhof, der noch schwärzer war als die Seine, in der er fast ertrunken wäre.

Nachdem sie etwas Wein getrunken und sich in dicke Wolldecken gewickelt hatten, sahen sich die beiden Män-ner lange an. Victor Le Morhier mußte sich darin üben, seine Mitmenschen richtig einzuschätzen, wenn er eines Tages eine gute Mannschaft zusammenstellen wollte. Er hätte gern eine Kerze vor das Gesicht seines Gastgebers gehalten, um ihn besser erkennen zu können. Der Kerzenschein fiel aber wohl auf ihn selber, und er mußte ein ziemlich dummes Gesicht machen, denn der Fremde brach die Stille zuerst. Er sagte ihm, wer er war: ein Spitzbube, ein Gauner, ein Schlitzohr, kurz und gut, ein berufsmäßiger Betrüger.

Die Enthüllungen Emile Clérons erheiterten Victor Le Morhier, besonders als er erfuhr, daß in der Rue Saint-Honoré, in der Nähe seines Onkels, viel gespielt wurde. Als sein Gastgeber ihn fragte, warum er sich in der Nähe der Pont-Neuf herumgetrieben habe, antwortete er, daß er ganz zufällig dort herumgelaufen sei. Emile Cléron seufzte.

»Sie sagen mir nicht die Wahrheit …«

Victor schlug zerknirscht die Augen nieder.

»Es geht um eine Frau. Ich war dumm.«

»Sie wollten sich umbringen?«

Der junge Seemann lächelte traurig.

»Ich weiß es nicht. Nein, ich glaube nicht.«

»Das Leben ist zu kostbar, als daß man es auf so dumme Weise verschenken sollte. Glauben Sie einem Mann, der dem Tod schon ganz nahe war.«

»Aber ich habe dem Tod auch schon ins Gesicht gesehen«, widersprach Victor Le Morhier. »Glauben Sie nicht, ich sei einer dieser Nichtstuer, die keine anderen Sorgen haben, als die Anzahl der Kordeln, die ihr Justaucorps schmücken, zu zählen. Ich bin Matrose, Monsieur, und auf See bleibt uns nichts erspart. Ich habe schon einige Stürme erlebt, und es werden noch weitere hinzukommen.«

»Und diese Frau ist so hübsch?«

Victor schwieg.

»In diesem Fall … Vielleicht kann ich Ihnen jetzt helfen? Wohnt sie hier?«

»Nein. Sie ist aus Nantes, wie ich auch, und sie ist jung und verheiratet. Sprechen wir nicht mehr darüber. Ich werde nun heimgehen. Seien Sie vorsichtig.«

Emile Cléron lächelte.

»Sie auch, mein Freund. Kommen Sie mich besuchen, und vergessen Sie diese Frau.«

Auf der Rue Beaubourg zerriß Victor den Brief.

33.
KAPITEL

Geoffroy de Saint-Arnaud nahm seiner Frau den Samtumhang ab und reichte ihn dem Dienstmädchen, das ihn in einen Mahagonischrank hängte. Viele der Bürger, die vorhin in der Kathedrale gewesen waren, hatten sie um diesen Umhang beneidet. Der Reeder beobachtete Marie in dem Spiegel mit dem vergoldeten Rahmen. Sie war so regungslos wie die Statue, die sie in der Mitte des Hofes gesehen hatte. Ein Marmorlöwe aus Florenz! Vor sechs Tagen hatte der Reeder die Skulptur gekauft, und er hatte gehofft, damit bei seiner Ehefrau Eindruck schinden zu können. Weit gefehlt! Er hatte gehört, wie sie zu ihrer Amme gesagt hatte, daß Löwen ihre Feigheit hinter einer siegessicheren Miene versteckten. Die Weibchen sind es, die jagen und die Familien ernähren. Ihr Vater hatte es ihr nach seiner Rückkehr von einer Afrikareise erklärt. Die Amme hatte mit Marie geschimpft und sie darauf hingewiesen, daß es im Moment immerhin Geoffroy de Saint-Arnaud sei, der für sie sorge, und daß sie ihn nicht mit der Raubkatze zu vergleichen brauche.

Marie hatte erwidert, daß sich alles ändere, wenn sie den Schatz erst habe.

Hinter der Küchentür versteckt, biß der Reeder die Zähne zusammen, um nicht vor Wut aufzuschreien. Also mißtraute er ihr nicht ohne Grund. Dieses kleine Biest hatte die Absicht, die Beute für sich zu behalten. Er hatte so etwas schon geahnt, und er würde sie nun immer, wenn sie das Haus verließ, verfolgen lassen. Der Kleine wurde von ihm beauftragt, zwei Männer für diese Aufgabe aufzutreiben. Er hätte sie lieber dem verkrüppelten Mann anvertraut, aber sein merkwürdiges Aussehen stand der für dieses Unterfangen notwendigen Geheimhaltung im Wege. Nachdem Marie schon eine Woche verfolgt worden war, gab es immer noch keine interessanten Neuigkeiten über Maries Ziele. Sie ging in die Kirche, auf den Markt und zum Hafen, sprach aber immer nur mit ihrer Amme. Geoffroy de Saint-Arnaud fragte sich, ob er sie nicht zu voreilig habe verfolgen lassen. Die unnötigen Ausgaben widerstrebten ihm.

»Gehen Sie heute noch einmal weg?« fragte der Reeder mit Blick auf den auf einen Sessel geworfenen Umhang.

»Nein.«

»Wissen Sie, daß wir heute auf den Tag genau zwei Monate verheiratet sind?«

»Ja.«

»Ich habe den Eindruck, daß Ihnen diese Ehe genausowenig gefällt wie mir.«

»Ja«, sagte Marie und starrte ins Feuer, das im Kamin mit schwacher Flamme brannte.

»Sie kennen also nur diese zwei Wörter? Ja und nein?«

»Nein.«

»Sie werden ihre Unverschämtheit noch bereuen«, wetterte der Reeder.

326

»Nein«, sagte die junge Frau leise.

»Sie werden schon sehen! In einem Monat wird Ihr ver-
dammter Matrose mit der Lösung des Rätsels hiersein.
Dann übergeben Sie mir die Hälfte des Schatzes, wie ich es
mit Ihrer Mutter besprochen habe.«

Marie kräuselte die Stirn. Es war nie die Rede davon
gewesen, daß der Reeder ihr eine Hälfte des Schatzes überlassen würde. Wollte er sie für sich einnehmen, um sie
dann leichter hintergehen zu können?

»Wenn Sie Ihren Anteil haben, dann werden Sie auf
Nimmerwiedersehen dieses Haus und diese Stadt verlassen. Sie werden nach Paris gehen und Ihren kleinen Soldaten wiedersehen. Das heilige Band der Ehe wird Sie wohl
kaum belasten. Wenn man eine Mutter hat, die Gott
geleugnet hat …«

»Nein«, konnte Marie nur sagen, und sie mußte sich seit
dem Beginn ihres Gesprächs beherrschen, ihm nicht an die
Kehle zu springen. »Nein«, wiederholte sie. Nur weil sie
wußte, daß ihn ihre Wut freuen würde, schaffte sie es, sich
zu beherrschen. Sie dachte angestrengt an ihre Flucht.
Sobald sie im Besitz des Schatzes war, würde sie den Reeder töten, und zwar mit einem Dolch – sofern sie kein Gift
fand. Sie hatte keine Angst vor einer Festnahme, denn sie
würde noch in derselben Nacht fliehen. Für einen Diamanten würde ein Seemann wohl einwilligen, sie und Nanette
an Bord eines Leichters zu nehmen. Sie mußte ihren Gatten nur richtig umgarnen, damit er sich entschloß, die
schicksalhafte Nacht mit ihr zu verbringen.

Marie biß sich auf die Lippen. Den Reeder immer
zurückzuweisen, wie sie es seit mehreren Wochen machte,
konnte ihr schaden. Die Dienerschaft würde sich wundern, ihren Herrn in ihr Zimmer gehen zu sehen und entgegen seiner Gewohnheit dort zu bleiben. Sie würden

beunruhigt sein, wenn er nicht in seine Räume zurückkehrte. Sie hatte keine andere Wahl. Sie mußte ihr Verhalten ändern und den Reeder betören, hinnehmen, daß ihr Mann mehrere Nächte bei ihr blieb, um sicherzugehen, daß die Diener nicht zu neugierig wurden.

Es war dumm von ihr gewesen, Geoffroy de Saint-Arnaud die Stirn zu bieten, und jetzt blieb ihr weniger als ein Monat Zeit, um ihren Fehler wiedergutzumachen. Wie konnte sie ihr Verhalten ändern, ohne daß er sich allzusehr wunderte? Wie konnte sie ihre Reue zeigen?

Reue! Das war die Lösung! Sie brauchte nur zu behaupten, daß ihr Beichtvater sie zur Liebenswürdigkeit gegenüber ihrem Gatten ermahnt hätte. Es würde ihn verwirren, aber sie würde ihren Charme einsetzen. Abt Germain hatte sie vor der Sünde des Hochmuts gewarnt. Und wenn er sähe, daß sie an diesem Sonntag ein dunkelblaues, schulterfreies Kleid trug, würde er ihr wieder sagen, daß sie sehr kokett sei.

»Ist es meine Schuld, daß Gott mich so geschaffen hat?«

»Du weißt, was ich meine, mein Kind. Du verabscheust deinen Gatten, aber das hindert dich nicht daran, diese ganze glänzende Seide, diese Posamenten und Spitzen zu tragen. Und was soll man dazu sagen, wie du deinen Busen zur Schau stellst?«

»Aber die Mutter der Königin hat doch diese Mode gemacht«, widersprach Marie. »Anne von Österreich hat diese Schalkragen immer gemocht.«

»Ich bin nicht sicher, daß sie solche Kleider trägt. Du weist deinen Gatten zurück, aber du tust nichts, um ihn zu beruhigen. Ich finde diesen Firlefanz recht lustig für jemanden, der Trauer tragen sollte.«

»Pater … Ich habe sie nur hier zu Hause an. Wenn ich das Haus verlasse, trage ich schwarze Kleider.«

»Ich würde dir gerne verbieten, dich so zu kleiden, aber du machst ja doch, was du willst, sobald ich wieder gegangen bin. Das Leben hat dich nicht verschont, aber reifer bist du dadurch auch nicht geworden.«

»Sie sprechen wie Nanette. Es ist wirklich ärgerlich.«

»Und du sprichst mit mir wie mit ihr«, wetterte der Pater. »Wie kannst du es wagen?«

Marie hätte gern geantwortet, daß sie schon genug gelitten habe und sie wegen einiger Schmuckbänder nicht in die Hölle käme, aber die Wut des Paters machte sie betroffen. Er hatte sie schon oft ausgeschimpft, aber noch nie mit solch einem verächtlichen Ton in der Stimme. Es verschlug ihr die Sprache.

Der Pater beruhigte sich wieder und erklärte Marie, daß er sie leiten müsse, jetzt, da Anne nicht mehr da sei. Sie versprach dem Pater, eine bessere Ehefrau zu sein. Damit ihr Stimmungswandel glaubwürdiger erschien, vertraute sie sich auch Nanette an und berief sich darauf, keine andere Wahl zu haben. Wenn sie schon mit dem Reeder zusammenlebte, dann mußte sie versuchen, sich mit ihm zu verstehen. Nanette war verwirrt und erinnerte Marie daran, daß sie noch kürzlich davon gesprochen habe, ihren Ehemann um die Ecke zu bringen.

»Ich weiß«, antwortete die junge Frau ungeduldig. »Aber da ich im Moment nichts anderes machen kann … Und du hast ja selbst gesagt, daß Saint-Arnaud dafür sorgt, daß wir ein Dach über dem Kopf und zu essen haben. Ich denke wie du an den Schatz, aber wer sagt uns denn, daß der von meinem Vater ausgewählte Seemann nicht schon längst tot ist. Was passiert dann mit uns? Saint-Arnaud hat mich heute nachmittag noch daran erinnert, daß ich die Tochter einer Hexe bin …«

»Marie!«

»Das glaubt doch ganz Nantes. Wer wird uns aufnehmen, wenn der Reeder uns vor die Tür setzt? Du kannst
dann weder Taubensuppe noch Artischocken, oder Weiß-
würste kochen. Wir wären dann gezwungen wie die hinkende Alte, die gesteinigt wurde, Wurzeln und Nüsse zu
essen.«

»Endlich nimmst du Vernunft an«, sagte Nanette eine
Spur argwöhnisch.

Marie sah weg und gab etwas demütig und verärgert
zu, daß Pater Germain sie zurechtgewiesen habe. Die
Amme fand nun so etwas wie Sanftheit an ihr wieder, und
während sie ein Huhn umwickelte, vertraute sie Marie an,
daß sie es liebe, ausgefeilte Gerichte zuzubereiten. Geoffroy de Saint-Arnaud hatte sich schnell an das feine Essen
gewöhnt, und als seine Frau wieder gesund war, hatte er
nicht mehr daran gedacht, Nanette wegzuschicken. Er
hätte gern einige Notabeln eingeladen und sogar den Grafen von Gensac, aber die schlechte Laune Maries entmu-
tigte ihn. Es kam nicht in Frage, daß er sich vor seinen
Freunden lächerlich machte.

Er war über das veränderte Benehmen seiner Frau
genauso überrascht wie Nanette, als er sie am späten
Nachmittag beim Essen wiedersah. Zuerst dachte er an
eine Sinnestäuschung: Hatte sie ihn wirklich angelächelt?

»Guten Abend, Madame«, sagte er und sah ihr ins
Gesicht.

»Guten Abend, Monsieur«, sagte sie. »Kommen Sie vom
Hafen?«

Verwirrt stammelte der Reeder ein fast unhörbares Ja.

»Sind die Leichter mit dem Verladen Ihrer Waren fertig?«

»Was ist los, Madame? Was ist denn hier während meiner Abwesenheit passiert? Hat Ihnen der Teufel Ihre Sprache zurückgegeben?«

»Nein, Monsieur. Der Teufel hat damit nichts zu tun.«

»Sagen Sie mir, was los ist?«

»Ist das wirklich nötig?«

»Ich will wissen, was hier in meinem Haus passiert«, beharrte er.

Marie seufzte und sprach dann von Pater Germain, schlug aber vorsichtshalber die Augen nieder.

»Es stimmt, daß ich den Pater nie besonders gemocht habe, aber wenn er Sie zur Vernunft bringen kann, dann ist er von nun an in diesem Haus willkommen.«

Marie lächelte ihn noch einmal an, vermied es aber zu antworten. Sie würde seine Zweifel wecken, wenn sie zu plötzlich ihr Verhalten änderte. Es empfahl sich, vorsichtig vorzugehen. Es wäre falsch, ihren Feind zu unterschätzen. Sie hatte in den letzten zwei Monaten genug Fehler gemacht.

Sie hatte den Eindruck, daß ihr Gatte mit noch größerem Appetit aß als gewöhnlich. Nach der mit Ingwer und Nelken gespickten Weißwurst und der Suppe sagte er Marie, daß ihre Amme wirklich eine sehr begnadete Köchin sei. Als die Sumpfhuhnpastete und das Ragout aus gebratenem Dorsch auf den Tisch gestellt wurden, seufzte er zufrieden. Obwohl er daran zweifelte, daß ein einziges Wort des Abts seine Frau zur Vernunft gebracht hatte, und obwohl er vermutete, daß sie sich aus einem bestimmten Grund so verhielt, verstimmte ihn ihre Verwandlung nicht. Wenn er eine gute Zeit mit dieser Frau verbringen konnte, bevor der Seemann erschien, wäre er schön dumm, darauf zu verzichten.

Später am Abend fragte sich Geoffroy de Saint-Arnaud, ob nicht sein natürlicher Charme im Spiel sei. Warum sollte Marie LaFlamme nicht wie andere vor ihr auch seinem Reiz erlegen sein? Fortan achtete er stärker auf sein Äußeres. Als er sein beigefarbenes Spitzenjabot vor dem Spiegel aufknöpfte, lächelte er sein Spiegelbild an. Niemand hier in Nantes hatte einen so schönen Schnurrbart wie er, so fein und so perfekt gezeichnet. Verliehen die Falten in seinen Augenwinkeln und auf seiner Stirn seiner Miene einen Hauch von Weisheit? Seine Nase war groß, aber gerade, und sein Mund, ja sein Mund mit den dicken Lippen war wirklich sinnlich. Ja, Marie mußte es wohl jetzt einsehen. Fast wäre er zu ihr gegangen, aber er verzichtete darauf, zu ihr zu rennen, sobald sie ihn anlächelte. Sie sollte warten, bis er dazu Lust hatte.

Marie hatte Angst, ihren Gatten auf der Türschwelle auftauchen zu sehen, bis sie endlich sicher war, daß das ganze Haus schlief. Sie wußte wohl, daß es unumgänglich war, aber ihre Entscheidung war noch zu frisch. Sie hatte noch nicht die Zeit gefunden, sich die Folgen klarzumachen. Wie könnte sie es schaffen, den Ekel, den sie vor dem Reeder empfand, zu verbergen. »Ich denke einfach an Simon«, sagte sie sich, verwarf aber diesen Gedanken sofort wieder. Nein, sie würde ihren Geliebten nicht in diese schmutzige Geschichte hineinzuziehen. Sie beschmutzte nicht das Andenken an diesen Mann, der sich in Paris nach ihr sehnte. Niemals!

Der Oberleutnant Chalumeau ging leise zu Simon Perrot. Er sah ihn eine Weile an, wie er da zusammengesunken, den Kopf nach hinten gefallen, auf der Bank schlief. Er lächelte selig, und sein Vorgesetzter zögerte, ihn aus angenehmen Träumen zu wecken.

»Eh! Wach auf, du bist nicht eingestellt worden, um hier zu schnarchen.«

»Was? … Wie? … Mein Ober … Oberleutnant«, stammelte Simon und setzte sich schnell wieder richtig hin.

»Du hast wohl heute nacht zu wenig geschlafen, was?« sagte Hector Chalumeau frech. »War sie hübsch?«

Simon zog seine Uniform zurecht, bevor er antwortete, daß Josette in der Tat Reize habe, denen nur schwer zu widerstehen sei.

»Und sie kostet nichts«, fügte er lachend hinzu. »Besser als diese Huren in der Stadt oder auf der Anhöhe von Saint-Roch. Sie ist ein bißchen dämlich, denn sie hat es noch nie zuvor gemacht. Aber dafür ist sie mit dem Herzen dabei! Sie hat sich in mich verknallt.«

»Armes Mädchen«, spottete der Oberleutnant. »Sie wird leiden, oder bist du etwa auch in sie verliebt?«

»Es gibt zu viele Weiber in Paris, als daß ich mich für eine einzige entscheiden könnte …«

»Du hast recht, mein Junge. Mach es wie ich. Ich hatte noch nie Schwierigkeiten, eine zu finden. Sie können es gar nicht ablehnen. Als Soldat hat man seine Vorteile. Wenn man in Häusern untergebracht wird, wo ein Dienstmädchen jünger als das andere ist. Das habe ich richtig ausgenutzt. Und manchmal habe ich es auch bei den Bürgersfrauen versucht …«

»Die Baronin will ich haben, und ich werde sie bekommen.«

Hector Chalumeau fing an zu lachen.

»Deine Baronin? Sonst nichts? Und dann? Eine Gräfin? Eine Prinzessin?«

»Ich meine es ernst«, versicherte Simon Perrot. »Ich habe durchaus Chancen.«

»Tatsächlich?«

Der Oberleutnant wußte, daß es fast unmöglich war, an die Adeligen oder die reichen Bürgersfrauen heranzukommen, aber jedesmal, wenn er mit Simon Perrot ausgegangen war, hatte er gestaunt, wie sehr dessen Charme wirkte. Die Dienstmädchen schauten auf seine schwarzen Locken, als hätten sie diese gern auf der Stelle zerwühlt. Die Wäscherinnen hätten gern diesen muskulösen Körper in frisch gestärkte Tücher gepackt, und die Köchinnen ihn gern genährt. Er glaubte sogar bemerkt zu haben, daß eine Kutsche auf ihrer Höhe ihre Fahrt verlangsamt hätte, als sie auf dem Weg zum Kerker durch das Tal der Verdammten gegangen waren. Die Ratte würde seine Baronin vielleicht tatsächlich bekommen.

»Heute morgen ist ein Fischhändler verhaftet worden«, sagte Simon Perrot. »Ein gewisser Béthinaut, der sich beklagt, daß der Weizen teurer geworden ist.«

»Wird man ihn auspeitschen?« erkundigte sich der Offizier Chalumeau begeistert.

Simon Perrot schüttelte den Kopf.

»Er ist noch nicht verurteilt worden. Es wird morgen über ihn gerichtet.«

»Er sollte öffentlich ausgepeitscht werden. Wir müssen die geringste Aufregung im Keim ersticken. Diese Hungersnot verursacht mehr Diebstähle denn je. Die Unruhe nimmt zu. Wenn man die Armen erst jammern läßt, dann werden sie am Ende noch anfangen zu schreien, und dann ist es nicht mehr so einfach, sie alle zum Schweigen zu bringen.«

»Aber die Leute von Stand verteilen trotz der Vorschriften weiterhin Almosen unter den Bettlern. Diese Flegel werden doch nicht eine Stadt verlassen, in der man ihnen auch noch zu essen gibt.«

»Es sind diejenigen, die ihnen Brot geben, die sich anschließend beklagen, man habe ihnen ihr Geld geklaut.«

»Oder ihre Perücke«, lachte Simon Perrot. »Das ist

gestern mitten am Tag in der Rue de la Mortellerie passiert. Dieser Bursche war ziemlich flink, den Bürger vor den versammelten Menschen zu bestehlen.«

Hector Chalumeau mußte lachen, als er sich dieses Bild vorstellte, dachte dann aber wieder an seine Sorgen.

»Also? Du erkundigst dich nach diesem unzufriedenen Burschen, der ausgepeitscht werden soll?«

»Ja, Monsieur.«

»Hast du heute morgen ein paar Taler zusammengekriegt?«

»Die Frauen waren hier. Sie haben gut gezahlt. Einige Gefangene haben ihr Essen bezahlt und …«

»Und?«

»Man hat mir gesagt, daß es dem Buchhändler ziemlich schlecht ginge. Der ganze Körper ist voller eiternder Wunden.

Der Oberleutnant Chalumeau schimpfte. Diese Nachricht verärgerte ihn, da sie die Freilassung dieses Mannes erforderte. Wenn man ihn noch länger im Kerker behielt, würde er die anderen Gefangenen anstecken, die die Zelle mit ihm teilten. Für den Unterhalt von Thomas Berger und Louis Patin wurde weiterhin gezahlt. Solange die Lichtkreuzbrüder eingekerkert waren, wurden der Oberleutnant Chalumeau und sein Gehilfe entlohnt. Es war also nicht nötig, daß sie sich ansteckten und verreckten.

»Ich hole den Brief aus dem Versteck. Und du läßt den Buchhändler heute nacht laufen. Ich will nicht, daß man ihn hier herauskommen sieht.«

»In Ordnung, Monsieur.«

Simon Perrot war nicht weiter verwundert, daß sein Vorgesetzter ihm auf der Stelle den Brief zeigte, der die Freilassung des Buchhändlers anordnete. Als sein Urteil gefällt worden war, hatte man vereinbart, daß er noch fünf

Wochen im Kerker bleiben sollte. Aber da nach Chalumeaus Meinung der Anblick seiner blutverschmierten Hände die übrigen Lichtkreuzbrüder entmutigen würde, hatte er entschieden, seine Freilassung hinauszuzögern. Er hatte gehofft, daß die Leiden des Gefolterten die Gefangenen dazu bringen würden, auszupacken. Er hatte sich getäuscht und machte den Buchhändler für seinen Irrtum verantwortlich. Er hatte weder genug geschrien noch geweint, um seine Kerkergenossen in Angst und Schrecken zu versetzen.

»Du sagst seinen Freunden, daß wir ihn im Morgengrauen hinrichten werden. Eine Nacht mit einem zum Tode Verurteilten wird sie beunruhigen ...«

Simon Perrot stimmte leise zu. Er bewunderte die List seines Oberleutnants. Seit seiner Ankunft in Paris hatte er eine Menge von ihm gelernt, und er war froh, nach ihrer Rückkehr aus Compiègne diese Arbeit gefunden zu haben. Soviel war sicher, das Schicksal war ihm wohlgesonnen. Zuerst hatte er Chalumeau kennengelernt, dann war seine Schwester in Paris eingetroffen. Michelle war ihm lästig und ging ihm auf die Nerven, aber sie hatte ihm, ohne es selbst zu wissen, ermöglicht, die Baronin von Jocary kennenzulernen, und zwar an einem Tag, kurz nachdem er es mit Josette in einem leerstehenden Pferdestall zwischen zwei vermoderten Heuballen getrieben hatte.

Er hatte dem jungen Dienstmädchen hinterhergesehen, die zum Bedientsteneingang zur Wohnung der Baronin lief. Langsamen Schrittes hatte er den Hof verlassen und darüber nachgedacht, wie er die Baronin, von deren Reichtum Josette so geschwärmt hatte, kennenlernen könnte, als er hörte, wie sich Männer stritten.

Ein Kutscher, der mit seinem Gefährt vor einem Nachbarhaus stand, verstopfte die Straße und verhinderte die Durchfahrt eines Karrens, der Weinfässer geladen hatte. Die beiden Fahrer waren kurz davor, aufeinander loszugehen, als eine mit einem mausgrauen Umhang bekleidete Frau aus der Kutsche ausstieg und den Mann, der aufgeregt hinter seinem Wagen stand, mit einem strahlenden Lächeln ansah. Unsicher nahm dieser schließlich seinen Hut und grüßte, aber sie sah ihn nicht, denn Simon Perrot war zu ihr geeilt, um ihr beim Überqueren der Straße zu helfen. Er bemühte sich, mit ihr dem Straßendreck auszuweichen, der ihren Kleidersaum hätte beschmutzen können. Simon stellte fest, daß ihre dunkle Kleidung eigenartigerweise ihre hellen Augen zur Geltung brachte. Es war der einzige Reiz ihres ungefälligen Gesichts. Während er einen großen Edelstein unter den schwarzen Seidenhandschuhen spürte, die Glieder eines Armbands und den leichten, aber doch spürbaren Druck der Hand der Adeligen, zwang er sich, in unterwürfiger Haltung auf den Boden zu schauen, sah ihr dann aber, als sie vor der Tür ankamen, plötzlich mit einem überraschten Blick voller Bewunderung ins Gesicht. Da er genau wußte, wer sie war, grüßte er sie leise und nannte sie Frau Baronin.

»Sie kennen mich?« fragte sie. In ihrer Stimme schwang Wärme sowie Überraschung mit.

»Sie sind doch die Baronin von Jocary?«

»Ja sicher. Und Sie?«

»Ich bin nur ein armer Tor. Ich hätte Sie gar nicht ansehen dürfen. Aber ich konnte nicht widerstehen. Verzeihen Sie meine Offenheit, aber ich hatte Sie mir immer älter vorgestellt. Meine Schwester hat so ehrfurchtsvoll von Ihnen gesprochen, daß ich schon glaubte, man würde Sie bald heiligsprechen. Ich habe mich schwer getäuscht ...«

Diese Mischung aus Selbstgefälligkeit und Unterwürfigkeit erheiterte die Baronin von Jocary. Sie wußte nicht, ob sie sich über die Worte des jungen Mannes empören oder ob sie darüber lachen sollte. Sie hätte ihm vielleicht eine Ohrfeige verpaßt, wenn er nicht so hübsch gewesen wäre. Aber sie schaute lange auf seine kräftigen Hände, seinen gutgebauten Körper, sein eigenwilliges Kinn, seine hervorstehenden Backenknochen, die ihm ein arrogantes Aussehen verliehen, und seine gierigen, schwarzen Augen. Der Mann, der da vor ihr stand, stellte zu viele Ansprüche, von denen sie hätte keinen befriedigen können.

»Sie sprachen von Ihrer Schwester, Monsieur.«

»Meine Schwester heißt Michelle Perrot. Obwohl sie mir verboten hat, bei Ihnen aufzutauchen, konnte ich doch dem Drang nicht widerstehen zu erfahren, wo sie wohnt. Jetzt verstehe ich, daß sie mit so viel Bewunderung von Ihnen spricht ... Ich kann Ihnen nur danken, daß Sie sich so gut um sie kümmern.«

»Aber Sie scheinen sehr taktvoll zu sein. Sie können Ihre Schwester besuchen, wenn Sie mir versprechen, diskret zu sein.«

»Madame, ich möchte doch lieber nicht zu Ihnen kommen, damit ich Ihnen Unannehmlichkeiten erspare«, sagte Simon ritterlich.

Die Baronin schaute wieder auf die glänzenden, pechschwarzen Haare und sagte dann noch einmal, daß sie mit Michelle sprechen werde. Während Simon pfeifend von dannen ging, verschwand sie schnell unter dem Portal und machte lächelnd die Tür zur Eingangshalle auf. Simon war zugleich neugierig, gierig und naiv. Sie hatte ihn schnell durchschaut, und sie hätte schwören können, daß der junge Soldat sich ab sofort damit brüsten würde, daß er ihr den Hof gemacht hatte. Er mußte sich allerdings noch

338

etwas gedulden, denn sie würde nicht so schnell nachgeben, wie er hoffte, auch wenn sie große Lust dazu gehabt
hätte.

So wie sie es vorausgesehen hatte, hatte Simon Perrot
seinem Vorgesetzten sofort von seiner Begegnung erzählt.
Chalumeau hatte ihn dann jeden Tag mit dieser Sache
geneckt, aber Simon prahlte weiterhin damit, trotz seiner
Unruhe, die er durch den unerwarteten Widerstand der
Baronin empfand.

»Sie werden schon sehen. Ich werde Ihnen ihr besticktes
Taschentuch bringen.«

»Warum nicht gleich ihren Unterrock. In der Zwischenzeit würdest du besser daran tun, dich um den Fischhändler Béthinaut zu kümmern.«

Das fette Lachen des Oberleutnants Chalumeau war
noch am Ende des Gangs zu hören und verärgerte Simon,
der sich fragte, ob der Mann sich nicht über ihn lustig
mache. Er fluchte im stillen gegen die Sitten der Adeligen,
die alles nur erschwerten. Er war sich dennoch sicher,
Armande de Jocary zu gefallen. Also? Was hatte sie vor?

34.
KAPITEL

Was ging nur in Marie vor? fragte sich Geoffroy de Saint-
Arnaud, als er die Troddeln an seinem Beffchen befestigte.
Er hatte sich geistesabwesend angezogen, weil ihn der
Gedanke an die vergangene Nacht noch immer verwirrte.
Als er gestern zu seiner Frau gegangen war, hatte sie sich

nicht im geringsten ablehnend gezeigt. Sie hatte den Kopf nicht weggedreht, als er sie geküßt hatte. Sie hatte die Beine nicht übereinandergeschlagen und ihre Schenkel nicht zusammengedrückt, weder geschrien noch geweint. Sie hatte sich auch nicht bewegt, als er sein Glied aus ihr zurückgezogen hatte, und zum erstenmal hatte sie sich sein Geschlecht angesehen, bevor er in sie eingedrungen war. Geoffroy de Saint-Arnaud war immer stolz darauf gewesen, so gut ausgestattet zu sein, aber er hatte den Eindruck, daß seine Frau in einer Weise lächelte, als ob sie seine Rute so abschätze wie ein Stück Fleisch auf dem Markt.

Und er täuschte sich nicht. Bevor er in sie eindrang, hatte Marie tatsächlich an ein Stück Wurst, Darm oder Kaldaune gedacht, und sie hatte sich geschworen, diese Gerichte nie mehr anzurühren. Wenn sie erst den Schatz hätte, würde sie einen Kapaun, ein Zicklein, Schnepfenfrikassee, Maifisch oder sogar Schildkröten essen. Und Nanette würde für sie und Simon kandierte Veilchen, Krapfen und Quittenmarmelade zubereiten. Sie durfte in diesem Augenblick nicht an Simon denken, sie hatte es sich die ganze Woche immer wieder gesagt. Sie war im Glauben, es könne ihr Unglück bringen und *ihrem* Glück schaden. Aber sie sah auf einmal gegen ihren Willen sein Gesicht vor sich. Endlich war der Reeder fertig, endlich. Nun mußte sie noch seine Hand berühren, um ihm zu zeigen, daß er bei ihr bleiben solle. Diese Geste gegenüber diesem Mann, den sie verabscheute, widerte sie fast ebensosehr an wie die Vereinigung selbst. Mit fast unhörbarer Stimme bat sie ihn, die Kerze auszupusten. Der Reeder hatte gezögert, weil er befürchtete, daß er sich verhört habe, aber als sie seine Handgelenke berührte, hatte er sofort die Kerze ausgeblasen, denn er hatte Angst, seine

Frau könne ihre Meinung ändern und wieder anfangen zu heulen, wie sie es immer tat. Aber nein, sie schlief friedlich ein, ohne ihn zurückzustoßen.

Er konnte nicht sofort einschlafen. Aus welchem Grund war seine Frau plötzlich so nett zu ihm? Obwohl er zunächst gern geglaubt hätte, daß die Vorhaltungen Pater Germains so wie seine natürlichen Reize der Grund für das veränderte Verhalten Maries seien, kam er doch immer mehr von dieser Idee ab. Und dieser undefinierbare Blick, den sie aufgesetzt hatte, als sie auf sein Glied gesehen hatte, verstärkte sein Unbehagen. Er wälzte sich die ganze Nacht im Bett hin und her, und sagte sich schließlich, daß es dumm von ihm sei, sich dermaßen zu beunruhigen. Er ließ seine Frau verfolgen, und sie konnte hinter seinem Rücken nichts aushecken. Er hätte es erfahren, wenn sie sich auffällig benommen hätte, und zwar sofort.

Dennoch träumte er, daß sie sich auf der Suche nach dem Schatz vom Kap d'Aigle begeben habe, nachdem sie ihm einen Zaubertrank gegeben hatte. Er sah, wie sie im Hof die Erde umgrub, und er konnte nichts dagegen tun, weil er sich in einen Löwen verwandelt hatte, und zwar in diesen Marmorlöwen, über den sie gespottet hatte. Im Innern des Steins spürte er, wie sie seine Krallen schnitt, wie sie seine großen Tatzen von der Erde befreite und wie sie die verzauberten Wurzeln ausriß und sie in die langen Haare seiner Mähne einflocht. Die Wurzeln wuchsen, wickelten sich um seinen Hals und erwürgten ihn langsam. Er wachte schreiend auf und fiel fast aus seinem Bett, als er Marie an seiner Seite sah. Er sprang auf, schob seine Decke weg und verließ wortlos das Zimmer. Welch eine Genugtuung würde sie spüren, wenn sie geahnt hätte, daß sie ihm Angst eingejagt hatte? Er mußte sich ablenken, um die Eindrücke der Nacht zu verscheuchen. Er befahl seinen

Bediensteten, den Marmorlöwen wegzutragen. Sie sollten ihn sorgfältig verpacken, ehe sie ihn ganz hinten in den Pferdestall stellten. Er überwachte das Ganze und konnte nicht umhin, die Erde umgraben zu lassen, um seinen Traum vollständig zu vertreiben. Als die schwarze Erde umgegraben worden war, erfüllte ihn ein Gefühl von Unruhe und Angst. Sein Traum war nur ein Traum, und es war dumm von ihm gewesen, ihn mit der Wirklichkeit in Verbindung zu bringen. Er war erleichtert und sagte sich zum hundertsten Mal innerhalb weniger Tage, daß nur seine Gattin Grund zum Zittern habe. Als er zum Hafen ging und ein Schwarm Wildenten auf ihn zuflog, blieb er erstarrt auf der Stelle stehen. Der fürchterliche Lärm ihres Flügelschlags erinnerte ihn an das schreckliche Gefühl des Erstarrens in seinem Alptraum. Er sah wieder seine Frau vor sich, wie sie lächelnd die Erde umgrub, und er mußte zugeben, daß sie überhaupt nicht ängstlich wirkte und auch nicht enttäuscht. Sie würde die Beute trotzdem nicht finden. War es ihr denn völlig gleichgültig?

Dieser Gedanke verblüffte ihn: Wie konnte man denn auf einen Schatz verzichten? Alles dummes Zeug! Er ging zu den Zimmerleuten, die einen Leichter reparierten, Nägel wurden eingeschlagen, Holzbretter prallten krachend aufeinander und Sägen kreischten. All diese Geräusche waren so wirklich wie die Ankunft des Fischerbootes Nestor Colins, der Fischgeruch, der sich mit dem des Wergs vermischte, der kleine, gelbe Hund, der in der Ferne sein Geschäft verrichtete, seine Schiffe, sein Haus, seine Kutsche, seine Pferde, seine Bediensteten, seine Pariser Perücke – und Marie LaFlamme. Er konnte sie doch anfassen, und sie war seine Frau. Eine Frau: Hatte schon mal jemand ein weibliches Wesen gesehen, das Edelsteine verschmähte? Sie würde ihn zum Schatz führen. Er wußte nicht, welches Spiel sie mit ihm trieb, denn sie wurde immer freundlicher zu ihm, aber er entschloß sich, es genauso zu machen wie sie, um zu sehen, wie sie dann reagierte. Er drückte seinen Hut, der wegzufliegen drohte, fest auf den Kopf, trat mit dem Fuß nach einem herbeilaufenden Hund und brach wieder in das Stadtinnere auf. Er wurde von vielen Menschen begrüßt, bevor er den Laden Guy Chahinians erreichte. Einige Bürgersleute und zwei Magistrate, die er traf, erwiesen ihm ihre Ehrerbietung. Das hob seine Stimmung, und er war hochmütig wie immer, als er die Tür zur Werkstatt öffnete.

Chahinian begrüßte ihn freundlichst, während er das Wildledertuch auseinanderschlug, in dem der vom Reeder in Auftrag gegebene Ring lag.

»Und, Monsieur? Ist er bald fertig? Warum arbeiten Sie jetzt nicht daran?«

»Weil dieser Diamant so schön ist, daß man nur am hellichten Tag daran arbeiten kann. Ich warte, bis die Sonne hoch am Himmel steht, um ihn zu Ende zu polieren. Wie Sie sehen, ist nicht mehr viel zu tun. In wenigen Tagen können Sie ihn abholen.«

»Mir wäre lieber, wenn Sie ihn mir bringen würden«, erwiderte Geoffroy de Saint-Arnaud.

»Alle Frauen in Nantes werden Ihre Gattin beneiden!«

»Tatsächlich?«

»Aber natürlich! Sie sind die beste Partie weit und breit. Ich kenne zwar nicht Saint-Nazaire, Chantenay oder Paimbœuf, aber Sie werden dort sicher keinen ernst zu nehmenden Rivalen haben ... Wie viele Frauen hier mögen wohl auf Sie als Schwiegersohn gehofft haben? Sie alle werden Ihrer Frau niemals ihr Glück verzeihen. So viel zu den mütterlichen Banden, die gar nichts sind im Vergleich mit der Wut, die die Schönheit von Madame de Saint-Arnaud bei vielen auslöst. Ich fürchte sogar, daß dieser lupenreine Diamant an ihrem Finger kaum wirken wird, da sie solch eine strahlende Haut hat. Schon der makellose Teint ihrer Gattin würde genügen, den Neid der Götter heraufzubeschwören – wenn wir noch im Altertum lebten.«

»Glücklicherweise ist es nicht so. Und ein Mann müßte verrückt sein, sie mir wegzunehmen. Er würde auf der Stelle sterben.«

»Und er müßte zuerst Nanette töten, denn sie geht dorthin, wohin ihre Herrin geht. Wenn ich mich nicht irre, würde sie Marie niemals verlassen.«

»Manchmal läßt sie Marie allein«, sagte der Reeder und lachte anzüglich.

Guy Chahinian versteckte seine geballten Fäuste unter seinem Lederkittel und bemühte sich, seinen Kunden anzulächeln. Dieser hörte auf, höhnisch zu grinsen, um dem Goldschmied anzuvertrauen, daß er froh sei, die Amme in seine Dienste genommen zu haben.

»Wenn Sie mir den Ring bringen, dann müssen Sie zum Essen bleiben. Sie werden sehen, diese Alte kann wunderbare Speisen auf den Tisch zaubern.«

Chahinian drehte und wendete den Ring zwischen seinen Fingern, als ob er die noch notwendige Arbeit abschätze, und versprach, am übernächsten Tag fertig zu sein. Er hätte schneller fertig werden können, aber er wollte noch Martin Le Morhier treffen, bevor er zu Geoffroy de Saint-Arnaud ging.

Die Zeit war gekommen, Marie in das ihrer Mutter gegebene Versprechen und die damit verbundenen Pläne einzuweihen. Er mußte eine Gelegenheit finden, sie im Laufe des Besuchs unter vier Augen zu sprechen. Seit sie gesund war und wieder in die Stadt ging, hatte er darauf verzichtet. Da Marie ihn verachtete, weil er ihre Mutter nicht öffentlich verteidigt hatte, hatte sie von ihrer Seite nichts unternommen, ihn zu treffen. Martin Le Morhier hatte darauf geachtet, sie nur in Gegenwart mehrerer Zeugen anzusprechen, die jederzeit die ausgetauschten Belanglosigkeiten hätten wiederholen können. Marie hatte sich über Myriams Abwesenheit Sorgen gemacht, und der Kapitän hatte ihr erklärt, daß sie nach Paris gefahren sei, um sich um ihre Schwägerin zu kümmern. Marie hatte gezittert, als sie das Wort Paris gehört hatte, aber das war nur Nanette aufgefallen, die jedoch nicht gewagt hatte, die junge Frau daraufhin anzusprechen. Es war nicht nötig, sie zu verärgern, indem sie immer wieder sagte, sie solle Simon Perrot vergessen. Mit der Zeit würde Marie schon ihre Dickköpfigkeit, mit der sie diesen Taugenichts liebte, verlieren.

Nanette unterschätzte die Leidenschaft und die Halsstarrigkeit Marie LaFlammes, und Martin Le Morhier und Guy Chahinian würden sich an ihr noch die Zähne ausbeißen. Aber als der Goldschmied zu Geoffroy de Saint-Arnaud kam, vermutete er keinerlei Widerstand von seiten Maries. Er befürchtete nur, daß sie sich verraten könne, wenn er ihr einen Zettel zusteckte, auf dem er sie bat, sich über die Größe des Rings zu beklagen und ihn am nächsten Tag in seinem Laden anzupassen. Zu seiner Erleichterung ließ sie das Stück Papier in den Spitzen ihres Ärmels verschwinden, ohne eine Miene zu verziehen. Während des ganzen Essens sah sie ihn kaum an, sprach vielmehr ihren Gatten an, den ihre Aufmerksamkeit entzückte.

Der Reeder lachte zufrieden zwischen zwei Bissen und nahm die Komplimente des Goldschmieds über die Schmackhaftigkeit des Mahls mit Freude entgegen.

»Ich habe seit langer Zeit keinen so leckeren Lachs gegessen. Und erst diese kandierten Aprikosen! Ein wahres Wunder, das mich an Paris erinnert. Aber ich bin so gutes Essen nicht mehr gewöhnt, und Sie müssen mir verzeihen, daß ich die Veilchenpastete nicht mehr schaffe.«

Als Marie vom Tisch aufstand, erhob sich der Goldschmied auch, aber Geoffroy de Saint-Arnaud bat ihn, sich wieder hinzusetzen.

»Meine Frau hat sich in den Kopf gesetzt, ihren Teppich fertigzuknüpfen, aber ich hoffe, Sie wollen mich nicht auch schon verlassen?«

»Ich will Ihnen nicht zur Last fallen.«

»Machen Sie sich darüber keine Sorgen. Setzen wir uns ans Feuer, dort ist es gemütlicher. Gute Nacht, Madame«, sagte er zu Marie, die durch die Tür des Salons verschwand.

»Gute Nacht, Monsieur. Werden Sie mir noch verraten, wo ich ein so schönes Schmuckstück aufbewahren kann, um es vor der Gier der Bediensteten zu verstecken?«

»Sie müssen keine Angst haben, daß man es Ihnen klaut. Derjenige, der es klauen würde, hätte noch nicht einmal Zeit, es zu bedauern. Gute Nacht, meine Liebe.«

»Gute Nacht, meine Herren«, sagte Marie und warf Guy Chahinian schnell einen Blick zu. Wollte sie ihm ein Zeichen geben, daß sie ihn am nächsten Tag besuchen würde? Ihr kalter Blick verwirrte ihn, und sein Gastgeber fragte ihn, was ihn beunruhige.

»Nichts … Na ja, ich dachte gerade, daß der Brillantring vielleicht zu groß sei. Ich habe den Eindruck, als ob der Ring an der Hand Ihrer Gattin zu locker säße. Lassen Sie ihn mir morgen bringen, falls Ihre Frau nicht zufrieden ist.«

Der Reeder zuckte mit den Schultern. Er hörte seinem Gast gar nicht richtig zu, denn er überlegte, wie er Guy Chahinian am geschicktesten um einen Gefallen bitten könnte.

»Sie arbeiten seit Jahren in Ihrem Beruf, Monsieur Chahinian«, fing er vorsichtig an. »Es müssen schon einige Jahre sein, so gut, wie sie arbeiten …«

»Es stimmt, daß ich in jungen Jahren angefangen habe und daß ich mittlerweile ziemlich alt bin.«

»Sie sind kein alter Mann«, widersprach Geoffroy de Saint-Arnaud. »Sie haben einfach viel gelernt in ihrem Beruf. Ich wette, daß Sie einen Stein mit einem Blick beurteilen können?«

»Mit einem Blick?« stammelte Guy Chahinian. Er wußte, daß der Reeder von dem Schatz sprach. Gab es Neuigkeiten?

»Ja.« Sein Gesprächspartner wurde ungeduldig. »Wenn ich Ihnen zum Beispiel einen Rubin zeigen würde, dann könnten Sie mir doch sagen, welchen Wert er hat?«

»Das ist gar nicht so einfach, aber ich hätte natürlich eine ungefähre Vorstellung.«

»Wissen Sie, ich habe einen Freund, der mein ganzes Vertrauen genießt, und er hat mir versichert, daß er bald mit Edelsteinen aus Indien zurückkehren wird. Sie können sich sicher denken, daß ich die Ihnen zur Bearbeitung gebe, wenn ich sie kaufen würde. Aber Sie wissen ja auch, wie gierig die Offiziere des Königs sind. Wir können ihnen aber trotzdem nicht unsere ganze Beute übergeben.«

Guy Chahinian nickte und sah den Reeder verständnisvoll an.

»Mein Freund«, fuhr Geoffroy de Saint-Arnaud fort, »mein Freund ist mißtrauisch und will, befürchte ich, nicht jedem die Steine zeigen. Aber wenn ich sie kaufe, dann muß ich schon ungefähr ihren Wert kennen, und dafür wäre natürlich Ihre Erfahrung sehr hilfreich. Könnten Sie mir helfen, den Wert der Steine zu bestimmen?«

Guy Chahinian mußte schlucken, bevor er stammelte,

daß er sehr geehrt sei, ihn zu unterstützen, und obwohl er nicht schwören könne, daß er den Preis jedes Steins auch richtig festsetze, so könne er ihm doch sein Ehrenwort geben, die Sache vertraulich zu behandeln. Verschwiegenheit sei unerläßlich, um es in seinem Beruf zu etwas zu bringen.

Der Reeder lächelte, als er den Goldschmied zur Tür brachte. Er hatte sich seinen Vertrauensmann sehr gut ausgesucht. Chahinian würde schweigen, weil er hoffte, die Steine später bearbeiten zu dürfen. Auf jeden Fall hätte er keinerlei Beweise in der Hand, falls es ihm in den Sinn kam zu reden. Besser einem reichen Mann dienen, der gut zahlte, als dem Staat, der die Menschen nur mit warmen Worten entlohnte.

Der Reeder wollte den den Wert des Schatzes bestimmen lassen, da er vorhatte, die Steine in Paris oder Holland weiterzuverkaufen. Da er von diesen Geschäften keine Ahnung hatte und sich nicht übers Ohr hauen lassen wollte, wäre es gut, sich vom Goldschmied beraten zu lasen, um Irrtümer zu vermeiden. Und vielleicht ließ er ihn ja auch die Steine bearbeiten, sollte sich herausstellen, daß sie zu wertvoll wären. Es war nicht nötig, neugierige Geister zu wecken. Ja, Chahinian würde ihm sehr hilfreich sein, und wenn er seiner Dienste nicht mehr bedurfte, dann würde man in Nantes vielleicht eines Tages behaupten, daß der Fremde wieder gegangen sei, so wie er gekommen sei. Nur der Reeder und der Kleine wüßten dann, daß er sein Ziel nicht erreicht hätte.

Geoffroy de Saint-Arnaud rieb sich zufrieden die Hände. Er gönnte sich ein Glas Bordelais und genoß das Gefühl, ein ganz durchtriebener Bursche zu sein. Er schnalzte mit der Zunge: Diese Rebe war unbestritten besser als die Weinstöcke dieser Gegend. Vor den rotglühenden Holzscheiten im Kamin verglich er die Farbe des Weins mit der der Rubine, die er bald in Händen halten würde. Als er einschlief, träumte er von Saphiren, Amethysten und Diamanten.

Marie erfreute sich unterdessen tatsächlich in ihrem Zimmer an der Schönheit des Brillanten, der im Kerzenschimmer in allen Facetten schimmerte. Die junge Frau wußte, daß sie die Edelsteine des Schatzes verkaufen mußte, um sich und Simon eine herrliche Zukunft zu sichern, aber als sie den Ring an ihrem Finger glitzern sah, bedauerte sie schon, daß sie sich von den funkelnden Edelsteinen trennen mußte. Trotz ihres Hasses auf ihren Mann entschloß sie sich, den Schmuck nach ihrer Flucht als Ersatz für die erduldeten Leiden zu behalten. Sie fing an zu frieren und schlug den Kragen ihres Nachthemds hoch. Hoffentlich würde sie ihr Gatte heute vergessen, weil ihm der Wein, von dem sie ihm während des Essens reichlich eingeschenkt hatte, in den Kopf gestiegen war. Nach der gemeinsam verbrachten Nacht hatte sie mehrmals am Tag ihre Lust, sich zu waschen, zügeln müssen, und als sie sich am nächsten Abend ins Bett gelegt hatte, hatte sie lange die Decken ausgeschüttelt, um seinen Geruch zu vertreiben. Na klar! Sie würde den Diamanten mitnehmen. War er denn nicht für ihre Mutter bestimmt gewesen? Anne hätte den Diamanten zugegebenermaßen niemals getragen.

»Aber sie hätte auch nicht Geoffroy de Saint-Arnaud geheiratet«, sagte Marie mit leiser Stimme. Außerdem hatte der Goldschmied so lange daran gearbeitet, daß es gemein wäre, seinen Ring zu verschmähen: Er war eine wahre Pracht.

Guy Chahinian hatte sich selbst übertroffen: Marie hielt ununterbrochen ihre Hand gegen den Kandelaber, denn sie wurde nicht müde, die winzigen Blüten auf der emaillierten Verzierung der Weißgoldfassung des Diamanten zu bewundern. Dieser war zu einer Rose geschnitten, und seine achtzehn ganz und gar ebenmäßigen Facetten verstärkten die Intensität der Flamme, die dann in tausend blitzenden Strahlen mündete. Die gebrochenen Strahlen dieses seltsamen Lichtes auf der Mauer erregten zwangsläufig die Aufmerksamkeit der Katze, die vergebens versuchte, das Licht zu erhaschen. Marie spielte eine ganze Weile mit der Katze dieses Spiel, das sie früher, wenn die Sonne in ihr Häuschen schien, mit Eisenstücken gespielt hatte. Anne und Nanette hatten mit ihr gelacht. Nun war es nur noch Ancolie, die Spaß daran hatte, mit ihren Tatzen an der Wand zu kratzen.

Marie drehte den Ring so herum, daß der Stein in ihrer Handfläche verschwand. Es stimmt, daß der Ring etwas groß war, wie es ihr Guy Chahinian geschrieben hatte. Hatte er ihn absichtlich so gearbeitet? Er hatte ihre Neugierde geweckt. Sie würde morgen zu ihm gehen, auch wenn sie ihn nicht besonders mochte.

35.
KAPITEL

»So, Marie, nun wissen Sie alles«, sagte Martin Le Morhier. »Monsieur Chahinian wird noch diese Woche Nantes verlassen, um zu vermeiden, daß die Leute Verdacht schöpfen, was Ihr Ziel betrifft. Sie werden an Bord eines Leichters in Richtung Le Croisic flüchten. Dort nehmen Sie ein anderes Schiff, das Sie nach Orléans bringen wird, wo unser Freund auf Sie wartet. Ihr Gatte wird dann hoffentlich die Abreise seines Goldschmieds und die seiner Frau nicht in Zusammenhang bringen und Sie hoffentlich erst in Nachbargemeinden suchen lassen, bevor er an Paris denkt.«

Marie LaFlamme hatte während des Gesprächs mit den beiden Männern mehrmals erstaunt aufgeschrien. Sie war vor Freude den Tränen nahe, als sie erfuhr, daß ihre Mutter nicht durch die Hände des Henkers, sondern durch Gift gestorben sei, und nun erfuhr sie noch, daß man ihr helfen wolle, aus Nantes zu fliehen. Und sie mußte sich überhaupt nicht um diese überstürzte Abreise kümmern! Alles würde für sie und Nanette in die Wege geleitet.

»Wie soll ich Ihnen danken, meine Herren? Oh! Ich schäme mich, so gemein zu Ihnen gewesen zu sein, Monsieur Chahinian. Ich dachte schon, Sie hätten meine Mutter verleugnet.«

»Niemals, Madame, niemals, und ich wäre glücklich, Sie in zwei Wochen nach Paris bringen zu dürfen.«

»Was?« unterbrach ihn Marie. »In zwei Wochen? Aber nein, Sie irren sich. Ich kann hier nicht weg.«

»Was ist los?« schrien die beiden Männer.

Marie seufzte und preßte ihre Lippen zusammen.

»In zwei Wochen – nein, in drei – ja.«

»Aber Sie sind in Gefahr!« Martin Le Morhier platzte der Kragen. »Wenn Saint-Arnaud sieht, daß es gar keinen Schatz gibt, dann wird er sich an Ihnen rächen.«

»Wer hat Ihnen von dem Schatz erzählt?« schnitt ihm Marie das Wort ab.

»Ihre Mutter«, sagte Guy Chahinian, »hat mir am Tag vor ihrem Tod alles erzählt: Wie es dazu kam, daß Geoffroy de Saint-Arnaud Sie geheiratet hat, wie sie sich selbst geopfert hat und welches Märchen sie Saint- Arnaud aufgetischt hat.«

»Welches Märchen? Wovon sprechen Sie? Der Matrose wird in sechzehn Tagen kommen und mir sagen, wo ich den Schatz von meinem Vater finde. Wenn ich den Schatz habe, dann gehe ich mit Ihnen nach Paris, vorher nicht.«

»Aber Ihre Mutter hat das alles nur erfunden. Sie ließ Sie im Glauben, daß es einen Schatz gäbe, aus Angst, daß Sie sich verraten könnten.«

»Ich habe aber doch die drei Teile des Rätsels.«

»Anne hat es nur für Saint-Arnaud erfunden! Wie auch die Geschichte des Matrosen.«

»Ich glaube Ihnen kein Wort!«

»Es ist aber trotzdem die Wahrheit.«

»Das sagen Sie ... Was? Wenn mich meine eigene Mutter belügt, wie Sie sagen, warum dann nicht auch Sie?«

Die alte Amme brummelte:

»Marie, wenn die Herren dir sagen, daß wir weg müssen, dann gehen wir.«

»Ohne einen Taler Geld! Und dann können wir in den Straßen von Paris betteln gehen? Niemals!«

Nanette faltete ihre knochigen Hände und sprach verzweifelt ein Gebet.

»Nimm doch endlich Vernunft an. Diese Männer wissen, was sie sagen.«

Marie antwortete ihr nicht und schwieg hartnäckig.

»Begreifst du denn überhaupt nichts?« wetterte Martin Le Morhier. »Du bist schlimmer als ein Esel. Oder gefällt dir dein Ehemann am Ende doch? Ist es das? Madame liebt es, das Burgfräulein zu spielen?«

Marie sah dem Kapitän ins Gesicht, bevor sie auf den Boden spuckte.

»Ich? Dieses dreckige Schwein lieben? Diesen ... diesen ...«

»Aber das glauben wir doch gar nicht«, unterbrach sie

Guy Chahinian. »Ihr Leben steht auf dem Spiel. Haben Sie denn im Gefängnis nicht genug Ängste ausgestanden?«

»Ich will den Schatz!«

»Aber es gibt gar keinen Schatz! Ihr Vater hat Geoffroy de Saint-Arnaud zum Narren gehalten, und Ihre Mutter hat mit diesem Rätsel noch einen draufgesetzt.«

»Woher wissen Sie denn so genau, daß er ihn nur zum Narren gehalten hat?« fragte Marie.

Durch ihre Erregung hatte sich ihr Haarknoten gelöst, und die widerspenstigen Strähnen, die ihr Gesicht einrahmten, verliehen ihr wieder diesen sanften Blick, der Guy Chahinian so ans Herz gegangen war, als er sie zum erstenmal gesehen hatte. Erregt warf sie den Kopf hin und her. In ihrer Spontaneität war ein Hauch von Hochmut zu erkennen. War das ihre Art, sich gegen neue Enttäuschungen zu schützen, oder hatte sie sich wirklich verändert? Wenn er sich Nanette anvertraut hätte, so hätte diese ihm gesagt, daß Marie ihre Naivität verloren hätte, diese Arglosigkeit, die die Menschen eher zum Lachen brachte, als dazu, sie zu schelten. Sie mußte sich aber noch einen Rest von Naivität bewahrt haben. Sonst hätte sie unmöglich an den Schatz glauben können. Und wenn Guy Chahinian auch verstand, daß die junge Frau träumen mußte, um zu überleben, dann schien es ihm doch dringend geraten, sie vor den Gefahren zu warnen, die auf sie lauerten, wenn sie die Stadt nicht verließ. Daher sagte er ihr auch, daß ihr Vater den Reeder im Fieberwahn angelogen habe.

»Wie er so ein Geheimnis vor Ihrer Mutter hat verbergen können? Die Matrosen erzählen sich auf See die verrücktesten Geschichten, in denen die Piraten die Sirenen lieben, die ihnen verraten, wo die Schatztruhen mit den Edelsteinen versteckt sind. Sie glauben nicht wirklich daran ... Wenn aber noch Fieber hinzukommt, dann werfen sie alles durcheinander. So war es sicher auch bei Ihrem Vater.«

Marie schien diese Erklärung nicht besonders zu beeindrucken, denn sie verzog ihr Gesicht derartig, daß Martin Le Morhier jetzt wirklich ärgerlich wurde. Er packte sie am Arm und zwang sie, ihm ins Gesicht zu sehen.

»Wenn du meine Tochter wärst, dann hätte ich dich schon längst so verprügelt, wie du es verdienst. Dein Vater ist tot, deine Mutter auch, ohne daß wir hätten etwas tun können, und sie waren die besten Menschen hier in Nantes. Du bist ihre einzige Tochter, die uns nur, weil sie Gefallen an Geld gefunden hat, jetzt das Leben noch schwerer macht. Eigentlich sollte man dich deinem Schicksal überlassen. Nur das Versprechen, das ich meiner Frau und Anne gegeben habe, halten mich davor zurück. Du wirst tun, was man dir aufträgt, ohne zu widersprechen.«

Guy Chahinian sah, daß Maries Blick immer düsterer wurde, während sein Freund sprach, und er unterbrach ihn deshalb.

»Beruhigen Sie sich, lieber Freund! Marie ist kein Kind mehr. Sie weiß, was sie sagt. Wenn sie lieber in Nantes bleiben und ihr Leben aufs Spiel setzen will, dann ist das ihr gutes Recht. Wir haben sie gewarnt. Mehr können wir nicht tun.«

Sein trockener Ton hinderte Marie nicht daran, weiterhin zu lächeln. Sie war froh, das letzte Wort zu haben. Nanette seufzte, und Martin Le Morhier schaute den Goldschmied fragend an, nachdem er seine Verwunderung zum Ausdruck gebracht hatte. Dieser zwinkerte ihm unmerklich zu, um ihn zu beruhigen. Der Kapitän bemühte sich also, die beiden Frauen, die nun gingen, höflich zu verabschieden, aber sobald die Tür hinter ihnen ins Schloß gefallen war, schlug er mit der rechten Faust in die linke Hand.

»Klären Sie mich auf. Diese kleine Närrin …«

»Ist noch ziemlich jung. Sie glaubt, daß man ihr das Leben verdorben habe und daß der Schatz sie entschädigen würde. Sie kann nicht ertragen, alles zur gleichen Zeit zu verlieren: vor einem Jahr ihren Vater, dann ihre Mutter, dann ihre Würde, schließlich ihre Reinheit. Ich stimme Ihnen zu, daß sie ziemlich unverschämt ist, aber wenn sie nicht so starrsinnig wäre, dann hätte sie sich Geoffroy de Saint-Arnaud unterworfen, und von der Tochter Anne LaFlammes wäre nicht mehr viel übrig. Haben Sie nie auf dem Gesicht unserer geliebten Matrone einen Hauch von Stolz gesehen, wenn eine Behandlung erfolgreich anschlug? Marie hat etwas, das ihr die Kraft zum Durchhalten gibt. Hoffen wir nur, daß sie mit den Jahren sanftmütiger wird. Die Prüfungen haben sie nicht reifer gemacht, sondern sie eher abgehärtet. Und der Schatz ist ihre Rüstung. Sie glaubt, sie könne sich die ganze Welt unterwerfen … was man ja auch in ihrem Alter noch glauben kann. Haben Sie denn nie davon geträumt, Entdecker zu werden oder die ganze Welt zu erobern?«

»Es ist eher mein Sohn, der ständig von fremden Ländern spricht. Er träumt immer nur davon, weit wegzugehen. Seine Mutter hat mir geschrieben, daß er die Marineschule in Dieppe besuchen will, bevor er für eine lange Fahrt an Bord gehen will.«

»Sehen Sie! Die Jugend träumt von neuen Horizonten.«

»Ohne zu wissen, was sie erwartet. Marie LaFlamme war ja immerhin der Preis bei dem Geschäft zwischen Geoffroy de Saint-Arnaud und ihrer Mutter. Wie kann sie noch daran glauben, daß es ihr gelingen wird, sich ihm zu widersetzen? Sobald er sehen wird, daß Anne ihn hereingelegt hat, wird er sich an ihrer Tochter rächen.«

»Das müssen wir allerdings verhindern, indem wir Maries Vertrauen erlangen. Ich werde es versuchen.«

»Sie wollen sich ihrem Willen fügen?«

»Nur zum Schein. Ich werde es ihr morgen sagen, wenn sie ihren Ring abholt. Wir können uns hier dann nicht mehr treffen. Wir müssen uns einen anderen Ort überlegen.«

»Nanette? Auf dem Marktplatz? Es wäre kein Problem, ihr gegebenenfalls einen Zettel zuzustecken … Aber …«

»Aber Marie wird früher als vorgesehen fliehen. Wir werden uns mit ihr zum gegebenen Zeitpunkt auf dem Leichter, der sie bis Le Croisic bringen wird, verabreden, und zwar in der Nacht, das ist am günstigsten.«

»Wir entführen sie?«

Guy Chahinian nickte.

»Ja. Das ist die einzige Lösung, weil sie ja nicht auf uns hören will. Aber da sie uns vielleicht mißtraut, kann ich nicht vor ihr abreisen. Ich reise also später ab.«

»Nach ihr?«

»Sie bleibt mit Nanette auf dem Leichter, und ich stoße am nächsten Tag zu ihnen, wenn alles so abläuft, wie wir hoffen.«

»Wird es ihr denn möglich sein, unentdeckt zum Hafen zu kommen?«

»Der Reeder wird nicht zu Hause sein. Er wird bei mir sein und mit mir über den Ankauf von Gold und Silber reden. Ich werde ihn mit einer außergewöhnlichen Gelegenheit ködern und ihn über eine Stunde festhalten. Marie verläßt in dieser Zeit das Haus. Dieses muß mindestens eine Woche vor der voraussichtlichen Ankunft des Matrosen geschehen, denn ich befürchte, daß unser Reeder seine Frau keine Minute mehr aus den Augen läßt, wenn der große Tag näherrückt.«

Martin Le Morhier schlug vor, sich am nächsten Sonntag mit Marie an der kleinen Bucht am Hafen zu verabreden, dort, wo ihr Vater oft geangelt hatte.

»Es wird abnehmender Mond sein, was für unsere Sicherheit gut ist. Niemand darf gesehen werden, weder Marie noch Nanette, weder ich noch mein Boot. Ich werde also schon lange, bevor sie kommen, dort sein. Aber vergessen Sie nicht, daß sie verfolgt werden.«

Guy Chahinian spielte auf die beiden Männer an, die Marie abwechselnd nachspionierten.

Martin Le Morhier lachte den Goldschmied an.

»Das sind ungehobelte Kerle, und sie haben keinen Funken Verstand im Kopf. Marie kann vielleicht dem, der sie verfolgt, entkommen. Aber ich fürchte ...«

Guy Chahinian hob die Hand, um seinen Freund zu unterbrechen.

»Ich weiß, was Sie meinen: Wir müssen uns dieses Spürhundes entledigen.«

»Ja! Ich kann ihn niederschlagen, wenn er Marie an Bord gehen sieht, aber er wird ja auch irgendwann wieder zu sich kommen.«

»Und dann kann er alles erzählen, was er gesehen hat, und Geoffroy de Saint-Arnaud darüber berichten. Auf jeden Fall können wir ihn weder entführen wie Marie, noch können wir ihn zu lange in Nantes festhalten. Wir können ihn auch nicht umbringen.«

»Das müssen wir aber tun. Sonst redet er, und man wird mich verdächtigen.«

»Aber warum sollte man Sie verdächtigen? Keiner wird Sie sehen! Wenn Marie und Nanette auf das Segelboot gehen, dann wird der Mann einen Moment zögern, bevor er einschreitet, da ihm gesagt wurde, daß er ihnen unauffällig folgen soll. Und in diesem Moment müssen wir unseren Mann niederschlagen und ihn gut fesseln. Es wird doch wohl einen Baum oder einen Felsen geben, wo Sie sich verstecken können?«

»Sicher, aber ich sage es noch einmal, wenn er wieder zu sich kommt, wird er sagen, was er gesehen hat.«

»Und er wird einen Leichter gesehen haben, der Geoffroy de Saint-Arnaud gehört«, sagte der Goldschmied grinsend. »Unser guter Reeder ist so stolz auf seinen Adelstitel, daß er sein Wappen auf allem, was er besitzt, anbringen läßt. Es fehlt ja nur noch, daß er seine Pferde mit seinen Farben bemalt. Alle seine Boote, Leichter und Fleuten tragen sein Wappen zur Schau. Es genügt also, einen von Ihren Leichtern anzumalen ... Wenn der Spion wieder zu sich kommt, wird er beschreiben, was er gesehen hat, nämlich, was ich in meinem Atelier auf ein Holzschild gemalt habe: den berühmten Löwen mit dem Silberschwanz wie auf den Wappen. So kann er auch erklären, warum er gezögert hat, etwas zu unternehmen. Bis er wieder zu sich gekommen ist, sind Sie schon über alle Berge.«

»Und Marie? Glauben Sie denn, daß sie einfach zusieht, ohne mit der Wimper zu zucken?«

»Nein. Sie müssen sie auch niederschlagen.«

»Niederschlagen?« schrie Martin Le Morhier. »Aber sie ist eine Frau. Na ja, sie hätte eine Tracht Prügel für ihre Dummheit verdient und ...«

»Und sie wird noch weitere Dummheiten begehen, wenn sie sie nicht für einige Zeit außer Gefecht setzen, damit sie nichts anstellen kann. Sie fesseln und knebeln sie, und wenn Sie in Le Croisic angekommen sind, vertrauen Sie sie Nanette an.«

»Von wo ich am nächsten Morgen ohne das Wappen Saint-Arnauds und einer entsprechenden Ladung zurückkomme?«

»Genau.«

»Und Sie?«

»Ich reise am nächsten Tag ab, nachdem ich zur Frühmesse gegangen bin und einigen Klatschmäulern erzählt
habe, daß ich nach Angers gehe. Wenn das Schicksal uns
gut gesonnen ist, wird Geoffroy de Saint-Arnaud nicht vor
dem nächsten Morgen festgestellt haben, daß seine Frau
verschwunden ist. Sie verbringen ihre Nächte nicht
zusammen. Nanette hat es uns gesagt. Und selbst wenn er
Marie schon in der Nacht vermissen sollte, dann würde er
sie zunächst in der Stadt in der Nähe des Hauses, suchen
lassen und dann erst an den Hafen denken. Und wenn sein
Spion gefunden wird, wird ihm dieser keine große Hilfe
sein. Geoffroy de Saint-Arnaud wird wahrscheinlich alle
seine Schiffe durchsuchen lassen, und darum kann ich erst
nach dieser Suchaktion verschwinden. Zwischen der Entführung und meiner Ankunft in Le Croisic ruht die ganze
Verantwortung auf den Schultern Nanettes.«

»Glauben Sie, daß sie sich Marie gegenüber wird durchsetzen können?«

»Wir müssen sie überzeugen, daß sie alle beide sterben
werden, wenn sie Nantes nicht verlassen. Sie darf unter
keinen Umständen Maries Fesseln lösen. Werden Sie
Marie ohne Schwierigkeiten von dem einen auf den anderen Leichter bringen können?«

»Machen Sie sich keine Sorgen. Alles wird gut, sobald
ich an Ort und Stelle bin. Nur Maries Einfluß auf ihre
Amme wird ein Problem sein. Sie wird sie unter Tränen
anflehen, sie loszubinden. Und Nanette wird ihr schließlich nachgeben.«

»Es liegt an uns, dagegen Vorkehrungen zu treffen. Ich
werde das ihrer Mutter gegebene Versprechen kurz vor
ihrem Tod zur Sprache bringen. Nanette hat Anne immer
verehrt.«

»Ich hoffe, daß Sie das Boot genausogut steuern können, wie Sie Pläne schmieden können ... Na ja, Dragon und seine Söhne werden uns helfen.«

Nach einer kurzen Pause sprach er weiter:

»Warum haben Sie Anne geschworen, ihre Tochter zu retten? Ich persönlich habe eine Schuld gegenüber der Verstorbenen zu begleichen. Sie hat meiner Frau und meinem Sohn das Leben gerettet. Aber Sie? Sie haben sie kaum gekannt.«

»Aber ich habe früher einmal eine andere Frau gekannt. Sie wurde der Hexerei bezichtigt und bei lebendigem Leibe verbrannt.«

»Und Sie haben diese Frau geliebt«, sagte Martin Le Morhier leise.

»Ja. Ich hatte gehofft, ihr Andenken zu ehren und mein Versagen wieder gutzumachen, indem ich Anne La-Flamme das Leben rette. Ich habe versagt.«

»Bei Marie wird es uns gelingen.«

Guy Chahinian sah dem Kapitän mit hoffnungsvollem Blick in die Augen. Er hielt ihn an den Schultern fest und sagte ihm, daß er froh sei, ihn kennengelernt zu haben.

»Aber wir werden uns ja in Paris wiedersehen, wenn ich dort meine Frau und meinen Sohn abhole«, sagte Martin Le Morhier fröhlich.

»Vielleicht.«

»Wenn Sie vorsichtig sind, und Sie werden vorsichtig sein. Versprechen Sie es mir?«

Statt einer Antwort nahm der Goldschmied ihn in seine Arme und drückte ihn an sich, bevor er mit ihm die letzten Einzelheiten der Entführung besprach.

Geoffroy de Saint-Arnaud überquerte pfeifend den Marktplatz. Sein Gespräch mit Pater Thomas und dessen ernste
Worte hatten ihn so erheitert, daß er schon befürchtete,
seine Freude stehe ihm im Gesicht geschrieben, wo er doch
eigentlich hätte ziemlich bedrückt wirken müssen. Denn
der Kirchenmann hatte, nachdem er dem Reeder zugehört
hatte, keinen Hehl aus seinen Befürchtungen gemacht:
Marie LaFlamme mußte wohl von ihrer Mutter Zauberkräfte geerbt haben. Hatte er ihn denn nicht auch vor einer
solchen Verbindung gewarnt? Es überraschte ihn kaum,
daß sich Geoffroy de Saint-Arnaud nun über das merkwürdige Benehmen seiner Frau beklagte.

»Sie sagen mir, daß sich ihre Stimmung so schnell ver-
ändere wie Ruß zu Boden fällt, nachdem man eine Kerze
ausgeblasen hat. Das kann nur heißen, daß der Teufel hier
Böses im Schilde führt. Er will jetzt, nachdem man ihm
Anna LaFlamme genommen hat, ihre Frau erobern. Aber
Gott hat Erbarmen mit Ihrer Frau gehabt, denn Sie haben
sie geheiratet, und nur deshalb wird sie wieder geachtet.
Jetzt streiten sich in ihrer Brust zwei Seelen, und darum ist
sie Ihnen gegenüber mal ein Engel, mal ein Teufel.«

»Was soll ich denn machen? Sie betet doch oft mit Abt
Germain.«

»Sie kennen meine Meinung dazu«, sagte Pater Thomas
trocken, bevor sein linker Mundwinkel wieder anfing zu
zucken.

Er biß sich sofort auf die Lippen, denn er war wütend
über seine Unfähigkeit, diesen Tick zu unterdrücken. Niemand wagte es, sich über ihn lustig zu machen, aber er war
davon überzeugt, daß man sich hinter seinem Rücken

daran ergötzte. Erbost wiederholte er, daß Abt Germain sicher nicht der richtige Beichtvater für eine junge Frau sei.

»Er hat ihre Mutter nicht dazu gebracht, vor dem Tribunal Reue zu zeigen. Wir wissen noch nicht einmal, ob Anne LaFlamme vor ihrem Tod bei ihm gebeichtet hat. Und haben Sie mal daran gedacht, daß er Ihrer Frau gegenüber die Erinnerung an Anne pflegen könnte? Sie spielen mit dem Feuer, Monsieur. Und ich hoffe, daß diese schrecklichen Phantasien nur Phantasien sind. Aber wir müssen wissen, für Ihr Wohl und das Wohl aller, ob Marie nicht doch den Teufel verehrt. Ich will gern als erster ihr Gewissen prüfen.«

»Wird sie denn einwilligen, mit Ihnen zu sprechen?«

»Sie sind der Ehemann. Sie muß Ihnen gehorchen, und sie wird sich sicher lieber der Kirche anvertrauen als dem Tribunal. Sie hat ja gesehen, was mit ihrer Mutter geschehen ist …«

»Aber was werden Sie machen, wenn Sie feststellen, daß sie vom Teufel besessen ist?«

Pater Thomas senkte den Kopf. Er sah so aus, als halte er Zwiesprache mit Gott und bäte um die Antwort. In Wahrheit überlegte er jedoch, welche Aussichten er hatte, den Reeder von seiner Fähigkeit zu überzeugen, Marie ohne Hilfe der Richter auf den Pfad der Tugend zurückzuführen. Bei dem Prozeß von Anne LaFlamme hatte man ihn kaum beachtet und ihn sozusagen auf eine Stufe mit den Zeugen gestellt, wo er doch die göttliche Weisheit repräsentierte. Dieses Mal würde er sich, falls Marie eine Hexe war, allein um die Angelegenheit kümmern. Da es in Nantes nur sehr wenige Hexenprozesse gegeben hatte, dürfte der Reeder nicht alle Feinheiten des Verfahrens kennen, und Pater Thomas entschloß sich, auf seine Unkenntnis zu bauen.

»Ich verstehe, daß Sie in Ihre Frau vernarrt sind und daß Sie nicht die Absicht haben, sie auf dem Scheiterhaufen brennen zu sehen. Das könnte ihr jedoch leicht widerfahren, wenn sie erst einmal verhaftet worden ist. Warum sollten wir ihr den Teufel nicht vorher austreiben? Falls es mir gelingen sollte, das Böse zu vertreiben, hätte sie keinen Prozeß zu befürchten.«

Geoffroy de Saint-Arnaud täuschte so gut er konnte Erleichterung vor und fragte den Pater unterwürfig, ob er einverstanden sei, seine Frau nach dem Essen zu besuchen. Er verließ ihn gemessenen Schrittes, aber eigentlich hatte er schreckliche Lust, Freudensprünge zu machen. Er hatte Pater Thomas wie alle anderen hereingelegt, und er hatte ihn nun genau dort, wo er ihn haben wollte: Er sollte glauben, Marie sei vom Teufel besessen. In drei Wochen mußte ihr der Teufel ausgetrieben werden, genau einen Tag nach dem Auftauchen des Matrosen. Da der Reeder jetzt sicher war, daß Marie niemals auf den Schatz verzichten würde, denn er hatte gesehen, wie sie ihren Edelstein bewunderte, mußte er langsam überlegen, wie er sie loswerden konnte. Er dachte über verschiedene Möglichkeiten nach, aber der Fenstersturz aufgrund einer Nervenkrise schien ihm doch die beste zu sein. Und Pater Thomas, der ihr einige Stunden vorher den Teufel ausgetrieben haben würde, könnte die große Unruhe Marie LaFlammes nur bestätigen. Daß sie dann das Opfer von Wahnvorstellungen wurde und in der Nacht aufstand, um sich aus dem Turmfenster zu stürzen, würde niemanden verwundern. Man würde den Witwer bedauern, der so viel für sie getan hatte.

Als er in die Rue des Chapeliers bog, sah Geoffroy de Saint-Arnaud den Goldschmied geradewegs auf sich zukommen. Er schien es ungewöhnlich eilig zu haben.

Vermutlich hatte er sein Haus überstürzt verlassen, denn sein Wams war nicht richtig zugeknöpft und rollte sich an den Rändern auf. Er stürzte auf den Reeder zu, legte seine schwere Hand auf seinen Arm, und während er sich bemühte, wieder zu Atem zu kommen, rollte er erschreckt die Augen hin und her.

»Aber mein Lieber, was ist denn mit Ihnen los?« fragte der Reeder.

»Was los ist? Ich suche Sie schon seit heute morgen, und wenn ich es gewagt hätte, dann wäre ich noch heute nacht zu Ihnen gekommen. Vor Ihnen steht ein Mann, der ziemlich in der Klemme ist, und da Sie hier der einzige sind, der mir einen Rat geben könnte, bitte ich Sie, mir zu helfen. Erinnern Sie sich, daß Sie mir bei unserem ersten Treffen von Seeleuten erzählt haben, die so einen undurchsichtigen Handel vorschlagen …?«

»Ja, Sie sollen …?«

»Nicht hier. Ich habe Angst, daß man uns zuhören könnte. Kommen Sie heute abend nach dem Essen um acht Uhr zu mir.«

»Aber warum denn nicht sofort?« sagte der Reeder, der jetzt wie der Goldschmied Angst bekommen hatte.

»Ich muß noch zwei Sachen ausliefern. Außerdem wäre es für die Zukunft ungünstig, wenn man uns zusammen sähe. Und es liegt vielleicht in unserem eigenen Interesse … Ich kann Ihnen nur sagen, daß es um Gold geht, um viel Gold. Bis heute abend also.«

Guy Chahinian verschwand genauso schnell, wie er aufgetaucht war, und überließ Geoffroy de Saint-Arnaud seiner Sprachlosigkeit. Er hätte sich gern umgedreht, um zu sehen, ob der Reeder tatsächlich verblüfft war, aber dieser hätte ihn dann sicher eingeholt und ausgefragt. Er sollte aber ruhig den ganzen Tag grübeln und dann zu der verabredeten Zeit von Neugierde zerfressen an seine Tür klopfen. Der Goldschmied ging schnell an der Grand-Rue vorbei und durchquerte schnellen Schrittes das Saint-Saturnin-Viertel. Er sollte Martin Le Morhier am Quai de la Poterne zum Essen treffen, aber da er den Reeder nicht früher getroffen hatte, kam er nun zu spät. Er wollte ihn schon ansprechen, als er ihn hatte in die Kirche gehen sehen, aber dann hatte er Juliette Guillec entdeckt und ihr von seiner Reise nach Angers erzählt. Noch bevor der Vormittag vorüber war, würden alle ihre Bekannten wissen, daß er zu seinem Bruder fahren wollte, um sein ihm zustehendes Erbteil zu fordern, auf das er schon viel zu lange wartete.

»Ich komme bald nach Nantes zurück. Diese Reise paßt mir nicht besonders, da ich wie immer seekrank werden werde.«

»Kauen Sie Minze, das ist ausgezeichnet.«

Juliette Guillec hat Glück, daß keiner ihrer Nachbarn Lust hat, sie der Hexerei zu bezichtigen, dachte Guy Chahinian. Hatte Anne ihm nicht gesagt, daß man ihr viele Fragen über den Tee, den sie aus Kirschstengeln zubereitete, gestellt hatte?

Er dachte ununterbrochen an sie und ihre Tochter. Er konnte nichts dagegen tun. Er hatte Schuldgefühle, über seinem Einsatz für LaFlamme seine eigentliche Mission zu vernachlässigen. Sicher, dieser schreckliche Prozeß stand für all das, was die Lichtkreuzbrüder bekämpften. Der Große Meister hätte es ihm bestätigt. Guy Chahinian rief es sich immer wieder ins Gedächtnis, um sein Verhalten zu rechtfertigen, jedoch ohne viel Erfolg. Was würde er seinen Brüdern beim Wiedersehen in Paris sagen? Was würde er von seinem Aufenthalt in Nantes mitbringen? Nichts! Aber warum hatte der Meister ihn dann in diese Stadt geschickt?

Guy Chahinian hatte vergeblich auf ein Zeichen gewartet, auf einen Besuch oder eine Nachricht. Wie sollte er wissen, ob er nach Nantes zurückkehren oder in Paris bleiben sollte? War er zu ungeduldig? Sollte er länger an den Ufern der Loire verweilen? »Der große Fluß«, hatte der Meister gesagt, bevor er starb. Der Goldschmied war jeden Tag zum Hafen gegangen, ohne daß etwas passiert wäre.

In den folgenden Stunden sollte sich alles ändern. Er mußte Geoffroy de Saint-Arnaud mindestens zwei Stunden in seinem Laden festhalten. Es würde ihm schon gelingen. Als er aufgewacht war, hatte er das Zwitschern einer Schwalbe vernommen. Er war langsam zum Fenster seines Ateliers gegangen, aber er hatte nur eine kleine Figur gesehen, die sich auf den obersten Ast einer Pappel setzte. Die Sonne schien auf das Federvieh, blendete den Goldschmied, und darum konnte er die Farben nicht erkennen. Dennoch glaubte er an sein Glück: Er hatte die erste Schwalbe dieses Jahres gesehen. Sie würde ihm Glück bringen. Außerdem kam es ihm so vor, als habe der strahlendblaue Himmel genau die gleiche Farbe wie die Augen Marie LaFlammes.

Sein Optimismus war ansteckend. Als er Martin Le Morhier verlassen hatte, war auch dieser sicher gewesen, daß ihr Plan gelingen würde. Wenn sie alles genau wie vorgesehen erledigten, dann würde Marie vierundzwanzig Stunden später an einem sicheren Ort sein. Der Kapitän hatte seinem Freund einen Brief für seine Frau mitgegeben sowie eine Zeichnung des Hafens, auf der die Lage des Schiffes gekennzeichnet war, auf dem er die entführte Marie und Nanette finden würde.

»Dragon wird auf Sie warten und später wiederkommen, um Ihnen zu zeigen, wo der zweite Leichter liegt, aber für alle Fälle … nehmen Sie diese Zeichnung.«

»Machen Sie sich keine Sorgen, es wird alles gut werden. Wir werden uns in Kürze in Paris treffen.«

»Vergessen Sie es nicht. Sie müssen den Reeder mindestens eineinhalb Stunden festhalten.«

»Ich verspreche es Ihnen: Seine Geldgier wird sein Ruin sein.«

Sie lachten, um sich gegenseitig Mut zu machen. Um ihre Aufregung zu verbergen, trennten sie sich abrupt. Martin Le Morhier begab sich sofort zum Leichter, während Guy Chahinian einen Becher und einen emaillierten Teller bei einem reichen Händler auslieferte.

Der Tag kam ihm endlos vor, und so sehr er sich auch beim Aufwachen über den strahlenden Sonnenschein gefreut hatte, so sehr ging es ihm jetzt auf die Nerven, daß die Sonne so langsam unterging. Würde die Nacht denn nie hereinbrechen? Er hatte den ganzen Nachmittag Silber und Kupfer behauen, weil er unfähig war, sich auf schwierigere Arbeiten zu konzentrieren. Als er die Glocken um acht Uhr läuten hörte, seufzte er erleichtert auf. Das Warten hatte ein Ende. Die Zeit des Handelns war gekommen. Er würde sein Versprechen halten.

Der Reeder war pünktlich. Guy Chahinian gab sich ängstlich und aufgeregt, als er ihm die Tür öffnete.

»Ah, da sind Sie ja endlich, gnädiger Herr. Gott schütze Sie! Wie soll ich Ihnen danken, daß Sie gekommen sind?«

»Indem Sie mir sagen, was ich hier eigentlich suche! Sie sind in einem Zustand …«

»Dem Wahnsinn nahe, gnädiger Herr. Sie brauchen keine Angst zu haben, es mir zu sagen. Wissen Sie, was man mir gestern abend nach dem Essen vorgeschlagen hat? Kommen Sie …«

Guy Chahinian zog unter seiner Bettdecke ein schwarzes Ledersäckchen hervor und reichte es dem Reeder.

»Wieviel wiegt es Ihrer Meinung nach?«

»Drei, vier Pfund?«

»Mehr als vier Pfund. Machen Sie das Ledersäckchen doch auf, aber vorsichtig.«

Geoffroy de Saint-Arnaud unterdrückte seine Ungeduld und zog vorsichtig an den Bändern des Säckleins. Als er den Inhalt sah, konnte er einen Ausruf des Staunens nicht unterdrücken, und er hätte beinahe alles fallengelassen. Guy Chahinian nahm ihm das Ledersäckchen ab und murmelte: »Sie verstehen jetzt sicher, daß meine Aufregung berechtigt war, gnädiger Herr.«

»Aber was ist das? ... Von wo ... Was wollen Sie?«

»Ich weiß es nicht. Das ist ja die Tragödie. Mein Gott, warum zieht man mich bloß in diese Geschichte hinein?«

»Welche Geschichte? Hören Sie auf zu jammern, und erzählen Sie mir alles.«

»Sie haben recht. Ich werde versuchen, Ihnen mein Abenteuer zu schildern, und vielleicht können Sie mir dann sagen, was ich machen soll.«

Während der Goldschmied dem Reeder seine unglaubliche Geschichte auftischte, sagte er sich, daß die Gier diesem Menschen den Verstand raube. Jeder andere hätte den fragwürdigen Charakter seiner Geschichte erahnt und viel mehr Fragen gestellt als Geoffroy de Saint-Arnaud. Aber dieser hatte wohl Angst, das Vertrauen Guy Chahinians zu verlieren, wenn er zu große Neugierde an den Tag legte. Er hatte ihm geduldig zugehört, weil er hoffte, sein wachsendes Mißtrauen dadurch zu verbergen. Dieser Mann war noch dümmer, als er geglaubt hatte! Was? Man bot ihm an, diesen mit Gold gefüllten Beutel für die Hälfte seines tatsächlichen Wertes zu kaufen, und da zögerte er noch. Chahinian erwiderte, daß der Verkäufer keinen besonders vertrauenswürdigen Eindruck auf ihn gemacht habe. »Ich befürchte, daß er sich meine Silberarbeiten und Schilder nur zeigen lassen wird, um sie mir dann zu stehlen. Er wird mich niederschlagen und sein Gold wieder an sich bringen. Was wird aus mir? Es stimmt, daß ich für alle meine Arbeiten Gold brauche und daß mich der günstige Preis schon in Versuchung führt ... Aber wenn ich hereingelegt werde? Ich bin seit der Sache in Paris mißtrauisch. Was würden Sie an meiner Stelle tun?«

»Dasselbe wie Sie«, antwortete der Reeder mit zuckersüßer Stimme. »Ich würde einen Freund um Rat fragen. Bin ich denn nicht hier, um Ihnen zu helfen?«

Guy Chahinian fiel es nicht schwer, freundlich zu lächeln, denn er war erleichtert, daß der Reeder seine Geschichte so schnell schluckte.

»Ich werde Ihre Ratschläge befolgen.«

Geoffroy de Saint-Arnaud schlug ihm vor, die Hälfte des angebotenen Goldes zu kaufen. Er würde dasein, wenn der Matrose wiederkäme, und wenn er ihm irgendeinen Streich spielen sollte, dann wäre das Risiko geteilt.

Guy Chahinian täuschte vor, noch zu zögern, aber als der Reeder ihm sagte, daß er nur ein Drittel der Summe haben wolle, lachte er ihn offen an und gab ihm die Hand, um den Handel zu besiegeln. Der Aufprall der beiden Handflächen war wie ein Knall.

Der Goldschmied hatte das unbestimmte Gefühl, daß sich nicht alles wie vorgesehen in der Bucht abspielte. Vielleicht gab es eine Schlägerei, vielleicht wurde jemand getötet. Als er sah, daß der Reeder vor Aufregung zitterte, als er seine Hand in den Ledersack steckte, flehte er zum Himmel, er möge seine Freunde beschützen, die sicherlich aus anderen Gründen zitterten.

Marie lief zu der Bucht, in der sie sich mit Martin Le Morhier verabredet hatte. Obwohl sie Nanette, die ihr gesagt hatte, daß der Weg zur Bucht zu gefährlich für sie allein sei, zum Schweigen gebracht hatte, fuhr sie beim geringsten Geräusch zusammen. Sie hätte Martin Le Morhier fast mitteilen lassen, sie wolle dieses nächtliche Treffen verschieben, da sie vor dem Mann, der sie wie ein Schatten verfolge, Angst habe. Aber ihr Ehemann hatte ihr gesagt, daß er am Abend noch das Haus verlassen würde, und sie wußte, daß der Goldschmied ihn einige Stunden festhalten würde, damit Martin Le Morhier Gelegenheit hatte, ihr den Plan ohne störende Zeugen zu unterbreiten. Der Kapitän hatte bestimmt daran gedacht, sich um ihren Verfolger zu kümmern. Nanette hatte ihr die Mitteilung des Kapitäns zugesteckt, und nachdem Marie ihr alles vorgelesen hatte, wollte die Amme sie unbedingt begleiten.

»Aber das ist doch Unsinn. Ich werde dir alles erzählen, was er mir sagen wird.«

»Ich komme mit! Du kannst um diese Zeit nicht alleine in den Straßen herumlaufen.«

»Aber ich werde schnell gehen, und du störst mich nur, wenn du mitkommst.«

»Meine alten Beine sind noch ganz gut. Bin ich denn nicht auch in deiner Küche stundenlang auf den Beinen?«

»Das ist nicht dasselbe«, widersprach Marie. »Der Boden dort ist auch eben, aber der Sand in der Bucht ist es nicht. Und du siehst auch zu wenig, um dich in der Dunkelheit herumzutreiben. Nein, du bleibst hier!«

»Ist das ein Befehl, mein Kind?« fragte Nanette verletzt.

Marie wurde ungeduldig.

»Nein, aber ich gehe allein.«

Der Ton, in dem sie sprach, schloß jede weitere Erörterung aus. Nanette drehte ihrer Herrin den Rücken zu und ging in die Küche. Dort ließ sie wütend einen Kessel zu Boden fallen. Dann sagte sie sich etwas erleichtert, daß die Kapriolen Maries nicht viel an der Situation änderten. Sie würde ihr eben folgen, anstatt sie zu begleiten. Das hochnäsige Verhalten dieses Kindes bestärkte sie nur. Sie hatte Kapitän Le Morhier versprochen, auf Marie aufzupassen und nicht auf ihr Flehen zu hören. Sie brauchte nur an Maries Hochmut zu denken, um ihr zu trotzen. Wie es ihr Guy Chahinian geraten hatte, achtete sie bei der Zubereitung des Abendessens darauf, besonders schwer auf dem Magen liegende Speisen auszusuchen, damit Geoffroy de Saint-Arnaud eher der Sinn danach stand, nach Hause zu gehen und unter seine Decke zu kriechen, als noch am Hafen herumzustreunen oder zu seiner Frau zu gehen, nachdem der den Goldschmied verlassen hatte.

Nanette hätte gern einen Eintopf mit gepökeltem Schweinefleisch und Erbsen zubereitet, aber die Fastenzeit verbot das, und sie brachte darum einige Stunden später eine Rübensuppe, Spinatpasteten, Fleischpasteten, Aal mit Fleischwurst und Ragout aus gebratenen Schleien auf den Tisch. Marie aß mit genauso großem Appetit wie ihr Gatte, und die Amme dachte traurig, daß sie so schnell nicht mehr das Vergnügen haben würde, ihr Schleckermaul zufriedenzustellen. Was würden sie auf dem Weg nach Paris essen? Martin Le Morhier hatte für Proviant gesorgt, aber Marie würde auf viele leckere Sachen verzichten müssen. Darum füllte sie vergnügt einen kleinen Korb mit Süßigkeiten. Sie konnte sich darum kümmern, da Marie ihr ja vorausging.

Sie hörte, wie die Tür des großen Salons geöffnet und dann wieder geschlossen wurde. Geoffroy de Saint-Arnaud verließ das Haus, um zu Guy Chahinian zu gehen. Es dauerte nicht lange, bis Marie losging, und kurz darauf machte sich auch Nanette auf den Weg. Als sie an der ersten Straßenecke zuerst einen Mann, dann einen zweiten sah, der sich an Maries Fersen heftete, ließ sie fast ihren mit Naschwerk gefüllten Korb fallen. Nanette bezwang ihren Drang, Marie zuzurufen, sie solle aufpassen, und sie trottete so gut sie konnte hinter den Spionen her. Sie sprach zwanzig *Vaterunser*, bis sie die Bucht erreichte, und sie überlegte gerade, wie sie Martin Le Morhier, den sie an Bord des Schiffes vermutete, warnen könnte, als sie einen unterdrückten Fluch und dann einen Schrei vernahm. Im selben Moment sah sie die zwei Verfolger: Einer wälzte sich, von Martin Le Morhier niedergeschlagen, am Boden, der andere hob seine Waffe, um ihn abzuknallen. Sie fing an zu schreien. Da drehte sich der Mann um und schoß auf sie. Sie fiel auf die Knie, ohne Marie aus den Augen zu lassen, ihre kleine Marie, die sie verständnislos anstarrte; und Nanette sah, wie die Dragees und die kandierten Früchte, die glasierten Maronen und Pralinen, die Nanette liebevoll für sie eingepackt hatte, durch den Sand rollten. Die Amme fühlte, wie die Kälte aus der Erde in ihren Körper drang, und dabei vergaß sie den Schmerz ihrer Wunde. Sie dachte, daß sie sich ziemlich oft in ihrer Küche verbrannt hatte, doch nie so stark wie jetzt, aber Anne war nicht mehr da, um eine wohltuende Salbe auf die Wunde aufzutragen. Vielleicht Marie? Sie kannte sich aus mit den Pflanzen. Ihre Mutter hatte es immer gesagt. Da kam Marie ja auch schon mit einem ganzen Arm voller Strohblumen und Bärlapp auf sie zu. Sie erinnerte sich an die herrlichen, flambierten Desserts, die sie in den Flammen des Ofens zubereitet hatte. Ein noch helleres Licht als diese Flammen nahm sie mit in die Ewigkeit. Sie hörte Marie nicht mehr jammern, als Martin Le Morhier sie niederschlug.

Dem Kapitän kam die Galle hoch. Er schluckte und rieb sein Schwert im Sand, um es von dem Blut des Mannes, der vor ihm im Sterben lag, zu säubern. Er mußte dreimal zustechen, dann bekreuzigte er sich. Er hatte ihn nicht töten wollen.

»Ich hatte keine andere Wahl«, erklärte er Dragon, der aus dem Leichter gesprungen war, um ihm mit dem Dolch in der Hand zu Hilfe zu eilen. »Schaff ihn weg, mein Freund. Es ist niemand mehr da, gegen den wir kämpfen müssen.«

Dragon zeigte mit dem Finger auf den anderen bewußtlosen Mann, der sie angegriffen hatte.

»Ich habe ihn niedergeschlagen, bevor er mich gesehen hat. Lassen wir es dabei. Wir müssen schnell das Mädchen an Bord schaffen. Möglich, daß jemand diesen Lärm gehört hat. Was Nanette betrifft …«

Martin Le Morhier beugte sich über den Leichnam der treuen Dienerin und zeichnete ein Kreuz auf ihre Stirn.

»Wir können nichts mehr für sie tun. Wir müssen uns jetzt beeilen.«

Dragon faßte Marie unter den Achseln, und Martin Le Morhier nahm ihre Füße. Sie trugen sie schnell auf den Leichter und zogen sie in den hinteren Teil des Schiffes. Der Kapitän deckte sie mit seinem Mantel zu und knebelte sie. Dies gelang ihm aber erst nach drei Versuchen, weil er so verwirrt war. Nanette war tot, weil sie ihn und Marie hatte retten wollen: Er wäre fast umgekommen, und er hatte einen Mann getötet. All dies war in kürzerer Zeit geschehen, als man brauchen würde, um einen Leichter vom Ufer abzustoßen. Dragon bemerkte wohl seine

Unruhe, denn er legte ihm beschwichtigend die Hand auf die Schulter. Martin Le Morhier drückte sie und sagte: »Ich habe schon Menschen getötet, das weißt du, Dragon. Gegen die Piraten hat man oft keine andere Wahl. Ich will auch nicht sagen, daß dieser Mann friedlich wie ein Lamm war. Aber ich glaube weder, daß ich mein Schwert gegen ihn hätte ziehen müssen, noch daß Nanette hätte geopfert werden müssen. Warum ist sie denn nur hinter Marie hergegangen?«

Der Stumme zuckte die Schultern.

»Dieses Mädchen bringt nur Leid über ihre Mitmenschen. Wenn sie auf uns gehört hätte, dann wäre ihre Amme noch am Leben. Hoffen wir, daß man sie nie mehr in Nantes sehen wird, und daß Guy Chahinian sie schnell in Paris unterbringen wird. Mir gefällt es nicht, sie bei meiner Schwester zu wissen. Unser Freund wird morgen mittag mit dir zusammentreffen, und bis dahin wird dieses dumme Kind gut gefesselt bleiben. Gott allein weiß, wozu sie fähig ist.«

Martin Le Morhier wurde wieder ruhiger, als der Leichter über das dunkle und glatte Wasser der Loire glitt. Jetzt hatte er Zeit und Muße, für die Seelenruhe der Amme zu beten. Er verharrte in tiefer Andacht, bis die Klagerufe Maries ihn aufschreckten. Er ging langsam auf sie zu, damit sie deutlich sein Gesicht erkennen konnte, und als er an ihrer Seite kniete, sagte er ihr schonungslos, daß Nanette tot sei. Erinnerte sie sich daran? Marie schüttelte den Kopf, weil sie die Wahrheit nicht wahrhaben wollte. Martin Le Morhier packte sie am Kinn, um sie zu zwingen, ihm ins Gesicht zu sehen.

»Ja, sie ist tot, weil sie mich vor der Gefahr warnen wollte und weil sie uns retten wollte. Ich kann den Knebel jetzt herausnehmen, denn ich will wissen, warum sie nicht bei dir war, wie wir verabredet hatten. Aber ich hoffe, du bleibst ruhig.«

Marie war sehr erregt und wollte aufspringen.

»Ja, Nanette hörte auf ihren gesunden Menschenverstand. Sie wußte, daß du Nantes verlassen mußtest. Sie hat wohl anfangs noch etwas gezögert, weil es dir gelungen war, sie von der Existenz dieses verfluchten Schatzes zu überzeugen. Heute jedoch, nach dem Besuch von Pater Thomas, brauchte ich ihr gar nichts mehr zu erklären. Sie hatte zuviel Angst, daß man dich erneut gefangennehmen könnte. Nein, glaub nur nicht, das alles sei die Schuld des Paters. Deine Amme hat uns ihr Versprechen schon lange vor ihrer Gewissensprüfung gegeben. Nichtsdestoweniger hat sie deine Gleichgültigkeit gegenüber Pater Thomas in Angst und Schrecken versetzt. Sie hat die Gefahr erkannt. Sie war nicht so dumm wie du. Du kannst toben und in den Knebel beißen. Ich nehme ihn erst heraus, wenn du zur Vernunft gekommen bist. Denk an deine Amme, mein armes Kind. Denk darüber nach.«

Als er Tränen aus Maries Augen strömen sah, schämte er sich ein wenig, und er drehte sich um, damit sein Mitleid mit ihr ihn nicht überwältigte. Wenn man dieses Mädchen härter angefaßt hätte, als es noch ein Kind war, dann hätte sie heute nicht diese Launen, die anderen den Tod brachten, da war er sich sicher. Er ließ sie eine gute Stunde heulen und schluchzen, dann beugte er sich wieder über sie, um den schrecklichen Knebel zu entfernen. Sie saß einige Augenblicke mit offenem Mund da, bis Martin Le Morhier ihr eine Flasche Wasser reichte. Sie trank gierig und fing dann an zu reden.

»Nanette hat mir nicht gesagt, daß sie mich begleiten sollte.«

Die Ohrfeige kam für Marie so überraschend, daß sie noch nicht einmal schrie.

»Jetzt hörst du mir mal gut zu, du kleines Biest«, sagte der Kapitän und rüttelte sie heftig hin und her. »Auf meinen Schiffen werden die Männer, die lügen, bis aufs Blut ausgepeitscht. Ich werde nicht zaudern, mit dir das gleiche zu machen, wenn du nicht aufhörst, mich zum Narren zu halten.«

Marie nickte, und der Mann lockerte seinen festen Griff.

»Also, hast du dich entschieden?«

»Es stimmt, daß ich Sie angelogen habe. Ich war gezwungen, mir das Lügen anzugewöhnen, um an der Seite Geoffroy de Saint-Arnauds zu überleben. Man hat mir so übel mitgespielt, daß ich angefangen habe, alles zu verheimlichen. Es tut mir leid. Nanette wollte mich begleiten, das stimmt, aber ich habe sie zurückgewiesen, da ich der Meinung war, daß eine Frau in ihrem Alter sich nachts nicht in dieser Bucht herumtreiben sollte. Sie sprechen von gesundem Menschenverstand. Es war der gesunde Menschenverstand, der mich geleitet hat, als ich ihr gesagt habe, daß ich allein zu Ihnen gehen wollte.«

Sie machte eine Pause, weil sie spürte, daß sie ihren Gesprächspartner verwirrt hatte.

»Es war dunkel, als ich gekommen bin, und ich mußte den finsteren Gesellen am *Quai de la Fosse* die Stirn bieten. Ich wollte nicht, daß meine Nanette ...«

Sie war unfähig fortzufahren und schwieg. Dragon gab ihr einen Klaps auf die Schulter, um sie zu beruhigen. Sie wollte sich auf ihn zu bewegen. Ihre Geschichte ging Dragon ans Herz, und Martin Le Morhier machte sie sprachlos. Eine Spur von Wahrheit steckte schon darin. Er erinnerte sich auch daran, daß Guy Chahinian ihm mehrmals gesagt hatte, daß Marie kein Kind mehr sei. Er seufzte und erin-

befreite sie von ihren Fesseln. Während sie sich die Handgelenke rieb, schwor sie ihnen, daß sie nicht gewußt habe, daß Nanette ihr nachgegangen sei.

»Ich kann nichts dafür, daß sie ermordet worden ist«, sagte sie.

»Hättest du doch auf uns gehört, anstatt darauf zu beharren, in Nantes zu bleiben.«

»Aber ich will den Schatz haben«, schrie sie.

»Du wirst ihn wohl vergessen müssen. Dein Vater war ein aufrechter Mann, mein Kind. Ich bin oft genug mit ihm zur See gefahren, um das sagen zu können. Er hätte nicht ein Stück Brot gestohlen. Und dann einen Schatz … Ich weiß nicht, warum er deinem Reeder solch einen Bären aufgebunden hat, aber ich glaube fast, wie unser Freund Chahinian übrigens auch, daß er wohl im Fieberwahn gesprochen hat. Du solltest von nun an wissen, daß du allein auf der Welt bist und daß du deine Freunde an einer Hand abzählen kannst. Also klage nicht zu oft und täusche sie nie, wenn du nicht ganz allein sein willst. Guy Chahinian wird morgen kommen, und ihr werdet zusammen nach Orléans reisen. Danach werdet ihr mit der Kutsche nach Paris fahren. Dort wirst du eine Woche bei meiner Schwester wohnen. Du bleibst nur so lange, bis unser guter Goldschmied für dich eine Lehrstelle gefunden hat.«

Marie hörte ihm aufmerksam zu und sagte schmollend, daß sie nach Paris ginge, weil man sie dazu zwinge, aber sie wolle, daß der Goldschmied ihr ihre Katze mitbringen solle.

»Deine Katze?« schrie er. »Deine Katze!«

»Geoffroy de Saint-Arnaud wird sie auf die Straße werfen oder noch schlimmer: Er wird sie töten. Versuchen Sie sie vorher zu finden. Sie war nicht im Haus, als ich ging.

Sie ist auf der Jagd. Aber sie wird am frühen Morgen, wenn Sie zurückkehren, am Hafen herumstreunen.«

Der Kapitän war sprachlos. Er hatte keine Lust, darüber zu streiten. Wie konnte sich Marie in einem solchen Augenblick um dieses Vieh Sorgen machen? Er erinnerte sich wieder daran, mit welcher Hartnäckigkeit seine Frau ihn gebeten hatte, sich um den Papagei zu kümmern, als sie nach Paris gereist war. Er sagte Marie, daß er versuchen würde, die Katze einzufangen, und daß er sie Guy Chahinian mitgeben werde. Sie nahm die Ecken ihres Mantels und tat so, als wolle sie schlafen. Sie hoffte, daß Martin Le Morhier über sie sprechen und Dragon einige Geheimnisse anvertrauen würde. Aber der Kapitän sagte lange Zeit nichts, und das Plätschern der Wellen machte Marie schläfrig. Sie rollte sich wie ein Baby zusammen. Ihre zugleich entschlossene wie kindliche Haltung entriß dem Stummen ein rauhes Lachen. Martin Le Morhier strich mit der Hand durch seinen Bart.

»Sieh, wie sie beim Schlafen die Augenbrauen hochzieht. Hoffen wir, daß sie Guy Chahinian trotzdem gehorcht. Sie ist so dickköpfig.«

Er fügte leise hinzu: »Und so schön. Was wird aus ihr werden? Sorg dafür, daß sie das Boot nicht verläßt, nicht für einen Augenblick. Sie hat so rotes Haar und ist so hübsch, daß sie jederzeit die Aufmerksamkeit auf sich ziehen würde. Sie soll wohlbehalten in Paris ankommen. Hoffen wir, daß es unserem Freund gelungen ist, Saint-Arnaud lange genug aufzuhalten, und daß dem Reeder in dieser Nacht nicht noch der Gedanke an ein Schäferstündchen mit seiner Frau gekommen ist. Wir haben schon genug Ärger gehabt!«

Zuerst zögerte er, dann zeigte er auf einen Punkt am Himmel.

»Aber … ich glaube … daß dieser Stern, den du da neben den drei anderen Sternen siehst, ich glaube, daß er uns beschützen wird … und daß er auf diese freche Göre aufpassen wird.«

Auf dem ernsten Gesicht des Stummen zeigte sich ein Lächeln, als er Marie ansah. Niemand würde ihr auch nur ein Haar krümmen. Er zitterte, als er wieder an den Moment dachte, als sie auf ihn zugekommen war. Der Geruch von Unterholz, frischen Kastanien und einer Waldquelle stieg ihm in die Nase.

Bei Tagesanbruch entdeckte er, daß ihre Haare die Farbe einer amerikanischen Holzart hatten. Er beugte sich über sie und rüttelte sie sanft am Arm. Sie rollte sich noch mehr zusammen, stieß ihn zurück und zog die Schultern hoch. Er wartete ein paar Minuten, dann verstärkte er den Druck: Der Leichter würde bald das Ufer erreichen. Martin Le Morhier würde erwachen, und er würde sie nicht so sanft aus ihren Träumen reißen.

Sie öffnete endlich die Augen und setzte sich sofort hin. Ihr fiel wieder ein, wo sie war. Sie schaute zum Horizont und sah prüfend auf den Leichter. Nachdem sie festgestellt hatte, daß Martin Le Morhier noch schlief, beobachtete sie lange den Mann, der vor ihr stand, und dann zog sie eine Haarsträhne hinter ihrem Ohr hervor.

»Sind wir bald da?«

Dragon nickte.

»Stimmt es, daß du nie sprichst?«

Er krümmte verlegen seinen Rücken und wich ihrem Blick aus. Er hatte noch nie so bedauert, daß er nicht sprechen konnte. Marie nahm seine Hand.

»Du bist seit Wochen der einzige, der mir keine Vorhaltungen macht. Du siehst nett aus. Deine Gesellschaft ist für mich wie eine kleine Atempause. Wenn Guy Chahinian erst kommt und wieder mit seinen Predigten anfängt! Und der Kapitän ...«

Martin Le Morhier gab Marie den Rat, in ihrer Ecke zu bleiben und sich beim Anlegen nicht von der Stelle zu rühren. Den gleichen Ratschlag gab er auch Dragon, und er betete, daß der zweite Leichter genau an der richtigen Stelle festgemacht hatte.

In weniger als einer Stunde hatten Dragon und er den Leichter mit Salztonnen beladen, und nachdem sie ihre Kleidung wieder in Ordnung gebracht hatten, verabschiedete sich Martin Le Morhier mit tausend Ermahnungen von Marie und seinem Kameraden. Die Zurückhaltung der jungen Frau hatte ihn milder gestimmt, und der rauhe Ton, mit dem er ihr ein besseres Leben in Paris wünschte, konnte niemanden über seine wahren Gefühle täuschen.

Als er wieder in Richtung Nantes fuhr, dachte er immerzu an sie: Was würde ihr die Zukunft bringen? Martin Le Morhier hatte sich immer eine Tochter gewünscht, aber an diesem nebligen Morgen im März ahnte er, welche Sorgen ihn dann gequält hätten. Die Abenteuerwünsche seines Sohnes machten ihm schon genug zu schaffen. Myriam hatte ihm von den Plänen Victors geschrieben, und er verstand ihre Erregung: Dieppe, dann das weite Meer, das Unbekannte, die neue Welt, die Kolonien, Neufrankreich! Der Kapitän hatte es eilig, seinen Sohn in Paris wiederzusehen, um ihm klarzumachen, daß der Handel mit Afrika sich entwickelte und daß es dort milder war. Die Matrosen, die in Neufundland auf Dorschfang gingen, hatten sich immer über die Kälte beklagt, und die Ursulinen aus Rouen, deren Schwestern in den Kolonien arbeiteten, hatten erzählt, daß die Eingeborenen des Landes mit einem merkwürdigen Geflecht aus Palmholz an den Füßen über den vereisten Fluß gingen, um nicht bis zum

Hals im Schnee zu versinken. Wenn Victor das wüßte, dann würde er sicher auf solche Expeditionen verzichten.

Martin Le Morhier erkannte deutlich die Türmchen des Schlosses, die stolz aus dem Nebel herausragten, und er fühlte dieses Stechen im Herzen, das für seine Rückkehr nach Nantes so typisch war. Er hatte Hunderte von Reisen gemacht, vielleicht Tausende, aber wenn er seine Stadt wiedersah, ihre Kirchtürme, ihre Mauern, ihre Kais, dann war er jedesmal wieder von neuem ergriffen. Er liebte Nantes, wie er Myriam liebte. Er erlag ihrem Reiz, ihrem salzigen Geruch, ihren wilden Zärtlichkeiten, ihren wechselnden Launen, ihrer Wut und ihrer Sanftheit. Er hatte Guy Chahinian geholfen, Marie LaFlamme zu retten, weil er sich des Verhaltens seiner Mitbürger schämte. Er hatte die Ehre der Stadt retten wollen, indem er ihr das nächste Opfer entriß. Es würde keinen weiteren Hexenprozeß geben, keinen neuen Scheiterhaufen.

Aber die Bürger von Nantes verspürten durchaus Lust, Marie LaFlamme auf dem Scheiterhaufen brennen zu sehen. Martin Le Morhier erkannte dies, sobald er einige Schritte am Hafen entlanggegangen war. Man sprach nur noch über Maries Flucht und die am Strand gefundenen Leichen. Die Flut hatte alle Fuß- und Kampfspuren verwischt, aber jeder tat mit prüfendem Blick auf die Leichen seine Meinung kund. Dem Kapitän kamen zahlreiche Gerüchte zu Ohren, und er hörte sie sich mit Abscheu und Aufmerksamkeit an. Er zitterte, als er einen Händler sagen hörte, daß Geoffroy de Saint-Arnaud die Katze seiner Frau eigenhändig in den Kamin des großen Salons geworfen habe und daß er Pater Thomas habe holen lassen, um sein Haus von den bösen Geistern, die seine Gattin angezogen hatte, zu befreien.

Er ging einen Augenblick an den Kais entlang und

überlegte, inwiefern Chahinian recht gehabt hatte, ihn davon zu überzeugen, Marie zu entführen. Er sprach mit diesem und jenem und gab seine persönliche Erklärung zu dem doppelten Mord ab. Er hoffte, daß der Goldschmied schnell auftauchen würde. Es war ihm wichtig, ihm über die unglücklichen Ereignisse zu berichten, bevor er an Bord ging. In der Zwischenzeit fing er an, seinen Leichter zu entladen, und als man sich über die Abwesenheit Dragons wunderte, beschimpfte er ihn als Taugenichts und Säufer und sagte, er habe ihn in Le Croisic zurücklassen müssen, wo er seinen Rausch mit einer Hure ausschliefe.

»Er ist aber doch normalerweise sehr vernünftig«, ließ ein Matrose verlauten.

»Du hast recht, ich bin etwas hart«, gab Martin Le Morhier sofort zu. »Aber es hat mir nicht geschmeckt, ohne ihn zurückzukommen.«

Er machte eine Pause, zwinkerte mit dem Auge und sprach weiter.

»Ich muß sagen, daß er gestern mit einem ziemlich heißen Weibsbild zusammen war. Sie hat sich, ohne daß er es gemerkt hat, an ihn herangemacht. Er hat nichts mitbekommen.«

Martin Le Morhier fing an zu lachen, sein Gesprächspartner tat es ihm gleich, und Guy Chahinian nutzte diese Heiterkeit, um den Kapitän zur Seite zu nehmen.

»Sie scheinen ja heute sehr heiter zu sein. Sie wissen aber doch, daß man zwei Tote gefunden hat?«

»Ich weiß, Monsieur. Und es gefällt mir überhaupt nicht. Aber das Leben geht weiter, und ich muß meine Fracht allein abladen, weil mein Kompagnon sich nach dem Beladen berauscht hat. Und ich habe weiß Gott noch andere Dinge zu tun, glauben Sie mir. Oder wollen Sie mir helfen? Aber ich warne Sie. Die Sachen an Bord sind schwerer als Ihre Silberbecher und Ihre Hammer.«

Er sprach den letzten Satz in spöttischem Ton, so daß Guy Chahinian gezwungen war zu zeigen, daß er ein Faß heben konnte. Mit lauter Stimme antwortete der Goldschmied ihm, daß er ihm gerne helfen würde. Die Schaulustigen sahen ihnen zu, wie sie die ersten Fässer entluden, und dann interessierten sie sich nicht mehr für sie. Der Kapitän konnte Chahinian jetzt seine Geschichte erzählen. Dieser bestätigte den Tod der Katze.

»Ich bedauere diese Barbarei, aber ich muß zugeben, daß sie mir hilft, Marie LaFlamme zu zügeln. Sie sieht dann vielleicht ein, daß sie das gleiche Schicksal erleiden würde, wenn sie zurückkehrte. Außerdem stellen Sie sich vor, wenn ich mit diesem Vieh an Bord gegangen wäre, um nach Orléans zu fahren. Marie ist wirklich unvernünftig. Ich befürchte das Schlimmste in Paris, das will ich Ihnen nicht verhehlen. Glauben Sie, daß sich Ihre Frau besser als wir Gehör verschaffen können wird?«

»Nein«, sagte Martin Le Morhier. »Sie hätte wohl doch die Vorlieben der Henker besser kennenlernen müssen.«

»Hören Sie auf. Wären Sie nicht gewesen, hätten die schon Hand an sie gelegt. Geoffroy de Saint-Arnaud hat eine so teuflische Wut, daß alle seine Bediensteten geflüchtet sind, und Pater Thomas hat sich geweigert, seine Schwelle zu übertreten. Nachdem er noch einmal aus dem Haus gegangen war, hatte sich der Reeder scheinbar beruhigt. Dann hat er aber seine Dienerschaft gezwungen, dem Todeskampf der Katze beizuwohnen, und er hat gesagt, daß sie nun vom Teufel befreit würde. Er hat ihr die Augen ausgestochen, bevor er sie opferte. Dasselbe würde er auch mit Marie machen, wenn er sie zu fassen kriegte. Ich habe gehört, daß er ihr Haus abbrennen will. Und er wird es zweifellos machen, sollte sich herausstellen, daß es gar keinen Schatz birgt. Er wird seiner Frau auch einige Männer auf den Hals schicken. Unser Trick mit dem Wappen hat besser als erwartet geklappt. Der Reeder behauptet, daß Marie diese Barke gestohlen habe, und außerdem hat sie auf ihrer Flucht den Edelstein mitgenommen. Sie wissen, diesen Ring, den ich …«

»Sie ist also des Diebstahls angeklagt«, schrie der Kapitän.

»O Gott! Und in diesem Fall ist Geoffroy de Saint-Arnaud im Recht. Aber es kommt noch schlimmer. Es wird behauptet, daß sie ihre Amme getötet habe.«

»Fahren Sie schnell wieder aus Paris weg. Wenn man Sie in ihrer Gesellschaft sieht, dann sind Sie Mittäter.«

»Diebstahl, Mord und Entführung. Dann folgt die Hinrichtung.«

Martin Le Morhier preßte seine Faust in seine Handfläche.

»Sie werden es trotzdem schaffen, Paris zu erreichen. Täuschen Sie nun Erschöpfung vor und lassen Sie mich mit meinen Fässern allein. Gehen Sie zu Ihrem Schiff, das Sie nach Angers bringen wird. Vertrauen Sie der Vorsehung und Dragon.«

Guy Chahinian lachte über diesen Beweis gesunden Menschenverstandes. Dann schlurfte er zur Flotte der Leichter, die weiter hinten festgemacht hatte. Er mußte sich nicht lange gedulden, bis das Schiff den Hafen verließ, aber es erschien ihm fast wie eine Ewigkeit, bis er Nantes nicht mehr erkennen konnte. An seinem Aufenthalt in Saint-Croix würde immer der bittere Geschmack eines Mißerfolgs haften. Er hatte die Anweisungen des Meisters nicht verstanden. Die Loire hatte ihm kein Geheimnis anvertraut. Zu welchem großen Fluß im Nord-Westen hätte er gehen sollen? Er hoffte, in Paris seine Brüder zu treffen, die ihm helfen würden, dieses Rätsel zu lösen. Er war entschlossen, die heiligen Gestirne zurückzugeben. Er war ihrer nicht würdig.

Eine Möwe setzte sich auf seinen Kopf und hackte ein paar Sekunden auf seinem Schädel herum, als wolle sie ihm seine trüben Gedanken entreißen. Er verjagte sie vorsichtig mit dem Handrücken und sah ihr dankbar zu, wie sie ihre Kreise drehte.

In den Weiten des blauen Himmels hatte sich der Nebel aufgelöst; die Sonne hatte die Wolken besiegt; die Landschaften reihten sich mit bewundernswürdiger Klarheit aneinander, und die Luft war fast warm. Der Goldschmied hoffte von ganzem Herzen, daß Marie dem milden Klima gegenüber empfänglich sei und daß sie ihm nach Paris folge, ohne ihn allzusehr ihre Verachtung spüren zu lassen.

38.
KAPITEL

Die Häuserfassaden in der Rue Bourubourg waren in rosafarbenes Licht getaucht, und die Fußgänger, die in Richtung Rue Vieille-du-Temple, Rue Sainte-Croix oder zum Place de Grève gingen, verlangsamten ihren Schritt, um den herrlichen Sonnenschein zu genießen. Für einen Moment vergaßen sie den Schmutz der Stadt, ihren Gestank, den teuflischen Lärm, und die Menschen lächelten, von Frühlingsgefühlen erfaßt.

Von ihrem Fenster aus sah die Baronin von Jocary diese Glückseligkeit auf den Gesichtern der Pariser, und sie hoffte, auf Simon Perrot auch einen anmutigen Eindruck zu machen, als er endlich unten bei ihr auftauchte. Sie mußte die Ruhe bewahren. Sie neigte fast unmerklich den Kopf, um ihm ein Zeichen zu geben, daß er zu ihr heraufkommen könne und daß die Köchin, Michelle und Josette nicht da seien. Josette! Mußte Simon diese dumme Gans heiraten? Er hatte wohl keine andere Wahl.

Als sich Michelle Perrot, nachdem sich die Dienerin ihr anvertraut hatte, bei der Baronin für sie eingesetzt hatte, hätte diese ihr Dienstmädchen fast auf der Stelle hinausgeworfen. Sie hatte es nicht versäumt, laut auszurufen, was sie von Mädchen ohne Tugend hielte, die sich schwängern ließen. Aber Michelle hatte die Schuld an diesem Fehltritt auf sich genommen: Sie sei es, die Simon der armen Josette vorgestellt habe. Jetzt werde sie ihren Bruder auch dazu bringen, das junge Mädchen zu heiraten.

Wenn auch der Gedanke, daß ihr Liebhaber ihr Dienstmädchen heiratete, die Baronin zunächst nicht gerade begeistert hatte, so sah sie doch die Vorteile, die diese Lösung brachte: Simon würde unter ihrem Dach leben, und sie würde ihn jeden Tag sehen, ohne daß man hätte etwas dagegen sagen können. Er mußte nur noch zustimmen.

Wie sie es erwartet hatte, weigerte er sich zuerst ganz entschieden. Er sagte ihr, daß er jetzt, da er sie, die Baronin, kenne, keine Lust mehr habe, das Mädchen zu vögeln.

Natürlich war es zuviel erwartet, daß Simon sich etwa so ernsthaft ausdrückte wie dieser plumpe Pellison, den sie manchmal bei ihrer Nachbarin, der berühmten Salonkönigin Mademoiselle von Scudéry, sah. Aber es wäre der Baronin doch lieber gewesen, wenn ihr Geliebter sich etwas feinerer Formulierungen bedient hätte. Er hätte zum Beispiel sagen können, daß er der glücklichste Mann sei, seit sie ihm ihre göttliche Gunst zuteil werden ließe. Aber sie gab sich kaum Illusionen über Fortschritte in Simons Benehmen hin. Er besaß nicht die feinen Umgangsformen seiner Schwester und würde sie niemals erlangen. Die beiden ähnelten sich auch sonst wenig. Niemand könnte je darauf kommen, daß dieser Engel, die blonde Musikerin, von gleichem Blut war wie dieser Soldat. Michelle war ruhig und zurückhaltend, Simon hingegen nahm kein Blatt vor den Mund. Obwohl Armande de Jocary seine wilden Umarmungen genoß, die so ganz anders waren als die schüchternen Ehrerbietungen ihres verstorbenen Lebensgefährten, war ihr klar, daß die einzige Möglichkeit, ihn über seinen augenblicklichen gesellschaftlichen Stand zu erheben, darin bestand, ihn zu einem Musketier des Königs zu machen. Sie würde ihn niemals wie seine Schwester zum Hof mitnehmen, aber wenn er sich wie ein richtiger Soldat benehmen würde und im Dienste des Staates stünde, dann könnte er Kadette der Wache, später Oberst und Dragonerbrigadier werden. Da sie wußte, daß er empfänglich für Schmeicheleien war, hatte sie ihm gesagt, daß niemandem der himmelblaue Umhang besser stehen würde als ihm, und daß sie stolz wäre, ihn durch ganz Paris marschieren zu sehen.

»Jedoch kann ich mich bei General Meynaud nicht ohne Grund für Sie einsetzen. Ich werde sagen, daß Sie mir das Leben gerettet haben, als ich am Platz Maubert von Raufbolden angegriffen worden bin, und daß Sie mich bis nach Hause begleitet haben, wo Sie mein Dienstmädchen getroffen und kennengelernt haben.«

»Wer sagt denn, daß ich der Vater bin?« fragte Simon zum zwanzigstenmal. »Diese dumme Pute hat nicht lange gefackelt, um mich hierher zu locken.«

»Kommen wir nicht immer auf diesen Punkt zurück«,

erwiderte die Baronin trocken. »Von Josette habe ich erfahren, daß Sie mit ihr eine Familie gegründet haben, wie sie es so schön sagt. Sie haben nichts getan, diesen Zwischenfall zu verhindern. Was ist denn daran so schrecklich, daß Sie dieses arme Mädchen heiraten? Sie müssen doch verstehen, daß meine Bitte an den General eine viel bessere Wirkung hat, wenn ich ihm sage, daß ich mir um das Wohl meiner Bediensteten Sorgen mache. Er ist zu den seinen immer zu nachgiebig gewesen. Wenn ich ihn bitte, aus Ihnen einen Musketier zu machen, damit Ihr Kind eine strahlendere Zukunft hat, wird ihn das vielleicht erstaunen, aber ihm wird meine Güte ans Herz gehen.«

»Sie denken immer nur an sich«, bemerkte Simon in einem Ton, der vor Sarkasmus troff, aber auch seine Bewunderung zeigte.

»Immer«, sagte sie, ohne sich in irgendeiner Weise zu schämen. »Und manchmal an dich.«

»Manchmal?«

Simon warf sich mit seiner üblichen Wildheit auf seine Mätresse. Armande de Jocary war nicht hübsch, aber ihr Körper hatte seine reizvolle Figur behalten. Schenkel, Po und Busen waren fest, und ihre zarte Haut erregte den jungen Mann. Er umfaßte ihre Taille, hob sie hoch, drückte sie gegen die Mauer und hob ihre Röcke hoch. Er schimpfte, weil es so viele waren. Die Baronin versuchte, ihn wegzudrücken, aber der Mann achtete nicht auf ihre Proteste. Er hatte das Ziel seiner Begierde erreicht, und nun knetete er mit seinen Händen gierig den prallen Hintern der Baronin, während er sein hartes Geschlecht an den Spitzen ihres Unterrocks rieb, der dabei zu Boden fiel. Kurz darauf drang er in sie ein. Trotz ihrer Schreie stieß er wie ein wild gewordener Bock zu und preßte sie mit Gewalt gegen die Wand. Nachdem er gekommen war, blieb er trotz der unbequemen Lage noch lange in ihr und fing an, langsam sein Becken zu bewegen. Und bei dieser Art der Bewegung würde es nicht lange dauern, bis sein Glied wieder steif werden würde. Als sie in sich spürte, wie das Glied ihres Geliebten anschwoll, stöhnte die Baronin zuerst leise, dann seufzte sie lange und zufrieden. Sie gab sich ihrer Lust hin, und sie wurde es kaum gewahr, daß Simon sie auf den Boden legte, um es ihr besser besorgen zu können.

Als er dann schließlich an ihre Seite rollte, sahen sie sich ins Gesicht, um ihre gegenseitige Macht abzuschätzen. Sie lachten sich an, da sie offensichtlich zufrieden darüber waren, was sie bei dem anderen glaubten erreichen zu können. Bevor sie sich erhob, willigte Simon ein, Josette zu heiraten.

Als sie wieder in ihre Wohnung ging, freute sich die Baronin über den erfolgreichen Morgen. Es war ihr gelungen, ihren Geliebten schneller als gehofft zu umgarnen. Wenn er auch keine Begeisterung gezeigt hatte, Josette zu heiraten, so gehorchte er ihr doch.

Michelle wußte nicht, daß Armande de Jocary nur aus eigenem Interesse gehandelt hatte, und sie freute sich ganz unschuldig über die glückliche Lösung. In ihrer Freude versprach sie ihrem Bruder, ihm ordentliche Kleider und Stiefel für die Hochzeit zu kaufen. Sie würde die Hälfte des Geldes ausgeben, das ihr Myriam Le Morhier gegeben hatte, als sie Nantes verlassen hatte.

Sie würde ihrer Mutter natürlich nichts davon verraten. Die Le Morhiers hatten Simon nie gemocht. Victor und er hatten sich in ihrer Kindheit ununterbrochen geprügelt, und Michelle mußte zugeben, daß es immer ihr Bruder gewesen war, der den anderen herausgefordert hatte. Und als sie Victor und seine Mutter in der Saint-Eustache-Kirche bei der Fastenpredigt wiedergesehen hatte, hatte sich ihr Eindruck bestätigt. Myriam Le Morhier hatte ihr gesagt, sie könne sie besuchen, so oft sie wolle. Sie hatte aber Simon bei ihren Besuchen bei Myriam nie mehr erwähnt, außer an dem Tag, an dem sie Victor den Brief für ihre Freundin Marie gegeben hatte. Für Madame Le Morhier war das junge Mädchen eine angenehme Zerstreuung. Sie und ihre Schwägerin liebten es, sie spielen zu hören, und Victor schien in ihrer Gegenwart aufzutauen. Myriam hätte es gefallen, wenn die beiden Kinder sich ineinander verliebt hätten. Wenn Victor sich verlieben würde, dann hätte er vielleicht den Kopf nicht mehr voller Träume von unendlich langen Reisen, entlegenen Inseln und nächtlichen Plünderungen. Sie bemühte sich daher, dafür zu sorgen, daß sich die beiden häufig sahen. Als Michelle Perrot gekommen war, um die Hochzeit ihres Bruders anzukündigen, hatte Myriam Le Morhier aufgrund von Victors Begeisterung geglaubt, er könne im stillen hoffen, zu den Feierlichkeiten eingeladen zu werden, um Michelle bei dieser Gelegenheit eine Liebeserklärung machen zu können. Was sie in bezug auf die plötzliche Eile Simons, Josette zu heiraten, dachte, behielt sie für sich. Sie versicherte Michelle, daß sie ihre Freude teile.

»Sie werden noch eine weitere Gelegenheit haben, sich zu freuen, denn Sie werden Marie bald wiedersehen. Ich habe gestern einen Brief erhalten, in dem mir ihre Ankunft angekündigt wird.«

»Was?« schrien Victor und Michelle gleichzeitig.

»Ihr habt schon richtig gehört. Marie LaFlamme wird in einigen Tagen in Paris sein.«

»Wann?« fragte Victor.

»Donnerstag. Du bist gestern abend zu spät nach Hause gekommen, so daß ich es dir nicht mehr sagen konnte«, sagte Myriam Le Morhier mit einem leichten Vorwurf in der Stimme.

»Was will sie denn in Paris?« rief Michelle aufgeregt.

»Ich dachte, die Neuigkeit würde dich freuen.«

»Natürlich, Madame. Ich habe Marie sehr gern. Ich bin nur etwas überrascht, das ist alles.«

»Ich hätte es dir nicht sagen sollen«, sagte Myriam Le Morhier. »Aber du hättest sie ja früher oder später doch getroffen, und dann hättest du vielleicht falsch reagiert. Es ist besser, wenn ihr die Wahrheit kennt, Kinder, aber ihr müßt sie für euch behalten. Marie hat Nantes und ihren Gatten, Geoffroy de Saint-Arnaud, klammheimlich verlassen.«

»Was? ... Sie war mit dem Reeder verheiratet? Aber ihre Mutter sollte doch ...«

»Aber ich habe dir doch gesagt, daß ihre Mutter tot ist«, sagte Victor.

»Marie wird mit euch persönlich über ihre Ehe reden. Aber ihr müßt wissen, daß hier niemand etwas über ihre Vergangenheit erfahren darf. Der Reeder ist sehr einflußreich. Er wird sie suchen lassen, damit sie wieder zu ihm zurückkommt. Ich weiß nicht, warum sie ihn verlassen hat, aber sie hatte sicher gute Gründe, denn mein Gatte und Monsieur Chahinian haben ihr geholfen. Wir werden hier für sie tun, was wir können. Ich zähle auf euer Schweigen ...«

Michelles Verwirrung brachte Myriam Le Morhier so sehr aus der Fassung, daß sie nicht mehr daran dachte, wie sehr sie ihren Sohn mit dieser Nachricht überrascht hatte. Die Musikerin war überstürzt aufgebrochen, nachdem sie überflüssigerweise eine Entschuldigung gemurmelt hatte. Außerdem hatte sie sich den Kopf gestoßen, als sie die Tür geöffnet hatte, ohne es zu bemerken. Sie ging lange am

Ufer der Seine entlang und suchte dann schließlich in der Saint-Gervais-Kirche Zuflucht. Nachdem sie die Heilige Jungfrau gebeten hatte, sie zu leiten, verließ sie gestärkt die Kirche. Sie würde das Geheimnis Maries verraten und der Baronin von ihrer Ankunft berichten. Es war nicht nötig, daß ihr Kommen die Hochzeit Simons in Frage stellte. Das unschuldige Wesen, das geboren werden würde, mußte einen Vater haben.

Michelle würde der Baronin sagen, daß Marie einfach zu reizvoll sei, um der Vermählung nicht im Wege zu stehen. Sie würde nicht weiter darauf eingehen, daß ihre Freundin schon verheiratet war und daß sie früher oder später wieder zu ihrem Gatten zurückkehren mußte. Die Baronin sollte sich um Josette wirklich Sorgen machen. Marie hingegen mußte vor sich selbst geschützt werden. Wenn sie Geoffroy de Saint-Arnaud verlassen hatte, um Simon wiederzusehen, dann würde sie der Stimme der Vernunft niemals Gehör schenken und sich ihm an den Hals werfen. Michelle würde das verhindern. Bei einem Wiedersehen mit Simon würde nichts Gutes herauskommen, davon war sie insgeheim überzeugt. Simon würde Marie niemals glücklich machen.

Der Beweis dafür wurde ihr schon eine halbe Stunde später geliefert, als sie an der Rue Bourubourg vorbeikam.

Sie traf ihren Bruder auf der Treppe, die zum Schlafzimmer der Baronin von Jocary führte. Sie war so sprachlos, daß Simon, nachdem er sich davon überzeugt hatte, daß ihr niemand folgte, laut loslachte. Er legte eine freche Gelassenheit an den Tag, die Michelle verstummen ließ. Sie konnte keinen klaren Gedanken fassen. Sie weigerte sich einfach.

»Ist Josette schon vom Markt zurück?« fragte er.

Michelle fröstelte. Er schämte sich offenbar gar nicht, durch diese Frage ihre Zweifel zu nähren.

»Hast du deine Sprache im Weihwasserbecken verloren?« spottete Simon, der dachte, daß seine Schwester aus der Kirche kommen würde, wie sie es der Baronin gesagt hatte.

»Spotte nicht auch noch obendrein!« schrie Michelle. »Du bist ein Ungeheuer.«

»Psst! Paß auf, was du sagst, meine Liebe … Ich könnte meine Meinung ändern. Du weißt, daß ich nicht verrückt danach bin zu heiraten.«

»Simon! Nein!«

»Nein! Also nein. Das antworte ich vielleicht dem Priester, der uns trauen wird. Was hältst du davon?«

Michelle sah ihren Bruder voller Entsetzen an, und für einen kurzen Augenblick kam es ihr so vor, als ob die schwarzen Locken sich bewegten und an ihren Spitzen böse, kleine Köpfe mit gespaltenen Zungen schaukelten. Sie sprang die Treppe hinunter. Ihr Bruder folgte ihr und hielt sie an den Handgelenken fest.

»Jetzt hörst du mir mal gut zu. Komm bloß nicht auf die Idee, Josette zu erzählen, daß du mich von der Baronin hast kommen sehen. Übrigens wäre es besser, wenn du mit niemandem darüber sprichst. Armande wäre wütend, wenn sie erfahren würde, daß du mich gesehen hast, denn sie will, daß wir uns woanders treffen.«

»Aber …«

»Du hältst den Mund. Da du zu dumm bist, das Interesse des Marquis für dich zu nutzen, muß ich mich allein durchschlagen. Ich habe keine Lust, mich mit deinem Anzug und deinen Stiefeln für meine Hochzeit zu begnügen. Ich werde bessere Dinge bekommen. Sieh nur, was mir die Baronin schon geschenkt hat.«

Er holte aus seiner Tasche einen kleinen Dolch mit Elfenbein-Intarsien und zeigte Michelle die auf sie gerichtete Klinge des Dolchs. Sie zitterte und schob ihn mit den Fingerspitzen weg.

»Er ist sehr scharf, nicht wahr? Armande will, daß ich mich verteidigen kann, falls ich angegriffen werde. Sie wäre untröstlich, mich zu verlieren.«

»Und … Und … Josette? Du mußt sie heiraten.«

»Wie dumm du bist, Schätzchen. Man kann Fleisch mögen, ohne deshalb Geflügel zu verachten. Und solange Josette kein Kind kriegt, habe ich durchaus Lust, sie zu vernaschen. Aber die Baronin, wenn sie auch nicht mehr ganz frisch ist, kümmert sich mehr um ihren Körper – und um meinen Geldbeutel. Weißt du, daß sie aus mir einen Musketier machen wird? Ich werde mit euch zum Hofe gehen.«

»Zum Hofe?«

»Der Marquis und seine Frau werden euch eines Tages dem König vorstellen.«

Michelle zuckte ungläubig die Schultern.

»Du vergißt wohl, daß unser Vater Tischler ist.«

»Ich vergesse es, wie du so schön sagst. Die Baronin auch, und du wirst es auch vergessen.«

»Simon … Du solltest nicht …«

»Hör auf zu jammern. Spiel du weiter auf deiner Flöte, und ich spiele auf meiner. Jedem sein Instrument! Du kannst so rot werden, wie du willst, aber paß auf deinen Arsch auf, wenn du redest. Ich habe im Grand-Châtelet gelernt, Leute auszupeitschen. Ich wäre sehr traurig, wenn ich dir den Arsch versohlen müßte. Jetzt geh! Sollte jemand kommen, dann sprich laut.«

Michelle rannte entsetzt die Treppe hinunter. Weniger wegen seiner Drohungen als wegen seiner unsinnigen

Äußerungen. Sie war keineswegs prüde. Man nahm bei ihnen zu Hause kein Blatt vor den Mund. Besonders die Älteren liebten die Liebesabenteuer, und sie hielten sich nicht zurück, deftig zu fluchen, wenn sie davon erzählten. Sie hatte schon hundertmal gehört, daß ihr Bruder die gleichen Wörter benutzte, aber eben auf der Treppe hatte er nicht diesen spöttischen Ton, über den sie in Nantes gelacht hatte. Seine Stimme war anmaßend und gewalttätig, was sie schlimmer verletzte als die Peitsche, mit der er ihr gedroht hatte. Simon war nie zärtlich gewesen, aber sie hätte nie gedacht, daß sich sein Kläffen in ein Wildtierfauchen verwandeln würde. Sie quälte sich mit der Frage herum, ob sie Josette raten sollte, ihren Bruder zurückzuweisen. Als die Baronin ihre düstere Miene sah, schlug sie ihr vor, einen langen Spaziergang zu machen. War das Wetter nicht herrlich? Michelle nickte und sagte sich, daß sie den Spaziergang nutzen sollte, um Madame Le Morhier nach ihrer Meinung zu fragen.

39.
KAPITEL

»Sind Sie denn nie zufrieden?« fragte Guy Chahinian.

»Wessen Schuld ist das denn? Warum wollten Sie denn nicht, daß wir in dieser hübschen Herberge eine Pause machen?« fragte Marie.

»Ich habe Ihnen doch erklärt, daß wir uns beeilen müssen. Sie können durchaus noch ein Stück gehen.«

»Ich bin müde. Mein Kleid ist schon ganz dreckig. Die

Leute glauben wohl, sie seien auf dem Land. Sie züchten ihre Hühner und Ziegen scheinbar auf der Straße.«

»Sie hatten aber doch große Lust, Paris kennenzulernen«, begann der Goldschmied von neuem. »Sie waren ganz begeistert, als sie vor den Brunnen standen. Und jetzt …«

»Wenn ich so nach Paris gegangen wäre, wie ich es mir vorgestellt hatte, dann hätte ich genug Geld besessen, um mir eine dieser merkwürdigen Kutschen zu leisten.«

»Um nicht mehr von der Stelle zu kommen? Wir sind genauso schnell zu Fuß. Diese neuen Kutschen werden ständig angehalten. Entweder steigen Fußgänger ein oder aus, oder die Kreuzung ist verstopft, so daß die Kutsche nicht mehr weiterkommt.«

»Sind Sie schon einmal in so ein Ding eingestiegen?«

»Nein! Aber …«

»Also wissen Sie gar nicht, wovon Sie reden. Ich bin sicher, daß wir dort besser aufgehoben wären. Und ich müßte nicht durch den Dreck waten, während ich mir die Spitzbuben und die Taschendiebe vom Leibe halte.«

Guy Chahinian lachte kurz auf.

»Finden Sie das alles so komisch, Monsieur?«

»Ich glaube nicht, daß sich die Gauner für Ihre schmale Geldbörse interessieren.«

Marie preßte zornig die Lippen zusammen, drehte ihren Kopf zur Seite und starrte eigensinnig auf die Seine. Guy Chahinian hatte natürlich wie immer recht. Sie hatte keinen roten Heller, und sie war vollkommen von ihm abhängig, aber gerade darum hätte er so höflich sein müssen, sie nicht immer daran zu erinnern. Und er hätte wissen müssen, daß sie ihre eigene Art hatte, mit ihren Ängsten und diesem ganzen Durcheinander umzugehen. Wie konnte Simon nur an einem derartigen Ort leben? Morgen würde sie ihm sofort von dem Schatz erzählen, und dann würde er mit ihr nach Nantes zurückkehren, um ihn zu suchen. Er würde sie schon vor dem Reeder beschützen. War er denn nicht Soldat? Die Gedanken an ihren Geliebten stimmten Marie milder. Sie sagte Guy Chahinian, daß der Fluß, den sie überquerten, sehr schmal sei im Vergleich mit der Loire, aber daß ihr die vielen Läden auf den Brücken gefielen und sie sicher wiederkäme, um hier einige Einkäufe zu machen.

»Wissen Sie, ich werde den Diamanten verkaufen«, sagte sie plötzlich.

Er sah sie an und nickte. Er war über diese Entscheidung nicht erstaunt und stimmte ihr zu. Marie, die sehr unangenehme Seiten hatte und ihm seit Le Croisic mit ihrem Nörgeln auf die Nerven gegangen war, hatte doch Mut, das mußte er zugeben. Sie sah ihm genau ins Gesicht. Seiner Enttäuschung oder seiner Wut würde sie schon standhalten. Sie verbarg gut ihre Ängste, die ihr dieses rege Treiben der Hauptstadt einflößten, und er wettete, daß sie in weniger als einer Woche nicht mehr daran denken würde.

»Sie sagen ja gar nichts. Immerhin haben Sie den Ring gemacht.«

»Ich weiß. Aber es ist schon ganz richtig, sich von ihm zu trennen. Wenn Sie wollen, kümmere ich mich um den Verkauf. Es wäre besser, wenn ein fremder Händler ihn kaufen und dieser Edelstein aus Frankreich verschwinden würde.«

Marie war überrascht, denn sie hatte mit seinem Widerspruch gerechnet. Er nahm ihren Arm, um ihr zu bedeuten, daß sie links einbiegen müßten.

»Kommen Sie hierher. Hier können Sie die Saint-Germain- l'Auxerrois-Kirche und den Louvre-Palast sehen.«

Marie riß die Augen auf, als sie den Herrschersitz sah. Sie fand das Bauwerk nicht besonders schön, denn sie hatte damit gerechnet, daß es wie die Schlösser in den Märchen ganz aus Glas und massiven Gold sei. Die Mauern und Gitter enttäuschten sie, aber sie konnte nicht ihre Aufregung leugnen, die sie bei dem Gedanken empfand, auf den Spuren König Ludwigs XIV. zu wandeln. Ja, sie berührte geweihten Boden. Das würde ihr Glück bringen, davon war sie überzeugt.

Als sie in die Rue des Vieilles-Etuves-Saint-Honoré einbogen, um zu Louise Beaumonts Wohnung zu gelangen, legte Marie plötzlich eine Heiterkeit an den Tag, die den Goldschmied zugleich beruhigte und erstaunte. Er hatte sich noch nicht daran gewöhnt, wie unvermittelt die Stimmung der ihm anvertrauten jungen Frau oft umschlug. Da er sie nun tagtäglich sah, stellte er bei ihr die gleiche Hochmut wie bei seiner Cousine Péronne fest. Er hatte es ihr gesagt, nachdem er ihr erzählt hatte, auf welche Weise einst seine Cousine umgekommen war. Marie hatte sich in Schweigen gehüllt, und der Goldschmied hatte sich geschworen, sein Geheimnis von nun an für sich zu behalten. Er hatte nur darüber gesprochen, um seiner Verwirrung, die die Ähnlichkeit zwischen Marie und Péronne in ihm hervorrief, Herr zu werden. Marie gefiel es nicht besonders, wenn man ihr Ratschläge gab. Wie würde sie sich mit dem Apotheker verstehen?

Marie hatte jedoch keinerlei Einwände dagegen vorgebracht, bei Jules Pernelle zu arbeiten, auch nicht, als Guy Chahinian ihr gestanden hatte, daß sie wahrscheinlich ihre Tage im Hinterzimmer verbringen müsse. Sie schien ganz im Gegenteil froh darüber zu sein, ihre Kenntnisse der Heilpflanzen bei einem Apotheker vertiefen zu können. Als er ihr in Orléans das Notizheft ihrer Mutter übergeben hatte, da hatte sie sich nicht bei ihm bedankt. Sie hatte es aber während ihrer Reise unzählige Male aufgeschlagen, und sie hatte so ernsthaft über die Heilkunde gesprochen, daß Guy Chahinian ganz beeindruckt war. Den Apotheker würde ihre rasche Auffassungsgabe begeistern, aber würde er ihre Launen ertragen? Der Gedanke, Marie in die Obhut Myriam Le Morhiers zu geben, erleichterte den Goldschmied so sehr, daß er fast Schuldgefühle bekam. Es war nicht so, daß er sie ganz im Stich lassen würde, nein, er würde sich um ihre Wohnung und ihre falschen Papiere kümmern. Nachdem er sie nun aber acht Tage betreut hatte, hatte er es an diesem Abend sehr eilig, allein durch die Straßen irren zu können. Ja, er würde, so gefährlich es sein mochte, lange durch die Stadt schlendern. Es würde ihn aufwühlen, den Brunnen der Unschuldigen, die Saint-Eustache-Kirche, die Rue du Temple und das Grand-Châtelet wiederzusehen. Als sie die Seine überquert hatten, warf er absichtlich keinen Blick auf das Gefängnis. Er wollte in Gegenwart von Marie LaFlamme nicht in Tränen ausbrechen, aber er hatte das Bild seiner eingekerkerten Kameraden genau vor Augen, und mit jedem Schritt, den sie sich Paris näherten, wurde es deutlicher. Wenn er sich von Marie getrennt hatte, würde er sofort den Apotheker aufsuchen. Jules Pernelle würde ihm sicher Neuigkeiten über das Schicksal seiner Brüder mitteilen können.

»Ist es noch weit?« jammerte Marie.

»Wir sind jetzt da. Sie wohnen dort hinter dem Schild der Drogerie. Ist es nicht wunderbar?«

Das Schild war fast einen Klafter lang. Der Künstler hatte eine riesige Glasflasche gezeichnet, die auf einer Blumenwiese lag, und die Blumen hatten so leuchtende Farben, daß man sie hätte für echt halten können. Marie ging begeistert auf den Laden zu. Sicher überlegte sie schon, was sie nach dem Verkauf des Edelsteins kaufen würde. Da hörte sie plötzlich Schreie und dann eine vertraute Stimme hinter sich: Michelle Perrot stand mit ausgebreiteten Armen vor ihr. Marie glaubte, vor lauter Glück den Verstand zu verlieren, und sie warf sich in Michelles Arme. Sie war gerade eben erst in der Stadt angekommen, da kam schon ihre beste Freundin, um ihr Neuigkeiten von Simon zu bringen. War das nicht eine gute Freundin? Sie wollte sie gerade ausfragen, als Michelle ihr ein Zeichen gab, ihre Fragen besser für später aufzuheben. Sie zwinkerte ihr verständnisvoll zu und stellte Michelle Guy Chahinian vor. Dieser verbeugte sich und zeigte dann auf einen riesigen Holzhut, der an einer Eisenstange baumelte.

»Die Wohnung von Madame Beaumont?«

Michelle nickte, während Marie die Filzhutattrappe in Augenschein nahm. Er war sicher eine Elle hoch und fast genauso breit, und die gut nachgebildeten Straußenfedern machten den Eindruck, als ob sie sich im Wind bewegten. Octave Beaumont hatte nicht gezögert, einen begabten Künstler zu beauftragen, dieses Schild zu fertigen und den Glasturm seines Ladens zu dekorieren. Er wußte, daß er seinen Kunden dadurch seinen guten Geschmack und seine Wohlhabenheit bewies, was diese zu schätzen wußten. Leute hohen Standes, die dem benachbarten Parfumeur die Treue hielten, waren durch sein Schild und die hinter der Scheibe liegenden Papphüte angezogen worden. Wenn der Kaufmann auch nur Attrappen ausstellte, damit die zum Verkauf angebotene Ware immer an Ort und Stelle war, so konnten die Kunden sicher sein, hier gut bedient zu werden. Sie schwankten in Gedanken noch zwischen einem Hut aus Berrywolle oder Biberpelz, wenn sie die Tür aufmachten. Monsieur Beaumont beteuerte, daß letztere direkt aus Neufrankreich kämen und daß der

Marquis von Gênes derart verrückt danach sein, daß er genauso viele besitzen würde wie der Häuptling der Eingeborenen, der die riesigen Nagetiere selbst jage.

Als er Guy Chahinian vor seinem Geschäft sah, trat der Kaufmann mit feierlichem Gesicht und in achtungsvoller Haltung durch die Tür. Geschickt verstand er es, Beflissenheit an den Tag zu legen und den Kunden Vertrauen einzuflößen. Dann sah er Michelle Perrot hinter dem Goldschmied stehen, und sein Lächeln verschwand. Er sagte in trockenem Ton, daß seine Frau und seine Schwägerin sie erwarteten. Die drei überquerten schweigend den Hof, aber sobald Marie in der Küche angekommen war, brach sie in schallendes Gelächter aus und äffte den rauhen Ton des Händlers nach.

»Ist er noch immer so liebenswürdig? Madame Le Morhier …«

»Sagen wir, er ist streng, aber gerecht«, sagte Michelle schnell, die nicht gern über jemanden spottete. »Kommen Sie, es ist am Ende des Flurs hinter diesem Zimmer.«

»Es geht ihm scheinbar gut«, sagte Marie. »Sein Haus ist kleiner als das von Saint-Arnaud, aber mir gefällt sein Büfett besser, und sein Haus ist besser ausgestattet.«

Auf dem Kamin und dem Kranzgesims des Zimmers im Erdgeschoß standen über dreißig Nippesfiguren aus holländischem Porzellan. Spiegel aus Venedig schmückten die Wand, und das Zimmer hatte nur ein einziges Fenster.

Michelle wollte gerade an die Zimmertür klopfen, in dem Myriam Le Morhier und Louise Beaumont plauderten. Da wurde die Tür schon weit geöffnet, und Madame Beaumont sah Marie LaFlamme, von der ihr ihre Schwägerin soviel erzählt hatte, neugierig an. Was sie gesagt hatte, stimmte: Das Mädchen war hübsch, ja außergewöhnlich hübsch. Myriam Le Morhier mußte sich ihres Bruders wohl sehr sicher sein, daß sie ihm ein solch junges Mädchen anvertraute. Einen Moment beneidete sie sie: Wenn ihr eigener Ehemann sie nicht betrog, dann nicht der Treue wegen, sondern weil ihn die Angelegenheit des Herzens und des Körpers grundsätzlich nie interessiert hatten. Sie langweilte sich seit Jahren in seiner Gesellschaft, und sie war über Myriams und Victors Besuch begeistert wie auch über die Ankunft Maries und Guy Chahinians. Es gefiel ihr, wie letzterer ihr seine Ehre erwies und ihr im Namen Maries und ihrer verstorbenen Mutter für ihre Gastfreundschaft dankte.

»Marie wird nur einige Tage bei Ihnen bleiben. Ich werde bald wissen, wo ich sie unterbringen kann. Machen Sie sich keine Sorgen.«

»Sie stört uns nicht. Victor wird auf dem Speicher schlafen und ihr sein Zimmer überlassen. Sie sollten uns lieber von Ihrer Reise und von meinem Bruder erzählen, als sich darüber den Kopf zu zerbrechen.«

»Er sehnt sich nach Madame«, sagte Guy Chahinian höflich zu Myriam, »doch seine Stimmung war in den letzten Tagen besser, da er ja bald kommen wird.«

»Martin kommt also?« rief seine Frau glücklich.

»Er hat mir einen Brief für Sie mitgegeben. Da steht es drin.«

»Hoffen wir, daß er unseren Sohn zur Vernunft bringen wird.«

»Träumt er immer noch davon, in die Kolonien zu fahren?«

Myriam Le Morhier nickte und sah ihn traurig an.

»Wenn er sich nicht auf der Straße herumtreibt, dann studiert er Seekarten … Ich weiß nicht, welche Gefahr ihn mehr herausfordert, die hier in der Stadt oder eine Reise um die Welt. Wie auch immer, hoffen wir, daß Martin weiß, wie er mit ihm zu reden hat. Die Kolonien! Neufrankreich! Mein Schwager hat Reisende kennengelernt, die sich wundern, daß sie überhaupt noch leben und noch Haare auf dem Kopf haben. Wissen Sie, daß die Wilden ihre Gefangenen skalpieren? Niemals wird mein Sohn in solch ein Land fahren!«

Obwohl sie schon hundertmal diese Geschichte der beiden Biberpelz- und Otterpelzhändler gehört hatten, fingen Michelle Perrot, Myriam Le Morhier und Louise Beaumont an zu zittern. Marie LaFlamme zuckte die Schultern und sagte mit gleichgültiger Stimme, daß man in Frankreich Daumenschrauben anlege, damit die Gefangenen ein Geständnis ablegten, daß man ihren ganzen Körper mit einem armlangen Dolch durchlöchere und daß man ihnen die Glieder ausrenke, sie ertränke und verbrenne.

Unbehagen breitete sich nach ihren Ausführungen aus. Sie selbst brach das Schweigen. »Ich wollte damit nur sagen, daß Victor es woanders nicht schlimmer treffen kann als hier.«

»Würdest du denn auch in diese Länder reisen?« schrie Michelle.

»Wenn ich getan habe, was ich tun muß, und wenn Simon wieder bei mir ist, dann glaube ich schon, es wäre besser, dieses Land zu verlassen, in dem ich nur böse Erfahrungen gemacht habe.«

Myriam Le Morhier hustete und sah Michelle ernst an. Sie fand, daß Michelle die Gelegenheit beim Schopfe packen sollte, um Marie über die Hochzeitspläne ihres Bruders zu informieren.

»Ich glaube nicht, daß Simon zu dir kommen wird. Simon hat Paris verlassen.«

Marie schrie enttäuscht auf.

»Nein! Wann kommt er zurück? Er ist doch wohl nicht

in die Schlacht gezogen? Ich will nicht mehr, daß er sein Leben aufs Spiel setzt.«

»Simon ist nicht in die Schlacht gezogen. Er ist nach Auteuil gegangen.«

»Nach Auteuil? Ist das weit? Warum?«

Michelle legte ihre Hand auf die Schulter ihrer Freundin, aber sie konnte kein einziges Wort sagen. Louise Beaumont ergriff das Wort.

»Um zu heiraten. Simon heiratet Josette Cadieux.«

Marie LaFlamme zeigte zunächst überhaupt keine Reaktion. Sicher hatte sie sich verhört. Wie konnte Simon eine andere Frau heiraten als sie? Es war für sie klar gewesen, daß sie zusammenbleiben würden. Sie mußte nur eine Bestätigung erhalten, die ihre Ehe mit Geoffroy de Saint-Arnaud annullierte. Sie hatte vorhin nicht gelogen, als sie behauptet hatte, in den Kolonien leben zu wollen. Dort könnte sie Simon problemlos heiraten. Wollte Monsieur Chahinian ihr nicht falsche Papiere besorgen, um sie vor dem Reeder zu schützen?

»Nein, Michelle. Ich werde einen anderen Namen annehmen. Simon und ich gehen weit weg.«

»Das glaube ich nicht. Er muß Josette noch in diesem Monat heiraten.«

Marie schüttelte wild ihren Kopf hin und her.

»Nein! Niemals! Ich muß ihn sehen und ihm alles erklären.«

»Was willst du ihm denn erklären?« fragte Myriam Le Morhier.

»Aber wir sind einander seit jeher versprochen«, beharrte Marie. »Nicht wahr, Michelle? Jeder weiß, daß ich Simon wiedersehen muß. Und nichts und niemand wird mich daran hindern.«

Guy Chahinian dankte dem Himmel, daß die Dickköpfigkeit, die Marie bei allen Gelegenheiten an den Tag legte, ihren Stolz schonte. Hinter ihrer wilden Entschlossenheit verbarg sich ihre Enttäuschung. Marie würde nicht zusammenbrechen. Sie würde kämpfen: gegen die Wahrheit, gegen die ganze Welt, gegen ihr Schicksal. Sie hob ihre geballte Faust, als sie wiederholte, daß sie Simon wolle und daß sie ihn bekommen würde. Der Goldschmied bedauerte, daß ihn noch nie jemand mit einer solchen Leidenschaft geliebt hatte. Er hatte Péronne geliebt, aber sie hatte ihm nur zarte Freundschaftsgefühle entgegengebracht und ihm dann einen Laffen vorgezogen. Als Marie die Verdienste Simon Perrots lobte, dachte Chahinian wieder an diesen Nebenbuhler, und er beneidete ihn noch heute, zwanzig Jahre später.

»Er ist Soldat. Vergeßt das nicht. Er wird mich vor Geoffroy de Saint-Arnaud zu beschützen wissen.«

»Wer ist diese Josette, die er heiraten muß?« fragte der Goldschmied erbarmungslos.

»Ein anständiges Mädchen«, sagte Myriam Le Morhier schnell, um zu verhindern, daß Michelle ihm antwortete. Wenn Marie erfuhr, daß Josette das Dienstmädchen der Baronin von Jacary war, dann wäre sie fähig, die Musikerin zu beschuldigen, sie verraten zu haben und als Komplizin Josettes gewirkt zu haben.

»Simon hat mit einem anständigen Mädchen nichts zu schaffen!« spottete Marie. »Jetzt bin ich in Paris, und alles wird sich ändern. Komm, Michelle, wir gehen spazieren. Du erzählst mir von deinem Bruder, und Monsieur Chahinian kann von unserer Reise berichten.«

»Wenn ich dir doch sage, daß er heiraten wird.«

»Und ich sage dir noch einmal, daß er diese Josette nicht heiraten wird«, widersprach Marie in spöttischem Ton. Myriam Le Morhier seufzte ohnmächtig und schaute zu

Michelle Perrot. Marie wollte die Wahrheit nicht hören. Wie konnte man sich bei ihr Gehör verschaffen?

»Gut, Marie, du hast recht. Gehen wir durch die Stadt.«

Myriam Le Morhier war erleichtert, als sie das Zimmer verließen, denn sie wollte noch unter vier Augen mit Guy Chahinian sprechen. Sie nahm sich dennoch die Zeit, den jungen Mädchen Ratschläge zu geben.

»Verlaßt nicht das Viertel, und kommt sofort nach Hause, wenn es dunkel wird. Victor oder Monsieur Chahinian werden Michelle dann nach Hause bringen.«

Michelle mußte fast hinter Marie herlaufen, da diese den Hof schnellen Schrittes überquerte.

»Warte doch!«

»Nein, komm! Beeil dich! Ich habe dir so viel zu erzählen.«

›Ich auch‹, dachte Michelle Perrot. Sie war betrübt, und ihr Hals war wie zugeschnürt. Sie verfluchte ihren Bruder, war er doch der Grund für so viele Enttäuschungen. Sie würde häufiger für sein Seelenheil beten müssen, auch wenn sie Zweifel hatte, daß tausend Novenen an die heilige Jungfrau ausreichten, seine Seele zu retten.

»Michelle, mein Liebling, wenn du wüßtest«, schrie Marie. »Wenn du wüßtest. Ich bin reich.«

»Reich?«

»Du kannst mich ansehen und auch einen erstaunten Blick auf mein Kleid aus Tuch und meine Schürze werfen, aber ich sage dir, daß ich bald so schöne Kleider wie deine Baronin tragen werde.«

»Aber wie … du …«

»Schwöre mir, daß du schweigst, meine Liebe. Schwöre es!«

Michelle Perrot drückte die Hand ihrer Freundin und hoffte, daß sie sich mit dieser Art Antwort zufrieden gäbe.

406

Der weitere Verlauf der Dinge war ihr zu unsicher, um auf den Kopf der Heiligen Jungfrau zu schwören. Marie war glücklicherweise zu aufgeregt, um darauf zu bestehen. Sie ging ganz nahe an ihr Ohr heran und murmelte, daß sie einen Schatz besäße.

»Einen was?«

»Du hast schon richtig gehört. Ich habe einen Schatz. Na ja, ich werde ihn bald haben. Ich werde nach Nantes zurückkehren und ihn suchen. Mit Simon. Darum warte ich darauf, daß er zurückkommt. Wir werden dann sofort aufbrechen, um meine Beute zu holen.«

»Welche Beute?«

»Die des Piraten. Es ist eine lange Geschichte. Du wirst alles erfahren, was ich durchgemacht habe, bevor ich nach Paris gekommen bin, und du wirst verstehen, warum ich so ungeduldig bin, deinen Bruder wiederzusehen. Wir können ja zu deiner Baronin gehen.«

Da sie befürchtete, daß Simon dort sein könnte, lehnte sich Michelle heftig gegen diesen Vorschlag auf. Als Marie ihre Geschichte beendet hatte, konnten sie schon die Tuillerien sehen.

»Also, nun weißt du alles. Ich werde mich an Geoffroy de Saint-Arnaud rächen! Ich werde den Schatz an mich nehmen! Ich werde Simon heiraten! Dann bist du meine Schwägerin. Wir verheiraten dich mit einem netten jungen Mann, und dann ziehen wir gemeinsam unsere Kinder groß.«

»Marie …«

»Und wir werden in einem Haus leben, daß so groß ist wie das des Reeders. In den Kolonien gibt Gott jedem seinen Grund und Boden. Du kannst Monsieur Beaumont fragen, der kennt die Pelzhändler. Wir tragen dann keine Umhänge mehr aus Tuch, sondern aus Pelzen, die so weich sind wie Ancolies Fell.«

Marie schwieg einen Moment. Plötzlich wurde sie traurig.

»Saint-Arnaud wird es teuer bezahlen müssen, daß er meine Katze verbrannt hat. Ich werde ein Gift suchen, das ihm seine Gedärme wie heiße Glut verbrennt.«

Michelle schrie erschrocken auf. Hatten denn die Menschen, die sie liebte, nur noch Böses im Sinn?

»Marie, so etwas darfst du nicht sagen.«

»Er hat mir alles genommen, meine Liebe. Alles! Er ist der Grund für all mein Unglück. Meine arme Mutter! Er hat sie so sicher auf dem Gewissen, als ob er sie eigenhändig erwürgt hätte. Du kannst für mich weinen. Ich habe keine Tränen mehr. Schon zu oft habe ich meine ganzen Decken vollgeweint.«

Zwischen zwei Seufzern flüsterte Michelle, daß sie dennoch verzeihen müsse, wie Gott es lehre.

Marie wollte erwidern, daß Gott nicht Geoffroy de Saint-Arnaud ausgeliefert gewesen sei. Doch der brennende Schmerz in den Augen ihrer Freundin hielt sie zurück. Sie konnte das alles nicht verstehen: Sie war noch zu unbedarft. Es war wohl besser, über die Zukunft als über die Vergangenheit zu sprechen.

»Sag mir, wann Simon nach Paris zurückkehrt.«

Michelle trocknete ihre Tränen, bevor sie antwortete, daß sie es nicht wisse.

»Aber ich muß ihn sehen! Wenn wir nicht schleunigst nach Nantes zurückkehren, dann geht der Seemann vielleicht weit weg, weil er mich nicht gefunden hat, und wir werden niemals die zweite Hälfte des Rätsels bekommen. Denk nur, was wir alles mit diesen Edelsteinen machen können.«

»Aber Simon muß Josette heiraten. Begreif das doch endlich.«

»Nein! Er weiß nicht, was er tut. Er liebt nur mich, Michelle. Ich muß ihn finden.«

»Aber ich weiß auch nicht, wo er ist.«

»Das ist nicht wahr!« widersprach Marie. »Es ist unmöglich!«

»Aber wir wußten doch gar nicht, daß du kommst. Ich habe es erst in dieser Woche erfahren. Simon war schon abgereist«, log Michelle.

»Er muß zurückkommen. Ich werde ihn suchen.«

»Hast du den Verstand verloren? Du hast keinen roten Heller und willst allein durch die Straßen ziehen?«

»Was soll ich denn machen?« jammerte Marie. »Hilf mir!«

Michelle lächelte traurig, als sie sah, daß die Gesichtszüge ihrer Freundin vor Schreck ganz erstarrt waren.

»Ja, ich werde dir helfen.«

Sie hatte den Satz noch nicht zu Ende gesprochen, als Marie sie schon umarmte und sie mit Fragen löcherte.

»Wie willst du das machen? Wie willst du herausfinden, wo er ist?«

»Wir müssen Simon schreiben. Hör zu: Du schreibst heute abend einen Brief, und ich komme morgen nach dem Essen und hole ihn ab. Ich werde Josette bis dahin ausgequetscht haben, damit sie mir endlich sagt, wo Simon ist. Aber tauche auf keinen Fall bei der Baronin auf, um mir den Brief zu geben. Wenn Josette dich sieht, dann könnte sie vielleicht darauf kommen, daß ...«

»Ich mache, was du sagst, mein Schatz. Versprochen.«

»Wir müssen jetzt zurückgehen. Monsieur Chahinian scheint sich große Sorgen um dich zu machen. Und es ist ihm zu verdanken ...«

»Oh! Er geht mir auf die Nerven! Er geht mir auf die Nerven!«

»Er hat dir aber doch das Leben gerettet.«

»Ich wäre schon allein zurechtgekommen«, schmollte Marie.

Michelle hätte fast widersprochen, aber der düstere Blick ihrer Freundin nahm ihr den Mut, und sie begnügte sich damit, ihren Arm zu nehmen, um sie zur Rückkehr zu bewegen. Wie abgemacht, brachte Guy Chahinian sie zuerst zur Rue du Bourubourg und überquerte dann die Seine, um seinen Freund Jules Pernelle zu besuchen.

40.
KAPITEL

Es gab keine guten Nachrichten von den Lichtkreuzbrüdern: Antoine Robinet und Louis Patin waren tot. Albert Mathurin lag krank in einer Zelle, in welche die übelriechenden Ausdünstungen von den Latrinen, wo seine Zellengenossen und er sich Erleichterung verschafften, hereinströmten. Hunger und Hoffnungslosigkeit würden diesen Bruder umbringen. Er war seit acht Monaten eingekerkert, und obwohl der Apotheker, wie er ihn gebeten hatte, Hector Chalumeau regelmäßig eine prall mit Deniers gefüllte Börse übergab, hatte sich die Situation für Albert Mathurin kaum gebessert. Pater Aubier, der die Gefangenen besuchte, hatte Jules Pernelle anvertraut, er bezweifele, daß Mathurin noch bis zum Sommer durchhalte.

»Das ganze Geld, das Sie mir gegeben haben, bevor Sie Paris verlassen haben, hat nur dazu gedient, den Kerkermeister dick und fett zu machen«, sagte Jules Pernelle zu Guy Chahinian.

»Sie wissen so gut wie ich, daß Albert Mathurin nur noch am Leben ist, weil ich zahle. Wenn Chalumeau seinen Geldbeutel verlieren würde, dann würde er sofort vergessen, unserem Freund zu essen zu geben.«

»Auch unser Geld ist mal verbraucht ... Sicher, die Nachricht Ihrer Rückkehr wird wohl die reichen Leute in Aufregung versetzen, denn niemand kann Gold und Edelsteine bearbeiten wie Sie, und Sie könnten schnell wieder ein Vermögen machen. Aber Sie wissen genau, daß es keine Lösung ist, immer und immer weiter zu zahlen, um unseren Freund am Leben zu halten.«

»Glauben Sie denn, daß wir ihm zur Flucht verhelfen könnten?« fragte Guy Chahinian mit vor Hoffnung klopfendem Herzen.

Der Apotheker wackelte auf seinen kleinen Füßen hin und her.

»Das habe ich nicht gesagt. Ich habe nur gesagt, daß es so nicht ewig weitergehen kann. Albert Mathurin wird vielleicht am Ende alles zugeben. Er wird Ihren Namen nennen. Sie sind nicht mehr in Nantes, von wo Sie hätten einfacher fliehen können. Man kann Sie schnell festnehmen. Warum sind Sie nicht dort geblieben?«

»Ich habe mich dort acht Monate umsonst aufgehalten, wie Sie wissen. Die Brüder, die mich dort treffen sollten, sind nie aufgetaucht. Sie sind alle verschwunden. Vor fünf Jahren waren wir tausend, im letzten Jahr hundert und heute vierundvierzig. Welch ein lächerlicher Orden, finden Sie nicht auch?«

»Wie können Sie es wagen, so zu reden?« rief Jules Pernelle. »Sie verwahren die heiligen Symbole im Auftrag des Großen Meisters.«

»Richtig. Es war ein Fehler von ihm, mich auszuwählen.«

»Der Große Meister kann sich nicht irren. Erholen Sie sich erst einmal, mein Freund! Sie reden wirres Zeug. Die Müdigkeit und die Aufregung der Reise …«

Chahinian nickte bestätigend. Er mußte wirklich schon sehr geschwächt sein, daß er so sprach. Da der Apotheker ihm nicht zustimmte, bat er ihn, diesen Moment der Schwäche zu vergessen.

»Die Brüder des fünften Hauses überlegen schon, das Land zu verlassen, und einige andere Anhänger sind nicht weit von dem Gedanken entfernt, daß das vernünftig sei. Die Brüder von der Loir und aus der Bourgogne haben an den beiden letzten Versammlungen nicht teilgenommen, und die aus Rouen fragen sich …«

»Was ich mache? Sie haben recht, geben Sie es zu.«

»Nein! Ihre Brüder verurteilen Sie nicht, sie stellen sich nur Fragen. Seien Sie nicht strenger mit sich, als die anderen es sind. Man hat Ihnen eine schwierige Aufgabe anvertraut, ohne Sie darauf vorzubereiten. Sie hatten recht, sich nach den ganzen Verhaftungen Ende August in Nantes zu verstecken. Und es ist nicht Ihre Schuld, wenn Sie dort vergeblich auf die Väter der neun Häuser gewartet haben. Einige sind getötet worden, andere haben gezögert oder gezweifelt. Sie müssen für die Wiedervereinigung des Geheimbundes kämpfen und die Brüder dazu bringen, ihre Forschung wieder aufzunehmen. Das ist Ihre Aufgabe. Damit unsere Brüder nicht umsonst geopfert wurden.«

»Und Albert Mathurin?«

»Sie müssen schnell handeln, denn er ist am Ende. Sie müssen wieder abreisen, bevor er redet.«

»Sie scheinen ziemlich sicher zu sein, daß er abtrünnig wird.«

»Sie müssen alle Ihre Brüder zusammenrufen und dann daran denken, Frankreich zu verlassen. Dieses Land bringt uns kein Glück. Hören Sie auf die Vorschläge des fünften Hauses. Die haben recht.«

»Sie denken noch immer an die Kolonien?«

Der Apotheker lächelte.

»Warum nicht?«

»Aber wie sollen wir denn dann unsere Suche nach dem Licht fortsetzen können? Ich bezweifle, daß man in Ostindien oder bei den Wilden Alchimie betreibt. Wir haben jahrelang an der Entwicklung des Leuchtpulvers gearbeitet. Wir haben überzeugende Versuche mit Quecksilber gemacht. Wenn wir durchhalten, dann werden wir bald am Ziel sein.«

»Vielleicht. Falls wir dann noch leben. Wenn wir das Land verlassen, dann müssen wir unsere Versuche verschieben, das weiß ich. Aber ist es nicht besser, die Forschung für ein oder zwei Jahre zu unterbrechen, bis sich alle woanders niedergelassen haben, als ganz die Segel zu streichen? Wir haben ein hohes Ziel vor Augen, und wir können nicht einfach alles aufgeben, nur weil wir zu ungeduldig sind.«

»Was Sie sagen, ist vernünftig. Sie sollten anstatt meiner die heiligen Symbole hüten.«

Jules Pernelle senkte bescheiden den Kopf.

»Wenn der Meister Sie ausgesucht hat, dann hat er seine Gründe gehabt. Gehen Sie nun nach Hause und schlafen sich aus. Vergessen Sie nie die Gesundheitslehre, die unsere Väter uns vorgeschrieben haben. Sie müssen Ihre Kräfte entwickeln, um das Licht zu sehen.«

Er machte eine Pause und fügte dann hinzu, daß es in Paris nur wenig Lichter gebe.

»Möchten Sie, daß ich bis zur Kreuzung bei Clos-Bruneau mitkomme? Wir finden dort vielleicht einen Wächter, der Sie begleiten kann.«

»Das ist nicht nötig. Nicht aus Sparsamkeit, das wissen Sie, aber ich habe es nicht weit.«

»Genau! Es würde Sie nicht einmal zehn Sous kosten.«

Chahinian lachte. Der Apotheker rechnete immer sehr genau. Wenn der Wächter eine Öllaterne hatte, dann verlangte er drei Sous für eine Viertelstunde, und wenn er Kerzen hatte, dann nahm er fünf Sous für ein Stück Wachs. Das Ergebnis wich kaum voneinander ab. »Und Sie wären viel schneller zu Hause. Sie brauchen über eine halbe Stunde bis nach Hause, wenn Sie allein gehen.«

»Ich freue mich sehr über Ihre Fürsorge, aber so spät ist es noch nicht.«

»Ob es nun neun Uhr oder vier Uhr ist! Es ist aber schon dunkel.«

»Ich werde vorsichtig sein, das schwöre ich Ihnen. Ich lasse Sie nun schlafen und komme morgen wieder, um Ihnen die junge Frau, von der ich Ihnen erzählt habe, vorzustellen.«

»Dann werden wir ja sehen, ob sie wirklich so jähzornig ist«, sagte der Apotheker, als er die Ladentür öffnete.

»Das ist sie. Aber sie ist auch sehr begabt und kann Ihnen sicher besser zur Hand gehen als dieser Junge, den Sie hundertmal losschicken müssen, bis er die richtigen Mittel gefunden hat, und der noch nicht einmal Schafgarbe von Baldrian unterscheiden kann. Ihre Mutter war eine hervorragende Naturheilerin, und Marie LaFlamme hat ihre Begabung geerbt.«

»Ich werde mich glücklich schätzen, mit ihr sprechen zu können, aber ich hoffe, daß sie weiß, daß sie sich nicht vor der Kundschaft sehen lassen darf. Eine Frau, die sich für Medizin interessiert, ist …«

»Sie hat gesehen, daß ihre Mutter aus diesem Grund sterben mußte. Sie wird sehr zurückhaltend sein. Ich möchte, daß Sie sie anspornen und zum Lernen anhalten. Lesen Sie zusammen in dem Heft von Anne LaFlamme. Ich bezweifele nicht, daß Sie darin interessante Informationen finden werden. Sie hat alles aufgeschrieben: Operationen, die Zusammensetzung ihrer Salben und natürlich ihre Erfahrungen bei der Entbindung. Nach der Lektüre werden Sie in der Medizin besser Bescheid wissen als die Ärzte des Königs. Aber Sie werden es selbst sehen.«

Als er die Laternenträger sah, wäre Guy Chahinian fast wieder von seinem Entschluß abgekommen, aber er empfand ein solches Bedürfnis nach Einsamkeit, daß er die Kreuzung überquerte, ohne den Dienst des Trägers anzunehmen. Er verließ die Rue Bordet, ging bis zum Place Maubert hinunter und dachte über die Worte des Apothekers nach. Für Jules Pernelle war alles ganz einfach: »Vereinen Sie die ganze Welt«, und alles ist in Ordnung. Er selbst empfand größte Unruhe, und wie sollte er da die Brüder überzeugen können? Seine Begeisterung für das Leuchtpulver hatte er nicht verloren. Die Suche danach hatte schon zu sehr von ihm Besitz ergriffen, und obwohl er überzeugt war, daß ihre Entdeckung das Los der Menschheit verändern würde, fragte er sich doch, ob die Menschheit der Mühe wert sei. War er nach wenigen Monaten so verbittert, daß er selbst das höchste Gebot seiner Religion zurückwies: den Glauben an die Menschheit? Wie beneidete er die Menschen, die sicher durch das Leben gingen. Die einzige Sicherheit, die er in dieser kalten Aprilnacht hatte, war, daß Albert Mathurin seit Monaten durch die Hölle ging.

»Was soll ich machen?« fragte der Goldschmied laut.

Ein spitzer, langer, schmerzerfüllter Schrei antwortete

ihm. Guy Chahinian erinnerte sich, so einen Klagelaut am Tag vor Anne LaFlammes Tod gehört zu haben. Er sagte sich noch einmal, daß er nicht abergläubisch sei, aber als er die Rue des Lombards erreichte, war sein unbehagliches Gefühl nicht verschwunden, und der Goldschmied überlegte, welches Unheil jetzt wohl bevorstand.

Er schlief schlecht und träumte, daß Marie LaFlamme auf dem Place Grève verbrannt wurde, denn alle Frauen, die sie entbunden hatte, hatten Katzen auf die Welt gebracht, die aussahen wie Ancolie. Das Miauen von zwei Katern, die sich unter seinem Fenster stritten, verlängerte seinen Alptraum. Als er wieder aufgewacht war, fragte sich Guy Chahinian beim Ankleiden, ob es richtig sei, Marie zum Apotheker zu bringen. Ihre Mutter wollte, daß man ihr Werk weiterführte. Aber zu welchem Preis? Anne LaFlammes letzter Wunsch versetzte Chahinian noch immer in Erstaunen. Hatte es ihr nicht den Tod gebracht, Heilkunde zu betreiben? Er hätte gern ihren Mut und ihr Wissen besessen. Nach der Lektüre des Heftes der Hebamme hatte er bedauert, nicht mit ihr über das Leuchtpulver gesprochen zu haben. Sie hätte ihm einige wertvolle Hinweise geben können, denn sie hatte die Grundlagen der Alchimie gut gekannt. Er bewunderte ihre Art zu denken, ihre Intuition, und obwohl es ihn beunruhigte zu sehen, wie Marie ihrer Mutter nacheiferte, bezweifelte er doch nicht, daß sie auch über bemerkenswerten Scharfsinn verfügte. Jules Pernelle würde begeistert sein.

Michelle Perrot schloß die Augen, als sie Marie einen angeblich von Simon stammenden Brief brachte. Sie hörte, wie das Siegel aufgebrochen wurde, wie das Papier raschelte, dann hörte sie einen Schrei, dann einen Sturz. Sie kam

416

gerade noch rechtzeitig, um zu verhindern, daß ihre Freundin mit dem Kopf auf dem Boden aufschlug. Sie brauchte den Brief nicht zu lesen. Die Baronin hatte ihn vor einigen Tagen vor ihren Augen geschrieben, nachdem sie ihr erklärt hatte, daß Marie bald einen Schatz besitzen würde.

»Simon würde vielleicht Josette verlassen, wenn er die hübsche, reiche Marie wiedersehen würde. Sie sind seit jeher befreundet. Diese Freundschaft könnte sich bei ihrem Wiedersehen noch vertiefen.«

»Nein«, hatte die Baronin geschrien. »Ich will nicht, daß …«

Sie hatte gehüstelt und noch einmal angefangen.

»Ich will nicht, daß ihr Bruder Josette im Stich läßt. Was würde aus dem armen Mädchen werden? Wir müssen ihr helfen. Simon muß sie so bald wie möglich heiraten.«

Die Baronin hatte so einen mitleidigen Ton in der Stimme, daß Michelle an ihre Großherzigkeit geglaubt hätte, wenn sie von ihrem Verhältnis mit Simon nichts gewußt hätte. Diese Heuchelei ekelte sie an. Sie drehte den Kopf weg und wartete, daß die Baronin ihre Gedanken genauer darlegte.

»Wir verlassen morgen Paris.«

»Wir?«

»Ich, Sie, Josette und ihr Verlobter.«

»Sollte ich nicht besser später nachkommen und Marie erklären, daß sie endgültig auf Simon verzichten muß? Sie ist dickköpfig, glauben Sie mir, und sie ist so vernarrt in meinen Bruder, daß sie ihn in Auteuil suchen würde.«

»In Auteuil?«

Michelle winkte schwach mit der Hand ab, um zu verhindern, daß die Baronin noch weitere Fragen stellte.

»Ich dachte, es sei richtig, Marie zu sagen, daß Simon schon in Auteuil ist.«

Die Baronin drehte nachdenklich ihren Kopf zur Seite. War diese dumme Gans gar nicht so dumm, wie sie dachte? Wahrscheinlich! Denn sie schlug ihr jetzt vor, einen Brief zu schreiben, der Marie LaFlamme die letzte Hoffnung nehmen sollte. Aber warum bot sie an, ihr den Brief zu bringen?

»Ich habe Marie vorgeschlagen, Simon einen Brief zu schreiben, den ich ihm angeblich nach Auteuil bringen lassen werde. Morgen bekomme ich diesen Brief, den ich dann aber zerreißen werde. Und Sie antworten anstelle von Simon ... Ich selbst kann es nicht machen, da Marie meine Schrift kennt. Simon kann aber nur seinen Namen schreiben, und darum kümmere ich mich schon. Ich werde dann einige Tage warten, genau die Zeit, die zwei Boten von Paris nach Auteuil brauchen, um Marie die Antwort meines Bruders zu übergeben.«

»Sie warten besser zehn Tage. Dann ist Simon tatsächlich verheiratet. Das ist sicherer. Ich werde nun diesen Brief, um den Sie mich bitten, schreiben.«

Die Baronin hüstelte und sagte dann mit gleichgültiger Stimme, daß sie erstaunt sei, daß Michelle im Zeichen des Merkurs geboren sei.

»Sie lieben Ihre Freundin sehr. Dann ist es nicht leicht, diesen Brief zu überbringen. Und haben Sie denn nicht daran gedacht, daß Sie im Falle einer Hochzeit zwischen Simon und Marie auch einige Vorteile aufgrund ihres Vermögens hätten?«

Michelle spielte die Entrüstete.

»Simon würde sein Seelenheil verlieren, wenn er Josette im Stich ließe. Er würde in die Hölle kommen. Kann ich meinem Bruder ein solches Ende wünschen? Sie sind bereit, ihnen zu helfen, Josette und ihm. Das haben Sie gesagt. Ich mache es also wie Sie und helfe ihnen auch. Das ist das beste, was ich tun kann. Der Mensch ist schwach, das sollte man nicht vergessen. Er darf nicht in Versuchung geführt werden, sein Versprechen zu brechen.«

Die Baronin konnte sich nur vage an Maries Gesicht erinnern, und sie dachte an den Tag, als sie Michelle ihren Eltern entführt hatte, um sie mit nach Paris zu nehmen. Sie zweifelte nicht einen Moment an der Ernsthaftigkeit ihrer Worte, setzte sich an den Tisch, nahm Tinte, Feder und Papier und fing an, den Brief an Marie LaFlamme in Simons Namen zu schreiben

Liebe Marie,
Ich habe Deinen Brief erhalten, und ich weigere mich, ihn zu lesen. Ich habe gestern geheiratet, und meine Frau wird mir bald einen Sohn schenken. Ich will nicht, daß er unter meinem Verhalten leidet. Vergiß mich! Ein Musketier des Königs muß ein ehrenhaftes Leben führen.

Dein Freund Simon Perrot

Bei der Lektüre des Briefes kam Michelle die Galle hoch. Die Baronin mußte schon ganz schön durchtrieben sein, daß sie es noch wagte, von Ehre zu sprechen.

Und Marie mußte ziemlich verliebt sein, um Simon solche edle Gedanken zuzutrauen.

Ihr Zusammenbruch bewies das, und als sie versuchte, Marie aufzuwecken, fürchtete die Musikerin sich davor, dieser Hoffnungslosigkeit, die sie geschürt hatte, gegenübertreten zu müssen. Wenn Abt Drouot, ihr Beichtvater, ihr Vorgehen nicht unterstützt hätte, hätte sie es sich vielleicht anders überlegt und Marie erlaubt, Simon wiederzusehen.

Sie hatte ihr Böses angetan, und jetzt mußte sie sie darüber hinwegtrösten.

Nach dem ersten Schock stritt Marie die Tatsachen einfach ab. Ihr Simon konnte nicht verheiratet sein, und er konnte nicht auf sie verzichten, wie sie nicht auf ihn verzichten konnte. Sie würde ihn in Auteuil suchen und mit ihm sprechen. Michelle konnte Marie überreden, diesen Gedanken fallenzulassen, indem sie ihr das ganze Unrecht, das sie Simon zufügen würde, vor Augen führte. Es war unmöglich, daß ein Musketier des Königs in einen Skandal verwickelt war. Wenn Marie darauf beharrte, ihn wiederzusehen, dann forderte sie seinen Ruin heraus. Das war doch nicht das, was sie wollte, nicht wahr? Nein, sie wollte das Glück Simons.

Und ihr Glück. Im tiefsten Herzen glaubte sie nicht, daß er sie vergessen hatte, und sie redete sich ein, ohne überhaupt vernünftige Gründe dafür zu finden, daß Michelle sie belog. Simon mußte in Paris sein. Als sie ihre Freundin in die Rue du Bourubourg eingeladen hatte, hatte sie gesehen, daß weder Simon noch die Baronin und Josette dort wohnten, aber nichts sprach dagegen, daß er in der Kaserne war. Heimlich versuchte sie, Victor davon zu überzeugen, sie zu begleiten. Sie war verblüfft, daß er sich so heftig dagegen sträubte, doch als sie die Rue du Bac erreicht hatte, dachte sie nicht mehr daran. Wenn Marie nicht so hübsch gewesen wäre, hätte man sie vielleicht aus der Kaserne der Grauen Musketiere hinausgeworfen, aber man antwortete ihr ganz einfach, daß es innerhalb dieser Mauern keinen Simon Perrot gebe und daß der gute Mann wohl woandershin gegangen sein müsse.

Als Marie blind vor Tränen in die Rue de Beaune einbog, wäre sie um ein Haar von einem Pferd getreten worden.

Und in den folgenden Tagen schien sie dermaßen am Boden zerstört zu sein, daß Guy Chahinian noch eine Woche später, als er sie zu Jules Pernelle brachte, den Eindruck hatte, eine Marionette hinter sich herzuziehen. Marie hatte sich geweigert, sich Michelle, ihrem Beichtvater oder irgendeiner anderen Person anzuvertrauen, und obwohl Myriam und Martin Le Morhier, der in Paris angekommen war, Guy Chahinian immer wieder sagten, daß Anne LaFlamme ein Zusammenleben Maries mit Simon Perrot niemals gewollt hätte, bedauerte er doch in diesen ersten Apriltagen, daß er mit Michelle, was diese Lügengeschichte betraf, unter einer Decke steckte, und er bat den Apotheker, Marie so gut er konnte zu beschäftigen.

41.
KAPITEL

Guy Chahinian hatte nicht geglaubt, daß Marie LaFlamme den Apotheker so beeindrucken würde. Sie arbeitete erst seit sechs Tagen bei ihm, da schlug er ihr schon vor, aus dem Hinterzimmer in den Laden zu kommen, um mit ihm die Kundschaft zu bedienen. Eine Woche später kam ihm dann der Gedanke, ihr vorzuschlagen, die Wohnung über seinem Geschäft zu beziehen. Sie hätte dann die Seine nicht mehr überqueren müssen, um ihm bei der Arbeit zu helfen. Guy Chahinian, mit dem er darüber gesprochen hatte, schien diese Idee ziemlich verwirrt zu haben. Er hatte erwidert, daß er für Marie ein sehr gemütliches Zimmer in der Nähe des Ladens in der Rue de la Montagne-Sainte-Geneviève bei einer Witwe gefunden habe. Was würden die Leute sagen, wenn der Apotheker eine junge Frau bei sich aufnahm? Jules Pernelle hatte nicht darauf bestanden. Er hatte sich aber vorgenommen, dieses Thema später noch einmal anzuschneiden. Die Begabung seiner jungen Schülerin begeisterte ihn. Sie hörte ihm stundenlang aufmerksam zu, und sie besaß eine ausgeprägte Beobachtungsgabe. Auch zeigte sie ehrliches Interesse an allem und löcherte ihn ständig mit Fragen.

Jules Pernelle hatte immer allein gelebt. Er hatte Hunderte von Arzneisäften für Hunderte von Frauen gemischt, die er kaum eines Blickes gewürdigt hatte, da er sich ausschließlich seinen Experimenten der Alchimie widmete. Er teilte diese Leidenschaft mit einigen Männern, darunter auch Guy Chahinian, aber er verwechselte Verbindungen des Geistes mit denen des Herzens. Er hatte sich mit dem Goldschmied angefreundet, von dem er jedoch nur seine handwerklichen Fähigkeiten und seine Bedeutung für den Lichtkreuzorden kannte. Das Leben bestand für ihn nur aus Arbeit, aus Stoffen und ihrer Reinheit. Er hatte zwar sehr herzlich mit Chahinian gesprochen, als er ihm den Rat gegeben hatte, endlich zu handeln, aber eigentlich hatte er nur genau die Worte des Bruders Cyprien Lescot wiederholt, die dieser benutzt hatte, nachdem er erfahren hatte, daß Guy Chahinian nach Paris zurückgekehrt sei. Gefühle verunsicherten Jules Pernelle, da er sie nicht richtig erklären konnte. Also hatte er sie aus seinem Leben verbannt. In seinem Leben war alles genauestens geregelt: karge Mahlzeiten, treue Kunden, die monatliche Versammlung der Lichtkreuzbrüder und jeden Abend das Studium einer Pflanze, eines Puders, eines Metalls.

Marie hatte er merkwürdigerweise genau unter die Lupe genommen: Er erkannte deutlich ihre Charaktereigenschaften und ihre Qualitäten. Er hatte sie aufgrund ihrer Geschmeidigkeit mit Mohn verglichen, aufgrund ihrer Reizbarkeit mit Schmirgel und mit Gold wegen ihrer

Schönheit. Ihre Gesichtszüge waren frischer als Minze, ihre Augen strahlten wie Diamantpulver und ihre Fingernägel hatten Farbe und Form einer Muschel.

Unter seiner Lupe sah er nicht, daß sie dreißig Jahre jünger war als er und daß sie sich wie seine Nichte verhielt, so wie er sie Besuchern vorstellte. Er sah, daß sie nie müde wurde zu lernen und daß sie jeden Tag etwas mehr aß, auch wenn sie manchmal blaß wurde, wenn ein Soldat den Laden betrat. Er dachte daran, daß er mit seinen Säften schon viele Frauen von der Traurigkeit befreit hatte. Er würde für Marie einen wunderbaren Trunk zubereiten. Er würde ihr die Fröhlichkeit zurückgeben, und sie würde den Soldaten vergessen.

Wenn man Jules Pernelle die Frage gestellt hätte, was er für Marie LaFlamme empfand, dann wäre ihm die Antwort schwergefallen. Er wußte nicht, daß er in sie verliebt war, wollte oder konnte die Zeichen nicht deuten, da er sie nie kennengelernt hatte. Ihm kam weder der Gedanke, sie zu heiraten, noch sie zu liebkosen oder sich mit ihr zu vereinigen. Er hatte lautere Absichten. Er glaubte, die junge Frau nur zu bewundern, aber seine Verehrung für sie war größer als seine Bewunderung. Mindestens zwei Stunden, bevor sie den Laden betrat, wachte er auf, um die Puder und Pflanzen vorzubereiten, über dessen Gebrauch sie im Laufe des Vormittags sprechen würden. Er ordnete alles sorgfältig an: Kräuter, Körner, Wässerchen, Stößer, Messer, Schere, Waage und Gewichte, so als ob es sich um ein Ritual handele. Er war der hohe Priester und Marie die Vestalin. In der Dunkelheit des Hinterzimmers zündete der Apotheker, während er Gebete sprach, Kerzen an, und er bildete sich ein, in einem Tempel zu sein. Wenn Marie dann endlich vor ihm stand, war er fast erstaunt, daß sie in ein Filzkleid gehüllt war, eine Schürze und Pantinen trug und kein langes, weißes, an den Schultern geschlossenes Gewand. Einige Minuten später war er vor Freude sprachlos, dann faßte er sich wieder. Marie war überzeugt, daß der Apotheker schwieg, weil er noch schläfrig war, und sie bot ihm an, einige Thymianstengel in einem Topf zu kochen, um sie beide zu stärken. Sie konnte nicht ahnen, daß ihr Vorgesetzter sie aufgrund ihrer Aufmerksamkeit noch mehr bewunderte. Wenn er ihr durch die duftenden Dünste zulächelte, die aus den dampfenden Schüsseln aufstiegen, dann glaubte sie, daß er wie sie die Eigenschaften der Pflanzen bewundere, und sie überlegte schon, was alles im Laufe des Tages zu tun war.

Vielleicht um Simon Perrot zu vergessen, vielleicht auch, um das Andenken ihrer Mutter zu ehren, soviel jedenfalls war sicher: Marie LaFlamme war über ihre Begeisterung für das Studium der Wissenschaften selbst überrascht und auch über ihre Freude, wenn sie sah, daß gewisse Papiere ihre Farbe veränderten, nur weil sie mit einem Tropfen Wasser in Berührung gekommen waren. Sie verlor aber keineswegs ihr wichtigstes Ziel aus den Augen, nämlich das Gift zu finden, das die Gedärme Geoffroy de Saint-Arnauds zerreißen würde. Nachdem er erste Schock vorbei war, den die Nachricht von Simons Hochzeit bei ihr ausgelöst hatte, machte sie den Reeder auch für diesen schweren Schicksalsschlag verantwortlich. Wenn sie an der Seite des Reeders nicht in Gefahr gewesen wäre, dann hätte sie Simon geschrieben, daß sie auf die Ankunft des Matrosen wartete, um in den Besitz des Schatzes zu kommen, und daß sie ihn dann in Paris aufsuchen würde. Sie wäre rechtzeitig angekommen, um seine Hochzeit zu verhindern.

Marie schaffte es immer wieder, gewissen Ereignissen einen tieferen Sinn zu verleihen. Die Schwangerschaft Josettes wie auch die Tatsache, daß Chahinian und Le Morhier sie gezwungen hatten, Nantes zu verlassen, wo sie doch hatte dort bleiben wollen, hatten sich in ihrem Gehirn festgesetzt. Sie hätte nicht zugegeben, daß sie kaum Möglichkeiten gehabt hätte, Geoffroy de Saint-Arnaud das Gift zu verabreichen. Er war als einziger verantwortlich für ihr Unglück, und dafür würde er zahlen. Auch war sie der Meinung, ehrenwerte Ziele zu verfolgen, wenn sie den Tod ihrer Mutter räche.

Sie arbeitete also seit siebzehn Tagen mit Jules Pernelle zusammen, als sie ihn nach der Verwendung von Fingerhut und Wolfsmilch fragte. Er zitterte, weil er im Glauben war, sie wolle sich umbringen.

»Mein armes Mädchen«, sagte er mit bebender Stimme. Er verzichtete darauf, seine Gedanken auszusprechen, weil er Angst hatte, sie könnten sich verwirklichen. »Du brauchst dringend Hilfe.«

Die junge Frau war erleichtert, und ihr Gesicht hellte sich auf. Der Apotheker dachte, sie sei im Glauben, er wolle ihr das Gift geben. Er erklärte ihr schnell, daß er ihr gern ein Elixier gegen Melancholie geben würde, als sie schon stotterte, daß sie ihm nie genug für seine Hilfe bei ihrer Rache danken könne.

»Bei Ihrer Rache?«

»Geoffroy de Saint-Arnaud wird in der Hölle schmoren, aber ich weiß nicht, ob er sich dort nicht besser fühlt als während seiner letzten Stunden auf der Erde. Ich brauche ein ganz schreckliches Gift, Monsieur Pernelle. Ich bin so froh, daß Sie mir helfen.«

Während sie sprach, ging sie auf ihn zu und drückte liebevoll seine Hand, um ihm zu danken.

»Sie sind sicher der erste, der mich genügend liebt, um zu verstehen, daß ich nicht frei atmen kann, solange Geoffroy de Saint-Arnaud noch lebt.«

Der Apotheker hatte zwar Angst, in diesen tödlichen Plan verwickelt zu werden, aber er sagte dennoch zu Marie, daß der Reeder den Tod verdiene und daß er mit ihr ein Gemisch finden würde, daß ihren Ehemann bedauern ließe, nicht als Hexenmeister verbrannt worden zu sein. Einer plötzlichen Regung folgend, warf sie sich Jules Pernelle an den Hals. Er stand sprachlos da, und als Marie ihn zum Feuer zog und ihn zwang, sich zu setzen, da sie ihm ihre ganze Geschichte erzählen wollte, folgte er ihr mit unsicheren Schritten.

»Ich bin so froh, daß ich mich endlich jemandem anvertrauen kann.«

»Ich … Ich … hätte Ihnen auch schon früher zugehört«, stotterte der Apotheker unsicher.

»Ich habe Ihnen mißtraut, weil Sie ein Freund von Guy Chahinian sind. Er ist sehr nett zu mir, aber er hört mir kaum zu und trifft alle Entscheidungen für mich. Ich weiß, daß er immer alles für mich bezahlt, so auch meine Reise und mein Zimmer, aber warum sträubt er sich dagegen, daß ich hier einziehe? Meine Arbeit würde Sie entschädigen, und er bräuchte mich nicht mehr zu unterstützen. Ich weiß, daß er es gut mit mir meint, aber ich bin doch kein Kind mehr. Er behauptet, daß sich meine und Ihre Lage dadurch noch verschlimmere.«

»Unsere Lage?«

»Ich bin vor Geoffroy de Saint-Arnaud geflohen. Er wird mich früher oder später suchen lassen. Wenn mich jemand in Paris bei Ihnen finden würde, dann hätten Sie schlimmste Unannehmlichkeiten, behauptet Chahinian. Man könne Sie wegen Entführung anklagen. Ist das nicht lächerlich?«

Marie lächelte und sagte dann:

»Wo er es doch war, der mich entführt hat. Er ist großzügig, ich wiederhole es, aber seine Ehre geht ihm über alles. Er will nicht eingestehen, daß Saint-Arnauds Tod das beste ist. Er sagt sogar, daß er mich von Paris wegbrächte, wenn ich von den Leuten des Reeders verfolgt oder bedroht werden würde.«

»Weg von Paris? Aber wohin?«

»Was weiß ich. Ich persönlich, ich würde gerne nach Nantes zurückgehen, um meine Angelegenheiten mit Geoffroy de Saint-Arnaud zu regeln. Sobald ich meinen Schatz hätte, käme ich nach Paris zurück … Es ist schon merkwürdig. Als ich hier angekommen bin, habe ich diese Stadt gehaßt, aber das ist jetzt vorbei.«

»Ah!« sagte der Apotheker erleichtert. Er hatte einen Moment Angst gehabt, er könne Marie verlieren.

»Ja, es gefällt mir hier. Monsieur Chahinian kann so hübsch von seiner Stadt erzählen, daß ich auch schon anfange, Paris zu lieben. Es macht sehr viel Spaß, mit ihm durch die Straßen von Paris zu laufen. Er kann so anschaulich über seine Stadt berichten wie Ihr Monsieur Perrault. Wenn er so mit mir redet, dann frage ich mich, warum er nicht verheiratet ist. Er wird schon wissen, wie eine Frau sein müßte, die er heiraten würde, finden Sie nicht auch? Er ist ein schöner Mann, und wenn er nicht immer so eine finstere Miene an den Tag legen würde … Man kann ihm keine Geheimnisse anvertrauen wie Ihnen, weil er immer so ein trauriges Gesicht macht, und ich würde niemals wagen, ihm mein Herz auszuschütten, wie ich es bei Ihnen mache.«

Marie schaute unbefangen drein, aber sie wußte sehr genau, daß der Apotheker beim Zuhören ganz unruhig wurde. Als er ihre lobenden Worte über Chahinian gehört hatte, hätte er ihn am liebsten aus Eifersucht erwürgt. Aber nun gab die Kleine glücklicherweise zu, daß sie nur ihm vertraue, Jules Pernelle. Würden ihm vor Freude die Sinne schwinden?

»Sie können mir alles sagen, Marie, ich bin da, um Ihnen zu helfen. Ich bin Ihr Freund.«

»Ist das wahr?« fragte sie mit glänzenden Augen.

Er nickte langsam und legte zögernd seine feuchte Hand auf ihre Schulter.

»Sie verstehen also, daß ich Simon nicht vergessen kann?«

Sie hielt den nun stärkeren Druck seiner Hand für ein Zeichen seiner Zuneigung. Leidenschaftlich sagte sie, daß sie ihren Freund aus Kindertagen nie vergessen könne, daß sie einander versprochen seien, daß Geoffroy de Saint-Arnaud ihr Leben verdorben habe, aber daß sie, nachdem sie ihn getötet haben würde, nach Paris zurückkäme, um Simon Perrot wiederzusehen.

»Simon Perrot?« stotterte der Apotheker.

»Hat Monsieur Chahinian nichts von ihm erzählt? Ich werde seine Geliebte sein, wenn seine Frau das Wochenbett überlebt ... Ich wäre nicht die erste hier. Ich hätte vielleicht einige Mühe, Simon das verständlich zu machen. Er ist ein ehrlicher und wertvoller Mensch. In dem Brief, in dem er mir erklärt hat, daß er verheiratet ist, da hat er geschrieben, daß er als Musketier dem König Ehre machen müsse. Er ist so mutig, daß er immer gegen den Feind kämpfen will. Wenn Sie wüßten, welche Angst ich habe, daß er bei einer Schlacht verletzt werden könnte. Oder sogar hier. Es gibt sicher viele Verbrecher in Paris. Er riskiert eine Menge, auch wenn er in seinen Briefen davon nichts schreibt. Glücklicherweise braucht Simon nicht mehr zu arbeiten, wenn ich reich bin ... Jetzt wissen Sie, warum ich es so eilig habe, in den Besitz meines Schatzes zu kommen. Ich will nicht, daß Simon in eine Schlacht in

428

der Ferne zieht! Ehre hin, Ehre her! Ich weiß, daß ich immer stolz auf ihn sein werde und daß ich ihn bis zu meinem letzten Atemzug bewundern werde. Ich bin so froh, daß Sie mir helfen.«

Helfen? Jules Pernelle war sich nicht sicher, ob er diesen ganzen widersprüchlichen Gefühlen, die ihre Worte in ihm auslösten, würde standhalten können. Marie, die auf seine Antwort wartete, bekam Angst, als sie ihn erbleichen sah.

»Oh! Mein Freund. Werden Sie meinetwegen nicht krank. Ich brauche Sie so sehr, um Simon Perrot zu finden.«

Als der Apotheker den Namen des Geliebten hörte, wurde ihm so schwindelig, daß er sich auf eine Bank legen mußte. Simon Perrot! Der Kerkermeister der Lichtkreuzbrüder! Diesen Mann liebte sie! Er stand wieder auf und sagte klar und deutlich:

»Ja, Marie. Ich werde Simon Perrot finden. Ich schwöre es Ihnen.«

Jules Pernelle hatte noch nie sein Wort gebrochen. Er ging in der folgenden Woche mehrmals weg, und wenn Marie LaFlamme auch nicht wagte, ihm Fragen zu stellen, so bemühte sie sich doch, ihm ihre Dankbarkeit zu zeigen, indem sie ihm immer häufiger schmeichelte. Zuversichtlich wie sie war, konnte sie nur schlecht ihre Fröhlichkeit vor Le Morhier und Guy Chahinian verbergen, und sie war froh, daß Michelle in Auteuil war, denn sie hätte ihrem Drang nicht widerstehen können, der Musikerin von ihren Plänen zu berichten.

Während Maries Vorfreude, Simon wiederzusehen, immer größer wurde, zeichnete sich die Entscheidung des Apothekers klarer ab. Er würde Marie zeigen, welch einen

Charakter ihr Geliebter wirklich hatte. Der Apotheker hatte schon viel von diesem verdammten Erzengel, von dieser teuflischen Schönheit, gehört, die jedem die Freude an schönen Gesichtern verdarb. Und ein Pater, dem Jules Pernelle das Geld für die Gefangenen gab, hatte gesagt, daß dieser Simon wohl Spaß daran haben mußte, bei den Folterungen dabei zu sein, denn der Oberleutnant gab ihm nur ein Fünftel seines Lohns ab. Warum führte er die Verurteilten immer so bereitwillig zum Henker?

Pernelle hatte zuerst vorgehabt, einige Gefangene, die Simon während ihrer Einkerkerung kennengelernt hatten, zu versammeln, damit diese Marie etwas über Simon hätten berichten können, aber sie war schon zu lange über alle Maßen verliebt in ihn, daß sie nur noch glauben würde, was sie mit eigenen Augen sah. Es mußte also vor ihren Augen etwas passieren, damit sie endlich einsah, was für eine Memme ihr Geliebter war.

Es war nicht schwierig gewesen, Simon ausfindig zu machen. Für Geld verriet ihm Chalumeau den Aufenthaltsort des jungen Mannes. In Auteuil hatte er Simon getroffen.

Wie sie vereinbart hatten, kam Simon Perrot an jenem Abend im April in den Laden des Apothekers, um Guy Chahinian zu verhaften, der angeklagt war, der Führer der Lichtkreuzbrüder zu sein.

Aber es kam alles ganz anders, als es sich Jules Pernelle vorgestellt hatte. Simon Perrot betrat mit einem anderen Mann den Laden, und während letzterer dem Goldschmied seine Klinge an die Kehle setzte, zeigte Simon lachend auf den Verräter.

»Das ist ja ein schöner Freund. Ein sehr geschwätziger Freund! Er hat uns erzählt, wer Sie sind, wie Sie aus Paris geflohen sind und wo Sie in den letzten Monaten gelebt haben. Wenn ich daran denke, daß Sie Jacques Lecoq begleitet haben und daß Sie den Brief für mich geschrieben haben! Es ist unser Schicksal, uns zu begegnen, Monsieur Chahinian.«

»Hören Sie nicht auf ihn, Guy! Das können Sie doch nicht glauben, das ist nicht …«

Jules Pernelle konnte seinen Satz nicht zu Ende sprechen, denn eine warme Flüssigkeit strömte in seinen Mund, und seine Zunge erstarrte, während er aus seinem Bauch einen Strom von Blut fließen sah. Er mußte aber doch Guy Chahinian erklären, daß er tatsächlich gewollt hatte, daß Simon ihn in seinem Laden festnahm, aber nur für einige Minuten. Er hatte ihm doch gesagt, daß er allein kommen solle, weil er dann nicht mit einer dritten Person die Belohnung teilen müsse. Jules Pernelle hatte die Geldgier Simon Perrots unterschätzt. Dieser hatte einen Schurken für sein Unterfangen engagiert, der über Guy Chahinian nichts wußte, und er hatte ihm einige Deniers versprochen, aber er hatte nicht vor, Jules Pernelle einen einzigen Sou zu geben. Er hatte an alles gedacht, und um sich abzusichern, würde er Guy Chahinian des Mordes an dem Apotheker bezichtigen.

Immer weniger Blut strömte aus der Wunde. Der Apotheker hielt sich noch ungläubig auf den Beinen. Guy Chahinian würde niemals erfahren, was er vorgehabt hatte. Nur wenige Minuten sollten er und Simon sich gegenüberstehen, bis Marie aus dem Hinterzimmer kam, ihren Geliebten erkannte und sah, daß er dem Goldschmied seine Waffe an die Kehle hielt. Sie wäre vor Entsetzen erstarrt. Jules Pernelle wäre herbeigeeilt, hätte seinem Freund eine Waffe gegeben, damit er sich verteidigen konnte. Chahinian hätte Simon Perrot in dem Kampf getötet.

Jules Pernelle wäre diesen Verehrer Maries auf immer losgewesen. Er hatte auch gehofft, daß Marie Chahinian einige Zeit die kalte Schulter gezeigt hätte und sich entschieden hätte, in die Wohnung über dem Laden einzuziehen.

Aber warum war sie noch nicht da? Er hatte ihr doch gesagt, sie solle um sechs Uhr wiederkommen, weil er dann vielleicht das Gift habe, das sie suche. Und warum, warum beugte sich Guy Chahinian über ihn, um ihn zu schützen. Für den Bruchteil einer Sekunde spürte er, wie jemand seine Hand drückte, dann spürte er nichts mehr. Er hörte nicht mehr den Lärm von zerbrochenen Phiolen, zerschlagenen Scheiben und der mit vollem Schwung in alle Richtungen geworfenen Werkzeuge. Er hörte nicht den Protest Chahinians.

Sein Körper fing schon an zu erstarren, als Marie LaFlamme unter der Treppe hervorkam. Sie hatte sich die Hände blutig gebissen, aber sie merkte gar nicht, daß sie ihre Kleider beschmutzte. Sie erinnerte sich an die Stimme Simons und sein Lachen, als er Guy Chahinian festgenommen hatte. Sie wäre fast zu ihm gelaufen, als sie ihn erkannt hatte, doch dann hatte sie wieder dieses Unbehagen übermannt, das sie als Kind empfunden hatte, wenn Simon lebendige Frösche zweiteilte, und sie war unter der Treppe stehengeblieben. Sie unterdrückte einen Schrei, und schreckliche Unruhe stieg in ihr auf. Als Simon den Laden verwüstet hatte, hatte sie sich in ihrem Versteck ganz klein gemacht. Kein Nachbar, kein Neugieriger hatte sich gezeigt, weil alle schlimmste Unannehmlichkeiten befürchteten.

Marie beugte sich über den Leichnam, drückte Pernelle die Augen zu und sah ihn lange an, als ob sie nicht glauben könne, daß der Apotheker tot sei. Erst als der Mond durch das Fenster hineinschien und das blasse Gesicht erhellte, konnte sie es glauben. Sie zitterte und machte eine so abrupte Bewegung, daß sie im Weggehen den rechten Arm des Toten mitzog. Da sah sie etwas in seiner Hand glitzern.

Sie brauchte zehn Minuten, bis sie die Finger auseinandergebogen hatte, dann entdeckte sie in seiner Hand zwei glänzende Schälchen.

Als Marie LaFlamme den Laden verließ, preßte sie das Heft ihrer Mutter an ihr Herz. Sie nahm einen mit Kräutern und Puder gefüllten Sack mit, und in ihren Taschen steckten ein Mond und eine Sonne.

Sie hatte das Gefühl, bis ans Ende der Welt gehen zu müssen, um alles zu vergessen. Sie mußte wohl diesen starren Blick einer Verrückten haben, der die Menschen in Angst und Schrecken versetzt, denn zwischen der Rue des Carmes und der Rue des Bons-Enfants sprach sie niemand an. Um Mitternacht klopfte sie an die Tür der Beaumonts, und Martin Le Morhier hörte sich verzweifelt ihre Geschichte an. Er hatte also recht gehabt, daß Marie ihnen nur Ärger machte. Sie mußte so schnell wie möglich Paris verlassen. Sie war in Gefahr. Sie brachte auch seine Familie in Gefahr. Ja, sie zog das Unglück an.

Gegen den Rat seiner Eltern und trotz ihrer Verzweiflung schleppte Victor Le Morhier Marie noch am gleichen Abend nach Dieppe.

Victor Le Morhier hatte aufgegeben. Marie LaFlamme würde auf der *Alouette* an Bord gehen. Er hatte doch alles gesagt, alles getan, um ihr den Mut zu nehmen, aber als er die Gefahren aufgezählt hatte: Angriffe der Piraten, englische Korsaren, Schiffbruch, Hungersnot und Krankheiten, da hatte sie nur geantwortet, daß sie diese Gefahren der Peitsche, dem Strick und dem Scheiterhaufen vorzöge. Er konnte ihr noch so oft sagen, daß sie niemanden in Dieppe kenne, dann erwiderte sie nur, daß es genau darum auch keinen Grund gebe, dort länger zu bleiben.

»Aber warum willst du nach Neufrankreich? Dort hast du auch keine Verwandten!«

»Keine Verwandten, keine Freunde, keine Feinde! Jetzt kann ich es zugeben! Geoffroy de Saint-Arnaud hat jedem eine Belohnung versprochen, der mich nach Nantes zurückbringt oder ihm irgendwelche Neuigkeiten über meine Person sagen kann.«

»Du kannst deinen Namen ändern«, schlug Victor vor. »Und deine Haare abschneiden.«

»Niemals.«

»Aber Marie, sei doch nicht immer so dumm.«

»Ich bin dumm? Und du? Du meinst wohl, du seist besonders schlau? Hat dir denn dein Vater nicht gesagt, daß ich des Mordes angeklagt werde?«

»Aber Simon hat doch den Apotheker getötet. Du hast es selbst gesagt.«

»Getötet ... Getötet ... Sie haben gekämpft, und Jules Pernelle ist jetzt tot.«

»So habe ich es nicht verstanden.«

»Da siehst du, daß du auch nicht schlauer bist als ich.

In den letzten Wochen haben mich alle Kunden des Apothekers gesehen. Sie werden über mich reden. Inzwischen hat man sicher die Leiche gefunden. Sucht man mich schon? Und schließlich wird man erfahren, daß ich die Ehefrau des Reeders bin. Und er wird mich zurückholen.«

»Aber du mußt hierbleiben!«

Marie LaFlamme schüttelte heftig den Kopf. Die Locken, die sie seit ihrer Ankunft in Paris nach englischer Manier trug, tanzten um ihre Wangen und glänzten wie Ohrgehänge. Victor Le Morhier mußte im stillen zugeben, daß es sehr schade wäre, diese schönen Haare abzuschneiden. Hatte er nicht bei seinen Abenteuern mit seinem Freund Emile Cléron immer die Gesellschaft von Dirnen mit roter Mähne bevorzugt? Hatte er sich nicht eingebildet, wenn er sie auf dem Bauch liegend nahm und mit seiner Hand in ihrem kupferfarbenen Haarschopf wühlte, er würde es mit Marie treiben? Diese junge Frau an seiner Seite zu haben, ohne sie berühren zu dürfen, machte ihm eigenartigerweise Lust, diese Pariser Dirnen aufzusuchen, die ihn empfingen, ohne Geschichten zu machen. Nach der Rückkehr von seinen Seeabenteuern würde er sich in der Liebe noch besser auskennen. Eine ganze Seereise auf einem Schiff mit Marie LaFlamme! Welch eine Dummheit, daß er sie mit nach Dieppe genommen hatte. Konnte er denn ahnen, daß sie sich für die Kolonien einschiffen wollte? Nach allem, was sein Onkel, seine Mutter und seine Tante über die Wilden, die Tiere und den ewigen Schnee in Neufrankreich erzählt hatten?

»Victor? Hörst du mir überhaupt zu? Ich habe gesagt, daß ich nichts gesehen habe. Ich habe aber was gehört. Und ich bin nicht sicher, daß … Und dann wird mir auch niemand glauben. Man wird sagen, daß ich lüge. Willst du mich hängen sehen? Ach! Dann hättet ihr endlich euren Frieden.«

Der Klang der Ohrfeige war so dumpf, daß Victor glaubte, ihr Echo zu hören. Er sah fassungslos auf seine Hand. Dann sah er auf Maries Wange, die so rot war wie ihre Lippen, und ihr Blick war düsterer als die Nordsee. Er warf sich vor ihr auf die Knie und bat um Vergebung. Er mußte fünf Minuten vor ihr auf den Knien liegen, bis Marie ihm antwortete, daß sie seine Entschuldigung annehme, wenn er ihr helfen würde, an Bord der *Alouette* zu gehen.

»Sonst rede ich nie mehr ein Wort mit dir.«

»Aber so kannst du nicht an Bord gehen.«

»Das weiß ich auch. Aber ich muß hier weg.«

Marie LaFlamme beteuerte, daß sie fliehen wolle, um Geoffroy de Saint-Arnaud zu entkommen, und sie vergaß für einen Moment sogar den Schatz. Aber wovor sie wirklich Angst hatte, das war eine Gegenüberstellung mit Simon Perrot. Sie konnte sich nicht vorstellen, gegen ihn auszusagen, und der Gedanke, er könne sie anklagen, war einfach fürchterlich. Sie floh also vor der Wahrheit und entschied sich, halb aus Naivität und halb aus Aberglauben, jetzt die Reise in die Kolonien zu wagen, die sie so gern mit Simon unternommen hätte. Sie hoffte, daß die schrecklichen Erinnerungen verblassen würden: die Schreie des Apothekers, die Proteste Guy Chahinians und das Bild der blutbefleckten Leiche. Es kam ihr so vor, als ließe sie mit der Entfernung von der normannischen Küste auch die Schrecken hinter sich. Sie hätte niemals zugegeben, daß Simon die Wurzel allen Übels war und daß sie sich über sein Wesen fürchterlich geirrt hatte.

Sie wußte auch nicht, daß ihre Entscheidung, auf der *Alouette* an Bord zu gehen, mit ihrer Liebe zum Meer zu tun hatte. Das Meer lag ihr im Blut. Hätte aber ein aufmerksamer Beobachter Marie LaFlamme auf ihrem Bündel am Hafen sitzen sehen, dann hätte er erraten, daß sie genüßlich den salzigen Geruch des Meeres einatmete und daß es ihr Spaß machte, die Zeit bis zur nächsten Flut zu berechnen oder die Masten der Schiffe zu zählen. Das Meer erschien ihr hier grauer als in Nantes, und Felsen und Wellen wurden eins, wodurch besondere Vorsicht geboten war. Die Vögel jedoch, die sich hartnäckig um ein bißchen Futter stritten, waren die gleichen. Sie erinnerten Marie an das Verhalten der Kleinbürger von Nantes, wenn ein Fremder an bestimmten Markttagen seinen Schmuck vor ihnen ausbreitete. Sie lächelte, als sie zwei Albatrosse zur gleichen Zeit ins Meer tauchen sah. Victor stimmte in ihr Lachen ein, denn er war erleichtert, daß sie ihm nicht mehr böse war.

»Also? Hilfst du mir? Ich habe keinen Sou …«

Victor Le Morhier schüttelte den Kopf und dachte, daß es besser sei, an Land zu bleiben oder auf einem anderen Schiff an Bord zu gehen. Früher oder später würde man erfahren, daß er Marie kannte, und man würde ihn anklagen, mit diesem blinden Passagier unter einer Decke zu stecken.

»Das ist egal. Die Frauen, die an Bord gehen, müssen nichts bezahlen. Die Männer übrigens auch nicht, denn sie haben sich für sechsunddreißig Monate verpflichtet.«

»Sie sollen drei Jahre in den Kolonien arbeiten? Ach …«

»Du kannst dich nicht für eine so lange Zeit verpflichten«, befahl Victor. »Drei Jahre, Marie! Und du bist allein! Die Frauen, die mitreisen, sind alle verheiratet oder Glaubensschwestern. Diese müssen jedoch bezahlen.«

»Weil sie nicht verheiratet sind? Welch eine Ungerechtigkeit.«

»Aber nein, weil sie viele Sachen mitnehmen: Bücher für die Schwestern dort oben, Kleinkram, heilige Sakramente. Was hast du gesagt?«

»Nichts«, antwortete Marie, die an den Mond und die Sonne aus Gold dachte, die sie noch immer bei sich hatte. »Nichts. Erzähl weiter. Du kennst dich gut aus für jemanden, der nicht will, daß ich an Bord gehe.«

»Habe ich eine andere Wahl? Du bist …«

»Störrischer als ein Esel, ich weiß. Sind Bürger aus Nantes unter den Passagieren?«

»Nein. Ich habe keine gesehen.«

Marie klatschte in die Hände.

»Du wirst sehen, alles wird gut. Ich gehe mit den anderen Passagieren an Bord.«

»Du versteckst dich, und man wird dich finden, wenn wir auf der Reede liegen. Wir können hier einige Zeit liegen, bevor wir die Küste verlassen. Immer dann findet man die blinden Passagiere.«

»Und man bestraft ihre Komplizen«, fügte er halblaut hinzu. Was würde ihn erwarten? Die Peitsche? Eisen?

»Man findet sie, weil man Frauen sucht. Aber ich werde eine Hose tragen, und ich werde so verdreckt sein, daß man nicht sieht, daß ich keinen Bart habe.«

»Und deine Haare?«

»Ich mache es wie alle. Ich werde sie unter meiner Mütze verstecken«, sagte sie, ohne mit der Wimper zu zucken. »Du schneidest dir deine doch auch nicht ab, nicht wahr? Du willst nicht, daß man dich für einen Sträfling hält. Ich auch nicht.«

»Marie … du … du …«

»Es sind fast einhundertfünfzig Menschen an Bord. Man wird sich nicht um einen schlecht gewaschenen Jungen kümmern. Alles was ich will, ist, daß du auf mein

Kleid aufpaßt, bis wir das offene Meer erreicht haben. Dann wird man mich nicht mehr zurückschicken.«

»Beten wir, daß der Wind günstig steht und daß wir nicht tagelang auf der Reede liegen oder sogar wochenlang …«

Marie zuckte mit den Schultern. »Wenn du zu große Angst hast …«

»Du hast keine Ahnung vom Leben an Bord. Die *Alouette* wiegt vierhundert Tonnen.«

»Und sie ist mehr als hundert Fuß lang. Es ist ein schönes Schiff, auch wenn der Kiel etwas zu kurz ist. Man kann uns schnell einholen, wenn wir auf ein anderes Schiff treffen.«

»Richtig! Du wirst auf dem Schiff eine Menge Leute treffen.«

»Quatsch! Die Seeleute haben ihre Arbeit und ihren eigenen Bereich. Du wirst noch nicht einmal deinen Kameraden treffen.«

Marie LaFlamme spielte auf den vom Kapitän bestimmten Matrosen an, der die Hängematte mit Victor Le Morhier teilte. Dieser würde tatsächlich kaum Zeit haben, mit ihm zu sprechen. Sie würden nie zusammenarbeiten, weil immer ein Mann von Steuerbord mit einem von Backbord zusammenarbeitete. Der eine weckte den anderen, um seinen Platz in der Hängematte zu übernehmen, wenn seine Wache anfing. Da er wußte, daß sich einige Männer außer einer alten Hängematte auch einen Löffel zum Essen teilten, hatte Victor vorsichtshalber einen mitgebracht.

»Wenn du als Schiffsjunge oder Page durchgehen willst, dann mußt du die Hängematte mit einem Kind teilen«, sagte Victor lachend. Marie würde ihre Hängematte nicht mit einem Mann teilen. Der Gedanke, daß sie wie die Wilden auf den Kariben dichtgedrängt schlafen und die

Wärme eines echten Matrosen spüren sollte, hatte ihn verärgert. Er war etwas erleichtert, auch wenn er es für unwahrscheinlich hielt, daß man Marie als Jüngling ansehen könnte. Die Korsarenhose ließ ihre runden Waden frei, und auch wenn die junge Frau ihre Brust zusammenschnürte und einen Pullover über ihrem Hemd trug, dann war nicht sicher, daß ihre Rundungen unerkannt blieben. Ja, heute abend mußte er wirklich ein Gebet sprechen.

»Ich habe sogar Lust, zum Bankett zu gehen!« brüstete sich Marie.

Victor blieb vor Bestürzung fast die Luft weg.

»Zum Bankett. Du hast wohl den Verstand verloren!«

»Ich mache ja nur Spaß. Du kannst dich an meiner Stelle dort vergnügen.«

»Ich habe überhaupt keine Lust, unsere verrückte Abfahrt zu feiern. Bei der Rückkehr werde ich dann zur Kasse gebeten!«

»Zur Kasse gebeten?«

Victor war froh, daß Marie auch einmal etwas nicht wußte. Er erklärte ihr, daß das vor dem Auslaufen stattfindende Bankett nicht vom König, Reeder oder Kapitän bezahlt wurde. Die Männer aßen ganze Rinder und tranken Fässer voll Wein, weil sie für die Unkosten indirekt selbst aufkommen mußten. Man zog ihren genauen Anteil vom Lohn ab. Wenn sie diese Kleinigkeit in ihrem Rausch vergaßen, bekam ihnen das schlecht bei ihrer Rückkehr.

»Geh einfach nicht hin. Dann kann dir nichts passieren«, meinte Marie dazu.

»Ich will meine Kameraden lieber nicht vor den Kopf stoßen.«

»Ich gehe während des Festmahls an Bord.«

»Du kannst durch den Löwengraben gehen.«

440

»Genau! Löwen waren mir schon immer völlig gleichgültig.«

Marie erklärte dem verdutzten Victor, welche Freude es
ihr bereitet hatte, Geoffroy de Saint-Arnaud wegen seiner
Skulptur aus italienischem Marmor zu verspotten.

»Du hast dich vielleicht über ihn lustig gemacht, aber
dieser Löwe wird sehr teuer gewesen sein.«

»Alles, war der Reeder hatte, war teuer. Da, schau her«,
sagte sie und holte den Diamanten aus dem Futter ihres
Unterrocks hervor.

Sie drehte ihn in der Sonne, so daß er funkelte, und sah
ihn sichtbar erfreut an.

»Er wird ihn nie wiedersehen!« sagte sie lachend.

Victor wollte gerade in ihr Lachen einstimmen, als ihm
diese Fröhlichkeit plötzlich falsch und aufgesetzt erschien.
Marie senkte den Kopf und brach in Schluchzen aus. Victor hörte ihr erbarmungswürdiges Jammern und ihre verzweifelten Klagen, ohne daß er sich traute, sie zu trösten.
Als sie einige Male wie ein Kind aufschluchzte, erinnerte
er sich an den Tag, da er sie blind vor Tränen neben ihrem
toten Hund gefunden hatte. Er hatte sie in seine Arme
genommen und sie so lange in seinen Armen gewiegt, bis
sie sich beruhigt hatte. Er schob eine Haarsträhne hinter
ihrem rechten Ohr hin und her. Ihr feines Haar entzückte
ihn wie auch ihre runden Ohrläppchen, ihre gerader Hals
und ihre glatte weiße Haut. Selbst ihre Tränen fand er
wunderschön.

Als sie sich endlich beruhigt hatte, trocknete sie ihre
Augen mit einem Rockzipfel ab und murmelte mit rauher
Stimme, daß sie sich nach ihrer Mutter sehne.

»Den Diamanten, Victor, hätte der Reeder meiner Mutter schenken müssen. Anne fehlt mir so. Ich kann ohne sie
nicht leben. Alles um mich herum liegt in Scherben, seit sie

tot ist. Nanette, dann Jules Pernelle, dann Monsieur Guy … Und Simon.«

»Simon ist nicht tot«, zwang sich Victor zu sagen.

»Ich weiß, aber er liebt mich nicht mehr. Nur Mama hat mich geliebt.«

»Du hast keine Ahnung. Dich lieben auch andere.«

»Aber nicht so wie Mama. Ich will, daß sie mich tröstet.«

Victor fühlte sich verletzt und nahm eine starre Haltung ein. Marie bemerkte es, küßte ihn auf die Wange und nahm seine Hand.

»Ich wollte das nicht sagen … Ich weiß, daß ich hier keinen besseren Freund als dich habe. Aber ich wünschte, meine Mutter mit ihren begnadeten Händen wäre hier. Erinnerst du dich an ihre zarten Hände?«

Victor hüstelte, bevor er antwortete, daß sie ihm deutlich im Gedächtnis geblieben seien und daß er sich sehr gut an den St.-Josefs-Tag erinnere, als sie seinen Ellenbogen behandelt und die Wunde genäht habe.

»Ich habe vielleicht geschrien!« sagte er lachend.

Maries Augen glänzten vor Freude. Der Kummer hatte ihre Pupillen verdunkelt, und nun leuchteten sie wieder in einem reinen, lilafarbenen Ton.

»Nein, Mama hat mir gesagt, du hättest nicht besonders laut geschrien.«

»Nicht besonders laut? Es kam mir so vor, als ob ich ganz Nantes zusammengeschrien hätte. Sie werden alle gewußt haben, daß meine Patin bei mir war.«

»Nein! Du brauchst dir nichts darauf einzubilden, aber Mama hat mir später anvertraut, daß manche Männer nicht so viel Mut hätten wie du.«

Victor errötete.

»Sei still! Geh lieber deinen Matrosenanzug kaufen. Dann gehen wir in die Küche und beten zur Heiligen Jungfrau und stellen Kerzen auf. Wir bräuchten sicher an die hundert, damit dein Täuschungsmanöver gelingt. Ich habe besonders große Angst vor dem Schiffsschreiber ... Wenn er wie Ernest Nadeau ist ...«

»Ach! Ich hasse Ernest Nadeau. Er gehörte zu denen, die meine Mutter beschuldigt haben. Wir werden auch für sie beten.«

»Ja, wir beten für meine Patin. Ich habe sie sehr geliebt. »Sie hat dich auch geliebt.«

43.
KAPITEL

Victor Le Morhier behauptete immer, daß die Heilige Jungfrau ihre Gebete an diesem Nachmittag des 7. Mai 1663 erhört habe.

Wie durch ein Wunder erhob sich der Wind schon einen Tag, nachdem alle Mann an Bord waren, und Marie mußte zu Victors großer Erleichterung ihre Rolle als Schiffsjunge nur eineinhalb Tage spielen. Schon beim kleinsten Fluch eines Offiziers befürchtete er, man habe seine Freundin entdeckt. Immerhin mußte er zugeben, daß sie nicht mehr wiederzuerkennen war, nachdem sie ihre Haare unter der Mütze versteckt und den Matrosenanzug angezogen hatte, und er hätte ihr fast geraten, ihre Rolle als Page weiterhin zu spielen, wenn er keine Angst gehabt hätte, ein Matrose könne alles erraten und dann versuchen, ihr Wohlwollen für sein Schweigen zu verlangen. Und wenn Kapitän Dufour Marie ausnutzen wollte? Wie würde er reagieren, wenn er sie erkannte?

Georges Dufour sah Marie zum erstenmal, als er gerade auf dem Halbdeck mit einem Stabsoffizier redete. Er war überrascht über ihren stolzen Gesichtsausdruck, und er wollte sie gerade ansprechen, da drehte sie sich um. Seine Art, sie anzusehen, zeigte ihr sofort, daß er Bescheid wußte. Sie wartete also einen Moment regungslos darauf, daß er sie holen ließ, und dann folgte sie rasch dem Wachführer. Kapitän Dufour war nicht der Mann, der mit einem blinden Passagier Mitleid hatte, und daß er Marie La-Flamme in seiner Kajüte zur Rede stellte, bedeutete nicht, daß er sie schonen wollte, sondern nur, daß er Gerüchten vorbeugen wollte. Sie zuckte zusammen, als er die Tür hinter ihr schloß, aber trotz ihrer Angst stand sie aufrecht vor dem Kapitän.

»Wer bist du?«

»Ich heiße Marie LaFlamme, Herr Kapitän.«

»Deine Missetat scheint dich nicht sehr zu beunruhigen«, sagte Georges Dufour erstaunt.

»Doch, ich bin beunruhigt. Aber ich hatte keine andere Wahl. Ich mußte Dieppe verlassen.«

»Und warum? Was hast du denn so Schreckliches angestellt?«

»Nichts. In Dieppe kennt mich niemand. Aber ich komme aus Paris, wo mein Meister ermordet worden ist, und ich habe Angst, des Mordes angeklagt zu werden.«

»Hätte man es vielleicht tun sollen?«

Marie kniff die Augen zusammen.

»Ich bin des Mordes fähig, sicherlich. Sie schätzen mich ganz richtig ein. Aber ich hatte keinen Grund, einem Mann den Tod zu wünschen, der mich seine Wissenschaft gelehrt hat.«

»Seine Wissenschaft?«

»Er war Apotheker. Ich konnte wie auch meine Mutter,

die Matrone war, schon vorher Krankheiten heilen, aber ich wollte mehr darüber wissen.«

Der Kapitän fing an zu lachen.

»Willst du behaupten, daß du operieren kannst?«

»Ich habe Brüche gerichtet, Monsieur, und die Leute haben nicht lange gehumpelt.«

»Du brüstest dich damit?«

»Nein, Monsieur! Es ist die Wahrheit! Warten Sie nur, bis hier ein Unfall passiert, und ich werde Ihnen zeigen, was ich kann.«

Sie streckte ihre Hände aus und hielt sie dem Kapitän vor die Augen, da sah er den Diamanten. Sie hatte der Versuchung nicht widerstehen können, den Diamanten zu tragen.

»Und was ist das?« sagte er und zeigte auf den Edelstein. »Hast du ihn etwa gestohlen?«

Marie konnte ihre Hand nicht rechtzeitig wegziehen. Der Kapitän hatte sie schon ergriffen und schaute sich aufmerksam den Edelstein an.

Nachdem er lange geschwiegen hatte, lachte er Marie an und klopfte auf den Diamanten.

»Wir können uns vielleicht einigen, meine Schöne … Du könntest deine Reise bezahlen. Ich denke, daß die Sache mit dem Ring aus der Welt geschafft ist.«

Ohne Maries Antwort abzuwarten, zog Georges Dufour den Ring von ihrem steifen Finger und ließ ihn in seiner Jackentasche verschwinden.

»Für diesen Preis steht mir sicher eine Hängematte zu«, sagte Marie verstimmt.

»Dir steht die gleiche Behandlung zu wie allen, aber nicht, weil du es verdienst hättest. Wenn ich dich jedoch in Eisen legen würde, dann hätte ich nur Schwierigkeiten. Die Mannschaft würde sich aufregen. Aber paß bloß auf, daß du nicht zu sehr auffällst. Ich nehme an, daß niemand den Tod einer Verbrecherin beweinen würde, solltest du durch eine Klinge sterben.«

»Aber ich habe den Apotheker nicht getötet.«

»Das sagt du. Und ich sage dir, daß du mit den Ursulinerinnen leben wirst. Ich werde ihnen sagen, daß du mit deinem Ehemann an Bord gehen wolltest, nun aber seit kurzem verwitwet bist, daß du nicht genug Geld hast, um dir ein schwarzes Kleid zu kaufen, und daß du mit ihnen für den Verstorbenen beten willst. Du bist zu hübsch, um auf der Brücke spazierenzugehen und meinen Männern den Kopf zu verdrehen. Die Schwestern müssen auf dich aufpassen. Ich würde ungern einen armen Mann bestrafen, der durch deine Schuld den Verstand verloren hätte. Ich werde die Schwestern vorwarnen, mich über alles, was du machst, auf dem laufenden zu halten. Ich gebe dir den guten Rat, oft zu beten. Dein Seelenheil scheint mir noch nicht gesichert zu sein. Und achte auf deinen Geist, denn wenn deine Seele auch die Sache Gottes ist, so ist dein Leben hier unten meine Sache.« Marie senkte den Kopf als Zeichen der Zustimmung. Doch ihre Aufmerksamkeit galt eher dem Platz, an den der Kapitän den Ring gelegt hatte. Wer weiß? Vielleicht würde es ihr gelingen, ihn zurückzuholen?

Obwohl die Ursulinerinnen wie alle Passagiere dem Kapitän gehorchen mußten, schrien sie auf, als er sie bat, Marie LaFlamme in ihre Gemeinschaft aufzunehmen. Die Älteste der Schwestern, Schwester Sainte-Blandine, sah schlimmste Unannehmlichkeiten voraus. Man mußte ja nur einen Blick auf diese Frau werfen, auf ihre wilde Mähne und ihren halbnackten Busen, um zu sehen, daß sie zur Sünde neigte. Schwester Sainte-Blandine schlug vor, Marie eine weiße Tracht zu geben und sie als Schwester eines Pariser Hospitals vorzustellen.

Des weiteren sollten ihr die Haare abgeschnitten werden, und sie sollte lernen, was Unterwürfigkeit war. Marie
konnte sich noch so sehr dagegen sträuben, so stimmte der
Kapitän doch der Ordensschwester zu, und er bat, daß
man ihm später die längste Strähne bringen möge.

Mit jeder Locke, die zu Boden fiel, haßte Marie Schwester Sainte-Blandine ein wenig mehr, aber sie zeigte keinerlei Gefühlsregung. Nur ihre Hände zitterten, als sie den
von Schwester Suzanne de Saint-Bernard ungeschickt
befestigten Schleier zurechtrückte. Sie schaute der jungen
Nonne in die Augen, die sie mit einem halb bewundern-
den, halb mitleidigen Blick ansah. Marie lachte sie an. Vielleicht konnte sie aus ihr doch eine Verbündete machen.

Diesen Plan mußte sie fallenlassen, denn die Schwestern blieben immer zusammen. Sie beteten, sangen
Psalme, lasen in der Bibel, nähten, aßen und gingen
zusammen in die Messe. Und Schwester Sainte-Blandine
achtete darauf, daß Marie sie immer begleitete. Sie entkam
ihrem Vormund nur, wenn sie mit den Frauen aus den
Kolonien sprach. Unter ihnen war eine gewisse Julie Laflandre, dund die hielt Marie wirklich für eine Krankenschwester. Daher vertraute sie Marie an, daß sie in anderen Umständen sei und Angst habe.

»Kann ich das Kind bekommen, wenn ich mich ununterbrochen übergebe?«

Marie LaFlamme verbiß sich ihr Lachen. Es war nicht
das erste Mal, daß sie solchen Unsinn hörte. Viele Menschen, manchmal auch gebildete, glaubten an diese
Ammenmärchen, in denen es hieß, daß die Kinder durch
die Ohren, den Bauchnabel oder den Mund das Licht der
Welt erblickten oder zwei oder drei Jahre im Bauch der
Mutter heranwachsen würden. Anne LaFlamme hatte ihr
oft unglaubliche Geschichten erzählt, und sie hatten alle

beide gedacht, daß der Grund dieser vielen Mythen wohl sei, daß das Geheimnis der Geburt zugleich einfach und doch unerklärlich sei. Marie sagte also zu Julie Laflandre, daß es überhaupt keine Gefahr gebe, das Baby zu verlieren, wenn sie sich erbrechen müsse, daß sie aber gut essen solle.

»Mein Mann hat mit dem Schiffsarzt, Monsieur Leclerc, gesprochen, und der hat gesagt, daß ich nur etwas kräftiger werden müsse.«

»Diese Quacksalber sind auf See so dumm wie an Land«, spottete Marie. Sie wußte aber, daß sie ungerecht war, denn die Schiffsärzte waren ihren Kollegen in der Stadt oft überlegen, da sie aufgrund der vielen Amputationen den menschlichen Körper gut kannten. Sie mußten ihre Erkenntnisse nicht vor Kollegen verteidigen, wenn sie an das Bett desselben Kranken gerufen wurden. Außerdem mußten sie zu viele Blutungen stillen, um Vergnügen daran zu finden, die Kranken ständig zur Ader zu lassen, so wie es auf dem Festland gehandhabt wurde. Marie wußte auch, daß der Schiffsarzt Leclerc eher daran gewöhnt war, mit gestählten Matrosen zu reisen, als mit Passagieren, die noch nie einen Fuß auf ein Schiff gesetzt hatten, denn die Expeditionen in die Kolonien gab es erst seit kurzer Zeit. Da es sie aber schrecklich langweilte, immerzu nur zu beten, war sie heilfroh, daß jemand nach ihr rief, und sie beruhigte schnell Julie Laflandre.

»Ich werde Ihnen Kalmuswurzel geben. Vielleicht kann ich während der Psalmen oder der Predigt von Schwester Sainte-Blandine machen, wenn der Kapitän es mir erlaubt.«

»Ist Schwester Sainte-Blandine nicht die größte unter den Schwestern? Sie hat doch eine so lange Nase, daß sich Möwen darauf setzen könnten?«

»Ich stelle fest, daß Ihre Übelkeit Ihren Humor nicht beeinträchtigt hat«, sagte Marie fröhlich. »Ja, das ist sich, und ...«

Als Julie Laflandre anfing zu lachen, hielt Marie mitten im Satz inne. Sie hatte überhaupt keine Zähne.

»Ich bin sehr häßlich, nicht wahr?« fragte Julie.

Marie wollte ihr nicht zustimmen und stellte statt dessen fest: »Sie waren sicher eine Zeit lang krank, und Sie sind zum ersten Mal in anderen Umständen.«

»Nein, ich war nicht krank ... Diese Schwester Sainte-Blandine scheint für eine Nonne ziemlich eingebildet zu sein!« sagte sie in beschwingtem Ton, um das Thema zu wechseln.

»Sie behauptet, daß ich eingebildet sei.«

»Stimmt das?«

Marie nickte, dann lächelte sie.

»Ja! Ich bin stolz. Aber dafür habe ich gute Gründe.«

»Es stimmt, daß es Mutter Natur gut mit Ihnen gemeint hat.«

»Meine Haare waren genauso wie Ihre, Madame, genausolang und ebenso rot, bis diese alte Krähe mich gezwungen hat, sie abzuschneiden. Da ruft sie mich ja schon wieder. Ich muß gehen.«

»Ich bin so glücklich, daß ich sie getroffen habe. Welch ein Glück für mich, daß Sie Matrone sind.«

Marie lachte zuversichtlich. Sie war froh, daß diese junge Frau nicht auf die Idee gekommen war, sie zu fragen, ob sie selbst auch Kinder bekommen habe. Kein Mensch auf der Welt hätte geduldet, daß ein Mädchen als Hebamme arbeitete, ohne selbst Kinder zu haben. Aber Julie Laflandre war zu sehr mit sich selbst beschäftigt, um solche Bedenken zu hegen.

»Beten Sie für mich, daß das Wetter besser wird.«

»Aber es ist doch ganz ruhige See«, rief Marie. »Das Wetter ist herrlich. Die Matrosen haben immer mehr Segel gesetzt, um das Schiff schneller voranzutreiben.«

»Das darf doch nicht wahr sein! Die Sonne ist kaum zu sehen.«

»Wenn ich Ihnen doch sage, daß es schön ist und daß es etwas ganz anderes ist, im Sturm zu segeln. Sie sollten sich damit abfinden ... Aber«, fügte Marie schelmisch hinzu, »aber ich werde beten, daß man Sie verschont und daß Sie Ihr Essen bei sich behalten. Auch wenn ich durchaus verstehen kann, daß Ihnen der Fraß des Schiffskochs nicht schmeckt.«

Als sie sich verabschiedete, um zu Schwester Sainte-Blandine zu gehen, drückte Julie Laflandre gefühlvoll ihre Hand.

»Ich bin so froh, Sie kennengelernt zu haben.«

Diese plötzliche Bekundung von Zuneigung ging Marie ans Herz, und sie konnte die Vorhaltungen der Ordensschwester, die ihr mangelnde Gottesfurcht vorwarf, besser ertragen.

»Sie waren zum Gebet nicht bei uns. Was hat das zu bedeuten?«

»Ich war bei dieser jungen Frau«, sagte Marie und beschrieb Julie Laflandre. »Es geht ihr nicht gut. Ich hatte Angst, sie könne die Besinnung verlieren. Ist es denn nicht meine Aufgabe, mich um die Leute zu kümmern?«

»Wollen Sie sich über mich lustig machen?«

»Aber ich kenne mich aus in der Medizin. Ich kenne die Pflanzen und die Pülverchen. Werden Sie erst einmal krank, dann werden Sie froh sein, mich zu haben.«

»Wie hochmütig Sie sind! Sie müssen dieses Vergehen bei unserem Schiffsprediger beichten.«

»Aber das wäre ja eine Sünde.«

»Eine Sünde?«

»Ich würde lügen, wenn ich behauptete, mich gebrüstet zu haben, weil ich Heilkenntnisse besitze. Welcher Sünde soll ich mich nun bezichtigen?«

»Ihre Unverschämtheit ist unerhört! Ich werde mich beim Kapitän über Sie beschweren.«

»Ich komme mit. Ich habe eine Bitte an ihn.«

Bevor Schwester Sainte-Blandine noch widersprechen konnte, ging Marie ihr schon voraus und lief mit dem sicheren Schritt der Seeleute auf die Kapitänskajüte zu. Sie ging um den Großmast, um die Tauwerkgestelle, die Winde und die ganzen eifrig beschäftigten Männer herum, so daß sie lange vor der Ordensschwester in der Kajüte ankam.

Kapitän Dufour schien verärgert zu sein, als er Marie sah, und er sagte ihr in rauhem Ton, daß sie ihn nicht zu stören habe.

»Es geht um Julie Laflandre. Ich will meine Tasche holen. Sie können damit doch nichts anfangen.«

Der Kapitän hatte die wenigen Sachen von Marie beschlagnahmt: ihr Kleid, um sicherzugehen, daß sie es nicht anzog, das Heft ihrer Mutter und ihren Kräutersack.

»Ich brauche Kalmuswurzel.«

»Was Sie brauchen, das ist ein besseres Benehmen!« sagte Schwester Sainte-Blandine, die jetzt gekommen war.

»Herr Kapitän, Sie können mit aller Strenge gegen mich vorgehen, sollte ich es nicht schaffen, Julie Laflandre zu heilen. Sie wird, so Gott will, ein wundervolles Kind zur Welt bringen. Gott war so weise, Kalmus wachsen zu lassen, um mir zu helfen, diese Frau zu retten. Erlauben Sie es mir! Sie haben nichts zu verlieren.«

»Hören Sie nicht auf sie. Sicher lügt sie. Und sie gehorcht mir nicht.«

Georges Dufour seufzte. Er hatte sich doch geschworen, niemals Passagiere unter seinem Kommando an Bord zu nehmen. Warum nur hatte er es sich anders überlegt? Sicher, man hatte ihn davon überzeugt, daß die Rückreise tausendmal angenehmer als die Hinreise sein würde, weil er anstelle der Frauen und der Auswanderer Biberpelze an Bord haben würde. Außerdem hatte er sich im stillen gesagt, daß die Überfahrt mit etwas Glück nur von kurzer Dauer sein würde. Aber nachdem sie schnell den Anker hatten lichten können, hatte der Wind nachgelassen, und erst seit zwei Tagen segelten sie wieder schneller. Wenn das Schiff dieses Tempo beibehielte, würde die Fahrt bis zum Ende des Sommers dauern. Unter der Mannschaft und den Passagieren würde sich Unzufriedenheit breitmachen – und Hunger. Kapitän Dufour grübelte über diese düsteren Zukunftsaussichten nach. Er hatte überhaupt keine Lust, sich das Geplapper der Weiber anzuhören, aber er mußte dennoch eine Entscheidung treffen. Die Ursulinin hatte von Ungehorsam gesprochen, und sie dürfte recht damit haben, aber falls eine Frau auf der *Alouette* eine Fehlgeburt erlitte, würden viele Matrosen behaupten, daß der Tod eines Kindes ihnen Unglück brächte. Er persönlich konnte, ohne mit der Wimper zu zucken, einer Bein- oder Armamputation beiwohnen, und die Bäche von Blut erschreckten ihn nicht so sehr wie die Schmerzen einer Frau, die in den Wehen lag. So manches Mal war er schon froh gewesen, auf See zu sein, als seine Frau einen ihrer Söhne gebar. Er brummte, daß er mit diesem Streit nichts zu tun haben wolle und daß er Marie den Kräutersack unter der Bedingung zurückgäbe, daß er nichts mehr von ihr hörte.

Schwester Sainte-Blandine drehte sich sofort um, und Marie konnte der Versuchung nicht widerstehen, eine Fratze zu schneiden. Als der Kapitän das sah, sagte er:

452

»Sie sind ziemlich dickköpfig.«

Marie gab es zu.

»Ja. Ich bin dickköpfig. Aber müssen Sie es nicht auch sein, um Ihre ganzen Expeditionen zu überleben? Man braucht eine Spur Dickköpfigkeit für die Seefahrt, wenn man überleben will. Finden Sie nicht auch? Ich habe gehört, daß Sie schon in Ostindien waren. Mein Vater war auch einmal dort.«

»Ihr Vater?«

»Er war Steuermann. Er ist schon seit über einem Jahr tot.«

»Ist er auf See gestorben?«

»Ja, auf See. An Skorbut.«

»Ich habe auch schon eine Menge Männer durch Skorbut verloren.«

»Das kann uns auch passieren … Aber das kleine Marssegel und das Focksegel sind jetzt gut gespannt, und ich glaube, daß wir heute schneller segeln als gestern.«

»Verdammt! Man merkt, daß Ihr Vater Seemann war. Vielleicht haben Sie doch recht gehabt mit Ihrer Behauptung, daß Sie es schaffen werden, die junge Mutter zu retten?«

»Gott schütze Sie, Herr Kapitän. Ein Kind wird dank Ihnen das Licht der Welt erblicken.«

»Wir sind ihnen entkommen!« sagte Marie LaFlamme lachend zu Julie Laflandre.

»Aber richtige Angst haben Sie scheinbar nicht gehabt.«

»Doch, doch! Aber ich habe dem Kapitän und dem Lotsen vertraut. Ich hatte recht. Durch ihre Entscheidung, an der englischen Küste entlang zu segeln, ist uns das Schlimmste erspart geblieben.«

»Was wäre aus uns geworden?« jammerte Julie. »Ich wage gar nicht, daran zu denken.«

»Das kommt ganz darauf an. Piraten hätten uns vergewaltigt und getötet, und Korsaren hätten uns gefangengenommen.«

Julie fröstelte.

»Sie sprechen einfach so über unser Schicksal, als ob es gar nichts wäre. Sind Sie denn niemals ernst?«

»Der Ärger kommt noch früh genug. Unnötig, sich den Kopf darüber zu zerbrechen, was alles hätte geschehen können.«

»Ich beneide Sie um Ihren Mut. Ich kann nicht umhin, mir dieses Grauen auszumalen. Mein eigenes Schicksal ist mir gleichgültig. Aber ich denke an mein Kind. Wenn man das Schiff gekapert und uns gefangengenommen hätte, dann wäre es in einem scheußlichen Kerker zur Welt gekommen. Vielleicht hätte man es mir weggenommen? Oder ich wäre tot und …«

»Seien Sie still. Sie haben nichts davon, sich das alles vorzustellen. Seien Sie froh, daß wir gerettet sind.«

»Ihre Freundin hat recht«, sagte Luc Laflandre, während er seiner Frau den Arm um die Schulter legte. »Sie müssen sich beruhigen und die Gefahr vergessen. Ruhen

Sie sich aus. Ich werde indessen dem Zimmermann helfen, damit ich nicht aus der Übung komme.«

Er nahm Julies Hand zärtlich in seine Hände und gab ihr einen Kuß in die Hand, bevor er wegging. Sie schloß träumend ihre Hand und preßte sie an ihr Herz.

»Sie haben Glück«, sagte Marie.

»Mehr als Sie sich vorstellen können. Luc hat sein Leben und seine Ehre aufs Spiel gesetzt, um mich zu retten.«

»Sein Leben?«

»Ich dürfte Ihnen das alles gar nicht erzählen, aber ich habe Vertrauen zu Ihnen, und ich hatte eine solche Angst um mein Kind. Wer weiß, was uns auf dieser Reise noch alles passieren kann!«

»Oder in Frankreich. Sie sind doch nicht aus einer Laune heraus an Bord gegangen. Die Mädchen aus adeligen Familien reisen nicht so einfach in die Kolonien, außer die Barmherzigen Schwestern.«

Julie war verblüfft, und Marie winkte beschwichtigend mit der Hand.

»Machen Sie sich keine Sorgen. Ich werde niemandem sagen, daß Sie nicht die sind, die sie vorgeben zu sein.«

»Woher wissen Sie das?«

»Ich habe es sofort gewußt. Sie haben so weiße Hände. Als Ihr Gatte sie geküßt hat, konnte man deutlich den Unterschied zu seinen sehen. Von wo kommen Sie?«

»Aus Reims. Ich würde jetzt in dem Kloster, in das mein Vater mich gesperrt hat, versauern.«

»Sind Sie auch geflohen?«

»Sie etwa auch?«

»Erzählen Sie zuerst.«

»Immer die gleiche Geschichte von den Mädchen, die man gegen ihren Willen zu etwas zwingen will. Mein Vater ist Graf, und er ist gläubig, sehr gläubig. Er war der Meinung, daß eine seiner Töchter ihr Leben ganz in den Dienst Gottes stellen sollte. Ich war die hübscheste, also hat er mich geopfert. Als Strafe dafür, daß die Männer mich begehrten, hat er mir alle Zähne ausreißen lassen. Dann hat er mich in ein Kloster gesperrt.«

»Darum also?«

»Ja! Er wollte mich verunstalten!«

»Ihr Vater ist ein Ungeheuer. Verzeihen Sie mir, aber …«

»Ich wäre in einer Klosterzelle gestorben, wenn der Himmel nicht so gnädig gewesen wäre, mir Luc zu schicken.«

»Ins Kloster?«

»Ja! Er ist tatsächlich Zimmermann, und er ist ins Kloster gekommen, um das Dach der Kapelle zu reparieren. Oben von seinem Gerüst aus hat er mich gesehen, als ich aus dem Besucherzimmer kam. Meine Mutter hatte mich gedrängt, mein Gelübde abzulegen.«

»Er hat sich in Sie verliebt! Ich beneide Sie. Oh, wie ich Sie beneide!«

Julie legte beschwichtigend ihre Hand auf die Schulter ihrer Freundin.

»Ich weiß. Man hat mir gesagt, daß Sie Witwe sind. Ich sehe, daß Sie ihn geliebt haben. Wie hieß er?«

»Simon. Simon Perrot.«

»Das ist ein schöner Name.«

»Wir sind eine Woche, bevor wir an Bord gehen sollten, getrennt worden. Ich bin auch aus meiner Geburtsstadt geflohen, weil ich zu ihm nach Paris wollte. Aber erzählen Sie weiter.«

»Nachdem Luc mit aus dem Kloster geholt hatte, mußte ich mich mehrere Monate verstecken. Dann konnten wir uns auf diesem Schiff einschiffen. Während wir die Piraten fürchten, zitterte ich aus Angst und Wut. Wir haben in

Reims alle Schrecken überlebt, sind dem Henker gerade entkommen und wollten ein neues Leben beginnen – und jetzt zu sterben, das wäre doch zu dumm. Haben Sie das nicht auch gedacht? Sie sind doch auch geflohen.«

»Ich weiß nicht, ob ich eine andere Wahl gehabt hätte.«

»Was würden Sie in Frankreich machen? Sie haben Ihrer Familie getrotzt, und Sie wissen ja, wie man unseren Ungehorsam bestraft.«

Einen Moment stand der Schrecken Julie im Gesicht geschrieben. Sie mußte mehrmals schlucken, bevor sie Marie fragte, ob Simon hingerichtet worden sei, weil er sie entführt habe.

»Nein. Er ist Soldat. Er ... Er ist in der Schlacht geblieben.«

»Meine arme Freundin ... Sie werden in Neufrankreich ein neues Leben beginnen. Ich bin sicher, daß Sie einen lieben Gatten finden werden. Sie haben es verdient.«

»Aber ich will nicht noch einmal heiraten«, schrie Marie.

»Sie wissen ja selbst, daß Sie es tun müssen. Die Zeit heilt alle Wunden«, sagte Julie leise.

Marie schloß die Augen. Fast hätte sie alles verraten, nur weil sie einen Augenblick unachtsam gewesen war. Sie wiederholte, daß sie keine Lust habe, noch einmal in den heiligen Stand der Ehe zu treten.

»Aber was wollen Sie denn in Neufrankreich machen? Sagen Sie bloß nicht, Sie wollen mit den Ursulinerinnen leben. Das würde ich Ihnen doch nicht glauben. Ihnen fehlt die Begeisterung, um Psalmen zu singen.«

»Ich werde Dienstmädchen bei einem reichen Bürgersmann.«

»In diesen neuen Ländern gibt es nur wenige Menschen hohen Standes«, stellte Julie fest. »Und die, wie zum Beispiel der Gouverneur oder der Magistrat, werden schon ihre Dienerschaft haben, und außerdem lehnen sie alleinstehende Frauen ab.«

»Und meine wissenschaftlichen Kenntnisse? Ich kann heilen.«

»Ach so! Dann gehen Sie also zu den Hospital-Schwestern bei Mutter Saint-Augustin?«

»Das weiß ich noch nicht.«

»Es ist sehr mutig von Ihnen, sich in die Fremde zu wagen.«

»Simon und ich haben davon geträumt, uns in den Kolonien niederzulassen. Ich will diesen Traum nicht aufgeben«, murmelte Marie, die von den Gedanken ihrer neuen Freundin verwirrt war. Sie hatte nicht auf Victor Le Morhier hören wollen, als dieser in Dieppe die gleichen Gründe angeführt hatte, aber je länger sie den Ordensschwestern zuhörte, wenn sie über das Leben in Neufrankreich berichteten, desto mehr mußte sie einsehen, daß sie sich falsche Vorstellungen von dem fremden Land gemacht hatte. Dort herrschten rauhe Sitten, und es hatte möglicherweise nicht diesen fremdländischen Reiz, von dem sie geträumt hatte.

Als sie Maries Verlegenheit bemerkte, erzählte Julie ihre Geschichte schnell weiter.

»Sie werden die einzige sein, die die Wahrheit erfährt. Ich bin also die Tochter des Grafen ...«

»Sie müssen mir nicht alles erzählen«, sagte Marie gleichgültig. In Wahrheit war sie von Neugierde zerfressen.

»Doch! Sie müssen Bescheid wissen. Sollte Luc und mir ein Unglück zustoßen und unser Kind elternlos sein, dann muß es doch jemanden geben, der seine richtige Herkunft kennt, damit er ihm alles erklären kann, sobald er es verstehen kann. Ich bin also die jüngste Tochter des Grafen von Roche-Brieux. In dem bescheidenen Gepäck, das ich mit an Bord genommen habe, finden Sie einen Siegelring mit dem Familienwappen sowie einen Karfunkelstein.«

»Das ist besser als eine Spielkarte«, versuchte Marie zu scherzen.

»Eine Spielkarte?«

»Die eine Hälfte der Karte bleibt bei dem Baby und die andere bei seinem Vater oder seiner Mutter. Wenn sie wieder zusammenkommen, dann hat man den Beweis, daß es ihr Kind ist. Aber es ist nicht richtig, daß ...«

»Ich habe beides von meinem Großvater«, schnitt Julie ihr das Wort ab. »Und Sie geben es meinem Sohn oder meiner Tochter, falls ...«

»Hören Sie auf!«

»Nein! Hören Sie mir zu! Sollte mein Kind seine Eltern verlieren, dann will ich, daß Sie sich um mein Kind kümmern. Ich will nicht, daß es bei Ordensschwestern aufwächst. Mein Vater wäre nur zu glücklich. Sie müssen es mir versprechen ...«

Marie hauchte einen Kuß auf Julies Stirn.

»Genug jetzt. Durch diese ganze Aufregung bekommen Sie nur Fieber. Ihr Gatte hat Ihnen gesagt, daß Sie sich ausruhen sollen, und er hat ganz recht. Wenn Sie sich ausgeruht haben, dann sehen Sie die Zukunft in einem ganz anderen Licht. Sie haben doch nicht monatelang in einem erbärmlichen Loch in Reims gehaust, um nun ihr Ziel aus den Augen zu verlieren. Das haben Sie selbst gesagt! Wir werden Ihr Kind in Neufrankreich taufen, und wir werden einen guten Kolonisten aus ihm machen.«

»Ach, Marie! Was würde ich ohne Sie nur machen!« flüsterte Julie zärtlich. »Sie sind so gut zu mir.«

»Also gehen Sie jetzt schlafen, wenn Sie mir einen Gefallen tun wollen«, sagte Marie und schob Julie hastig in Richtung der Kajüten, um ihre Erregung zu verbergen. Noch nie hatte ihr jemand gesagt, sie sei gut, und dieses Kompliment verwirrte sie beträchtlich. Wurde sie ihrer Mutter langsam immer ähnlicher? Hatte sie nicht nur ihre Begabung, Kranke zu heilen, geerbt? Sie mußte wieder an die Kinder von Lucie Bonnet denken. Julie hatte von Waisenkindern gesprochen … Was war wohl aus den Zwillingen geworden? Sie hatte nicht daran gedacht, sich nach ihnen zu erkundigen, als sie verheiratet gewesen war. Ihre Mutter hätte es getan. Sie hatte das Gefühl, ihre Kehle sei wie zugeschnürt, und sie versank im Anblick des Meeres. Hatte ihr Vater ihr nicht gesagt, daß er jedesmal, wenn er bedrückt gewesen sei, auf das Meer geschaut habe und daß es ihm jedesmal so vorgekommen sei, als tanzten die Wellen nur, um seine Traurigkeit zu vertreiben?

Wie stolz wäre er auf seine Tochter gewesen! Sie überquerte den Atlantik und bewies jedem, daß sie die Tochter eines Matrosen war. Sie hatte sich nicht ein einziges Mal seit ihrer Abreise in Dieppe erbrochen, und sie hatte weder geschrien noch geweint, als die Meldung gekommen war, daß feindliche Flaggen gesichtet worden seien. Sie hatte sich vielmehr dem Schiffsarzt vorgestellt und ihm gesagt, daß sie ihm helfen könne, falls es Verletzte gäbe. Ganz im Gegensatz zu dem, was sie angenommen hatte, hatte dieser Mann ihren Vorschlag bereitwillig angenommen.

»Zwei sind sicher nicht zuviel, falls unser Schiff geentert wird. Aber glauben Sie wirklich, daß Sie so ein Gemetzel ertragen können? Das ist kein schöner Anblick. Schlimmer als das: Die Hölle ist ein Paradies im Vergleich mit diesem Spektakel.«

»Ich weiß«, hatte Marie geantwortet. »Aber wir können

dieser Aufgabe kaum gerecht werden. Wir haben nicht auch noch Zeit, über unsere Gefühle nachzudenken.«

»Hoffen wir, daß wir verschont werden«, hatte der Schiffsarzt gesagt, und er hatte sich bekreuzigt. »Auf daß wir diese armen Burschen nicht zusammenflicken müssen.«

»Sie zweifeln also nicht an meinen Fähigkeiten?«

»Der Kapitän hat mir von Ihnen erzählt. Und Ihre Schwesterntracht spricht für sich. Sie dürften wohl schon so manchen Verletzten gesehen haben.«

»Und viel Blut«, erwiderte sie nur.

»Wir werden ja sehen.«

Es gab nichts zu sehen, und während Marie sich für die unendliche Weite des Himmels, der am Horizont bläulich schimmerte, begeisterte, erinnerte sie sich an den Gesichtsausdruck der Matrosen, nachdem sie ohne Zwischenfälle die englische Küste hinter sich gelassen hatten. Ihre Gesichter strahlten dermaßen, daß einige Matrosen fast hübsch aussahen.

»Träumen wir?« fragte Victor Le Morhier, als er mit zwei Laternen, die er vorsichtig in der Hand hielt, an ihr vorbeiging.

»Wohin gehst du?«

»Ich bringe sie zum Quartiermeister. Aber wir können nach dem Abendessen miteinander sprechen. Dann ist meine Wache zu Ende.«

»Der Mann von Julie wird dich abholen und zu mir bringen. Vielleicht kommt auch René Blanchard.«

»Ich kenne deinen Blanchard nicht.«

»Das ist der Schmied, mit dem du vorgestern gesprochen hast. Er ist mit seiner Frau und seinen beiden Söhnen an Bord gekommen. Der ältere ist drei Jahre alt und der jüngere sechs Monate. Und Emeline hat viel Milch.«

»Milch? Na und?«

»Und? Ich habe dabei an Julie gedacht. Der Wind läßt uns schon wieder im Stich, und die Überfahrt wird sich dadurch um Wochen verzögern. Julie bringt ihr Kind auf diesem Schiff zur Welt, und ich befürchte, daß sie ihr Kleines nicht stillen können wird. Sie hat zwar wieder Appetit, aber sie ist noch schwach. Und wer weiß, was wir in ein, zwei Monaten noch zum Beißen haben werden. Dann wird auch Emeline keine Milch mehr haben. Ich habe Angst um Julie, Victor. Ich habe noch nie entbunden …«

»Mach dir keine Sorgen! Du wirst es genausogut machen wie deine Mutter. Ich muß gehen! Die Laternen sind schwerer als Blei.«

Er scherzte nur, um seine Beunruhigung zu verbergen. Er wußte, daß Marie recht hatte. Er hatte im Morgengrauen gehört, wie der Schiffskoch gejammert hatte, daß er kein Fleisch mehr habe, daß es ab heute nur noch einmal in der Woche Speck gäbe und daß die Männer sich gewiß beschweren würden.

Was sie auch kurz darauf machten! Wie übrigens auch die Passagiere, die nur schlecht die Bedingungen, unter denen sie hier leben oder vielmehr überleben mußten, ertragen konnten. Nur die Ursulinerinnen ertrugen, ohne mit der Wimper zu zucken, die Situation, und Marie fing an, Schwester Sainte-Blandine zu mögen. Sie war vielleicht streng, aber sie hatte gute Nerven, und Marie schätzte diese Eigenschaft so sehr, daß sie die Schwester nun als Vorbild nahm.

Ohne daß es ihr bewußt war, veränderte die Überfahrt ihren Charakter, und nach und nach verlor sie ihre Launenhaftigkeit. Sie konnte sich schlecht wie die anderen Frauen beim Kapitän beklagen und dann hoffen, daß er sie ernst nahm. Also biß sie die Zähne zusammen und strengte sich an, die widrigen Umstände der Reise zu vergessen. Julie, die ihr vollkommen vertraute, zwang sie, ihre Rolle als Krankenschwester ernst zu nehmen, und sie wurde langsam aber sicher immer selbstloser. Mittlerweile kannte sie alle Passagiere. Sie hatte ihnen Mittel gegen Seekrankheit, Kopfschmerzen und Koliken gegeben, hatte Fieber geheilt und eine Schwester beruhigt, die sich in anderen Umständen geglaubt hatte, da ihre Monatsblutung wie auch bei vielen anderen Frauen ausgeblieben war. Die Fähigkeiten Maries hier an diesem Ort, wo gegenseitige Hilfe lebensnotwendig war, brachten ihr die Sympathie der Reisenden ein. Zum erstenmal in ihrem Leben hing die Freundschaft, die man für sie empfand, nicht von ihren schönen Haaren oder der Farbe ihrer Augen ab.

Victor war froh, daß Marie endlich ihr großes Herz bewies, aber er sagte ihr nichts davon. Es war besser, der jungen Frau nicht zu sehr zu schmeicheln. Er versuchte weiterhin, sie zu überreden, mit ihm nach Frankreich zurückzukehren, auch wenn er nur wenig Hoffnung hatte. Vor zehn Tagen hätte er schwören können, daß sie keine Lust mehr habe, den Boden Neufrankreichs zu betreten und daß sie sich ihm anschließen würde. Sie hatte aber wieder ihre Meinung geändert, und ihm gesagt, daß sie dort als Heilerin arbeiten könne, ohne dasselbe Schicksal wie ihre Mutter erleiden zu müssen.

»Alle Passagiere wollten, daß ich mich um sie kümmere, falls sie dort ein Kind bekommen würden. Sollten wir eines Tages einen Fuß in dieses Land setzen ... Hat der Himmel denn kein Erbarmen mit uns? Diese Überfahrt ist ein richtiges Martyrium.«

»Spotte nicht!«

»Ich denke ja nicht an mich, sondern an Julie. Sie ist im achten Monat schwanger. Ja! Ich sehe an deinem überraschten Blick, daß du es nicht gewußt hast. Keiner hat es gewußt. Sie ist so zart. Sie verträgt es nicht mehr, Wein statt Wasser zu trinken. Ich weiß nicht, was geschehen wird …«

»Du weißt es nicht, also!« schrie Victor. »Man darf die Hoffnung nicht aufgeben.«

»Ich wünsche mir fast, daß wir ein Schiff kreuzen.«

»Und daß die Piraten dann über unseren Hunger lachen.«

»Sie könnten keine reiche Beute machen«, spottete Marie.

Victor übertraf sie noch mit seinen Spötteleien, da er wußte, daß man die Angst oft nur mit Witzen vertreiben konnte.

»Sie sollten uns bei der Rückfahrt aufspüren, wenn der Laderaum von Tierfellen überquillt. Jetzt ist er leer, und außer einigen Truhen, die die Ursulinerinnen mit Büchern vollgestopft haben, ist dort nichts zu holen. Ich bin nicht sicher, ob die Piraten etwas anderes als Flaggen oder Fahnen entziffern können. Marie? Was ist los?«

Sie hatte ganz plötzlich aufgehört zu lachen und die Augen geschlossen. Nach einer Weile gestand sie Victor, daß sie durch die Erwähnung der Piraten wieder an ihren Schatz denken mußte, den Saint-Arnaud nun vielleicht in Händen hielt, während sie auf einem Schiff vor Hunger starb.

»Wie soll er ihn denn gefunden haben? Er hat weder den Schluß des Rätsels noch den Anfang. Aber wenn er den Matrosen gekauft hat?«

»Dann hätte dieser ja zu Saint-Arnaud gehen müssen, und dein Vater hätte einem solchen Mann sicher nicht vertraut.«

»Aber er kann tot sein, bis ich wieder in Nantes bin.«

»Daran habe ich auch schon gedacht. Kehre mit mir zurück und bleibe in Dieppe. Das habe ich dir doch schon hundertmal gesagt. In dieser Zeit versuche ich dann, den Matrosen ausfindig zu machen.«

»Dann könntest du ja auch zu Simon gehen.«

»Simon Perrot? Warum denn das?«

»Ich habe seit unserer Abreise viel nachgedacht. Was sich bei Jules Pernelle abgespielt hat, ist schrecklich. Aber er hat Guy Chahinian verraten, und wenn dieser nun eingekerkert worden ist, dann wird das schon seinen Grund haben.«

»Wie kannst du nur so etwas sagen! Du bist doch selbst zu Unrecht angeklagt worden. Und denke an deine Mutter! Immerhin hat Simon den Apotheker ermordet. Du hast es selbst gesagt.«

»Ja, er hat ihn getötet, aber nur weil er sich widersetzt hat, als Simon auch ihn festnehmen wollte. Simon hat sich nur verteidigt. Außerdem hat er seine Pflicht als Musketier erfüllt. Er hat nur seine Befehle befolgt.«

»Wie die, die dich im Kerker gedemütigt haben? Er ist nie Musketier gewesen.«

»Das sagst du doch nur so.«

Victor wäre fast von dem leeren Faß, auf dem er saß, gefallen. Liebte sie Simon Perrot immer noch, daß sie so für ihn eintrat? Victor murmelte, daß Simon verheiratet sei. Hatte sie das vergessen?

»Ich weiß«, sagte Marie gereizt. »Aber vielleicht ist seine Frau …«

»Seine Frau?«

»Im Wochenbett gestorben.«

»Marie, du bist ein Ungeheuer.«

»Nein! So ist das Leben. Eine Menge Frauen sterben auf diese Weise. Falls das Kind überlebt, kann er es ja nicht alleine aufziehen, nicht wahr? Ich könnte mich darum kümmern.«

»Wenn es nur darum geht, ihm deine hübsche Moral einzutrichtern, dann wäre es besser, das Kind würde mit der Mutter sterben. Du hast doch gerade noch von Julie gesprochen, und daß du alles tun würdest, um sie zu retten.«

Mit diesen Worten stand Victor auf, ließ Marie stehen und rannte fluchtartig davon. Als sie ihm nachsah, biß sie sich auf die Lippen. Sie war wütend und traurig, denn er hatte ja recht. Sie hätte ihm gern gesagt, daß sie den Tod von Simons Frau nicht ernsthaft erhoffe, daß sie nur wünsche, daß diese Frau aus seinem Leben verschwinde. Aber wie sollte sie ihm das erklären? Glücklicherweise hatte sie ja auch noch Julie. Marie sprach oft mit ihr über Simon und erzählte ihr über die Zeit in Nantes. Über die Pariser Ereignisse sprach sie jedoch nicht.

Die junge Frau wagte nicht, danach zu fragen, da sie befürchtete, schmerzliche Erinnerungen zu wecken. Sie hatte sogar den Mitreisenden geraten, in dieser Sache Zurückhaltung zu üben. Maries tragische Liebe hatte einige sehr berührt, und sie bewunderten sie, weil sie sich aus Treue zu Simon eingeschifft hatte, auch wenn einige festgestellt hatten, welche Begeisterung Victor Le Morhier ihr gegenüber an den Tag legte. Es war sehr schade, daß Victor nicht vorhatte, sich in Neufrankreich niederzulassen. Er mußte ziemlich verliebt in die junge Witwe sein.

Er war es auch. Es gelang ihm nicht, Marie länger als eine Woche die kalte Schulter zu zeigen, auch wenn er immer daran denken mußte, daß sie Simon Perrot liebte. Er ermunterte sie von nun an, in Neufrankreich zu bleiben. Wer weiß, ob sie nicht versuchen würde, Simon wiederzusehen, wenn sie in Dieppe wohnte? Je weiter sie von ihm weg war, desto besser. Er sagte zu ihr, daß sie eine ausgezeichnete Hebamme sein würde und die Menschen eines

Tages nach ihr rufen würden. Aber sie dürfte sich mit den Kirchenbehörden nicht überwerfen.

»Du brauchst die Zustimmung eines Priesters, um zur Matrone ernannt zu werden. Schwester Sainte-Blandine hat vielleicht eine etwas schroffe Art, aber sie ist ganz vernünftig.«

»Ich weiß!« gab Marie zu.

»Du solltest dich gut mit ihr halten. Sie kann dir dort helfen.«

»Falls wir überhaupt dort ankommen. Wir haben kaum noch Wasser. Bald müssen wir Erbsen und dicke Bohnen in Meerwasser kochen.«

Victor schüttelte den Kopf.

»Nein! Sieh dir doch den Himmel an. Er ist nicht mehr so klar wie vorher. In der kommenden Nacht werden Kometen am Himmel zu sehen sein. Es wird Wind aufkommen, das schwöre ich dir. Wenn mein Freund Cléron hier wäre, dann würde er mit mir wetten, und er verliert niemals im Spiel.«

»Wenn du nur recht hättest! Julies Kind würde dann auf dem Festland geboren werden.«

Victor hatte recht behalten. Alle Passagiere sahen mit Erleichterung, wie Topsegel, Marssegel, Großsegel, Rahsegel, Focksegel und Kreuzmarssegel vom Wind gebläht wurden. Wie durch ein Wunder lagen die Hanfsegel stolz im Wind, und die Menschen hatten den Eindruck, als spannten die Segeltücher sich immer mehr und als flöge das Schiff nun dahin, um die verlorene Zeit wieder aufzuholen. Das Schiff glitt durch das Wasser und zerteilte die Gischt. Ein Passagier behauptete, daß ein Schiff mit einem Gewicht von fünfhundert Tonnen einmal einige tausend

Meilen zurückgelegt habe, ohne das Wasser zu berühren, da der Wind es so schnell durch das Wasser gejagt habe. Schwester Sainte-Blandine sagte, daß Jacques Cartier, der Entdecker Neufrankreichs, einmal die gleiche Überfahrt wie sie in drei Wochen geschafft habe. Erstaunte Ausrufe wurden laut, und der Kapitän fügte zur allgemeinen Freunde hinzu, daß bald Land in Sicht sei.

Alle Passagier taten ihre Meinung zu dieser freudigen Nachricht kund, ohne zu ahnen, daß schon eine Stunde später die Freude wieder durch neue Schrecken vertrieben sein würde. Als ein blutüberströmter Mann vor ihnen auftauchte, kurz taumelte und dann vor den Füßen des Kapitäns zusammenbrach, waren alle einen Moment wie erstarrt, bevor sie losschrien. Der Kapitän war etwas erleichtert, als er sah, daß sich Marie LaFlamme ohne zu zögern auf den Verletzten stürzte. Als er sich zu dem Schiffsarzt hinunterbeugte, hörte er ihn röcheln ›Vorratskammer! Vorratskammer!‹. Die Matrosen rannten sofort dorthin, während Marie Paul Leclerc versprach, ihn zu retten. Er hatte zahlreiche Verletzungen am Arm und an den Fingern, als ob er versucht hätte, mit der bloßen Hand eine Klinge zu ergreifen. Obwohl sein linker Zeigefinger der Länge nach aufgeschnitten war, entschloß sich Marie, zuerst die Schnittwunden an den Handgelenken zu behandeln. Sie nahm mit einer Hand ihren Schleier vom Kopf, mit der anderen nahm sie das Messer des Kapitäns, schnitt den Stoff durch und band den Unterarm damit ab, um die Blutung zu stillen. Dann erst kümmerte sie sich um den aufgeschnittenen Zeigefinger. Die Wunde war nicht so schlimm wie sie aussah, da nur das Fleisch betroffen war. Als sie die Augen hob, um jemanden zu bitten, ihre Tasche zu holen, stellte sie fest, daß Schwester Sainte-Blandine versuchte, die Leute zu vertreiben, damit diese Marie nicht das Licht nahmen. Beide wurden in diesem Moment von einer Welle der Zuneigung erfaßt. Sie wagte es daher, die Schwester um ihre Pülverchen zu bitten, und die Ordensschwester brachte ihr so geschwind ihren Schultersack, daß beide offenherzig lachten.

Schwester Sainte-Blandine wollte sie gerade fragen, ob sie ihr helfen könne, als ein schrecklicher Schrei die Stille zerriß. Die beiden Frauen drehten sich um und sahen vier Männer, die ihnen zwei Leichen vor die Füße legten.

Julie Laflandre schrie so laut, bevor ihr die Sinne schwanden, daß die Anwesenden den Eindruck hatten, sie noch schreien zu hören, als sie die Besinnung schon verloren hatte. Marie stand auf und sah, daß einer der Toten Luc Laflandre war. Sie wollte zu Julie eilen, aber Schwester Sainte-Blandine hielt sie zurück.

»Ich kümmere mich um sie, und Sie verbinden den Schiffsarzt weiter.«

»Beten Sie, ich flehe Sie an, beten Sie, daß sie ihr Kind behält«, sagte Marie und bekreuzigte sich.

»Ich habe Angst, daß ihre Wehen schon bald einsetzen, mein Kind, aber die Heilige Jungfrau wird ihr beistehen.«

Marie dachte, daß das nicht ausreichen würde und daß alle Heiligen ihr helfen müßten, aber sie wollte die einzige Person, die sie tatkräftig unterstützte, nicht vor den Kopf stoßen. Die Frauen weinten, die Männer liefen hin und her oder standen ratlos vor dem Schiffsarzt. Marie bedauerte, daß die Passagiere keine Aufgaben hatten wie die Matrosen, um sich abzulenken. Trotz ihrer Neugierde waren die Matrosen auf ihrem Posten geblieben. Sie mußten auf ihre Wachablösung warten, bis sie erfahren würden, was geschehen war. Der Kapitän ging zu Marie, die nun alle Wunden des Schiffsarztes verbunden hatte. Während sie ihrem Patienten sagte, daß der Schnitt so sauber sei, daß sie hoffte, den Finger zu retten, legte sie die Wundränder aneinander und puderte sie mit Bärlapp ein, um die Narbenbildung zu beschleunigen. Sie erfuhr, als sie den Zeigefinger verband, daß der Schiffsarzt einen Matrosen überrascht hatte, der gerade dabei war, Luc Laflandre zu erdolchen. Er war dem Angreifer an die Kehle gesprungen. Für Luc Laflandre jedoch kam seine Hilfe zu spät.

»Ich mußte ihn wieder loslassen, weil er mich mit seiner Klinge verletzt hatte, aber ich habe ihn in mein Zimmer geworfen und ihm einen Schlag mit einer Zange versetzt. Er war so überrascht, daß er seinen Dolch fallenließ. Als er sich auf ihn warf, um ihn aufzuheben, habe ich ihm einen Tritt in den Hintern versetzt, und er ist auf die Waffe gefallen. Das ist alles, was ich weiß.«

Der Kapitän erfuhr bald, was passiert war. Dort, wo der Kampf stattgefunden hatte, hatte man Brot sowie Zwieback gefunden, und die Tür der Vorratskammer war aufgebrochen. Der Matrose war dabei, Lebensmittel zu stehlen, und Luc Laflandre hatte ihn auf frischer Tat ertappt. Aus Angst, wegen des Diebstahls der Nahrungsmittel ausgepeitscht oder getaucht zu werden, hatte der Mann Luc Laflandre ein für allemal zum Schweigen gebracht. Er hatte ihn gerade getötet, als der Schiffsarzt sich beherzt einmischte.

Es half Julie Laflandre wenig, daß sie erfuhr, ihr Mann habe sich ehrenhaft verhalten, indem er sich einen verbrecherischen Plan in den Weg gestellt habe. Als sie die Augen wieder aufschlug, da schrie sie mit einer solchen Verzweiflung seinen Namen, daß so mancher dieser so abgehärteten Männer ihre Tränen nicht zurückhalten konnten und sich fragten, ob ihre Frauen, die sie zu Hause zurückgelassen hatten, sie auch so sehr liebten. Marie weinte mit ihrer Freundin. Es gelang ihr, sie von dem Leichnam ihres verstorbenen Gatten wegzuziehen, und sie in die Kajüte des Schiffsarztes zu bringen. Wie befürchtet, hatte der Schock die Geburt eingeleitet.

Obwohl Julie schon das Fruchtwasser verloren hatte, setzten die Wehen erst in der Nacht ein. Ihre Schmerzensschreie vermischten sich mit dem ängstlichen Gejammer der Passagiere, und der Schiffsprediger las zwei zusätzliche Messen, um Gott zu bitten, Julie Laflandre zu retten. Die Ordensschwestern hatten keine Schwierigkeiten, die Passagiere zum Gebet mit ihnen anzuhalten, solange die Geburt dauerte.

Das Ave Maria folgte auf das Vater Unser und das Confiteor, aber Marie hörte von alledem nichts. Sie kämpfte, um Julie und ihr Kleines zu retten, das sich weigerte, das Licht der Welt zu erblicken. Schwester Sainte-Blandine löste sie nach zehn Stunden ab, aber sobald sie sich etwas gestärkt hatte, kam Marie schon wieder zurück, da sie zu beunruhigt war, um sich auszuruhen. Sie hatte ihrer Freundin Belladonna gegeben, um die Geburtsschmerzen zu mildern. Julie phantasierte, aber Marie wußte, daß sie auch noch nach Nachlassen der berauschenden Wirkung des Krautes phantasieren würde. Das Fieber verwirrte ihre Sinne. In ihren lichten Momenten fragte Julie immer wieder, ob Luc wirklich tot sei oder ob sie träume. Danach war sie vollkommen erschöpft. Dieser Zustand war so beängstigend wie ihre Hoffnungslosigkeit. Sie hörte weder Marie noch Schwester Sainte-Blandine, die sie ermahnten, sich zu fassen und an das Kind zu denken. Julie krümmte sich vor Schmerzen, bekam kaum noch Luft und jammerte herzzerreißend. Aber es sah fast so aus, als habe sie vergessen, daß sie in den Wehen lag. Im Morgengrauen war ihr Gesicht totenbleich, ihre Haut eingefallen, und ihr Atem war unregelmäßig. Der Geruch des Todes erfüllte schon das Zimmer des Schiffsarztes, aber weder Marie noch die Ordensschwester achteten darauf. Sie versuchten Julie zu entbinden, die auch keine Kraft mehr hatte zu jammern. Schwester Sainte-Blandine hielt Julie an den Armen fest, und Marie drückte bei jeder Wehe auf ihren Bauch. Immer wieder sagte sie zu ihrer Freundin, sie müsse pressen, pressen und nicht aufhören zu pressen.

Endlich erschien der Kopf des Kindes. Alles ging so schnell, daß Marie ganz erstaunt war. Erschüttert nahm sie das kleine Mädchen mit dem zerknautschten Gesicht in ihre Arme und hob es hoch, damit es anfing zu atmen. Schnell entfernte sie den Schleim, der die Kehle und die Nasenhöhle verstopfte. Dann trank sie einen Schluck Schnaps und blies ihren Atem in den Mund des Kindes. Sie wollte gerade die Nabelschnur, die sich um den Schenkel seiner Mutter gewickelt hatte, aufrollen, um das Ausstoßen der Plazenta zu begünstigen. Doch sie hielt in ihrer Bewegung inne, als sie der Blick Schwester Sainte-Blandine traf, die ihr ein Tuch gab, in das sie das Neugeborene wickeln konnte. Die Ordensschwester stellte sich genauso hin, daß der Blick auf ihre Freundin versperrt war, und die neue Hebamme wußte sofort, daß Julie tot war.

»Gehen Sie mit dem Kind hier weg«, befahl ihr sogleich die Schwester. »Ich kümmere mich um Julie. Ich werde sie waschen und anziehen. Sie haben getan, was Sie konnten, und dank Ihrer Hilfe hat ein kleines Mädchen das Licht der Welt erblickt. Es soll nicht die übelriechenden Gerüche dieses Zimmers einatmen. Gehen Sie, Marie! Gehen Sie mit dem Baby in die Sonne ...«

Marie, von widersprüchlichen Gefühlen ganz verwirrt, gehorchte Schwester Sainte-Blandine. Sie drückte das Kind an ihr Herz, und als sie auf die Brücke kam, wurde sie von der Sonne geblendet, einer klaren, freundlichen, unerbittlich strahlenden Mittagssonne. Erschöpft dachte sie an ihre Mutter. Als ein Sonnenstrahl auf den Kopf des Säuglings schien, konnte man sehen, daß er genauso rote Haare hatte wie sie. Da wußte sie, daß sie es lieben würde. Sie weinte sich eine ganze Weile vor Freude, Kummer und Erleichterung bei Victor aus. Er war so stumm wie sie, und erst Emeline Blanchard brach die Stille. Nachdem sie ihre Augen getrocknet hatte, ordnete sie an, daß man dem Baby die Brust geben müsse. Sie streckte ihre Arme nach dem Baby aus, aber Marie weigerte sich zuerst, sich so schnell von ihrem kleinen Mädchen zu trennen. Dann stimmte sie unter der Bedingung zu, bei Emeline bleiben zu dürfen. Eine Ordensschwester fing an zu staunen, als sie den Frauen beim Stillen zusah. Gott war wirklich großherzig und weise, alles genau vorauszusehen.

Emeline Blanchard lachte, als sie das Baby nahm.

»Mein Kleiner wird ihr zeigen, wie man es macht! Machen Sie sich keine Sorgen. Ich habe genug Milch, selbst wenn sie sie am Anfang ablehnen wird.«

Das Lachen Emeline Blanchards nahm den Matrosen und Passagieren den ganzen Kummer, der ihnen, seitdem der Schiffsarzt vor sechsundzwanzig Stunden aufgetaucht war, auf dem Herzen lag. Fröhlich und aufgeregt bewegten sie sich auf Marie und ihr Mädchen zu und baten sie, alles zu erzählen. Alle bekreuzigten sich und verharrten einen Moment schweigend, als sie erfuhren, daß Julie gestorben war. Aber es hatte den Anschein, als ob sie alles Elend der letzten Stunden, der letzten Tage und der letzten Wochen mit fortgetragen habe, und die Menschen weigerten sich jetzt, durch diese schlechte Nachricht erneut in Trübsinn zu verfallen. Vor ihnen lag ein Kind, das nun lauthals schrie, und alle waren hingerissen von seinen kräftigen Schreien, da diese ihrer Meinung nach eine robuste

Natur bewiesen, auch wenn das Kind sehr klein war. Die Freude erreichte ihren Höhepunkt, als Marie erzählte, daß das Kind mit Haaren auf die Welt gekommen sei. Marie bat Schwester Sainte-Blandine bei der Taufe des Kindes anwesend zu sein. Kapitän und Schiffsprediger bestanden darauf, daß diese so früh wie möglich stattfinden solle.

»Auf welchen Namen soll das Kind getauft werden?«

»Noémie Anne Blandine«, sagte Marie mit Blick auf die Ordensschwester. »Noémie ist der Name, den Julie ausgesucht hat, Anne der Name meiner Mutter, die mich alles gelehrt hat, und Blandine ist Ihr Name. Sie sollen ihre Patin sein. Victor Le Morhier ist, so hoffe ich, einverstanden, der Pate zu sein.«

Schwester Sainte-Blandine und Victor konnten vor Ergriffenheit nur nicken, aber sie standen stolz neben dem Schiffsprediger, als er die Worte sprach, die aus Noémie eine Christin machten. Das Kind war während der kurzen Zeremonie still, und schon redeten alle über seine Sanftmut und Weisheit. Man beglückwünschte Marie und sagte ihr Glück mit einem so liebenswerten Mädchen voraus.

In der allgemeinen Begeisterung bemerkte keiner die Abwesenheit von Schwester Suzanne de Saint-Bernard, die nicht aus der Kajüte des Schiffsarztes heraufgekommen war, nachdem sie ihre Oberin geholt hatte. Obwohl sie der Oberin selbst vorgeschlagen hatte, bei Julie zu wachen, verletzte sie Maries Gleichgültigkeit. Sie hatte geglaubt, ihre Freundin zu sein. Sie hatte ihr so oft zugelächelt, und nun, da sie sich bestens mit Schwester Sainte-Blandine verstand, vergaß sie sie vollkommen.

»Wie auch Sie, Julie!« sagte sie und sah auf die Verstorbene. »Sie hält sich jetzt für die Mutter Ihres Mädchens. Wir haben in ihrem Herzen keinen Platz mehr. Wir sind für sie nur noch Luft.«

Die junge Nonne war so verärgert und enttäuscht, daß sie die Ausdünstungen des Leichnams nicht bemerkte, und sie wäre vielleicht im Knien eingeschlafen, wenn nicht zwei Matrosen den Leichnam abgeholt hätten. Bevor Gebete gesprochen wurden, schnitt Marie Noémie eine winzige Haarsträhne ab und schob sie unter die Korsage ihrer Mutter. Dann verabreichte der Schiffsprediger Julie die Absolution, und die Anwesenden besprühten die Verstorbene mit Weihwasser. Der mit einem Stein beschwerte Leichnam ging schnell im Wasser unter. Marie weinte und dachte, daß sie nun wieder mindestens sechs Monate in Trauer leben würde.

Ihre Melancholie war jedoch schnell verflogen, denn Noémies Heiterkeit war ansteckend. Nie hätte sie sich das vorstellen können. Sie hatte in ihrem Leben schon viele Kinder gesehen, aber Noémie war mit Sicherheit das schönste und das liebste.

»Ich bin übrigens nicht die einzige, die das behauptet«, sagte sie zu Victor. »Alle Frauen beneiden mich um Noémie. Ich glaube, wenn ich nicht aufpassen würde, würde Emeline es behalten.«

»Es stimmt, daß meine Nichte wundervoll ist. Schau ihre Hände an! Sie sehen fast aus wie diese Seesterne, von denen mein Vater mir erzählt hat.«

»Und ihr Mund. Hast du schon einmal so ein süßes Herzmündchen gesehen?«

Victor schaffte es soeben, seinen Drang zu unterdrücken loszuschreien, daß er schon so schöne Lippen gesehen habe, daß sie da seien, genau vor ihm, daß er manchmal eine solche Lust habe, einen leidenschaftlichen Kuß auf diese Lippen zu pressen, daß er schon glaube, verrückt zu werden. Doch er schüttelte einfach den Kopf und teilte Marie mit, daß sie morgen Tadoussac erreichen würden.

»Schon?«

»Schon!« rief Victor. »Dir konnte doch die Reise die ganze Zeit nicht schnell genug gehen. Du weißt wohl nicht, was du willst!«

»Ich bin so glücklich! Ich dachte, wir wären noch tagelang unterwegs.«

»Und weißt du, was die Matrosen sagen? Sie sagen, daß ihnen Noémie Glück bringe. Seit ihrer Geburt segelt die *Alouette* schneller denn je. Das Wetter ist herrlich; es weht eine steife Brise; die Passagiere sind geduldig. Sogar der Schiffskoch ist milder gestimmt, und er ist ja wirklich nicht einfach. Und der Schiffsarzt schwört auf dich. Es ist erst eine Woche her, und sein Finger ist fast geheilt. Du bist eine Fee.«

Marie wurde blaß. Da nahm Victor ihre Hand und entschuldigte sich.

»Ich wollte nicht … Ich …«

»Ist schon gut, Victor«, sagte sie langsam. »Aber Worte wie diese haben meiner Mutter den Tod gebracht.«

»In Neufrankreich wird dir nichts dergleichen geschehen. Keiner kommt auf die Idee, die wenigen Menschen, die dort leben, zu verbrennen. Du hast dich also entschieden? Du bleibst dort?«

»Weil du mir versprochen hast, den Matrosen für mich zu suchen. Wenn ich heute nach Nantes zurückkehren würde, dann würde Saint-Arnaud mich hinrichten lassen. In Paris wäre ich in Gefahr. In Dieppe kenne ich niemanden. Und Simon wird seine Frau im Moment nicht verlassen.«

Trotz seiner guten Vorsätze wurde Victor wieder zornig, als er den Namen Simons hörte.

»Du würdest mit einem Mann leben wollen, der so mir nichts, dir nichts seine Frau verläßt?«

476

Marie zuckte die Schultern.

»Vielleicht wird ja auch sie ihn verlassen. Ach, Victor! Versteh mich doch! Ich liebe ihn. Ich habe ihn immer geliebt. Ich kann ihn nicht so einfach aufgeben.«

Nach einem langen Moment des Schweigens fügte sie hinzu, sie wisse ja, daß sie träume, daß sie Simon Perrot wahrscheinlich niemals wiedersehen würde, daß sie niemals seine Frau und niemals seine Mätresse sein würde.

Sie irrte sich. Aber weder sie noch Victor wären im Traum darauf gekommen, daß in Neufrankreich alles möglich war, auch die seltsamsten Begegnungen. Sie wußten nichts über dieses sagenumwobene Land, das Marie schon bald kennenlernen sollte. Und sie würde es lieben.

Als die *Alouette* die Saguenaymündung erreichte, hätte Marie fast Noémie fallengelassen. Es bot sich ihr ein großartiger Anblick. Vor ihr lag ein riesiger Wald, und dort, wo der Fluß in das Waldinnere eindrang, blühten die Bäume vom Grau des Anthrazits bis zum Grün des Wermuts in allen Farbschattierungen. Marie schaute voller Sehnsucht auf dieses Fleckchen Erde. Der Fluß brach sich sanft und doch kraftvoll am Ufer. Die Fluten glänzten wie eine mit Edelsteinen gefüllte Schatztruhe, als ob der Fluß Saphire, Lapislazulise, Smaragde, Jade, Olivine, Türkise und Berylle mit sich führe. Millionen von Perlen schwammen auf den Schaumkronen, bevor sie am Rumpf des Schiffes zerbarsten. Marie ging weg, und es sah so aus, als wolle sie sich in den Fluß stürzen. Victor war sofort an ihrer Seite und hielt sie zurück. Sie drehte sich langsam um, mit majestätischer Würde und zarter Zuversicht, als ob sie die königliche Haltung des Sankt-Lorenz-Stromes angenommen habe.

Nie war sie so schön gewesen, so strahlend, so gebieterisch. Ihr Blick hatte sich auf die bläulichen Berge geheftet, die schnell an der *Alouette* vorüberzogen, und es schien Victor, daß er sich in diesem seltsamen Labyrinth von Maries Schönheit verirren würde und daß er niemals wieder zurückkehren könnte, wenn er die junge Frau noch länger anschaute.

»Als ich eben den Fluß bewundert habe, habe ich einen Moment gedacht, daß ich meinen Schatz wiederbekommen werde. Es ist ein Zeichen, Victor Le Morhier, ein Zeichen, daß du wiederfinden wirst, was mir gehört. Ich werde hier ein Jahr mit meiner Tochter, mit deiner Nichte, auf dich warten.«

Sie hatte gesagt: *Ich werde auf dich warten!* Victor ging zu ihr und schwor, daß er ihr den Schatz bringen werde. Und er schwor sich im stillen, daß sie durch ihn Simon Perrot vergessen würde.

Eines Tages würde sie Marie Le Morhier heißen.

Eines Tages würde sie ihn wirklich lieben.

ENDE

Historische Romane